國家『十五』重點圖書出版規劃項目

國家古籍整理出版『十五』重點規劃項目

國家教委人文科學研究『九五』規劃項目

全國高等院校古籍整理研究工作委員會『十五』重點項目

江蘇省『十五』重點圖書出版規劃項目

全國古籍整理出版規劃領導小組資助出版

李修生　主編

全元文

鳳凰出版社

8

圖書在版編目（CIP）數據

全元文. 8 / 李修生主編. -- 2版. -- 南京 : 鳳凰出版社, 2017.5
ISBN 978-7-80643-027-9

Ⅰ. ①全… Ⅱ. ①李… Ⅲ. ①古籍－匯編－中國－元代 Ⅳ. ①Z424.7

中國版本圖書館CIP數據核字(2017)第078622號

書　　名　全元文(八)
主　　編　李修生
責任編輯　卞　岐
出版發行　鳳凰出版社(原江蘇古籍出版社)
　　　　　發行部電話025-83223462
出版社地址　南京市中央路165號,郵編:210009
出版社網址　http://www.fhcbs.com
照　　排　南京理工出版信息技术有限公司
印　　刷　上海世紀嘉晋數字信息技術有限公司
　　　　　上海市匯金路899號,郵編:201700
開　　本　850×1168毫米　1/32
印　　張　27.375
字　　數　585千字
版　　次　1998年12月第1版　2017年5月第2版
　　　　　2017年5月第3次印刷
標準書號　ISBN 978-7-80643-027-9
定　　價　152.00圓
(本書凡印裝錯誤可向承印廠調换,電話:021-69214197)

《全元文》編纂工作委員會

顧　問（以姓氏筆劃爲序）

白壽彝　周　林　郭預衡　啓　功　劉迺和

鍾敬文

主　編

李修生

副主編

龍德壽　曾貽芬　李夢生　吳小平　彭久安

編　委（以姓氏筆劃爲序）

王明澤　卞　岐　朱瑞平　李　軍　李　鳴

李修生　李夢生　何本方　吳小平　邱居里
邱瑞中　卓連營　周少川　姜小青　查洪德
徐　勇　曾貽芬　張文澍　郭立傑　彭久安
鄧瑞全　樊善國　魏崇武　龍德壽　羅　超

資料工作人員

李仲祥　楊玉芬

第八册責任編委

曾貽芬　李　軍

目録

全元文卷二四五

王鶚 一

全元文卷二四六

王鶚　二

全元文卷二四七

曾冲子

全元文卷二一四八

何夢桂 一

全元文卷二一四九

何夢桂 二

全元文卷二二五〇

何夢桂 三

全元文卷二五一

何夢桂　四

全元文卷二二五二

何夢桂　五

全元文卷二五三

何夢桂　六

全元文卷二二五四

胡次焱　一

全元文卷二二五五

胡次焱　二

全元文卷二二五六

胡次焱 三

全元文卷二一五七

全元文卷二二五八

全元文卷二二五九

黄仲元　二

全元文卷二一六〇

黄仲元 三

全元文卷二六一

黄仲元　四

全元文卷二六二

全元文卷二六三

魏初 一

全元文卷二六四

魏初 二

全元文卷二六五

魏初 三

全元文卷二一六六

魏　初　四

全元文卷二六七

魏　初　五

全元文卷二一六八

劉辰翁 一

全元文卷二二六九

劉辰翁 二

全元文卷二七〇

劉辰翁 三

全元文卷二七一

劉辰翁　四

全元文卷二七二

劉辰翁 五

全元文卷二一七三

全元文卷二一七四

劉辰翁 七

全元文卷二七五

劉辰翁 八

全元文卷二一七六

劉辰翁 九

全元文卷二七七

劉辰翁　一〇

全元文卷二二七八

劉辰翁 一一

全元文卷二一七九

劉辰翁　二二

全元文卷二八〇

劉辰翁　一三

全元文卷二八一

全元文卷二一八二

金履祥　二

全元文卷二一八三

金履祥 三

全元文卷二一四五

王鶚一

王鶚（一一九〇——一二七三），字百一，曹州東明（今山東東明南）人。金正大元年（一二二四）進士第一，授應奉翰林文字。仕金累擢尚書省左右司郎中。金亡時，被萬户張柔所招納，館於保定十餘年。忽必烈在藩邸，遣使聘之，進講經史及齊家治國之道，古今事物之變，甚得禮重。世祖即位，首授翰林學士承旨。制誥典章，多所裁定。至元元年（一二六四），加資善大夫。奏立史院，纂修遼、金二史，又奏立翰林學士院，薦李冶、李昶、王磐、徐世隆、高鳴為學士，復奏立十道提舉學校官。至元五年致仕，十年卒，年八十四。謚文康。《元史》卷一六〇有傳。著作有《論語集義》一卷、《汝南遺事》二卷、《應物集》四十卷。本書收王鶚文二十二篇。

即位詔

（文見元世祖）

中統建元詔

（文見元世祖）

賜高麗國王曆日詔

（文見元世祖）

中統元年正月赦

我國家列祖肇基，先皇繼統，惟圖日闢於疆宇，未免歲糴於兵威。事有當為，時難遽已。朕獲承丕祚，已降德音。念士卒暴露者久之，而人民離散者多矣。干戈載戢，田里俾安。不期同氣之中，俄有鬩牆之侮。顧其沖幼，敢啟兹謀，皆被姦讒，相濟以惡。彼既階於禍亂，此當應以師徒。朕惟父母兄弟之親，宗廟社稷之重，遣使敦諭，至于再三。亂紀執迷，曾無少革，以致宗族共怒，戈甲乃興。重念兵方弭而復徵，民甫休而再擾。危疑未釋，反側不安。詿誤者至及於無辜，拘囚者或生於不測，非朕本意，藹然傷心。宜推曠蕩之恩，普示哀矜之意。於戲！悛心或啟，忍加管蔡之刑；内難既平，迓續成康之治。（元至正西湖書院本《國朝文類》卷九）

至元改元詔

（文見元世祖）

雲山集序 至元二年

道行乎教，非文不宣，蓋將以詔衆而傳遠也。自黄帝、老子垂世立教，已有《陰符》、《道德》二經出焉。其後文、亢、列、莊，立言滋多，逮及唐、宋，著譔彌廣，皆所以發天人秘密，示學者之津梁。宋末金初，有所謂全真家者，以心傳心，不立文字。然重陽祖師以降，急於化人，皆有教言，以惠後學。近世栖雲大老，化導緣深，語録一編，高出前輩。一傳而得吾知常，于心地坦明，問學該贍，六十四卦，八十一章，咸有解釋，而又作《南華解義》、《冲虚斷章》，言簡而意足，義深而理明，其可謂黄冠中之錚錚鉸鉸者爾。間於應物之際，游戲翰墨，其賦詩歌論，碑記雜文，娓娓可觀，號《雲山集》。長安裴憲子法已叙之於前，其友李君提舉復求余説綴於後。余與知常有平昔之好，嘗為作《易解後序》，今何辭焉。歲

旃蒙赤奮若，慎獨老人東明王鶚百一序。（明正統《道藏》本《雲山集》卷一）

滹南遺老集引

海迷失后元年

予以剽竊之學，由白衣入翰林，當代鉅公，如趙閑閑、楊禮部、滹南先生，皆士林儀表，人莫得見之，而一旦得侍几硯。渾源雷晞顔、良鄉王武升、河中李欽叔，亦稱天下之選，而十年得遇從游。故予嘗自謂：「叨取科第，未足為幸，而忝厠英游之末，玆所以為幸也歟？」玉堂東觀，側耳高論，日夕獲益實多。然愛予最深，誨予最切，愈久愈親者，滹南先生一人而已。先生性聰敏，蚤歲力學，以明經中乙科。自應奉文字，至為直學士，主文盟幾三十年。出入經傳，手未嘗釋卷。為文不事雕篆，唯求當理，尤不善四六。其主名節，區別是非，古人不貸也。壬寅之春，先生歸自范陽，道順天，為予作數日留。以手書四帙見示曰：「吾平生頗好議論，嘗所雜著，往往為人竊去，今記憶止此，子其為我去取之。」予再拜謝不敏。明年春，先生亡矣。越四年，其子恕見予于燕京，予盡以其書付之。又二年，藁城令董君彦明益以所藏，釐為四十五卷，與其丞趙君壽卿，倡議募工，將鏤諸板，以壽其傳，囑為引。予為先生之學之大，本諸天理，質諸人情，不為孤僻崖異之論。如三老、三宥、五誅、七出之説，前賢不敢議，而先生斷之不疑，學者當于孔孟而下求之，不然，殆為不知先生也。先生諱若虚，慵夫其自號云。歲屠維作噩閏月初吉日，後進東明王鶚歛衽書。（一九三四年《續修藁城縣志》卷一二）

神應王廟記

臣聞醫之有益於世，尚矣。自神農氏嘗百草以救民疾苦，而《本草》出焉，軒轅氏與岐伯問答至道，而《内經》、《素問》出焉。唐虞三代，靡不由之，下至列國，以醫名世者浸多。蓋奇傑之士，遇時平主聖，則坐廟堂為卿相，以福天下。其或生不遇時，材無所施，往往隱於醫流，蠲疴起廢，拯羸劣，獲安全，躋之壽考之域。顯晦雖殊，原其用心之仁，則一也。王姓秦氏，名越人，渤海鄚人也。少為舍長，一日舍客長桑君過，知其非常，傳諸禁方，飲以上池之水。自是外以診脈為名，而内見病者五臟癥結，湔腸滌垢，其效如神。乃遊四方，隨俗應變。嘗過趙，適簡子病，五日不知人，告以秦穆公事，簡子病愈。即中邱之蓬山，賜田四萬畝，時往來居之，因易名蓬鵲。王薨，數有靈異，或入宵寢，或降藥餌，皆能愈人奇疾。漢唐以來，像而祀之者舊矣。五季之末，數經殘圮。周顯德中，安國軍節度使陳思讓為重修之。是時碑刻已有王稱，未知封自何代。宋嘉祐初，仁宗不豫，遣使詣廟求醫，使未至而疾愈，始降璽書，賜號神應。至熙寧間邢州守李光禄、金明昌間内邱令趙實亦嘗修之，而皆非朝命。一經劫火，焚蕩無餘，四方祈禱者，但為位以祭。今上皇帝之在潛也，知州民久困，自職撫綏，以廟在境内，嘗遣使致祭祠所。使還，乘間言其廢狀，時上默有崇起之意。及故提典太醫院顔公天翼乞致仕，遂令主其廟而修焉。凡歲收香火之資，半以修廟，餘令贍其家。天翼，良醫也。徵赴闕庭二十餘載，診治調護，宣力爲多。既受命，鳩材募工，從事匪懈。無何志願未遂，而遽爾云亡。夫人張氏、子伯禄，繼志述事，克成厥功。次子伯祥，承奉御側，奏乞勒貞石貽後世。制可，以付臣鶚。臣昔兄事天翼，義均同氣，濫膺寵委，謹追録遺事，拜手稽首而爲之銘。銘曰：

蓬山蒼蒼，褒水洋洋。彼有人焉非常，儼立祠於其旁。厥初禁方，得之長桑。滌垢湔腸，病常愈於膏肓。邦人不忘，祀事孔彰。披衮而裳，垂旒而王。廟經兵荒，廢爲荆榛瓦礫之場。崇起有時，待我聖皇。厥初顔尹，崇命是將。志願未畢，遽爾云亡。繼志有人，伯禄、伯祥。落成之日，功歸廟堂。勒諸豐碑，令聞載揚。王其有靈，降福穰穰。躋斯民於仁壽之域，而衍聖祥於無疆。

（清同治十年《畿輔通志》卷一七六）

創建宣聖廟記

夫孔子之道，窮天地，亘萬世，大而能博，久而益彰，歷化垂不易之教，唯孔子一人而已。自唐以下，郡縣通得立廟，著之與禮，春秋二仲祀之，必用王者事，其爲執也宜。碭山之爲縣也，介于楚宋，舊屬單州，聖朝開國，遂隸東平。初金大定間，水况其城隅，逼民以遷於魚山，由是人不得安食者有年矣。歲在丁巳，行臺嚴公道經是縣，慨然有興復之意，俾趙君守正是縣。縣無文廟久矣，趙公署事之後，以創建爲己任。即於縣西門外河，於巨橋一座，扶取財木欲營殿。方將庀工集事；俄以洌羅去。廹至元六載，朝廷以東平為重鎮，遂分為十路，撥碭山屬濟寧府。適楊侯泰來尹是縣，而予袁弟朝讓一為主簿，下車之日，矣修起文廟為首是[一]。即鳩財募工，創構正殿三間，廡牆稍就完美。未及落成，韓弟秩滿，求仕於燕，館于余舍。暇日語及文廟建立之由，且懇求予文記諸翠琰。余不能違，故書數語以告諸生曰：夫廟而後有學，學而後有士，此理之所必然者。然自古人材之多，未嘗不出於教養之素。而今而後，吾士人誠能休二君修學之意，日省月試，進而復進，新之又新，期於有成而後已。若徒以為美觀，不訪講習，非所以望於諸生也。吾言止此，諸生其識之諸。翰林承旨學士知制誥兼修國史致仕[二]，慎獨老人王鶚記。（明正統年間抄本《彭城志》卷一五）

[一]矣修起文廟為首是：疑「矣」字有誤。　[二]翰林承旨學士知制誥兼修國史致仕：翰，原脱，依文意補。

丹陽公祠記

鳳之所集，峆嶁為名山；麟之所遊，蒼莽為瑞野。聖賢之於一鄉一邑，嘗所税駕者，其亦麟鳳之至與？武城為邑，民不滿千家，地不過百里，無山林保障之美，金玉珍怪之富，然表表焉與名州鉅邑并稱而不泯者，特以我丹陽公子游嘗為之宰故爾。舊縣治有廟，居絃歌臺之巔，朱衣大冠，像設甚飭，素乏碑誌以謹其始末。或有而廢于兵燹，歲月滋久，田夫里嫗，無所取證，往往舛為不經之祠。有識者，率用為慎然，未有以厘正。羽士元君志一，雅以好事稱。一日踵門，具以其事來謁，且丐文以鐫石。噫！此吾儒之任，子顧能辨之，區區記述，又安敢以淺陋讓？謹按，公吴人，姓言氏，字子游，仕為武城宰。武城在今，非一世矣。雖陵谷變遷，不敢必其孰是。要公以文學列於四科，其道如日之在天，無所不用其明；如水之在地，無所不用其澤。以故載在祀典，自京府達於郡邑，配先聖者，無地無之。矧是邑也，考其地則曰武城，詢其臺則曰絃歌，廟貌之設，又誰曰不可？雖然，聖賢之道，初不繫一廟之顯晦，而廟之顯晦，則若有所繫焉。宰是邑者，不可不察。昔公之為治也，使君子愛道則愛人，小人學道則易使。今去其世，雖千八百歲，苟聞遺風餘烈，宜尚有興起者。柰何廟而詔之，儀而示之，猶且委之草莽，不知昭事，則化導之未敷，禮義之有間，抑可知已。元卿學道，有見於此，故率先興議以正名為事，不其偉哉！後之人，苟能推元卿之心，大而新之，使一邑之人，知所宗嚮，歲時蘋藻之奠，遊于斯，觀于斯，道古于斯，于以扇絃歌之風，布牛刀之化。則淵源之治，可興於此日，莞爾之笑，不專於當代。其為發鑰含靈，對揚皇化，功美豈淺哉！有志者圖之。（明嘉靖二十八年本《武城縣志》卷八）

龍門建極宫記

臣聞諸先儒，法始乎伏羲，而傳乎堯，堯以是傳之舜，舜以是傳之禹。三聖相承，而守一道。西漢賈捐之乃謂堯舜聖之盛，禹入聖域而不優。蓋以謂堯舜傳之賢、禹傳之子歟？抑堯舜之德、禹以功歟？傳子傳賢，出乎天與，孟軻氏說之詳矣。堯有聖德，舜有明德，而禹稱絶德。堯成盛勛，舜有大功，而禹則萬世永賴，而復克勤克儉，不伐不矜，聞善則拜，見有辜則泣。故柳宗元《塗山銘》曰：「德配於二聖，而唐虞讓功焉；功冠於三代，而商周讓德焉。」由是觀之，則大禹之功德，於堯舜何間焉？祀典曰：能禦大菑者祀之，能捍大患者祀之。禹之平水土也，挈天下墊溺之民，而寘諸安平之地，又奚翅禦菑捍患而已哉？歷代綿遠，祀禮没疎，積習成風，漫不加省。有人於此，慨然於廢弛之餘，廣其廟貌，以極崇奉，得不謂之賢乎？今道者姜公，其人也。公名善信，河東趙城人。年十有九，挺身道流。師蓮峰靳貞常，結居王刁洄籍有道價，屬陝右兵亂，士大夫避地者，往往衣之。一日，語及禹門神祀，因兵而燬，惜無為經畫者。時公侍側，乃潛有興復之志。師亡，公即抵其所，陋其舊制，而將益之。鳩衆議工，其鴻基鉅址，當疊以大石，而無隙可攻，俄沙其際，沙盡石乃可出，人咸以為異。公精誠感發，助役者多自負所食，不遠千里，欣欣躍躍，若神使然。肇基丙午，而落成於壬戌。為殿五楹，其門稱是，兩廡間架，各十有八，寢殿營於其後，别為道院，殿則有四，方丈雲齋，無一不具。又廣構神祠，凡可以為國祈禳者，悉有香火之奉。甫西河壖，即看鶴樓之故基，為起石，各巍然百尺。河山勝概，千里一目，亦天下之偉觀也。上在藩邸，熟聞公名，召而詢之，言多應驗。即位之初，三見徵聘，公奏對平實，中多裨益。陛辭敕賜宫曰「建極」，殿曰「明德」，閣曰「臨思」，仍命大司農姚樞大書其額，以示歸榮，别遣右相張啟元詔公鶚為文以記。臣聞命悚然曰：三代而下，世教不明，中材庸士，不為淫祠、曲祠所惑者幾希。道家者流，作大緣事，以事所事，分內事耳。若夫追崇往聖，不憚勤苦，曠日持久，為衆人之所不能者，蓋亦寡矣。吾皇眷知，爲賜嘉名，誠盛事也。臣謹奉詔，拜手稽首而爲之銘曰：

維禹之功，庇民無窮。維禹之德，配天無極。世衰道喪，事及淫祠。明德之遠，誰其思之。粵有斯人，是宫作新。爰居爰處，至誠感神。聖皇簡知，嘉名是錫。金石載書，用彰厥蹟。龍山蒼蒼，洪流蕩蕩。神功永賴，國壽其昌。（清乾隆四十九年刊本《韓城縣志》卷一〇）

三叉沽創立鹽場舊碑

《洪範》五行，其一曰水，水曰潤下，潤下作鹹，鹹也者，其鹺之謂歟？夫水爲五行之首，而鹽爲五味之先，可以便民，可以益國。國之益民之便者，豈淺鮮乎？唐虞三代，澤梁無禁，未聞有拘榷之説。逮至春秋，齊人管仲，始議伐萑薪，煮水爲鹽，口計而征其直。漢晉而下，因之取利，設官置竈，旁及遠方，雖蒲池之所自産，益井之所自出，莫不首課額焉。唐稱劉晏，歛不及民，而用度足。時河朔用兵，天下之利，鹽居其半。鹽之利，其亦溥哉！國家創制，事從簡易，燕京所轄，有縣曰寶坻、蘆臺、越支，疇昔之鹽場也，曰三叉沽，則未之聞。甲午之秋，三叉之地，未霜而草枯，灘面寬平，鹽鹵湧出，或經日自生。時人指以爲瑞，遂相率訴於官。按驗得實，受旨煎造。初得舊户高松、謝實十有八人，歲不再易，招徠者日益衆。河路通，使商販憧憧往來，是年辦課五百餘錠，比之他場幾倍之。無何，康定之後，爲勢家壟斷，竈户工本，例不給之，折以无用之物，故户皆貧窶，借不能償。至元二年，朝廷擇人授任，以中書省左右司郎中倪德政為禮部侍郎，兼使鹺職。公革去弊政，善政日新，成績上聞，陞中都路都轉運使，官大中大夫，仍以提領税課司答木丁同知使事，賓坻鹽使曹嚴臣副之。授任之後，蒞政清嚴，以恤民為急，有功必賞，有罪必罰，竈户歲給，一一均及，殊無折支諸物之弊。有司租調，彼亦欣欣然輸納自餘，無私毫科斂。由是人得安業，鹽蝸山積，於今三年矣。前副使王進，及耆老夏慶、温資甫、梁温全、崔居仁，採輿人之誦數來過，願得一記刻諸堅珉，以為後來者之勸。予初難之，復因老宿懇禱不已，乃嘉進等能事其事，而不忘大中指授之功，故摭其實蹟為書之，且告之曰：古之場業已成矣，而今而後，更能恪然守其職，以安其屬，則國家懋賞，自有不次之用。予將大書屢書，不獨一書而已矣。（一九三四年《天津衛志》卷四）

重修亳州太清宫太極殿碑

今上皇帝之在藩邸也，雅知尊崇玄教，將修太清。歲舍己未，嘗有旨禁民樵採，及使臣行軍，無聽留宿，以妨興建。即位之二年，特降璽書，一如前旨。四年，遣真常真人蕭居壽、近侍合剌思，命學士院撰祝文，備禮以祭。越五年，太極殿成，長春嗣教誠明真人張志敬，同左丞張文謙，侍中劉秉禮，奏乞樹碑以紀歲月，從之。詔詞臣王鶚文其事。臣聞命惕然，敢拜手稽首而為之言曰：太上老君，無世不出，無代不崇。至於殷武丁庚辰歲，化生苦縣之瀨鄉，誷娠至八十一年，生有七十二相，以皓首而稱老子，指李木而得姓氏，其變易名號，靈踪聖蹟，前賢説之詳矣，兹不敢贅以蕪辭。惟前代推尊，後人紹述，或可得而言焉。秦燔詩書，漢雜霸道，玄宫崇奉，未聞肇立之由。至漢桓帝延熹八年，因帝夢老君降于殿庭，再遣中常侍左悺詣祠致祭，座設華蓋，樂用郊天，乃命陳相邊詔演而銘之。隋文帝開皇六年，詔亳州刺史楊元胄考其故迹，營建宫宇，敕内史舍人薛道衡作《祠庭頌》。唐推姓系，尊為聖祖，太宗貞觀元年，敕修其宫，始給人户五十以供灑掃。高宗乾封中，親謁道宫，追上尊號為玄元上德皇帝。宫殿壇宇，並令修創，置令丞各一員，歲時薦饗。玄宗開元三年，東封岱嶽，回謁于舊宅，親書《道德》二經，俾刊諸石。二十年，帝自製《霓裳羽衣曲》、《紫微八卦舞》以薦獻。天寶二年，制改譙郡紫極宫為太清宫也。四載，親幸，復製《降真召仙》、《紫微送仙》二曲以迎送之，易柷版為青詞，御署則曰嗣皇帝臣某，仍敕有司著為定式。文宗太和七年，宫經水潦，頗致摧毁，敕宣武軍節度使李程兼充太清宫使，漸加修葺，尋復完美。宋太祖建隆元年，遣使詣祠。太宗淳化四年，遣修宫宇，建至明道元年，工畢，詔水部員外郎和㠓撰碑銘，自是專命中使監領。真宗咸平五年，遣内侍重修，增給衛士。景德二年，禁四向樵蘇。大中祥符五年，遣三司使丁謂代謁。六年，躬詣。七年，復往親奉册寶，上尊號曰太上混元上德皇帝。哲宗紹聖五年，知亳州喻陟奏諸瑞應，遣使醮謝，且詔本路轉運司，凡宫宇之弊者，隨即繕完。徽宗崇寧改元，詔翰林學士張商英作記，以成哲宗之志。金代累朝，尤加異數，給道士良田數萬畝，復其税役，田夫野叟，至今猶能道之。此前代推尊之略，使後世嚮道者以考焉。若夫紹述之人，自青牛西邁，尹喜懇禱，强為著五千言，曰清净無為，曰不争不耀，佳兵為不祥，以治國若烹鮮，以馳騁田獵，令人發狂，以孤寡不穀，王公自稱，推此以平天下國家，無餘蘊矣。至於正心修身，二經具載，求之則有餘。師祖述道德，四輔相承，率遵前軌，於是洞靈、通玄、冲虚、南華之書出焉。世衰俗薄，邪説並興，因之為幻惑者有之，流而為譎怪者有之。天之未喪斯道也，近世有全真家出，恬淡有守，動循故轍。自王重陽得正陽、純陽之傳，培植基本，付作者六人，在處聯芳，枝葉叢茂。國朝開創，徵長春敷暢玄元，親承睿春，天下靡然向風，雖三家聚落，萬里郵亭，皆知敬奉，其操守道行，陰德與太上符合，太清所以重建也。太清頃罹兵燼，復值河渦合流，向之仙宫，漂蕩無餘，但數千年九龍井僅得存耳。長春仙蜕，傳法真常時，則有今安肅公張柔戍兵亳社，命官持疏，俾事修建。真常先委隱真大師提點石志玉，通微大師知宫李志秘為之經始，公亦委曲用心，拯力護持。其參佐卒伍，亦皆樂赴。仍給據並宫施地周四十里。無何厥功肇啟，而真常示寂。逮吾誠明之嗣教也，承海都太子之命，敦請崇道真人張志素、棲雲真人王志謹同辦其事。棲雲未幾物故，其門人輩尤為致力，崇道則朝夕以之，始終匪懈。增築故基丈餘，間架九楹，視舊制殊為壯麗。像太上于其中，東華、文始列于左右，洞靈、通玄、冲虚、南華次之，仙貌儼然，見者加敬。雖餘者未完，已足以奉香火之供，而為國朝萬世祈福之地，顧不偉歟！主上聖德日新，神武電斷，西平大理，東服三韓，南州逆豎，旋即誅夷，朔漠諸王，畢來朝會，分司揆務，偃武修文，此浸明昌千載一時之運也。然猶祇畏上玄，聿修嚴祀，是宫之建，日月可冀矣。臣待罪詞林，忝承睿旨，謹再拜而銘之。其辭曰：

聖人不仁，其民淳淳。智慧一出，百偽喪真。天何言哉，是生至人。厥生惟何，渦水之濱。生而神異，絶聖棄智。居實處厚，解紛挫鋭。不仕汙君，甘處下位。青牛西駕，避名避地。《道德》二篇，立言五千。為以無為，玄之又玄。愛民治國，萬世可傳。其誰之子，象帝之先。永惟帝則，混元上德。立祠水濱，翬飛翅翼。宫曰太清，殿曰太極。仙真名縣，增賁譙國。黄河湯湯，犯我谷陽。巍巍宫殿，今也則亡。興起有數，待我時昌。誠明嗣教，繼志真常。志秘志玉，先為卜築。崇道棲雲，忻然紹服。一殿告成，望之肅肅。於萬斯年，為國祈福。功成匪他，崇道居多。臣不歸美，如君恩何。慶源九井，福作兩河。小臣作銘，以代絃歌。（明正統《道藏》本《宫觀碑誌》）

全元文卷二四六

王鶚 二

重修大純陽萬壽宫之碑

粤自兩儀奠位，萬類賦形，凡天壤間名山大川、地靈物秀之處，必有高人異士毓焉。厥惟中條之南，大河之北，有鎮曰永樂，東鄰□芮，西□首陽，昔稱天下福地之一，信哉！鎮之東北僅百步許，曰招賢里，土膏泉洌，草木暢茂，是純陽真人吕公之世居也。公諱巖，字洞賓，父祖皆第進士，為唐名臣。公以德宗貞元丙子四月十四日生，幼而穎悟，長擢進士甲科，未赴調。因暮□游澧水之上，遇鍾離子授内丹秘旨及天遁劍法。自是謝絶塵累，結茅于廬山，號純陽子，與楚人梁伯具、鉅鹿魏子明為方外友，年五十而道成。或顯或隱，世莫之測。□自稱回山人，或稱回道士。平生所為詩二百餘篇，名《渾成集》。□意高妙，氣象豪逸，殆非煙火食人所能擬議近代。題岳陽樓云：「朝遵南越暮三吴，袖裏青蛇膽氣麄。三入岳陽人不識，朗吟飛過洞庭湖。」游湖州沈東老庵，酒後用石榴皮書于壁云：「西鄰已富貴不足，東老雖貧樂有餘。白酒釀來緣好客，黄金散盡為收書。」東坡和云：「符離道士唐興際，華岳先生尸解餘。忽見黄庭丹篆字，由傳青紙小朱書。」又云：「至用榴皮緣底事，中書君豈不中書。」《東軒筆談》載，滕宗亮守巴陵，有回道士來謁，宗亮口占一詩為贈云：「華州回道士，來到岳陽城。別我遊何處，秋空一劍横。」《劉貢父詩話》紀吕老與黄覺大錢七，中錢十，小錢三，曰：「數止此耳。」後覺果壽七十有三。頃年，王侍郎博文從事鄂州迴，謁及仙翁，題《□宫春詞》於黄鶴樓：「横吹聲沈，倚危樓，紅日江□轉天斜。」末云：「乾水辛火，歸來兮，煮石煎砂。回首處，幅巾藜杖，雲間笑指桃花。」至今墨光可浥。其地靈踪胜跡，見於書者，不可槩舉。故世之言神仙，必宗鍾、吕。唐末以來，士人即其故居室以事之，榜曰吕公祠。每遇毓秀之辰，遠近士庶畢集其下，張樂置酒，終日乃罷。近世士官以隘陋故，增修門廡，以祠為觀，擇道流高□者主之。逮國朝開創，長春子應詔北還，凡祖師仙跡，一舄發揚。自是其功日益興，其徒日益廣。歲甲辰暮冬，野火延之，一夕而燼，識者以為革故鼎新之兆。明年有敕，升觀為宫，進真人號曰天尊披雲真人。宋德方在陝右□□□□□陞其號，觀易以宫，□□修崇曷以稱是？以是聞諸長春之主教□□真常二真人，乃命燕京都道録冲和大師潘德冲，充河東南北□道門都□□□其事，以完顔志古、韓志元輔翼之。遠近助役，源源而來。其□□作新，則潘之力居多。庚戌，朝命以披雲所刊《道藏經》板，委官輩貯是宫，故門宫益崇。□子真常奉旨祀五嶽回，駐于此，翌日登九峰，憇于純陽洞，愛其峰巒秀拔，□□□名之，且命其徒劉若水輩別營上宫，傾囊倒橐，悉為潘助。□是為殿三，曰無極，以奉三清；曰混成，以奉純陽；曰襲明，以奉□真。□□有堂，真官有□□，徒衆之所居，賓旅之所寓，齋厨庫厩，園圃井湢，靡不畢備。甲寅，設普天□于燕京大長春宫。潘預高道之選，事竟，薦李無塵志列為本宫提點之副。俄真常與潘相繼謝世。辛酉，誠明真人就命韓冲虚志元兼知□東南北路教門事，有未完者，俾終成之。歲玄默閹茂春三月初告成。列狀前後事跡以示慎獨老人曰：「竊惟道家之教，肇自玄元，洞靈、通玄、冲虚、南華，發輝于後，至東華君而令真之名立。東華傳之正陽，正陽傳之純陽，純陽顯化日河，得重陽真人，始克光大之。重陽傳畀玄教，其高弟曰丹陽，而長真、長□、長春、玉陽、太古次焉。長春遭際盛時，獨能增浚化□，嶷然為一代大宗師，嗣其教者，凡三葉矣。不肖忝襲餘庇，常恐不克負荷。顧是宫之成，非一朝夕、一手足所能集。不假豐碑記述，以傳永久，則先輩勳勣，泯滅無聞。今巨石已礱，敢以斯文為請。」予謂純陽之顯現，雖幽閨婦女，山野小人，皆飽聞而樂之。歷代名儒，有所著撰，往往為書其事。則仙翁之端，世可知已。今之學道者，尊重陽為祖師，□□源實自純陽啟之耳。然則純陽於玄教，有培植之功，而奕世聯芳，繼繼不忘，崇奉之意，是不可不書。乃為書之，而係銘其後。銘曰：

中條之陽，有福其□。□維嶽降，靈亦祇亦。異人伊何，世稱仙翁。神變不□，邈乎高風。歷代相□，□祠以事。易觀而宫，聖朝所賜。是宫之作，肇於德冲。十年于兹，告成朔功。厥功茂哉，樹碑以識。日月逝矣，道□不墜。□宫載崇，羽衣載充。祝我皇家，□壽無窮。(明成化十一年《山西通志》卷一五)

重修天長觀碑銘

燕京之會仙坊，有觀曰天長，其來舊矣。肇基於唐之開元，復於咸通七年，及遼摧圮，金大定初增修，泰和壬戌正月望日，焚燬殆盡。貞祐南遷，止餘石像，觀額為風雨所剥，委荆榛者有年。聖代龍興，元風大振，長春應聘，還命盤山，棲雲子王志謹主領興建。垂二十年，建正殿五間，裝石像於其中，方丈廬室，舍館厨庫，焕然一新。凡舊址之存者，罔不畢具。永為聖朝萬世祈福之地，顧不偉哉。（清同治十年《畿輔通志》卷一七八）

廣福萬壽宮碑銘　至元三年

至元三年二月乙丑，皇帝遣中書左丞張文謙傳旨翰林學士院：衛州重□太乙廣福萬壽宮成，當有文以識諸石。臣鶚聞命謹言：臣幸得執筆從太史後，記述事功，臣之職也。伏惟聖朝開闢五六十年，雨暘時若，百穀順成，國焉本祥，物無疵癘，天下之民，皞皞如也。實上下神祇，監觀有道，所以扶持蔭佑者如此。皇帝方懷柔百神，思有以咸秩，無文用答靈貺，而是宮適成，實□□一時也。臣謹按故金待制王若虚所著《一悟真人傳》，初真人既得道，即以□閲所授□録濟人祈禳祠宇罔不立驗。天眷間，門人弟子日益衆，其□□□□因名之曰太乙教。蓋取□□□□□□□至瑾純一之義也。尋以所□□我隘，不可以揭香爐齋潔之處，遷卜州東三清院故址，葺節而庵。皇統八年，□□宗聞其名，遣御史李琮驛召□嗣神通陰應如聞□平瘿降貘獸之類□一□后尤加禮□□□□且為□乞觀額□以大乙萬壽賜之，海陵耶□□□老禪□於是□□營建為事，創大殿三門都壇雲堂，凡本觀區□□并曰之□亦各有制，時則有太中大夫趙楊，書其實以碑之。真人既厭□，傳之靈明，靈明傳之虚□，虚□傳之中和，中和實為教門四代祖。貞祐間□□□□□□後七年來歸，□瞻舊基，荆榛瓦礫而已，惻然傷之，乃淯□□□□朝夕□□矣。富者獻財，貧者獻力，陶者、淬者、杇墁者、削灑者各□其技，䏏施□□廿十五年而後畢。為大殿者三，曰介祉以奉三清上聖□□□太乙尊曰靈昌位□□□□為壇殿者三曰延恩，中設二壇，曰□□□陰，翼以兩廡，東西復□糾察，糾察二壇，為院者六，左曰樞神吉祥□□□普濟王生成為司者二，日日磨舊、磨照。壇之東隅有□水井□□□人秩輒愈迄今□太乙泉□墉屹宇四□前三其門後文其□□□□□□□□□□□□□□□□□□□所墓表一百八十武，廣四千五有奇，故其為宮靖深究廠棁官郡國為冠。歲丙午，今上皇帝居潛邸，欽挹旨風，以安車免徵。既至，雍容問答，精神會合，雖屬稽川之於晉，陶通之於齊，司馬子徽之於唐，未能遠過也。賜號太乙中和仁靖真人，乃陛覲焉。宮加「廣福」二字，尊之也。壬子，以高弟貞常嗣教，貞常建四師祠堂，像四師事之。乙未三月，皇帝南巡視，幸其宮，脩大□大醮。中統元年，使遣奉御安祐陳設醮事，皆以祈天永命、歛福錫民為意。三年，徵至上都，賜號太乙演化貞常真人。始祖諱元昇，二祖諱道熙，三祖諱志沖，四祖諱輔道，名居蔀者，今為五祖云。臣嘗考□《書》「天祐下民，作之師」。有人焉出萬物之表，建非常之事，卓然自成一家，使人崇奉而厭服之，決非偶然者。今上天命神降生下土，籍名以救世，不然，何神通靈，□恍惚變化，如雷霆，如風雨而不可測哉？故天恐疢疾夭閼也，生命踋醫家者流，以藥石而濟之；恐人之溺迷者慾也，生老子為道家者流，以清静而化之；又恐而氣為成陰物為麼也，生張道陵天師以黄庭大洞之科，木公金母之號，天皇太乙紫極比極之祀以祈禳軻禁之。蓋天師之敬，置清爰静，本出於老□而法之，所寓亦有天之所以生命踋之意焉。自漢以來，雖綿綿不絶，千五百歲，其間稱鬮人者蓋寡矣。天恐其教之不洪，則不可以殆濟，故生一悟真人，至是道家之能事畢矣。皇帝清心省事，諱兵衰刑，所以護育百姓其備，然猶推尊道家之教，意若曰解人之厄，蠲人之疫，福人之善，良術諸其冥中，舍方外法門，將何所據依？此始終信敬而不怠者也。然則神之聽之，宜如何哉？臣知聖壽無疆，子孫千億，社稷靈長之祚，其本於兹乎！臣敢拜手稽首而獻銘曰：

道家者流，發源老子。支流三千，河潤九里。太一為教，宗師振起。符□相傳，中謡妙理。迺建祠宇，于淇之涘。貞祐□兵，符經焚燬。鶴歸華表，城郭猶是。舊跡雖存，蟢蛛荆杞。貌貌中和，□為經始。肯構肯堂，真常是似。輪焉奂焉，可謂至矣。紫極玄都，未容專美。惟我國家，尊崇如此。每崇醮事，必恭敬止。天其用休，介以介祉。曰神與人，莫不悦喜。小臣頌德，無有窮已。天子萬年，主盟道紀。（明成化二十二年《河南總志》卷一六）

洞玄子史公道行録

至元二年正月

公名志經，字天緯，絳州翼城人，世習儒業。祖彬，字執中，父公佐，字良臣，皆隱德不耀。公以泰和壬戌歲生，生而夙慧，雅有道緣。六歲從里人吉德居讀書屬句，天資穎悟，敻出儕輩。貞祐甲戌，翼城再陷，流寓于雲中，主完顏氏家。渠見其不凡，養以如子。興定辛巳，遁跡投玄，禮恒嶽劉真常為師。師一見器之，事必諮委。歲癸未，長春大宗師應詔東還，公從其師拜于阿不罕私第，長春訓以今名。自後道行日隆，盤桓于蔚、代、朔、應間，研精問學，弊衣糲食，晏如也。丙申，清和老仙洎京兆總管田侯，議葺西嶽雲臺觀，勸請真常師，師許之，間遣門人輩斧荊榛，輿瓦礫，不數年漸至完美。雲臺道衆擬公住持，而未許也。辛丑，專价持書控馬來邀。公雅意西遊，欣然就道。秋八月，達華封。公以華山名嶽，靈跡甚多，兵戈相尋，至于湮没，乃搜奇訪異，親歷見聞，至古今名士所作碑記、表傳、詩文，極力求之，期于必得而後已，於是著為《華山志》十有四卷。丙午，真常羽化，公詣渾源哭之，且心喪三年。己酉，拜于洞真真人，參受經籙。庚戌，掌教李真人屢以書請，辭不獲已，來燕。玄學講餘間，受《易》《老》微旨。辛亥，從真人北覲，例賜紫衣，加號弘真宣義大師。壬子，復從真人徧祀嶽瀆。戊午，東遊海濱，謁七真故居，訪重陽祖師行化遺跡。癸亥春，自登萊還燕。公平生喜著述，為文不事雕篆，率皆真實語。前後累數百萬言，皆有理致可觀，無長語浮辭。惟華山一志，纖悉備具，尤為盡心，在他人不可及，觀者當自知之。方劉真常之將歸也，遺言葬諸脩然堂。襄事既畢，公自來燕，因魏學士邦彦禱予作記。時已飽公之名。予頃年往來長春，與公良晤，乘間求予作《華山志》序。予謂龍谿孟駕之既作之于前，而蓮峰太霞老、三洞講經趙法師又皆發明于後，予再言之，贅也。惟公平昔道價，至老益振，於是不可不書。乃為書其出處大略，使後之學者，可以述追遐軌，而執筆誌高道者，或有考焉。歲旃蒙赤奮若春正月丁酉謹録。（明正統《道藏》本《甘水仙源録》卷八）

渾源縣真常子劉君道行記

定宗二年

君諱道寧，雲中白登人，世為縣吏，以廉平稱。君生不好弄，間與諸兒戲，必結庵趺坐，曰：「我學道爾。」識者知其有宿習。及長，雅意玄門，昆季凡四人，君其伯也，縣民推嗣世業，力却之。泰和壬戌，聞渾源隱士劉柴頭號得道，乃與家人訣，詣屏風山金泉觀師事焉。師歷試諸難，至遣丐食，君樂從不屑也。師知可教，遂授微旨。自是東遊海上，西歷關中，寓華山上方之白雲宫。屬歲饑儓餒，立志不少衰。既又如太原泊神霄宫，有饒益院僧賢而飯之。道獲楮幣千二百貫，君榜求其主，踰月竟不至，悉以給貧乏，而一無所私。貞祐之甲戌，避地張村，穴洞以居。歲丙子，鄉里稍安帖，土官馮禄聞君之在并也，迎歸雲内。君尸居環堵，若將與世絶者，而樂道之人，渴於請益，百方為出之。於是肩摩踵接，學君之學者，日益衆矣。庚辰春，渾源長高定飽聞君譽，敬請之來，曰龍泉、曰金泉、曰玄元，皆名觀也，君更為住持，而興廢起頓之功為多。癸未秋，真人丘長春入覲回，君執弟子禮，迓諸銀海之東，目繫道存，一見如故。問君之初事，以柴頭對，師頷之曰：「仙人中天隱也。」因授秘訣，加號真常，令築室西京。未幾，推為道官長，遊戲十年，庭無一訟。逮長春仙蜕，清和紹休，尤與君相得。丙申之春，尹清和謁祖庭還，會君於古恒嶽之陽，語之曰：「吾近遊陝右，奉田侯德粲之命，凡玄宫道宇，皆擇人主之。惟華山之雲臺，地靈物秀，實仙家一洞天，非君無可托者。」君再辭不獲，遂遣門人為經營，君亦往返再三，大興築構，所過崇奉，男女如市。癸卯中夏，田侯修華嶽廟，復與丞相胡公天禄同署，邀君於雲應間。君聞命欣然，即日就途，甫四三年，厥功告成。丙午春，有詔設普天大醮於燕京之長春宫，偏召諸方耆德，而君亦預焉。時李真人主醮事，得君甚喜。是年夏五月庚申，旋車古恒，越二十二日壬午，請州牧高仲棟洎門人許志安，屬以後事。翌日將中，曲肱而逝，春秋七十有五。君生長大定、明昌間，不以世俗所樂者嬰其心，而能遠跡塵凡，棲心物表，東遊西歷，所至風靡。雖土木屢興，聊亦應緣而已。嘗作《巴人曲》接引於衆，又著《會仙》、《隨應》、《總仙》三録，以道神仙可學之事。臨終語門弟子曰：「可於丈室瘞吾軀，榜以『翛然』足矣。」蓋取《南華》「翛然而來，翛然而往」之義，則君之平昔所養可知已。方君之在渾源，樂與學士魏公邦彦遊，故其亡也，門人史志經狀其行，走燕求記于公，且將刻石祠堂之側。公一日携以過僕曰：「真常好道人，吾知之詳，然吾老，不作文字久矣，子其代予言。」僕初客燕城，殊無文思，重違學士之請，而復嘉志經之不忘所事，乃以臨終之言名其堂，因為紀其始末云。若夫門弟之翹楚者，皆當識諸碑陰，兹不敢喋喋。歲彊圉協洽，清明前六日記。（明正統《道

藏》本《甘水仙源録》卷六）

棲雲真人王尊師道行碑

至元元年正月

今上皇帝即位之二年，稽古建官，百度具舉。内嚴省署，外列監司。班慶賞以酬勳庸，錫嘉名以尊有德。越八月之望，中書丞相奏：全真老宗師王棲雲，操行純正，海内欽崇，宜降璽書，以彰寵數。制可。特賜號惠慈利物至德真人。命下之日，四方萬里，聞之莫不感悦，知其錫予允當，師真得人也。師法諱志謹，占籍東明之温里。家世業農，富而好禮。師生體異，夙有道緣，甫冠將娶，不告而出，徑趨山東。路聞太古廣寧真人演教寧海，執弟子禮，久之緣熟，漸次親炙，口傳心受，凡得一語，銘諸肺腑。自是日益修進，大蒙印可。逮廣寧仙蜕，隻影西來，壞衲破瓢，首蓬面垢，行不知所之，止不知所為。人役之笑而往，人辱之拜而受，韜光晦跡，未有識其為道者。尋值兵饑，盗賊蜂起，民皆潛匿。師遭執縛，將殺而烹之，神色不變，言辭慷慨，略無懼容，群盗知其異人而釋之。亂甫定，從長春真人北遊燕薊，徜徉乎盤山西澗之石龕，草衣木食，若將終身焉。諸方學者，日來質疑，由是道價愈增，令聞遐播，然猶執謙，樂居人後。長春仙去方出，經行不喜置鉢囊拄杖，盛暑不笠不扇，嚴冬不裘不帽。沿身之外無長物，人有以財物獻者，雖勉受之，過目不問。後遊諸方，到即緣契，興建琳宇，在處有之，所至泰然，不以舊新介意。住雖久，去不回顧，慙憩朝夕，亦猶久寓之安。車轍所經，願為門弟子者動以千數。達官著姓，白叟黃童，山林緇素之流，閨闈笄總之子，莫不羅拜于前，其為世景仰如此。凡丫童之拜，師即答之，或問之，則曰：「凡隸玄門，皆太上之徒，吾之昆季也。天下之患，莫大乎傲慢輕易。道性人人具足，奚分長幼乎？」聞者嘆服。平居澹泊，不事華飾，惟祭饗高真，色色莊嚴，未嘗以為過，雖金冠玉珮，鶴氅鳳履，服之不辭也。設醮之際，屢致休禎，或鸞鶴翔空，或風雨應期，隱而不言，不可殫紀。歲戊子，經鎮市帥曹德禄邀師作黃籙大齋，遠近會者不下數千，其井僅供二三十人，德禄憂之，請于師。師命具茶果躬祭井上，以浄席覆之。歷一晝夜而後啟，其泉洶湧，用之不竭，醮已復初。四方傳誦，師不以為異。或詢其故，師曰：「無他，彼以誠告，我以誠應，誠意交孚，天地可通，況其餘乎？」聞者愈服。其感應不可備録。初，重陽真人西歸，挈丹陽輩四子傳道于汴之逆旅。主人王氏不禮，反謗毁之，重陽曰：「吾居之地，他日當令子孫卜築於此。」主人以為狂。未幾，重陽登仙，后六十有四年，汴降，師挈其徒跡其地。不十數年，殿宇壯麗，氣壓諸方，識者知重陽之言始驗。師亦不以為功，曰「諸人之力也」。凡所興工，皆聽自願，不强率，不責辦，故人樂為之用。中統癸亥夏六月己酉朔，晏坐方壺，不語不食，門弟子怪問其故，但閉目凝神，指虚空而已。及沐浴安寢，静聽不聞呻吟之聲，熟視不覩屈伸之跡，門衆環侍，不敢少離。叱之曰：「汝等各幹自己正事去。」越十有七日，乙丑，盤桓枕肱，晏然而逝，春秋八十有六。傾城號泣三日，遠近訃聞，皆為位以哭，事之如生，其至誠感人又如此。師雖不看書，所行皆合理事，所言唯真實語，動與二篇四輔相契，有一毫利人利物，即目為之。向在特室環堵中，如對千百人，無做作，無縱恣，無褻慢，日日如是，歲歲如是。所謂獨立而不改，周行而不殆，惟師有焉。師慈以利物，儉以律身，讓以自牧，老氏之三寳，師能保之。所以上格天心，下孚人望，嶷然為一代宗師，學者瞠乎其後，而有不可及焉。歲閼逢困敦正月朏，師之門人論志元、魏志言持師行狀，洎提點張志格、李志居𦍒，不遠數千里，乞銘於予。予於師，鄉里也，同宗也。昔予待罪翰林，稔師之名，限以南北，未之獲見，北渡後始識于燕。予不知宗屬近遠，以年長一紀拜之，師亦答拜。比年數數會晤，時辱見臨，情話終日。予乘間問之，曰：「師年八十，宜深居簡出，坐以傳教，使問道之人香火來，不亦重乎。顧區區普受人請，車無停轍，人無寧跡，毋乃涉於輕易耶？」師應之曰：「渠𦍒生也，凡在交際，宜有分别。我全真者流，不敢失前輩遺躅，富貴者召之亦往，貧賤者召之亦往，一日十請亦往，千里來請亦往。急於利人，所以不敢少安以自便耳。」又問：「師所至，日書法名，不知其數，不詢其人，不考其素，其中豈無惡少博徒，無乃為累乎？」師曰：「全真化導，正在此耳。使朝為盗跖，暮為伯夷，則又何求。雖千百一人，亦化導之力也。」予聞之喜甚，知師之心，天地之心，父母之心也。後之學者，欲吾師之真、師之全，一編語録求之有餘師。予衰朽之人，忝居翰職，應制之外，不宜為人作文字。惟師以同里同宗之分，而掌教誠明真人亦為言之，義不容辭，乃為書其大槩，拜手稽首而為之銘。銘曰：

玄元至德，澹乎無為。支分派别，横流四馳。天授全真，障而東之。作者七人，為百世師。粤有廣寧，號稱鐵面。棲雲入侍，久經鍛煉。隻影西歸，一無健羡。白刃交前，神色不變。北遊燕薊，養浩盤山。學者方來，日叩玄關。爾言雖答，予心自閑。長春仙寂，遊戲人間。睠惟汴梁，重陽蜕息。大建朝元，翬飛雉翼。不自為功，歸之衆力。名飛九重，璽書褒德。八十有六，聊以應緣。密承道廕，在處百千。一聞訃音，泣涕漣漣。付畀知常，教得所傳。惟師之行，光乎道紀。惟師之名，達乎萬里。堂堂一碑，未盡其美。我銘以辭，無愧焉耳。（明正統《道藏》本《甘水仙源録》卷四）

玄門掌教大宗師真常真人道行碑銘　中統三年

道教之曰全真，以重陽真人為祖師，其自甘河仙遇，劉蔣焚庵，行化關東，前後僅十年，而天下翕然宗之，非信道篤而自知明，安能特立章章如是？卒之搜奇訪逸，得高第四人，曰丹陽、曰長真、曰長生、曰長春。四人者，俱能整玄綱，弘聖教，使運數起而道德新，韙矣哉！至於禮聘兩國，聲馳四方，生能無欲，殁能不壞，惟長春師為然。師救物以仁，度人以慈，澹然無極，而衆美從之。故遊其門者，率聰明特達之士。然傳法嗣教，止於尹清和、李真常二公而已。清和公早慕真風，偏趨法席，濰陽化度，沙漠侍行，為長春門弟子之冠。其踵師掌教，謙抑不居，竟脱煩勞，優遊以壽終。若夫以清静養真，以仁恕接物，華實相副，文質兼全，名重望崇，使遠近道俗，趨拜堂下，惟恐其後，則吾真常公有之矣。公諱志常，字浩然。其先洺州永年人，宋季避地濮之范陽，尋又徙開之觀城。因著籍焉。高祖皓、曾祖昌、祖明、父蔓，皆隱德不耀，素為鄉里所重。明昌癸丑春正月十有九日，母聶氏夜夢異服一人，授以玉兒，覺而生公。二歲喪父，六歲喪母，養於伯父濟川家。濟川諱蒙，名舉子也。賦義兩科，屢占上遊，雖以四舉終場同進士出身，歉如也。見公穎悟不群，嶄然出頭角，意欲作成，以償平昔之願，而公不喜文飾，雅好恬澹，常默禱高穹，望早逢異師勝友，式副夙心。年十有九，伯將議婚，公咄之嘆曰：「本期學道，未涉津涯，若愛欲纏縛，則古人高蹈出塵之事業，難乎有成矣。」同舍兄張本敏之，初以嗣續規公，既知牢不可奪，乃各言所志而訣。居無幾，負𥫗曳杖，作雲水之遊。初隱東萊之牢山，復從天柱山之仙人宮。宮之主者曰湯陰李仙，見公儀觀魁偉，音吐不凡，大加賞異。逮公辭，告之曰：「君玄門大器也，山庵荒僻，非久淹之地。昔祖師所至，異人并出，今獨長春在焉，宜往從之。他時成就，未可量也。」公翌日遂行，至即墨之東山。屬貞祐喪亂，土寇蜂起，山有窟室，可容數百人，寇至則避其中。衆以公後，拒而不納，俄為寇所獲。問窟所在，捶楚慘毒，絶而復蘇，竟不以告。寇退，窟人者出，環泣而謝之曰：「吾儕小人，數百口之命，懸於公一言。而公能忘不納之怨，以死救之，其過常情遠甚。」争為給養，至於康調，迄今父老猶能道之。歲戊寅夏六月，聞長春師自登居萊，公促裝往拜席下。師一見器許，待之異常。山東路轉運使田琢器之，高其行，且聞昔在即墨，主帥黄摑副統咨公籌畫，保完一城，以書邀至益都，待以賓禮。己卯冬十有二月，我朝遣便宜劉相仲禄，賫詔備禮，起長春師于東萊。時益都副帥張林，自金歸宋，叛服靡常，公懼其為阻滯，乃往説林，俾移檄所經，衛送以行。庚辰春正月，師始命駕，從行者十有八人，公其一也。二月達燕，明年春二月北上，秋七月至阿不罕山，距漢地幾萬里，并山漢人千家，逆師羅拜，以為希世之遇，咸請立觀，擇人主之。師將行，指公坐上語衆曰：「此子通明中正，學問該洽，今為汝等留此，其善待之。」因賜公真常子號，額名其觀曰棲霞。師即西邁，公率衆興作，刻日落成，又立長春、玉華二會，至今不輟。癸未夏五月，師至自行在，憩于其觀。一日齋客四集，師手持一弓弦，不言以授公，公亦不言而受，圈而佩之，仍作詩為謝，師但笑頷而已。蓋阿不罕之留，弓弦之授，識者知其有付屬之意。秋七月，從師還，至下水時，殘暑尚熾。師因納凉官舍之門樓，字呼公而教之曰：「真師不易遇，得道者不易逢，逢之而不易識也。守道之篤，人貌而天，行直寓六骸而淵宗，忘飢渴而常寧，至静而遺形，獨游乎無極之妙庭。此語汝當記之，以俟他日自得之耳。」公拜而謝。自承教之後，益自奮勵，息機體真，敬事循理，歷死生憂患之際，曾不易其所守。師住燕京之日，凡教門公事，必與聞之。丁亥秋七月，師既仙去，清和嗣教，以公為都道録兼領長春宫事。己丑秋七月，見上於乾樓輦。時方詔通經之士教太子，公進《易》、《詩》、《書》、《道德》、《孝經》，且具陳大義，上嘉之。冬十一月，得旨方還。庚寅冬，有誣告處順堂繪事有不應者，清和即日被執，衆皆駭散。公獨請代之曰：「清和，宗師也，職在傳道。教門一切，我悉主之。罪則在我，他人無及焉。」使者高其節，特免杻械，鎖之入獄。夜半，鎖忽自開，公以語獄吏，吏復鎖之，而復自開。平旦，吏以白有司，適以來使會食，所食肉骨上隱然見師像，其訟遂息。癸巳夏六月，承詔即燕京，教蒙古貴官之子十有八人，公薦寂照大師馮志亨佐其事，日就月將，而才藝有可稱者。乙未秋七月，奉詔築道院於和林，委公選高道乘傳以來。雖清和掌教，而朝覲往來，必以公，故公為朝廷所知，而數數得旨，璽書所稱曰「仙孔八合識」。八合識，譯語師也。戊戌春正月，清和會四方耆舊，手自為書，付公俾嗣教。公度不能辭，乃受之。三月，大行臺斷事官忽土虎，奉朝命復加玄門正派嗣法演教真常真人號。夏四月赴闕，以教門事條奏，首及終南山靈虛觀，係重陽祖師鍊真開化之地，得旨，賜重陽宮號，命大為營建。甲辰春正月，朝命令公於長春宮作普天大醮三千六百分位，及選行業精嚴之士，普賜戒籙。逮戊申春二月既望，醮始告成。凡七晝夜，祥應不可殫紀。歲辛亥，先帝即位之始年也，欲遵祀典，遍祭嶽瀆。冬十月，遣中使詔公至闕下，上端拱御榻，親緘信香，冥心注想，默禱於祀所者久之，金盒錦旛，皆手授公，選近侍哈力丹為輔行，仍賜內府白金五千兩以充其費。陛辭之日，錫公金符，及倚付璽書，令掌教如故。公至祭所，設金籙醮三晝夜，承制賜登壇道衆紫衣，暨所屬官吏預醮者，賞賚有差。詢問窮乏，量加賑卹。自恒而岱，岱而衡，衡隸宋境，公嘗奏可於天壇望祀焉。既又合祭四瀆於濟源，終之至於嵩，至於華，皆如恒、岱之禮。祀所多有徵應，鴻儒鉅筆，碑以紀之。壬子春正月，命駕終南祖庭，恭行祀禮，規度營造，凡山下道院，皆為一例，以是地係教門根本故也。逮四月既望，東歸。癸丑春正月，奉上命作金籙大齋，給散隨路道士女冠普度戒牒，以公為印押大宗師。甲寅春，上又遣使作普天大醮，分位日期，如戊申，而益以附薦海內亡魂，勑公為大濟度師，出黃金五百兩，白金五千兩，凡龍璧環紐鎮信之物，及沉檀龍麝諸香，並從官給。自發牒至滿散，鸞鶴五雲，現於空際者無虛日。公復念燕境罪徒，久幽狴犴，不以湔洗，則無由自新，言之有司，蒙開釋者甚衆。冬十有二月，有旨召公。乙卯秋七月，見上於行宫。適西域進方物，時太子諸王就宴，敕公預焉。舍館既定，數召見，咨以治國保民之術。十有二月朔旦，上謂公曰：「朕欲天下百姓安生樂業，然與我同此心者，未見其人，何如？」公奏曰：「自古聖君，有愛民之心，則才德之士，必應誠而至。」因歷舉勛賢並用，可成國泰民安之效，上嘉納之，命書諸册。自午未間入承顧問，及燈乃退。丙辰春正月，以老辭。夏四月，至自北庭。五月至晦，總真閣之北簷無故摧壞。六月庚申朔，公倦於接應，謝絶賓客，隱几不言。戊寅，正襟危坐，語左右曰：「昨夜境界異常，吾自知卦數已盡，歸其時矣。主管教門向已奏聞，今誠明張志敬受代，餘無可議者。」翌日，悉以符印法衣付之，乃留頌，順正而化，春秋六十有四。平昔著述，多為人所持去，有《又玄集》二十卷、《西遊記》二卷行於世。公以儒家者流，決意學道，事師謹，與人忠，茹葷飲酒之戒，涓毫不犯。主宫門二十年，凡所營繕，皆公指授，翬飛櫛比，雄冠一時。四方信施，歲入良多，悉付之常住，一無私積。羽化之日，衣衾杖履而已。性質直，不能曲意順情，故謗訕屢興，隨即自解。公一不校，復以誠信待之。方其與同舍張君敏之之訣也，各言其志，敏之卒中詞賦高第，而公竟掌道教長春。別幾二紀，敏之以使北見留，隱為黄冠，公兄事如昔，并其屬給養之。時河南新附，士大夫之流寓於燕者，往往竄名道籍。公委曲招延，飯于齋堂日數十人。或者猒其煩，公不恤也，其待士之誠類如此。長春道侣，不下數百，獨能識誠明於齠稚，教育成就，卒付重任，其知人之明又如此。故能歷事三朝，荐承恩顧，雲軿所至，傾動南北，香火送迎，絡繹不絶。及聞訃音，近者素服長號，若喪考妣，遠者出逕仙靈，為位以哭。可謂其生也榮，其死也哀矣。庚申夏四月，今上嗣登寶位，中統辛酉秋八月，詔贈真常上德宣教真人號。明年夏五月既望，予方逃暑不出，誠明子携諸執事踵門來見曰：「先師嗣法，有功玄教，今䏈世幾七年，不有以追述其美，則門弟子輩俯仰慚怍，殆無了期。惟先生與師隣鄉縣，熟其為人，敢以斯文請。」予辭之力，不踰月，凡三見臨。具狀其師之道行，及持虚舟道人李鼎之和所為傳，併以見示。予觀其行實平美，略無纖芥譎怪之事，乃以予平昔之所見聞，併為次第其先後而銘之。銘曰：

道之為教，基於老氏。不肆不耀，知足知止。性而身之，全真則是。質而文之，真常乃爾。粤惟真常，系出仙李。重陽裔孫，長春嫡子。笑授弓弦，傳法微旨。留建棲霞，嗣教伊始。言必成章，動必循理。誠以待士，廉以律己。萬口推尊，三朝付倚。善始令終，榮生哀死。蒼蒼五華，涓涓一水。窈兮窀穸，閟我冠履。付畀得人，追昔遺美。有狀斯述，有傳斯紀。仙靈雖昇，仙聞不已。我銘以辭，無愧焉耳。（明正統《道藏》本《甘水仙源録》卷三）

萬户張侯孝思之碑

今上皇帝嗣位之六年，率惟敉功，平一區宇。凡先朝開國佐命之臣，思有以奬拔其人，而報稱其功，乃悉召赴闕下，以次第賞之。眂其人最舊而功最多者，朝議以宣授千户保州等處都元帥張公為稱首。皇帝惜虓虎之助，隆下下之恩，勑公坐諸帥上，數以御坊名醖，親致勞來，既而論功封萬户侯。萬户蓋國朝大官，開創以來，授漢人纔六七，公其一也。陛辭之日，眷諭良久，易金符為虎符，仍賜御衣名馬以寵其歸。越明年夏四月，公平徐方迴。一日，召門下客王鶚謂之曰：「昔吾大父嘗言，大定間有方士過吾門，私語里人曰：『是家氣色甚佳，後世子孫，必有以材武名世者。』或怪問之，渠以陰德所鍾為對。今吾以仡仡一夫，遭際亨會，坐制八郡，出總萬兵，自忖虚庸何以得此，是必先世餘芳，有以啟導之耳。吾欲文諸翠琰，發揚遺休，子意以為何如？」僕曰：「古之人立大功名，享大富貴者，必推本其所自，以追美焉。故有唐李僕射，方節度淮南，而命白樂天作家廟碑。近世右丞劉任公出鎮中山，亦嘗令蔡正夫作述先碑。今公問望昭著，不忘其本，禮也。然氏族之所從出，勛閥之所從來，僕也未知其詳，敢以為請。」公笑曰：「予世農家，弗沾寸禄，氏族勛閥，前寔無聞。向嘗有意於斯文，而或者謂范陽張車騎，公之同姓，且於公為同郡，勇功義烈，前後亦同。世代綿遠，漫不可考，庸詎知非吾祖耶，系而續之，其誰曰不可。時予甚鄙之。蓋人之所以尊祖敬先者，貴乎誠信不欺，使後之子孫，知某為父，某為祖，足矣。若希高慕遠，曲意餙辭，予誰欺，欺天乎？予雖不知書，樂與知書人語。嘗聞郭崇韜之於汾陽王，族望異也，里閈異也。一旦過其墳壠，輒下馬慟哭，當時以為謟，而至今人以為非。方之狄漢臣之不受梁公子孫家譜，相去一何遼哉。是知牽引附合，欺世盜名者，將以榮親，適所以累其親，思欲取重後人，而不知反為後人之所輕且笑也。且子嘗在史館矣，顧安肯為人曲筆乎？今予告子以父祖行事之實，子非予言勿書。」僕曰：「唯。」謹按公言，張氏世為涿州定興縣河内里人。高祖諱某，輕財好施，雅重内典，日誦《金剛》、《般若經》。人有匱乏者，極力營贍，略無靳惜意。歲饑，出貸不立券質，貧不能償，置之弗問，鄉里以此多之。高祖母某氏，亦憙佛賙貧，有倡即隨。曾祖諱溱，祖諱辛，行己大率如高祖，而親賢樂善，尤為鄉曲所推重。曾祖母閻氏，祖母牛氏，持誦施予，不墜前訓，皆享耋年以終。公之父諱福寬，今春秋八十有七，視履飲啖，不減壯時。其子雖貴，自處如平素。每遇正旦生辰，門人貴客，羅拜牀下，必起立鞠躬，若將答焉者。與人言，多及少年田家事，曾不以富貴動其心。諸孫問安，衆不能名，但怡笑頷頷而已。公方烜赫，孝養有加，識者知其慶猶未艾云。公之母牛氏，祖母姪也。事舅姑以孝聞，賢淑静專，為鄉里式。愛重賓客，中饋自親。方公未貴，喜交遊，重豪俠。遊俠之士，肩隨踵門者，日率十數輩，公必飯之乃已。他人厭其煩，母為治具，自若也。惜其有陶、王二母之賢，而不得享晉侃、唐珪之奉。雖然，公於貞祐擾攘間，倡義募兵，羣雄影附，卒能翊扶昌運，為一代勳臣，其亦出於賢母前日待賓之力歟？僕既書公之言，不敢有所加。惟公功名如是，富貴如是，而能孝於其親而思其祖，請以孝思名其碑。公曰「可」。乃為之銘曰：

崑崙之巔，水泉出焉。匯而為淵，疏而為川。源深流長，有開必先。清河似之，本支蟬聯。惟佛是憙，惟貧是憐。高曾而下，前襲后沿。推廣此心，樂善親賢。内治攸同，宜其享年。父也其慈，醇和自天。富壽康甯，人偏我全。母有不亡，婦師静專。待賓餘慶，嗣子其延。桓桓我公，貞心永肩。拓境闢土，連趙跨燕。帝曰汝嘉，于蕃于宣。不志孝思，光庭賁泉。郎山之維，易水之壖。儼其豐碑，樹之荒阡。日月逝矣，松楸宛然。書無愧辭，尚永其傳。（清光緒十六年《定興縣志》卷一七）

遼昭勇大將軍中都路都總管兼大興府尹郭公新塋碑　至元三年三月

歲旃蒙赤奮若冬十月丙寅朔，公之子曰翰、曰幹，持本經歷官王惟愛暨公政績，及遠祖太尉陰公之狀，踵門來見，執禮甚恭。謂：「先世諸塋，已有碑志，近卜新塋，葬先妣于其中，而父之壽藏附焉。□□□遠祖之遺美不彰，洎吾父行事之不著，貞石已礱矣，敢以文為請。」予與昭勇公有一日之雅，且與婿周鐸親為姻婭，義不克辭，兹以其狀為次第之。按郭氏世為漷陰縣清泰鄉于家里人，高祖世珍，仕遼景宗為太尉、司徒，言聽諫從，數蒙寵賚，嘗于私第賜地八千畝，乃搆大亭，榜曰獨秀，歲時拜掃，為游息之所。亭經水没，今惟柱礎存焉。聖宗統和六年，承天太后伐宋，以夏暑師還，俘獲甚衆。次至范陽，世珍與翰林承旨馬德誠上書言：「降卒役夫，皆有父母妻子，不無懷土之情，驅而北之，終不為用。惟殿下以至仁寬宥，放歸鄉國幸甚。」太后嘉納之，蓋所縱數萬人。其後郭氏奕世安榮，殆以此歟？公之考琪，仕金為□東機察使，妣劉氏，生四子。其四也名汝海，字和卿，以□□丙寅十二月二十一日生。冬旱雪，委尺餘，人以為瑞。貞祐初，漷陰城陷，老幼皆被屠戮，三生皆失所在，與劉公獨携公禱于火神廟，願保護此兒，使郭嗣不絶。時公七歲，行至灤河，力不能負，欲遺棄兒而去，俄一赤犢横來，扶置其背，安穩還家，多獲火神之力。公既顯，繕祠以報。年十有八，縣民訴于所司，攝行縣事。歲庚寅，朝廷立十路徵收課税所，耶律丞相知公才，奏充燕京都税司。未幾，敕本所副使，佩以銀符。

時所官長副數員，獨公以幹濟稱。中統初，公以久忒徵收，殊非本志，俾其子翰承襲，退居田里，若將終身焉。三年，今榮禄大夫、平章政事兼制國用使阿合馬奏本路員多，不無侵擾，疏其廉幹得力者，任使如故，餘乞罷之。詔可，仍諭諸人毋得阻亂。署事之後，創建驛舍百餘楹，不令擾及民家。獄分男女，各區處。多起倉廒，遠近得所，每歲應給，行宫所須，未嘗闕誤。大小差徭，先期告足。又禁約兇徒，緝捕盗賊。倡優之家，毋與平民雜居。不肖之子，不得私借債負。薊門漏有舊刻，歲久不存，公能復修之。燕市細民，喜以惡語相詈，公能禁而止之。治績甚多，此其大畧也。歲不再易，風移俗熙，益萬户二千餘。事聞，特降雷符，官昭勇，總管中都路，兼尹大興府。數次引見，敷奏良允。然夙夜在公，未嘗少懈，寮佐化之，亦皆勤恪。夫人王氏，雲内人，金故監察御史白撒之女，治家整肅，人莫敢犯，以中統五年七月五日卒。三子，翰其長也，承父之職，中都路課税所副使。次幹，提領中都路監酒外課。次壽山。翰之妻齊氏，故課税經歷官守約之女，卒，再娶張氏。幹之妻周氏，故定遠大將軍天祥之女。孫二，長青狗，次白狗，皆未名。孫女四，長福容，適姻家經歷司齊君之孫；次祐容、貴容、蘭容，未適人。方公之式微，後也以鄉村地勢湫下，數經水害，人有避居之意，乃出家貲，立新莊七所于其高敞之地，分處里人，永遠為主，仍給貧者牛糧，不使償納，村民獲安，于今感戴之。又以縣西天津河橋道久不修，水潦之際，往來病涉，至有漂病而亡者，復用家貲市木石數百車，創起輿梁，行者賴之以濟。蓋公平昔疏財重義，尤篤鄉情，其愛人利物，類如此。予嘗謂先世遺美，賴後嗣發揚之；家君善政，須孝子繼述之。太尉司徒之陰功隱德，流光異代，昭勇公之佐國佑民，烜赫當世，翰等俱能肯求文筆以傳永久，一舉而兩得之，是可尚矣。宜其碑。乃為文諸翠琰，而系之以詞曰：

本之固者，其末必茂；源之深者，其流必長。遼有巨相，恤民有章。前代勛卓，後葉彌昌。是生偉人，操守異常。小試京尹，恩浹一方。年總耳順，聲赫廟堂。睿眷日隆，福其可量哉！至元三年三月日。（清道光十八年《通州志》卷一〇　以上徐勇點校）

全元文卷二四七

張安石

張安石，鄉貢進士，吉州(今山西吉縣)教授。本書收張安石文一篇。

后土廟重修記

太極判而兩儀分，兩儀分而三才備。清而上者謂之天，濁而下者謂之地。《易》曰：「天尊地卑，乾坤定矣。」中含大道，亭毒品彙，命于兩間，禀氣而生者人也。乾剛配天，故稱乎父；坤柔象地，故稱乎母。天地於人，既同於父母，人於天地，豈有獨父而不母者哉！故歷代皇帝明王每以四仲之月至于方嶽，燔柴告祭，所以事天也，以天子之職事其天，則事父也。及季春土旺之日，躬詣河汾之陰，掃地而祭，所以事地也，事其地則事母也。天地明察，神明彰矣。皇天后土，國家尚嚴祭祀，況郡縣人民者乎。鄉寧后土廟者，創自金國大定二十五年，移建于兹矣，修崇正殿，傍列諸神，露砌三門，無不畢備，可謂一方祈賽歸依之地，歲時祭享，日不乏人。己卯城陷，是廟也焚滅殆盡，止存正殿及有崇寧真君之祠，以彰靈應。厥後凶年，人皆逃散，以致廟貌疏壞，不待風雨，瓦解紛𢧐，梁摧蝃蝀，砌草帶露而朝泣，庭木號風而夜悲。日月亡邁，孰陳香火，闔邑無人。僅十餘載，至大朝癸巳年，權州趙仲、劉琛等募民還集，復立城池，經畫田舍，漸成倫理。有本縣令張漸暨紫川吴善志憫此荒凉，樂攄丹懇，重為修庇及盖五嶽龍神之位。噫！人知父母生長之恩，而不知天地之恩甚於父母之生長也，以母氏之劬勞不過為一己之德，况地之博厚含弘光大，無所不載，無所不生，寔應地無疆之德也。且五嶽大者，以其為天下之鎮；四瀆廣者，以其貫九州之遠。嶽瀆之神，尚參王者之祀，為萬民所歸仰，我后土之聖尊為萬物之母，經絡江河，子孫山嶽，皆以長養之仁，無出載持之外，功德之大，豈勝言哉！張宰、吴公憫其繪像，重修廟宇，有以答靈祇之德，會襄陵李用和來簿是邑，刻石傳二人之美，姑以斐辭紀其歲月云耳。（清光緒二十七年刊本《山右石刻叢編》卷二四　彭久安點校）

郭時中

郭時中（一一九五——一二五五），字器之，其先世為太原人，後徙居蒲城（今陝西蒲城），遂為蒲城人。太宗十年（一二三八）開科取士，時中式西京，中第三。監試官朮虎辟為山西東路考試官。後謁耶律楚材，為其條陳涇水利害。付諸實施後，收倍常歲，民賴其利。廉希憲行臺陝西，署時中為經籍所官，官至三白渠副使。憲宗五年（一二五五）卒，年六十一（據李庭《寓庵集》卷六《元故三白渠副使郭公墓碣銘》）。本書收郭時中文二篇。

筠溪道院記　戊申　定宗三年冬末

關中以山水甲天下，終南以明秀甲關中，重陽宮之勝絶，尤終南之冠也。宮之西北隅，茂林脩竹，清泉白石，幽闃寥敻，殆非人境。友人李和甫構茅其中，榜以「筠溪」。一日，偕湛然高士求記於予。予以謂和甫世居大梁，家本豪族，幼以神童□□□。甫弱冠，出家服道士服，今卜居於此，殆將泠翠光中枕流嘯傲以終此生乎？和甫曰：「非也。翠筠故宰，吾將師其虚乎；清溪一曲，吾將友其静乎。吾豈愛□□□□□□□□以為耳目之娱也哉？吾將聽於無聲，視於無形，以虚為□□□□□□□□□□。」予乃□然而應之曰：「嘻，有是哉。凡人受天地之中以生（下闕）及乎大□□□，日與物接，以喜怒哀樂汩於中而窒其□，□□□之□矣；以□□□□為於外而擾其静，有土苴之汙矣。人慾熾，天理□似不能□乎其後矣。然而□者求復其初，在一轉移間耳。不情其性而性其□□而用□□兮□存，棲神於玄漠之境，養氣於淡泊之中。味無味如坡仙之□□□，寧可食無肉；為無為如伯禹之治洪水，行其所無事。寸襟昭曠，無風塵之□□；□真□□，□□□之簸弄。其於虚静為如何哉？和甫進於此矣。抑嘗闘之，依□翠竹，總是真□。又曰：『□見杏時須薦取，休隨流水到天涯。』敢問和甫，筠溪之意果安在哉？」笑而不答。戊申冬杪，宣授陝西三白渠使太華郭時中記。（一九八八年文物出版社《道家金石略》第六一〇頁）

道德真經藏室纂微開題科文疏鈔序

己酉　海迷失后元年七月十六日

天地萬物之一，會於聖人之心，明於聖人之言。觀聖人之言，不察其所從出，無惑乎！事物之多，紛紛藉藉，有萬不同而莫能為之總持而兼攝也。夫道生於一，散於萬，不知萬之歸於一者，皆推本窮源之學不講也。老子《道德經》之所從出者，一而已矣。曰上經，曰下經，似不一也，未嘗不一也。曰八十一章，曰五千言，似不一也，未嘗不一也。蓋以天地萬物之一，寓於上下經、八十一章、五千言之中，使天下後世，由於一而知夫一也。夫一之理，廣大渾淪，難乎擬議形容也。謂之有邪，則不得於言；謂之無邪，則不離乎物。方天地萬物未形之先，是一也，已萌乎其中。及天地奠位、萬物品彙之後，是一也，無所往而不在。天地得一而為天地，萬物得一而為萬物。聖人得天地萬物之一，開悟天下後世，蓋非一言一論所能究悉，此老子《道德》五千言所由以作也。碧虛子生乎千載之後，虛心守一，得玄學之傳，為之纂微開題，其言至矣。而太霞真人以謂碧虛子博極羣書，敷引廣奧，非謭學謏聞之士所能窺測也。況變故之後，典籍焚蕩，無所考閱，恐久而失其傳也。於是乎推本碧虛，質以平昔所學，更互演繹，著為《科文疏鈔》。又附之以總章，無慮數十萬言，支分節解，血絡通貫，曲暢旁搜，巨細畢舉，遂為完書。蓋其慮之也至，故言之也審；憂之也深，故説之也詳。碧虛子之所述，殆無餘蘊矣。噫！是經也，老子作之，碧虛纂之，太霞又從而釋之。何經歷世數之久而述作之多，蓋一之理難乎擬議形容也。雖然，後之學者不可畏高而怯其難，亦不可躐等而為之易。必也睿思明辨，日就月將，孜孜汲汲，無少間斷，深玩而實體之，則是一也，洞然胷中，有不期悟而自悟者矣。將見自凡趨聖、超然物外、神遊八極、身居閬苑者，未必不由兹學始。其緒餘土苴，猶足以齊家、治國、平天下云。沖素大師美田白公顯道、葆光大師長安劉公伯英，同鳳翔張公大師，鋟梓以行於世。且以蒲城党公講師公叔書來抵余，願丐序引，姑為題其端首焉。大蒙古國歲己酉秋七月既望，宣差陝西規措三白渠副使太華郭時中序。（中華書局影印明正統《道藏》卷一二　以上李軍點校）

楊威

楊威（一二〇七？——一二八六？），字震亨，磁州成安（今河北成安）人，一説太原太谷人。少嘗有功西夏。中統建元初年，召為中書省詳議官。後因以星變勸大臣解機務以避賢路，未見聽，辭歸磁州，教授生徒。八十終于家。治《春秋》義（據王惲《磁州采芹亭後序》、《中堂事記》）。本書收楊威文一篇。

簿尉劉公去思碑　至元七年

聖人稱：善政，民畏之；善教，民愛之。班、馬之史，傳循吏不傳能吏。善教者，孔子意謂循吏也；

善政者，能吏也。能與循皆吏也，一得愛稱，一得畏稱。循之與能，優劣分矣。成安簿尉劉公有惠愛，有才幹。此之謂循全德之人歟？公姓劉氏，名仁，字寬夫，順德府平鄉縣人氏。充刑公勾當官。中書省闢其有廉名，勾授左三部勾當官。至元四年，聖旨黜冗員，而部符留公，依擬。勾當考滿，授磁州成安縣簿尉。蒞事三年，任滿，將赴選。民戀戀不已，投狀保舉留挽而不能得也，僉曰：「吾縣不治久矣。自公為治，屬官大和，事不苟且。民無横役，胥無貪暴。」前令孔公、後令韓公，公每議事，温言悦色，是則喜從之，而役少有差，則方便折准。至于差役之分數、系銀之多寡、貧富之高下，花户由帖，並無冒濫。雖權在縣令，而公之贊成者多矣。自到任至任滿，所增收交參避役者百餘户，亦助成令之一端也。部河倉税，他縣到倉至有半月不得納者，惟公與倉官較是非，分曲直，以温顔辨折，使斗斛平，收受速，無欺誑，無横費，到便納，軍民省濟。此才幹之一端也。行軍馬團結營寨之者、權豪勢要之家，羊馬牛畜損失田禾，齒嚙桑棗，公依國典施行，所償者無怨言。此不畏權豪之一端也。自到任來，晉盗逃秦，有雖鼠竊，隨緝隨獲。此有權變之一端也。部符催軍户造納袢襖，令委公監督。他縣則就聚一處，捶督嗔喝，晝夜不得散；公則不然，約與期限，使各遂便造納。他縣未半，而公所管者工已畢矣。此誠著于人之一端也。聖旨以蝗旱、貧民食不足，以倉餘糧借給貧民。公與倉吏約曰：「此皆聖主恩民，公等共承上意，成一段好事。」迺驗實貧困者，甲乙其名，監視斗斛，分毫無私，貧因得濟。此恤貧愛民之一端也。本縣軍户王玉被賊盗殺傷牛一隻。公跟隨踪跡，至屯營去處。其營東鄰廣平，北鄰肥鄉，所盗者牛數極多。他縣視營若海，無敢窺伺者。公直入其營，贓賊俱獲。歡衆欲齊拏之。公數之曰：

「軍非民不食，民非牛不耕。今國禁私家有牛者不得宰殺，殺牛者重罪之。汝百户一軍。縱汝軍盜民牛而又殺之，使民不得耕，無以供軍食。汝罪當與盜牛者同！」酋聞之大恐懼，乃使左右獲賊出營，致之于法。此能于尉職之一端也。噫嘻！惠而信以愛民，威而勇以捕盜，可謂才、力兩全，恩、威並行。及其任滿而行也，不期而會送者，闔縣境千有餘，至于截鐙留鞭，涕泣不忍别。公自安撫司勾當官名聞于省，舉為省勾當官。考滿，除成安縣簿尉。公事上以忠，任公以勤，蒞事以敏，折獄以平，馭胥以嚴，愛民以惠，待令以和，周旋奉上，勤勤敏敏，罔墜國典，加之以手不釋卷。非公之才之惠，安能使民留挽去思之若是哉？成安軍民紀公投下等實政，遂琢石而紀之，題其額曰「去思」。（一九二三年排印本《成安縣志》卷一四　張文澍點校）

孟 仁

孟仁，進士。本書收孟仁文二篇。

蘇氏祖塋記

《易》曰：「積善之家，必有餘慶。」天道也，於蘇氏見之。蘇之世系其封已古，此其裔也。曾大父曰用，力農為生，家□□□，祖塋在焉。俯瞰長河，旱亦不竭，歷世浸久，穴且偏。大父曰俊，延地師，於祖塋之北得吉地，遷其父與叔葬焉。沛之社溝有舊置田園，乃就居焉。大父性純謹，仁而喜施。□□之父曰温，紹休祖考，金末為寇所害。幼子滋陰記死所，得收葬，後復自社溝遷玉龍。公之昆仲四人，曰潤，曰澤，曰津，曰滋。潤即公兄也，雄才大畧，值金運之季為沛令，屢立奇功。遷授懷遠大將軍，宣差都提控，任滕州太守，威名德望，遠近懷服。公賦性剛明，勇於裁斷，知大朝啟龍飛之運，會總管右相延攬英雄，挺身歸事，果蒙嘉賞，授沛兵馬都總領。躬勤守禦，完集居民，號為稱職。超遷顯武□□□帥。親帥軍馬復徐土，所至斬關迎降，秋毫無犯，有古名將風。阿朮魯大官人聞而嘉之，特遷定遠大將軍。□□□天旨應管各隸所司□□右相恩命，復領前職，授信武將軍。□□□□兄弟聚議曰：「吾輩值此擾攘□□□□欲議遷之祖塋使窀穸永安□□□□春秋致祀，永肩孝思。」木石工役，樂以身先。□□□□庚子十月十五日，自社溝扶□父祖兄弟靈柩歸葬茲土。葬儀隆盛，觀者榮之。以十一月初一日告成。信武大將軍，□□都總領、定遠大將軍、沛縣左副元軍兼滕之昆弟安葬焉，走書禱余。余嘉其昆季孝行之美足以厲風俗，不敢以鄙陋辭，爰即其行事之端委為之銘，曰：

蘇氏之先，古封遐傳。□周史□，□□廣延。後□蕃衍，□源斯遠。代不乏人，朝□貴顯。秀孕古滕，□惟祖塋。世樂田里，福壽安榮。公之大父，謙和慈恕。□居社溝，家以殷裕。惟公之兄，一代豪英。忠魂義魄，雖歿若生。族兄淳德，勤於稼穡。躬祀松□，□□□□。猗歟我公，内慈外雄。□□加惠，報國惟忠。有弟堂堂，武惟鷹揚。謀茲葬事，相先孝義。天恩榮禄，福祥斯

萃。光揚祖妣，洪休備至。（清道光二十六年《滕縣志》卷一四 鄧瑞全點校）

張藻

張藻，乃馬真后稱制元年（一二四二）官汾州教授。本書收張藻文一篇。

評事梁公之碑 壬寅

公諱秉鈞，字仲平，古陶麓臺人也。自幼治《書》，天性寬厚，其行純粹，善與人交，鄉曲之間，甚有德譽。因疾終於家，享年六十。生子七人，長曰瑜，次曰玫，三曰瑛，四曰珪，五曰琜，六曰瓊，七曰琮。長瑜，其性行亦純厚。其貌魁然，二十四載為本邑令。寬而有容，未嘗見鞭箠及於人，故闔郡吏民，無不懷愛。壬寅六月十二日，因疾卒於官，時年五十有八。次子玫，早喪於鄉里。三子瑛，其性正直純儉，孝於父母，友於兄弟，信於朋友。又多勇略，其操履迥出於庸流。方在壯年，會世離亂，耻於淹屈，慨然有遠大志。戊寅之冬，會大朝太師國王總百萬之師，開拓疆土，自北而來，至於并、汾之間。偶然得公，國王見而悦之，遽然信用，相從征伐，所至處無不畏威而下。至春班師，復歸故地。及己卯之秋，又按察那延總軍，與公南向征伐，由迴牛、鳳栖二嶺，遂下平陽、霍州、晉安、沁、潞等數十餘城。又攻太行，使其山不得固其險。群師馳入，又下懷孟等十餘城。至辛巳歲，入美良境。又會天風暴寒，冰合黄流，而群師平渡，遂得神前口處要地。因入陝右，又破楨州。至己丑年，公不遠萬里之地，躬詣闕下，朝見。上嘉其意，親授金牌，宣命令充明安之職，掌握兵權。及與太傅總領也可那延宣差萬户，扈從車駕，西入長安、鳳翔等路，其州郡傳檄而定。并宋境同慶、白環、西和、沔州、泰安、興元等處，雖有金城湯池，弗能固守，亦皆委而去之矣。又乙未歲，領軍又取階和、成鳳及襄陽等處，州縣靡有或遺。丙申之冬，又破大安軍，由劍閣入西蜀，威震四遠，不勞血刃而定。次丁酉歲，開、達、梁、山、忠、万等州，遠際瞿塘、夔府、巫山之界，所征無敵，所向無前，如入無人之境。得其地，乃提士卒凱歌而還。至戊戌年，西蜀復立其城，暨都元帥重整三軍，談笑而定，直抵鵰門、黎雅、木波國界。至辛丑歲，宋人復守瞿塘之江，兵不能進。公乃於是計之以皮航，因得而濟之，遂破其兵。衆散亂，投水而去，因得其地。是以都元帥知公有深謀遠筭，又善於用兵，故授以萬户之職。見留鎮守於興元，外摧奸寇，晏然無事。迨乎辛丑之春，成都、漢州敗軍之將，强伸疲力，復立其城。公與先鋒突薛那延復入其境，如虎羆之蕩犬羊，莫之能禦。於是生擒四川制置陳公及其下官屬，莫非其有也。噫！公自少從征二十餘年，披堅執鋭，以身許國而不敢告勞，近世以來，未之有也。四子珪，五子珎，從按察那延征伐而終。六子瓊，從大遜郡王征山東，得益都等路數十餘城迴，因疾卒於家。七子琮，繼故長兄為本邑令。瑜生棟，從國王四方征伐。棟一子驴兒。瑛有子三，長曰翼，權父職征伐。次曰羽，見習儒業。三曰長安。瓊子一，乞僧。琮子三，長曰張奴，次曰萬僧，三曰千千。信哉！「積善之家，必有餘慶。」是以子孫衆多也，濟濟鏘鏘，顒顒昂昂，枝葉連芳，如芝蘭玉樹，生於庭階耳。鄉人曰：「有是慶門，可無美乎？」壬寅七月十有八日，諸梁數子求文於僕。僕以不才，固辭者屢矣，辭不得已，乃為之記。其銘曰：

猗歟梁公，其貌堂堂。周旋中礼，不失其常。賦性純純，固守公方。世積其德，德音孔彰。天道福善，久而益昌。詵詵子孫，襲慶之長。洋洋佳聲，膾炙人口。曰茲慶門，時亦罕有。克忠克孝，宜享天佑。立身行道，以顯父母。繼繼繩繩，揚名於後。今銘諸石，尚傳不朽。（清光緒二十七年刻本《山右石刻叢編》卷二四，清康熙四十五年刻本《平遥縣志》卷七上）

郭起南

郭起南，汾陽人。本書收郭起南文二篇。

重修長春觀記

戊申　定宗三年十月十五日

江漢炳靈，世載其英，英靈鍾萃，異人出焉。彼一時也，此一時也，氣數相感，地利重焉。蕭史往而鳳皇之名猶在，王喬泯而煙霞之跡尚存，遠揖尚父之釣磯，近控太王之廟址[一]。清風臺上，崎嶇秦分之關山，綠水溪邊，灣曲渭河之景界。路邃隱桃源之舊，谷深藏壺裏之天。異哉！長春師之故寓也。

觀曰長春，亦以志長春隱道之所也。常夷考師之為人，才識高明，動止奇異，一蓑一笠，不置簞瓢，乞食自娱，雪霜其操。隱磻溪者六載，居龍門者七年，三蒙上國之宣，一受虎符之賜。平生舉措，未易屈數，然其所大異於人者，有三焉。宋使、金使各以召命來，大蒙古國亦以宣命至，夫誰不曰「師當南行」，師意若曰：「好生惡殺，教門所尚，化溫厚之俗易，革殺戮之心難。雖有知慧，不如乘勢。」選可與共遊者一十八人，於是北往。每遇召見，即陳以少殺戮之言。天下餘生，實拜更生之賜，轉好殺之心，為好善之心。此最難能者，而長春能之，此其異於人者一也。常人入道，便廢斯文，專事修養，長春則不然。訪古則紀之吟詠，登程則寓之述懷，咳唾珠璣，語句超俗，曰《磻溪集》，曰《鳴道集》，曰《西遊記》，歷歷可觀。昔侯道華入道，手不釋卷，或問「要此何為」？答曰「天上無懵愚仙人」。而長春好事述作者似之，此其異於人者二也。歲在丁亥季夏，念三師有疾，人報巳午間雷雨大作[二]，太液池竭[三]，北口山壁亦摧，師笑曰：「山摧池枯，吾將與之俱乎？」未及旬餘，果遂蝶化。三年之後，啟棺更衣，手足如綿，顏彩如故。非修養至到不若爾，此其異於人者三也[四]。嗟夫！登商山者遐想於四皓，見甘棠者緬懷於召伯，覩其地必思其人，焉有歷磻溪而遺忘長春者。吁！此觀之所由興也。是觀也，雖歷年所，而荆榛圮址，遺跡僅存。門人盧志清同道伴孫志冲等，自戊戌遊是觀，覩師之故宇，景仰弗忘，具畚築，創艱難，朝斯夕斯，曾不少憚。逮庚子歲，面奉大宗師清和真人、輔教宗師洞真真人、提點白雲真人、無欲真人法旨，差知觀門事，分辛勤香火，慎終如初。務力田疇，修整水利，興建殿宇，土木落成，于以發明長春師之寓跡，其用意豈淺淺耶？或者讀坡仙「夜入磻溪如入峽」之詩，未有不雌黄長春之磻溪者[五]。殊不思渭河以南，古有磻溪，上鄉下鄉，太公之隱居，長春之隱寓。雖所隱之地不同，而所屬之鄉則一，前後豈有兩磻溪哉[六]？亦可以燭來世之惑耳。雖然，觀之名固為長春師設，而春之意獨有在焉。春之一字，在天首四時，在地長萬物，在人為和氣。居是觀者，温以接物，寬以待人，長養發育，悠久不息。使登是門者皆熙熙然[七]，而長春之名不妄設也。若夫慘刻殘忍，小智自私，則是春有時乎而熄矣。歲著雍涒灘下元日謹記[八]。（一九二二年刻本《寶鷄縣志》卷一四，一九八八年文物出版社《道家金石略》第五〇一——五〇二頁　以上李軍點校）

[一]近控太王之廟址：太，原作「大」，據《道家金石略》本改。　[二]人報巳午間雷雨大作：巳，原作「已」，據《道家金石略》本改。　[三]太液池竭：太，原作「大」，據《道家金石略》本改。　[四]此其異於人者三也：此，原脱，據《道家金石略》本改。　[五]未有不雌黄長春之磻溪者：者，原脱，據《道家金石略》本補。[六]前後豈有兩磻溪哉：磻溪，原倒，徑改。　[七]使登是門者皆熙熙然：皆，原脱，據《道家金石略》本補。[八]歲著雍涒灘下元日謹記：涒，原作「裙」，據《道家金石略》本改。

跋樓觀懷古[一]　丁未　定宗二年二月十五日

事非詩不足以紀其事，詩非事不足以聲其詩。且樓觀經臺聖跡，雖歷變更，未嘗湮絶。宣差郎中王公，良月薦香，躋攀勝概，信而好古，援筆成章，有曰「矮柏繫牛人不見，杖藜尋遍説經臺」，可謂意盡言止。況尹仙故宅，子瞻佳句已勒珉於曩時，惟老君攬駕之所，吉人品題，實增光於今日。吁！昔睹甘棠而思召伯，今睹矮柏而慕玄元，其誠未易量哉！宫宰郭志寧命工刊石，丐予為跋以美之。强圉協洽真元日，汾陽郭起南謹書。（一九八八年文物出版社《道家金石略》第四九九頁）

［一］題目代擬。

扎古得

扎古得（？——一二五二），即扎古帶，張萬家奴父，事睿宗於潛邸，從破金有功，賜虎符，授河南北路船橋隨路兵馬都總管，萬户。東從西征，下興元，憲宗二年圍嘉定（今四川樂山），歿於軍（據《元史》卷一六五《張萬家奴傳》）。本書收扎古得文一篇。

請欽公疏 乃馬真后四年

宣差都總管疏：敦請欽公大禪師住持十方棲巖禪寺，為國焚修，祝延聖壽者。竊以如來説一藏教皆是筌蹄，達磨開五葉花稍通消息。若非明眼，孰辨正宗。伏惟欽公大禪師，坐斷十方，壁立千仞。

與奪總歸杖拂，鍛煉自有鉗錘。脱功勛而空劫非家，垂方便而通身是手。法以無説而説，心以非傳而傳。已知干木隨身，正好逢場作戲。中條山下，驚散千劫野狐禪；飛練巖前，竚聞一聲獅子吼。更休回互，便請承當。拈一瓣之名香，祝萬年之聖壽。謹疏。（清光緒二十七年刊《山右石刻叢編》卷二四　王樹林校點）

裴憲

裴憲，字子法，長安（今陝西西安）人。本書收裴憲文一篇。

雲山集序　庚戌　海迷失后二年七月

庚戌夏五月，友人論伯瑜至自相臺，話舊之餘，忽出知常先生文集一編，將以板行垂世，且索序引，義不得以荒鄙辭。披玩數四，而弗能已。至于賦評論記銘叙歌詩，或感物而造端，或因人以示意，大率以演暢真風，蠲滌塵累為主意。其宏才博識，非夙學穎悟，孰能與於此哉？先生世本澤郡名族，幼讀書習儒業。業成，涉大變，因歸玄教，盡棄世緣，徑遂神遊八表之志，何其偉歟！借使當年值承平，攄素業，展盡底藴，而兼善天下，其積功種德，為如何哉？唯其時與事乖，於是退而作獨善之計，以修身養性，日飲聖腴，與古仙上靈為之侶。時有著述，以鳴道妙，而啟迪後人。此兩者，蓋知常與時

舒卷之勢然也，初何容心哉？七月一日，緑野雲孫長安裴憲子法引。（明正統《道藏》本《雲山集》卷一 徐勇點校）

何道寧

何道寧，為宣差宗玄大師。元憲宗四年（一二五四），終南山重陽萬壽宮無欲觀妙真人羽化，道寧代之，提點陝西五路興元路教門，兼領重陽萬壽宮事。本書收何道寧文一篇。

終南山重陽萬壽宮無欲觀妙真人李公本行碑

釣六鰲于東海者，不為鯢鰌而垂鈎；采合抱于鄧林者，不為拱把而加斧。苟志于大，區區細務不較也。今觀無欲行實，其超出物表之志，蓋類是歟？公族姓李，諱仲美，原月山人。父珍，職官醖，有子四人，公其次，生于大定己丑。五歲始能步，及長，聰慧邁倫，慷慨特達，毅然以正直自負，里閈有狡獪者，每正辭折之，人望而畏服。嘗肆意酒間，視舉世為不足玩。年三十七，乃憣然曰：「與其汩没塵坌中，孰若擺脱方外耶？」時全真教方行，意欲從師而未知所向，適碧虚楊先生主重陽祖庭事，乃往見之。碧虛素得人于眉睫間，知其為玄門重器，然天屬所系，度其有難解于心者，且令還歸，但勉以積善而已。公抵家，與諸親友決，謝妻子而去。其妻詘之，笑而不顧。其父見而呵責，公婉其辭，曉之以理性之事，父徐省悟，亦欲向道，乃同詣碧虛門下。碧虛以公識量不凡，命名守寧，及無欲子號。公蓬頭弊衣，行丐于市，時人謂之酒李先生。日用間，惟以濟人利物為己任，至于幽微之理，允造其極。大安庚午，秦境大旱，居民阻饑，公謂其屬曰：「餓殍如此，安忍坐視。」同邑趙三郎富甲關中，公詣其門，備訴田里艱棘之狀，趙悟，乃發廩粟付公賙賑。公與齊志道等晝夜舂爨，以給貧病，日不減百人。井水適涸，衆憂之，公密禱于神，鑿泉得水，設濟至秋斂而罷。公素不欲彰名，懼人知己，即日西行，已而有司奏聞，特賜趙為潤國長者。未幾，入興平環居，以千日為約，其靜中妙用，見長安集。至期，渠河使夾谷公及耆老數輩，就環懇請，以縣南龍祥觀委公為主，公諾之。居五年，至興定庚辰，住終南樓觀五年，又遷京兆之丹霞。尋蒙師旨主營建三原碧虛觀事，所寓之地，皆有成規。正大戊子春，碧虛于祖庭丈室，謂公可以倚重，舉以自代。關中搔動，公及軍民避亂于南山，糧盡，人相魚肉，幾及我公，或曰，此酒李先生，素有道者也，因携持出山，遂得免焉。庚寅春，如南陽，依附者衆，會冲虛李公、洞真于公在汴，冲虛奏請住持丹陽觀。癸巳，汴京款附于我朝，俄而忽起異議，無辜者皆坐誅，公與一長老止水泊中，迫于凶焰，長老悚慄不能自持，公止之曰：「我輩平日所行，正為此耳。死生常事，夫何畏焉？」竟以事免。城中絕糧，人争北渡，津人固拒，饑溺者以萬計。公請洞真先登，因以陰隲開諭津人，餘皆獲濟。公繼達新衛，門徒望風輻凑，今之靈虛天慶創成榮觀，自此始也。明年，領衆適燕，時清和尹公掌教，每會道衆議祖庭緣事，皆推公為能，公謝不逮，復奏請住持重陽宫兼任提點陝西教門事，更名志遠，祖以厚賵。公東行而歸，過魯過魏，自侯伯以下皆夾道祇迎，有以庵觀奉之者，有願為弟子者，有以財施者，公得之不以一毫私己，悉歸之祖庭。京兆田侯德粲閆公西歸，督佐官就河中相迓，以府城佑德觀歸之，今玉清宫是也。時關中甫定，暴狠相煽，公以仁言誘掖，稍稍格心。比年南征，俘摯來者不絶，公詢其主，有好善者，多端勸諭，引而歸道，有不可必致者，乃議貨取，隨授以明文，許其自便，其感之深者，終不忍去。公嘗往來于祖庭、玉清之間，然規畫調度，未嘗不拳拳于祖庭。丙申秋，受清和師書督祖師葬事畢，掌教真常宗師又任以祖庭之職。冬十月，詔提點重陽宫。再年，秦士議修文廟，闕瓦，郎中邳邦用輩請于公，公盡給之，士皆稱嘆。庚子春三月，被旨特賜無欲觀妙真人號。秋七月，河北郝公總管家隸百餘，陰謀南遁，得其顯狀，盡欲刑之。公聞之，連夜馳至其門，以善言誨導，亡者皆免。明年，城中群小數百，結連私逸，權府韓淵密知其情，議尸諸市以令衆，感公一言，但殲其魁渠。太傅移剌寶儉，其母死，欲以二婢為殉，公以古葬禮正之，始罷議。凡契丹人以人殉死者，弊因以革。丙午春，詔燕京作普天醮，公預焉。夏四月，歸自衛，汴京長官復請住丹陽，棲雲王公具禮郊迎，座中若有急色，介諸徒速出，人莫知其然。甫登舟，南軍已擁京門，其先見類如此。明年還宫，秋八月朝旨加玄微真人號，尋又被冠服之寵。甲寅春，宗師以國家醮事，具書招致，年已八十六矣，不敢以老耄辭。比至堂下，疾篤，以後事付于法弟衍真大師張志悦，以其徒拜宗師為大度師，于長春方壺留頌而蜕，時夏六月二十六日也。諸徒奉柩西歸，附葬于終南祖塋，禮也。葬之明年，志悦命李志安、陳志元具行狀請于宗師，欲刻諸石。道寧適有事于堂下，宗師就命當筆，且曰：「無欲領袖祖庭，蓋有年矣，今子代之，始終行實，子必熟知，其文之也固宜。」道寧不復牢讓，謹按無欲可見之行，為之説曰：有主持玄教之大人，不可無輔翼玄教之仁人。大人者，正己而物正者也，我宗師正容悟物，天下羽士皆觀而化。無欲公輔弼其教，以仁存心，俾祖師根本之地有隆無替，可謂無負宗師眷倚之意。蓋公之為人，稟剛大正直之氣，持特立獨行之操，傳授有源，充養有地，故施于事也，無不濟之以仁，遇患難則先之，見人急難，必盡力救援而後已。有叩其修真之訣者，則以積累勉勵之，其可與談性命事者，每至夜分不寐。雖與童子言，亦諄諄未嘗倦，至于名士大夫，尤樂與交游而相忘形骸。與人接談，又能度其高下而切中其機。然且待人以約，持己以謙，其處衆也，威而不猛，和而不流。在環堵四五年間，神變之妙，欲直書之，恐人以為誕。原其動静語默之常，亦可謂間世異人者矣，故碑之而無慊。乃贊之曰：

偉歟李公，專氣致柔。其守也堅，其行也周。解紛庶務，而善計不籌。一志不撓，而先為之儔。若人者，將猒世擾攘，而追帝鄉之游耶！吾知其了了諸緣，而嗒然乎歸休也。（《甘水録》卷六）

（魏崇武點校）

毛　翼

毛翼，汴梁（今河南開封）人。本書收毛翼文一篇。

元昭武大將軍總管萬户姜房墓碑文

嗣世而光昭祖考，没身而澤流子孫，此德義之可尊，人道之大備也。若夫上不能榮顯其親，下不能慶遺厥後，與草木而同腐，俾没世而無稱，亦云鄙矣。其能有光先代，垂裕後昆，則姜公其人也。公諱房，字漢臣，由遠祖以來，為海濱望族，家譜散亡，不可世其次，意者其太公之苗裔乎。高祖以降，世有積德，善類滋多，匪易殫紀。公稟生明毅，識度不凡，樂易而愛人，質直而好義，鄉黨異其為人，咸推重之。年甫壯室，會金季大亂，阻山濱海之鄉，盗賊尤熾，千萬為群，嘯聚林谷，比獵人以充食，居民苦之，不能自活。公有憂衆之心，慨然以濟物為己任，遂糾合土豪，率集義旅，冒患難，歷艱危，被堅執鋭者累年，竟以殲厥元兇，平其餘黨，一方之人賴公得存者，不可勝記。時少保相公李君方以整頓山東為務，聞其忠義而嘉之，特授以本州同知之職；自斯厥後，積有勛效，累遷至昭武大將軍元帥左監軍寧海州刺史。公撫治有方，政崇寬簡，躬行勤儉，以率其下，合境化之，風俗丕變，民之富庶，倍於鄰郡。朝廷體其能，加授膠、濰、莒、密、寧、海等州總管萬户，仍錫金符以寵之。公在官凡一十九年，庚子秋九月五日以病卒於任，享年五十有六。邦人聞之，莫不為之慟。初公之病篤也，屬其諸子而諭之曰：「乃翁起身白屋，一旦至此，不為不榮矣，静言思之，非偶然儌倖之所能致，皆賴我先人之餘慶也。是以夙夜孜孜，勉思無忝，奉上以勤，接下以恭，以慈祥遇家人，以恩誼待故舊，履正而奉公，居得而慮失，凡所以修身慎行死而後已者，庶幾少答先德之萬一也。若輩承祖先之帲幪，倘異日入官，宜以乃翁之心為心，視兄弟如一身，交游如四體，汝若輕易疎棄，是無故毀汝身傷汝體也。視民之老者猶汝之父，幼者猶汝之子，若妄肆喜怒，是無故撾汝父苦汝子也。又當以廉慎保爾家，以畏謹保爾身，以孝思奉先世，以清白貽子孫。今吾殆將不起，苟或及此，則吾死無恨矣。乃翁之言，可不念哉！」言訖，未幾而終。公男九人：長曰思明，次曰思聰，又次曰思温、思恭、思敬、思忠、思問、思齊、思義，好擇明師，使皆就學，女六人，俱適名家。嗣後山東淮南等路行省相公李君，先少保之子也，念公之德，欲旌其代，遂表其長子，俾承總管之符節，次子俾襲本郡刺史之職。二人亦恪居官次，不墜家聲，頗知細民之利病，且能委曲以事上官，李君嘗褒賞之，辭讓曰：「思明輩碌碌無似，誤被吾君録用，使紹先考之業，每懷靡及，深用戰兢。既失先意承志於其前，又慮弗克負荷於其後，今兹待罪下僚，儻獲苟免，躬受賜多矣，尚何爵賞之敢承？」李君賢之，曰：「有子如此，姜公為不朽矣！」亦未始允其讓。累遷其長子至昭武大將軍元帥左監軍，次子至昭毅大將軍元帥右監軍。一日昆弟相謂曰：「我猥承門閥，獲踐仕途，雖則云榮，於心終為不愜，何則？先人尚未改葬，無違之理，可謂闕然，為人之子，寧不愧於心乎？」於是率籲諸孤，蠲擇吉日，以乙卯年二月甲申遷瘞於州治南魯宋里，從先塋也。二人狀公之行，求銘於余曰：「敢惟是先人窀穸之事，將託吾子以永其傳，敢請！」余以文筆荒陋為愧，固辭，不可。考公之狀，是宜為銘，至於生平細行末節，皆略而不書。銘曰：

齊裔之姜，海邦其鄉。世有積德，於今乃昌。猗歟使君！材器奇特。始大顯聞，載歌先德。公遭世亂，事不避難。勇於除害，濟衆於安。公之莅官，思不出位。吏畏神明，民歌愷悌。儉以律己，寬而愛人。孝弟訓子，慈祥睦親。善始令終，德音是茂。碑於墓門，以詔厥後。（民國《牟平縣志》卷九　李真瑜點校）

高不儔

高不儔，宋淳祐八年（一二四八）領永州（今屬湖南）郡事，入元。本書收高不儔文一篇。

西山蔡先生祠堂記

日月久晦，忽開而明。雷霆久蟄，忽震而驚。吾道久否，忽泰而亨。是理在天地間，未嘗終泯没也。慶元黨禁，善類吞聲，朝柄下移，姦臣亂政。朱文公以一代名儒，召至長沙，目繫時事，如有隱憂。一疏則曰惜名器，再疏則曰紀綱。未幾盗憎主人，群憸惻目，名道學為偽學，指正人為邪人，發言盈庭翕訿。於是文公辭歸，而西山蔡先生謫居瀟水上矣。先生幼而穎悟，長而博洽，從文公游，升堂而入室，由是言事先及之。然先生自任以道，自信以天，未嘗以死生禍福介于懷。至舂陵，閉門讀書，罕與時貴接。士交就有道者，户履幾漏。後三年以疾卒，邦人思而祠之。開禧三年，聖天子奮發乾剛，斥逐蒙蔽，迺詔贈九品官。公論至是而大明，前枉至是而頓雪，豈非晦而明之日月，蟄而驚之雷霆，否而泰之吾道歟？不儔以戊申冬領郡事，道衛陽，繡使宋先生出示一帙曰：「此西山文集及紫陽夫子往復帖也。」既使蒙，謁祠下，數椽牢落，風仮雨凌，顧瞻徘徊，感慨罔極。鳩工聚材，增而新之，命理豊林契程督工役，不數月而竣事。廢官田以奉祭祀之禮，立掌祠以專灑掃之勞。重鐫文公往復帖，瞰於環堵之室，非直為美觀，其有繫於風教大矣。先生之孫杬持江東憲節，一日以書抵不儔曰：「記文不可緩，□非私家子孫所當秉筆。」再三以囑不儔，辭不獲。緬惟先生姓氏譜系與夫平日著書立言，則有遺藁可考，姑述其槩，而為之詞曰：

先生之風高兮疑山蒼蒼，先生之餘歿兮瀟水茫茫，瞻先生之遺像兮一瓣心香。（天一閣明弘治本《永州府志》卷九八　李鳴點校）

王義端

王義端（一二二〇——一三〇六），字元剛，豐城（今屬江西）人，義山弟。宋末累官綏寧令，入元不仕，大德十年卒，年八十七（據《雪樓集·故綏寧令王君墓表》）。本書收王義端文一篇。

王義山行狀

嗚呼！死生亦大矣。齊泯輕任，聖賢又難之。先生於至元丙戌八月，自誌其墓。明年二月十四日，以疾終。嗚呼！其知死生之説者。先生文滿天下，識與不識，皆稱為「稼村先生」。義端不敢援伊川例，狀先生行。痛惟先生平時所為事，皆可語人。見於自誌已幾。謹裒其逸，以俟當世大手筆。先生姓王氏，諱義山，字元高。曾祖皤然，祖諱德秀，父諱道昌，贈奉議郎。妣聶氏，贈安人。世居豐城縣長豐鄉槎溪里，今為富州。至先生始以科第顯。先生生於宋嘉定甲戌之八月。少長，先君延鄉先達熊公野，俾義端兄弟共學。新淦楊公攀龍擢第後，試博學宏詞科，先生徒步往從之。外氏，儒家也。先妣有猶子嚞，能力學，雖貧苦不輟。先君奇其才而嘉其志，曰：「是肯與兒友否？」先妣寧父母以嚞歸，與義端兄弟同研席。曉窗夜檠，切磋磨刮。先生苦學不及嚞，而天資遠過之。嚞稍長，端莊沈毅，先生憚之。丙辰，嚞領清江薦試南宫，知舉尚書陳公顯伯以嚞賦魁天下，偶原韵脱一字，以第五名入等，仕至瑞金宰。先生之學，其得於一家師友者又如此。端平甲午，郡上先君救荒恩補先生官司征新喻。先生治《易》兼詞賦。自淳祐己酉至景定辛酉科，與義端四以賦聯薦。壬子，先生為九題之魁。壬戌，試別闈。時主文右司馬公廷鸞常□博□章公鑒，得先生所試文，曰：「是老於場屋者。」放榜，同考官見先生名，皆以得人為賀。馬公貽書浙憲俞公掞曰：「近校文得江西二宿士。」先生其一也。廷試發策，以「三才及宋藝祖開基」為問，先生對云：「帝王能為生民立極，則能為天地立心，推明三才中，各有兩儀之理，及先後庚甲之數。」時在邊有尾大之患，先生末獻二策。一曰：居重馭輕。二曰：居安慮危。初考，帥參黄公績批：「援據精切，博古通今，第二等上。」覆考，秘書文公天祥得之，喜執以示同列，曰：「大魁在此矣。」且謂：「末兩策尤有補於世用。」批一等上。鄉先達給事徐公經孫，時為詳定，抑之乙科。先是，先生欲於獻策，極言時事。徐公揣知先生意，諒先生不肯以非道進。密以前甲之説唁義端。義端以愛兄之道，亦將悦吾父母之心，遂以先生二策告之徐公。先有所主，卒墮其計，皆義端不智，重為先生累。文公力争不勝，播於朝，皆不直徐公。秘書歐陽公守道，致書於參政皮公龍榮，曰：「王某殿廷之對，初備前三名，後乃如今所觀。」鄉先達廣憲雷公宜中，貽書義端，曰：「近與後林談伯氏殿廷之事，同為稱屈。」後林，鄉先達江東憲李公義山也。是不特當時朝論不直徐公，而鄉評亦不直之。初筮永州司户，關陞循從政郎，再調南安軍司理，辟令新喻，入漕幕。連丁考妣難，服闋，受光山軍節度推官兼書記，未赴。辟浙西安撫司盐場，入天府幕，權京學教授。甲戌秋，孟享差克刑工部架閣權主管官告院。乙亥，除國子正，以考舉及格，特旨改合，入官宣教郎，添差通判瑞安軍府事。宋度宗山陵充覆按使幹官，總護使禮儀官，該恩轉承議郎，奉使起發台州義米，措辨慶元府海船，三月到郡，兼浙東提舉市舶。踰月，以丞相章公鑑議國事不合去，鐫兩官罷見任。未幾，江西安撫司辟充參議官，分司贛州，未上。丙子，宋大皇詔官民歸附，遂還故山，以讀書著文為事。至元己卯，邦人士懼師道不立，群而白之當路，彊先生出。行中書省俾路學以贄幣禮聘先生于家，辭弗獲，遂教授諸生。明年，又以先生掌江西學事，咸以得師為喜。辛巳，退老東湖之上。環所居皆蓮，名其堂曰「君子」。書勉齋《瑞蓮堂記》於座右。士有不遠千里求文於先生者，踵相接。北方學者求一言以自壯者尤衆。先生隨所叩而酬不倦。丙戌夏，携子惟肖歸省松楸，憮然有感，得地於二里外之西堎村，曰：「我死必葬是。」秋七月，還東湖。及冬，得痰疾，雖侵未嘗不冠，四方朋友過從，必出近作示之，坐語輒移日。歲晚，贛之士以胡氏子為其母乞銘，來請於先生，先生援筆立成。文字益簡古，不知其為疾。呼惟肖來前，曰：「晦翁嘗云《權德輿神道碑》只一板許，歐、蘇便長了。」且謂：「贛去洪千里，汝亟謄藁授之，俾勿誤襄事。」嗚呼！此先生絶筆也。正月之吉，先生蚤謁家廟，書所作文藁自序。喜而語惟肖：「吾年七十四，死無憾。顧生平無他耆好，惟刻苦文字間，幸毋墜吾志。」易簀前一日，語惟肖曰：「吾度力不支。」明日遂行諸朝衣冠而起，目惟肖，曰：「勿死我婦人耶！」惟肖侍側，先生端坐正寢，兩手置股上，踰時而逝。嗚呼！曳杖逍遥之歌，啟乎戰兢之言，非先生學力到處，其何以死哉！先生天性至孝，先妣疾篤，藥弗績。先生命黄冠籲天，減己筭十年延母齡，遂愈。先妣八十四而終，先生七十四而終，孝心之感昭如也！先生質貌魁岸，玉色金聲。脩身踐言，表裏如一。嘗對人言：「吾生平有一豪愧怍，其於迅雷風烈，必中質之。」有偶厄於貧者，解衣推食無難色。所至以抑強扶弱，洗冤澤物為心。廉硬自厲，不可干以私。素坦率，讀書之室，凝塵滿席，湛如也。剛毅寡欲，性儉約，身外無長物。弊裘故褐，終其身不易。為學不泥於章句訓詁，為文必本於道，尚根據，斥浮靡，汪洋自肆，浩浩乎長江大河，一瀉千里。博物洽聞，貫穿今古，發為論議，雄渾奇偉，施之政事，天下國家可均也。嘗於先廬之傍，扁一所，曰「稼村」，藏修游息其中。尤篤於教子，唯諾間，皆義理之學。且扁惟肖讀書之所曰「學稼」，自為記以訓。六經子史。有所疑必紬繹為之説，有儒先所未及與闕疑者，彙為十卷，凡一百八十條，名曰《讀書管見》。有《宋史類纂》、《宋史提綱》數百萬言。嘗以質之焕學劉公克莊，公謂先生書法，得孟子意。他如詩、銘、記、序、贊、頌、跋、説、書、傳、策問、講義、箋表、啟、狀、誄、誌，凡三十卷。既成，先生曰：「謹藏之以示子孫。」因自序之。宏詞擬藁百篇，存者殊鮮。左砮劉公元剛序云：「言莊旨遠，有裴回容與推闡開豁氣象，躋之掖垣，是能盤詰其渾灝。」丞相文公天祥又序云：「國家大制誥、大詔令，擬諸其形容，所謂號令文章，焕然可述，與三代同風，安知責不在子？」丞相章公總其文而序之，有曰：「元高以孔孟之學，而養之以伊洛之淵源，以無施不可之材，而王之以理義之繩尺。」又曰：「以其典制玉堂者，而為操觚弄翰之末技；以其執筆青史者，而為纂言記事之繁文；以其庭歌廊廟者，而為騷人墨客之清吟；以其講論氈厦者，而為經生學士之問答。」又曰：「文者，貫道之器。非知道之君子，孰能與於斯？」初先生仕喻，有邑豪鄧知縣，欲奪其鄉人李蕃卿父葬地。嗾其僕誣之，縣責改葬。李有詞于郡，委先生審斷。先生謂：「李之父可徙，然發冢見棺，法當黥。開争端者鄧之僕，先正其僕罪，然後責李改葬。」郡如先生言，李遂免徙。僧紹南還俗，或訴之先生，擬云：「紹南棄異端，從吾道，自人其人。」訴卒不行。時漕使江公萬里巡部至清江，訴者不已，紹南出先生擬。江公大喜，檄入幕，受知江公始此時，與論《易》學，大奇之。壬戌冬，奉先君之戍二水，先君年將耄，湘道多崇峻，及登陟，先生翊筍輿以行，不知其為勞。受納職也，吏以事例白：「苗一斛為錢若干，歲可得千緡有奇。」先生厲色曰：「虐民而取羸，吾不忍為也！焉用例？」東安縣富民曾九二十四，人賄其家奴曾來福，承大辟。獄官鄧道受賕，讞上無異辭。憲台委先生審允。先生閱其牘，以辭異疑，詣獄引曾九二十四訊問。一鞫，得實情，曾來福得免死。憲使胡公大初巡部至郡，以平反功上于朝，且有自彊好修之判，還臺，亟稱於倉使劉公應龍。倉檄先生入幕，九郡之事叢於先生。潭州有劉其姓者，蚤死，饒於財。子幼，僕彊奪其租三千。事覺，以積逋文其過。先生謂：「主僕無交易，條亦無兩造理。」黥其僕，歸其田于主。湘潭縣士人李某者，有田數畝，鄉豪謀併弗遂，誣以契券不明，有爭獻于縣學，縣受之。李訴之臺，縣以告大成殿文來申。先生擬云：《春秋》書「齊人來歸鄆讙之田」。胡文定釋之曰：「齊人嘗歸漢陽矣，此獨書來歸者，齊人心服而歸之也。」今李私未心服而遽告之，先聖决所不受。遂還其田。兼憲幕，郴州有土豪王四官，與鄉人廖六四有宿怨。一夕，率其徒百餘攻其室，詭曰：「移寇。」廖妻劉以兩手捍門，旋以腹槍死。獄成，謂廖之弟自内持槍殺其嫂。先生考驗格目，曰：「若槍自内來，則傷當在背。」再下郡覆勘，果自外遇害。卒正王四官典刑。攸縣楊宰，養同姓為子。既授室，楊宰卒于官，子奉柩歸，族有嘩者，訴于漕司。幹官曲筆更立之，雖以其父家書證之，不能直。訴于部下之憲司，先生當筆索攸縣楊所判署，驗書跡，無異，乃置其族人于獄。事未結，先生校文于潭漕，語人曰：「王尸出院，當詰之。」撤棘謁漕，漕怒。先生從容曰：「幹官誤使長也。」漕怒益不解。先生還幕，卒黥其族之嘩者四人，逐漕所立者，還前所養者。湖湘多用人於淫祠，其名為「高脚紅花」，歲百數，巫實為之。有發其事，罪坐祭鬼之家，不及巫。先生始正巫罪，且謂：「巫殺人已多，刑以法外。」

自是，巫風盡殄。其在南安也，官廨西偏，乃太中程公遣二子就學於濂溪之所，先生謂：「明道、伊川有謚，太中公無謚，非博士議郎闕歟！」以書白之廟堂。丞相江公萬里得書，喜曰：「某囿於其中，而不自知。」已何江公去，國事遂寢。令喻邑，凋瘵甚，將之官，榜略云：「令未塵忝時，嘗仕兹邑，時新喻尚新也，今不古矣！部使者遣令為此來，將以新子之國，今與爾民約：令自交事後，一事之曲筆，爾民其庭問我。」其在漕幕時歲大歉，民饑，運副劉公應龍，移諸郡之粟，以活洪殍，盱有船粟三千應募，郡守方私尼之，且其言不讓。先生擬云：「知郡壺山先生之子也。壺山嘗佐漕幕，洪之民，皆其甘棠。《傳》曰：『愛及甘棠，況其子乎？』愛甘棠者猶及其子，豈有為人子而不愛父之甘棠乎？嘗記後村誌壺山墓云：壺山持七閩漕節，移上四州之粟，活下四州之民，活民之殍數萬。知郡家庭之間，獨不聞此訓乎？如固執不悛，是違父訓，當以不孝論。」方慚懼伏幸。豪民陳私者以富横鄉里，有訴于漕，先生暴其罪。陳挾權貴書賫通神，迄無所施，乃取他人父同姓名者告身白于官，覬得免。先生以所持告身名與前所供父名音同字異，擬云：「父一而已，陳某何父之多耶？」竟抵罪。外雍天下之學也，職教者非其人，弗先生望實素孚，月書季考，多得名流。江浙三山士，從先生游，屨滿户外，故出先生之門者多取科第立班行。其在天府幕，屬邑蔡學諭死，無子。僕因守柩，汙其二女。事覺，挾之出家於福邸，女冠觀母有詞，府不敢問。先生曰：「是不可治，宜急刑於市，而尸諸。」謝府幹辦武經郎王澤，誣舟人盗金銀器若干。仁和縣拘于官，其父母自經。先生察其冤，立王澤於庭，斥之曰：「汝挾勢戕無辜，當黥汝。」擬上。京尹黄公萬石判云：「觀僉廳所擬，謝秘閣略無畏天命、悲人窮之心。」諸若此類，遽數之不能終，姑舉其槩耳。先生嘗集其擬筆，名曰：「公生明。」又曰：「力行好事。」先生特立獨行，正直果敢，遇事無所屈撓，故其抑權勢，雪冤枉，卓為當世敬服。唯在京幕時，誤追朝廷羈管。有官人黄貽慶者，都司取旨降罷，平章賈公似道判云：「王帥僉乃一好儒者。」特免降罷，對移龍山監税，兩月覆職。關陞三：湖南倉使劉公應龍，以峻擢儒科，蔚有文采舉；使李公丑父，以文傳殿廬，評重鄉國舉；憲使王公亞夫，以藻麗之文，直諒之氣舉。改官五：江西運副劉公應龍，以學邃文清，才優志邁舉；觀文殿大學士江公萬里，以科級騫騰，吏能警敏舉；撿正常公楙，以性姿粹明，學力雄贍舉；户侍劉公良貴，以器識端重，鄉評所推舉；浙漕朱公浚，以奪繇儒級，綽著吏能舉；南安守周公子榮、江西憲使徐公明叔俱舉。改官以省劄未下不該。浙倉倪公普舉至而員已足，改舉文華科，其辭云：「文彩彪蔚，吏能胥敏展也，球奇之彦，可備館學之用。」直院文公及翁舉以自代，其辭云：「擢取科第，博極群書，發為有用之文，見諸致遠之器。」時章公參大政，以書薦于平章，謂先生趣向踐履，材識俱不苟，多士中巨擘，留意大科，識者期以館閣。明年，有掌故之命陞班胄監，告詞云：「虞廷九官命夔教胄，今文體弊矣！朕思得知道者為學校師，以爾直簡而剛庯，命爾為正，以教國子，爾其攄正學以明無虐無傲之教，楙之哉！」嗣皇幼沖，將就師，傳有旨選老成之士侍經筵，先生與林公一龍在選，後不果。嗚呼！先生立言，則兩宰相為之序；制行則諸老先生交譽於朝，非義端之私言也。嗚呼！先生已矣！懷堂木之千尋，記中宵之風雨，尚忍言之哉！先生自誌矣，何銘之求？義端應之曰：「唐東明張先生，自誌而卒，柳子厚銘之，則先生之墓焉得而不銘？」先生娶李氏，封孺人。男惟肖。女仁静，適前從政郎惠州録參清江趙孟柔。孫一人同老，尚幼。惟肖以是年秋七月壬辰，奉柩歸窆，遵先生治命也。惟肖築室於墓，像先生而祠焉。扁曰「稼村書院」，丞相章公大手筆也。歲撥田租三百斛，為晨昏香火奉，且大懼先生之文，無以詔後，鋟諸梓。嗚呼！先生死矣，先生之名不死也！雖然，先生亦豈願有名哉！觀先生之自誌，可以知先生之心。嗚呼！（明正德王冠刻本《稼村類稿》附録　徐永明點校）

陳宜孫

陳宜孫（一二二五——一二九一），字行可，號復齋（明弘治《徽州府志》卷八）。休寧（今屬安徽）城南人。宋開慶元年（一二五九）進士，授江州瑞昌縣主簿。趙日起鎮姑孰，辟為幹官，受委裁决大訟疑獄。調任常州教授，未赴。入元後，因保聚地方有功，被行省差知休寧縣事。至元十五年（一二七八），因薦任徽州路學教授，大新學宫。二十一年，授將仕郎、開化縣知縣。又任通州判官。二十八年卒于家，年六十七。所著有《復齋集》、《汴梁吟稿》。本書收其集外文一篇。

學賓菊存鄭公天麟墓誌銘

公諱天麟，字德甫，自號菊存，志隱也。昔周宣王母弟友封於鄭，子孫氏以國。至漢，高密有鄭公鄉通德門，史册尚之。摭吾郡《英濟王傳》，王少育舅鄭家，則歙有鄭，自隋唐始。而長齡有鄭，自友山始。公曾大父拱辰曰：「此兒與吾同。」命之曰「同」。公頎然魁碩，事親以孝聞。平居履正葆醇，恂恂然里閈，有寬厚長者風，不特同友山翁而已。凡掞藻含章，皆自洽博貫穿百氏出，人曰：「此同鄭廣文也。」凡剖疑論事，所諏定如契龜，好客過門翔棲，浹日無倦容，人曰：「此同鄭當時也。」凡勸隄防，精禱祀，序長幼有儀，賑貧乏有廪，人曰：「此同鄭次公也。」歲乙亥，人誅兵戎，農釋耒耜，民色若菜。公匍匐救助，遐邇畢粟。以故，人無揺心，德之者萬喙。郡侯寺丞王公積翁以其事聞，累授職本路鈐，階至武節。謝曰：「吾安用此？」會本道提刑察使竹庵鄂通先生希魯初行部，淬勉多士，於耆俊尤重。予時分教鄉校，亟奉命禮公作賓，公曰：「乃吾志矣。」益屏蕠務，覽名勝，義方之外，與騷人課以詩，有小藁曰「梅竹拾遺」。方將繼處士於松庭，尋子真於谷口。俄嬰寒疾，以果熟辭木自遣，翛然而逝，時年六十有七。公以丁丑十二月四日生，以癸未四月二十七日没。以己丑正月五日卜窆，蓋歙縣中鵠鄉醴泉里穎源也。公娶汪氏。男孟孫，世儒籍，益大其家聲。嘗踵書學，預一選，充永盈庫官。娶汪氏。女三人。次男可孫，娶鮑氏。三男岳出，繼孫，男二人弘、紹，暨孫女五人。其孤以其先人之善予也，願銘焉。予思芹泮舊遊，嘆菊存一生劬學，而奮藝場屋，僅三亞鄉書。器其才而不柄於用，其所安者天也。銘曰：

醴泉之里，澤泓渟兮。同穎之源，實茀芬兮。巖突峻夷，龍連蜷兮。松蒼菊晚，魂遲迅兮。是惟德甫之宅，孔成孔安，裕來昆兮。（文淵閣四庫全書本明程敏政《新安文獻志》卷八八　何本方點校）

冷應登

冷應登(一二二八——一三〇四),武寧(今屬江西)人,宋集英殿進士,入元,亦有文傳世。本書收冷應登文二篇。

櫟社談塵後序　大德八年

予嘗載酒櫟社,乞靈於骪骳得蒸殽之美,於盆瓴得鐘呂之正,於雜抝得綴兆疾徐之節,作而曰社中主人樂未渠央也。其以文為戲歟!觀至雜抝,余與友人抵掌大笑,不知手之舞之,足之蹈之矣。大德甲辰夏至日,前集英進士七十七翁應登書。(同治九年刻本《武寧縣志》卷三四)

冷進士傳

冷公洙字晦源,昇仁鄉人,宣和甲辰進士,授潭州司户。靖康改元,遷武安軍節度掌書記。朝議大夫賈修薦其才,為中貴所沮,不報。尋罷歸。紹興間,叛將李成寇武寧,防御使岳飛知公有御變才,檄公與湯執中禦之。公得檄，即募集鄉兵，日夜簡練，創戰陣攻守之具，慷慨誓衆。及成兵戰於印斗港，敗之。成憤甚，悉衆來攻，圍公等於殷土橋。公冒矢突圍，大呼殺賊，力屈而死。兄澄，弟沖，痛公死，益發憤團練鄉勇，為公報仇。岳軍至，沖率衆前驅，奮勇擊賊，斬獲無算。岳聞公死，哭而祭之。後祀岳，以公陪食焉。（同治九年刻本《武寧縣志》卷二　以上曾貽芬點校）

曾冲子

曾冲子（一二二八——一三〇五），字聖和，金溪（今屬江西）人。宋末為知安南軍，宋亡，棄官歸。元世祖至元二十四年（一二八七）起為福建按察司僉事。二十八年代歸。元成宗大德九年（一三〇五）卒。程鉅夫撰《僉福建提刑按察司事曾公墓誌銘》，《新元史》卷二二九有傳。本書收曾冲子文一篇。

重建儒學記

皇帝御極之初，詔曰：「孔子之道，垂憲萬世，有國家者，所當崇奉，猗與盛哉！」疇敢不對揚丕顯休命？金谿撫壯邑，實為文安陸先生之鄉。學宮在城南，王令尹衡仲，遷於晁公詩九經堂之故址，且百餘年。前雖屢修，止完葺塗填，莫敢改為。濟南吳公瑾來為丞，乃與邑長驢驢，尉馬思温議新之。

白之府，府委丞専其事。於是鑿土拓基，輂石聚木，以己俸率役，而章逢助焉。公不憚勞苦，晨興即至，逮暮始去。凌冒風雪，指授匠氏，位置一如其言。大德丁酉冬十月經始，不數月落成。門廡靓深，堂陛森肅，像肖藻繪，丹碧焕映，視昔有加。邑人士韙之，請識於石。竊惟宇宙間，惟道最大，為天地立心者此也，為生民立命者此也，為萬世開太平者此也。况學校教化之所從出，斯道之所由寄，可不重乎？《詩》三百篇言學校者二：《子衿》刺鄭國之不修，《泮水》頌僖公之能修。一頌一刺，勸懲繫焉。後之為政者，往往疲於簿書期會，如魯之修泮者鮮，况革而新之乎？今公之為是也，上有以奉明詔，下有以淑人心，其為德也宏矣。繼自今濟濟多士，游歌於斯，辨義利，明本心，無愧於文安之學，由希賢而希聖，詎非賢長貳之所望哉！斯邑自公來，縣有署，社有壇，孝女有祠，不一書矣。而建學以體朝廷尊道之意，則又其大者，於是乎書。（同治九年《金谿縣志》卷三三　查洪德校點）

全元文卷二四八

何夢桂 一

何夢桂（一二二八——？），字巖叟，別號潛齋，淳安（今屬浙江）人。宋咸淳元年（一二六五）進士，官至大理寺卿，引疾去官。元至元中屢召不起，終於家。著作有《潛齋先生文集》十一卷。本書所收何夢桂文，以清順治刻本為底本，校以文淵閣四庫全書本。另輯得集外文一篇。

通徐宅聘啟

某啟：伏以瓊霙瑞臘，玉蕊迎年，共惟某官大呂歛幽嘉平，燕酒穹厔翼扶，台候運止曼福。某肅修函櫝，奏記史籤，惠徹鑒省。

某啟：為江天雪宴，水澤冰堅，修祀蜡以佐陽，磔土牛而驅凍。惠綏天序，茂介時禧，式副善頌。

具位某右，某伏承某官，以第，某院愛玉孺封與姪某為婚者啟言：念桂府元戎，再世之金貂猶在；柏臺御史，十年之白簡已陳。人言草木之味同，天俾絲蘿之好合。恭惟令愛玉孺封公宮蘋藻，女誠素閑；而姪孫某家學箕裘，父書粗讀。未能種世間之雙璧，敢意牽屏下之一絲。特以兩家等為忠厚之門，而又累世未墜詩書之澤。爰得蹇修之借重，遂令晉向之干盟。薄纈玄纁，肅陳采徵。擇壻不必門户，山公固是奇人；娶婦毋論貲財，涑水尚存好樣。一言金石，百世葭莩。謹專人奉啟申聞，伏惟台慈俯垂鑒念。不宣，謹啟。

前啟有劄子

維時蜡樽紀臘，豳雅祈年。恭惟某官晞髮陽阿，乘虬縣圃，有翼有嚴，台候迪止萬福。某謹㷊香搢笏，贄名氏于下，執事惠徹鑒省。

惟四時代序，天地冰霜，肖翹者萎，蠕動者蟄。納燠祛寒，所以惠天時，迪人事也。至於游息温元，太和磅礴，其糠粃猶足陶鑄，陰陽煦嫗，動植區區，節宣之禱謹，不敢為二御瀆。

某惟層城天峻，莽渺無極。思欲褰雲旗，曳月裳，以周旋下風，莎夷夐隔，余懷渺渺，日折瓊枝。

竊謂斯文年來凋瘁，談詩書落落如晨星。兒曹庸碌，袖中佔畢，固不保其他日之遺忘也。每願儒閥托為婚姻，有婦翁如樂廣，婦黨如李膺者，使之濡染道德，庶幾不墜弓冶。比介中齋先生偕竹林諸阮，居中之援，妄意第二院愛玉孺封與某請昏焉。政以徼福斯文，輒犯不韙，敢圖高誼，畧去齊鄭大小之分，降心而許之，盟今而後，敬仲有後於嬀氏矣。穀旦于差，謹奉篚幣。以贄初虔，惠敦永好。載命行簡，敢弗于從，辱莅成盟，使百世宗祏，永有依歸，某敢不重拜。伏楮凌兢，仰干台照。

端肅加拜申詞令嫂、親家、伯孃、宜人，壽躔明炯，判闔親家。宜人淑候，清寧以次。竹梧蒼翠，蘭玉芬馨。霞靄煙霏，何鄉非福；荒村有委，聞命敬共。

［一］使百世宗祏：祏，原作「姳」，據文淵閣四庫本改。

請昏于方宅劄子

揆辰十月既望，七日方來，恭惟某官有直大方，為耆壽俊，靈修貺止，福履將之。某髀肉已生，頭顱可笑。意息姑厠群飛之列，鷦鷯辛棲君屋之巢。俯啄無驚，舉頭知自。載肅尺書之素，惠徼一盼之青。

少壯相期，幾從鞭弭；老來無似，莫逐韃韉。徒瞻峻閱之凌青，敢望層樓之倚翠。欽聞某人令愛玉君封毓秀金閨，尚悶月下老人之籍；而某姪孫某玷名璧水，慚非監中舉子之材。比借重于斧柯［二］，願依榮于玉樹。蕞爾小國，齊侯固非鄭之敢昏；念我先人，康公實為晉之自出。葭版之盟猶在，藍橋之好方新。儻降心以相從，敢拜手而重請。程伯淳群居庠序，或見取于彭公；王逸少獨坦厢牀，必無嫌于郄氏。願徼大惠，俯莅初盟。肅贄寅恭，伏祈丙鑒。

肅瞻環佩之仙，藐在群玉之府。元吉所萃，勿問已乎。有骪役乎，必恭敬止。（以上《潜齋先生文集》卷一一）

〔一〕比借重於斧柯：柯，原作「何」，據文淵閣四庫本改。

白鷗詩盟序

一日，有客款門，右手挾黄册，左手持丹雞，請於余曰：「吾將與諸生尋詩盟，敢載册歃雞，翼君為盟主，尚涖斯盟耶？」余語之曰：「詩難，子將於何詩？」客曰：「君不見劉禹錫《玄都》篇與白樂天《新井》篇？囀喉荆棘，抑世之黄間固紛紛也。吾求天地間無心可與為盟者，惟江上白鷗，白浪蒼煙，浩蕩萬里，興亡理亂，榮辱毁譽，一不與人世預。吾將相從浮游，以寫宇宙萬物之所自適，何如？」余瞿然起曰：「子將此與鷗盟，鷗必無子疑矣。顧余方乘莽渺游混茫，以天地為一鷗，尚復能為江上主人哉？」客曰：「唯命。」

清溪吟課序

至元十九年七月一日

詩始《三百篇》，其上公卿大夫，其下樵夫賤隸，其性情之所發，皆得以託於詩。古詩逸，五言始李陵，七言始沈、宋。詩非古意，去古猶近。科舉興，併與五、七言俱廢。士非阨於山林，逸於湖海，與夫失志於朝廷之上，而竄逐流徙者[一]，不暇於詩。清溪詩友暇日有詩課，蓋其不用於舉子業，而用於詩。夫春雨時至，草木怒生，銚鎛迺芟而倒植者過半。斯文在天地間，未始一日泯滅，輟於彼者[二]，此或茁焉，生意固無往不在也。雖然，詩未易言也，玄默敦牂歲夷則月朔日序。（以上《潛齋先生文集》卷五）

[一]而竄逐流徙者：逐，原作「近」，據文淵閣四庫本改。　[二]輟於彼者：輟，原作「輒」，據文淵閣四庫本改。

邵梅間詩序

天地冰霜，萬木凍折，而冰姿鐵骨，玉蕊瓊英，傲然獨出於萬物之表，故於是時，上下塵世無一物得與梅齒。其清徹寒絶，雅宜在梅間者，惟雪與月。清溪有詩人，癯然一髯翁，江空歲暮，顧影無儔，獨於梅花樹下抱膝浪吟，釃酒酹花，若將與雪月分席者，因自號曰「梅間」。夫風塵涴人，滿目皆是，跟空足音，跫然以喜。梅雖無言，余必知無拒子也。潛齋何某為作梅間序。梅間，邵之才，字德翁。

唐月心詩序　至元二十年八月

西風萬壑，明河在天，水月相涵，上下一碧。有客扣門曰月心，亟起揖入，坐之月下，曰：「吾方釃酒邀月，顧影躊躇，自謂三友，曠絶塵表，子以是心至，尚相與酬酌，以問子所見月與我同否歟？「我歌月徘徊，我舞影凌亂」，太白所見如此；「只益丹心苦，能添白髮明」，少陵所見又如彼。二子之詩，其趣況不同，相去遠甚，豈其見月本異，抑月同而境異，境同而心異歟？古人今月，今人古月，同歸流水，不知雲衢海嶠，子之所見，何似昔時，還與此山松間竹外同一光景否？子為我速道，若見見同則月不同，不然，則吾與子猶二月。」月心不答，袖出詩藁曰：「月盡在是。」余蹶然驚喜，為之展卷長歌，歌罷，長嘯曰：「子去，我醉，且卧矣。」一揖而别，蓋明月猶在天津析木間也。至元癸未秋八月序。

金玉詩序

棋溪徐君奇之一日訪余於雙溪之上，袖出《金玉詩集》曰：「此蓋所以搜採名公鉅卿〔一〕、騷人墨客之所吟詠之瑰章傑句，將以為家庭惡藥借重也。世謂至寶萃在是間，方托諸梨棗，以與好事者共之。然麗水之金，遇善冶而後貴；荆山之玉，遇善琢而後珍。長編巨帙，富則富矣，而文價高下，視君一言以為軒輊，何如？」余應之曰：「子言過矣。良金美玉，自有定價。使余亡言，豈能使黄金為土，白玉為石哉？抑通都大國，萬金之所，儲羣玉之所積，其色如黄龍，氣如白虹，固有連城不足以易者。至於璗鏐鈑銑、瓊瑛琳琅，横陳而錯出者，殆匪一品，豈必盡與褭蹄麟趾金名、懸黎結碌玉名同價？天下有目者隨其所得皆寶也，余何言哉？余何言哉？」棋溪曰：「唯。」於是乎書。

〔一〕此蓋所以搜採名公鉅卿：卿，原作「鄉」，據文淵閣四庫本改。

贈李景雷序

地理家有李子景雷者，家世是業，其伯父良玉挾錦囊游諸貴公之門，争羅致擢用，景雷得肘後訣。余於三十年前早識之，從余游，至今如一日。其為學刻苦自勵，於古地理奥僻書有未解，忘寢食求之，弗得弗措，繇是所業益精。其與人交，不苟得，不為欺僞，其不合，寧不唯以去。將挾所得以汗漫四方，請余言。余謂：「士大夫讀聖賢書，學聖賢道，學言與行不相顧者，或不免焉，況以一技自名其志，將以求食，至於依阿取容，顛翻希合者，往往皆是。如斯人者，真陰陽家之墨守也，子持此以往，焉往而不遇哉？」於其行也，贈之以言。

汪斗山詩序

嘗聞丹崖石柱多有奇人，恨不得泠然御風，汗漫其間，以誦李翰林丹砂白鵠之句，黄屯田黄精青鹿之篇，娑姍易菴中。一日有客汪君得一屨户外，挾詩册，升堂與之坐。目擊道存，固已見温伯雪手，旋取其詩讀之，則意囦而語澤，骨勁而神清，似其人。時方採菊籬下，因漉巾灑酒，與二三友共歌之。南山在望，西風襲人，亦柴桑中一大快事也。歌能，為之序云。

邵西坡詩序

客有挾西坡邵君詩踵門者，余讀而喜之，因徵余序，余曰：「序姑俟他日。」客三四返不得序，且怒去，余曰：「毋怒[一]，且止。余有癖，余非靳序也，余有道癖，方其有事，尸坐一室，吾視吾鼎中雄陽玄施，雌陰黃包，方潏潏狎獵起，吾何暇序？及其無事，又有懶癖，破緼蒙頭，曝日簷下，方熙熙怡怡、休休于于、嗒然忘吾之有四肢，亦何暇序？無是，則又有世癖，經生學士談《詩》說《書》，劍客棋翁嗚楸彈鋏，坐觀卧聽，更僕未已。倦則杖屨皐田，與畊夫芸子、樵童牧竪相爾汝，逮莫而後返，吾又何暇序？必俟吾三癖盡去，然後取西坡詩，燕坐讀之，如親見其人，使吾所欲序西坡者，橫潰突出公吾胸中而不可禦，而後使童子研墨，濡筆亟書，則序可以拱手得矣。今吾癖未去，而子亟吾序，故序止此。子持此以語西坡，可乎？」客笑曰：「此君自序，非序西坡也。」余曰：「子持此去，非序西坡，實與西坡作詩法也。使能於吾言下領會，不惟西坡一大公案，東坡復生亦當印可。」

[一]毋怒：毋，原作「母」，據文淵閣四庫本改。

王樵所詩序

先輩謂杜工部以詩為史，韓吏部以文為詩，繇其胸中儲貯博碩，然後信筆拈出，自成宮商，非抉摘刻削，求工於筆墨言語以為詩也。太白豪放，發於氣；郊、島窮悴，迫於時，降是無以議為矣。近代坡詩如駿馬[一]，詭銜不可羈靮，山谷、後山詩如風天秋隼，霜崖枯槎，不可攀企。要皆各得其所得，自成一家，尚論譜緒，當不在昔人刪後也。邇來詩社豪雋叠見層出，豈能多遜諸賢下耶？然至於氣彫意耗，骨弱肉浮者，或未免如沈休文所謂「八病」，釋皎然所謂「六迷」者也。樵所詩思婉以清，語勁以澤，不惟後輩當望避三舍，使休文、皎然及見之，固當印可。繇是進進，使之橫驅長騖，迅掣高騫，出意趣於尋常言語筆墨之外，吾當問子於韓、杜諸公壇上矣。

[一]近代坡詩如駿馬：坡：原作「波」，據文淵閣四庫本改。

題胡直內適安集

胡君直內挾詩冊過余，題曰《適安》，請余言。余謂：「子苦思於詩，將不免飯顆山之譏，亦奚安之適，而自謂若此？」直内曰：「人徒見吾之為詩苦[一]，亦孰知吾之有詩樂哉？夫羈臣寡婦、細夫窶人，其憂思感憤之所鬱積[二]，而發於怨刺者，若甚苦矣。至於户居環堵，抱膝微吟，得句則曳蹤長歌，聲滿天地，凡世間富貴貧賤、利害得喪、可喜可慕、可悲可感者，一不入於吾心，夫孰有以易吾之天樂耶？故其所適，適此而已。」余蹶然起曰：「詩抑末耳，斯言也，其幾於道乎。尚其勗哉。」

[一]人徒見吾之為詩苦：苦，原作「若」，據文淵閣四庫本改。　[二]其憂思感憤之所鬱積：感，原作「咸」，據文淵閣四庫本改。

文山詩序

生而不屈者，氣也；死而不泯者，心也。氣之不屈者，忠義而已；心之不泯者，亦忠義而已。忠義之道，塞天地、冠日月、亘古今、通生死而一之者也。宋丞相文公，平生文章在方册，官爵在史書，皆不足為公道。德祐乙亥，天步阻艱，朝野駭震，公從江西率子弟七千人勤王於京師。事之不濟，天也。間關奔走，卒為縶囚，奉首朔庭，萬折不變以死。古今死節惟以二顔、張許為稱首，然兩軍交綏，不勝即死，無可擬議者。至於紓之以歲月，錮之於不能進退之間，宗廟且不血食，使回顧却慮[一]，而為身後子孫、雞豚霜露之計，鮮有不屈膝者矣，而猶若是，真古今忠義士也！沙場青冢，千古南音，其所流落人間者，惟有流離中吟嘯詩史與狴犴中杜詩集句耳，使人讀之至今凜凜有生氣。嗚呼！公真死矣，不自意其死後猶能以詩寫其平生之耿耿而未盡者乎。豈公果不死乎？一點烈烈者，無在不在故也。大地無窮，事會無極，有能起生魄於九京之下，非公吾誰與歸？生芻一束，釃酒北酹，為之序云。

[一]使回顧却慮：顧，原作「顔」，據文淵閣四庫本改。

序本心先生疏食譜[一]　至元二十三年七月十二日

客有問本心先生《疏食譜》於門人何某者曰：「先生固嘗長丹屏貳黃扉矣，饔人膳夫宜有致天下滋味以自奉者，而日食若此，毋乃太簡乎？」曰：子非知先生者也。世固有一食數萬錢，猶若不足饜者，此所謂肉食人也。司馬温國、晏元獻二公仕至宰相，癯瘠如未仕時，此其志趣，豈直食前方丈而遽易其平生之素者哉？若然，則蔬食菜羹、啜菽飲水，固有甘於三牲列鼎者矣。予從師門久，暇日見其焚香燕坐，對客清談，時瀹清泉美荈、丹溲玉塵，餌青杞以餉在座者。使當時有飫羊胾、嚌乳酪者，得借一筯，猶將為之洗滌腸胃，况先生玉雪其人乎？故未嘗一及先生之門而親見其人何如者，固未信《疏食譜》為炮牂淳母也。唐侯舉師善面受先生録譜，將與世之知味者共之，且徵余言，敬拜手為之序。時柔兆淹茂歲夷則月望前三日也。

〔一〕序本心先生疏食譜：文淵閣四庫全書本作「本心先生疏食譜序」。

俞竹屋詩序

至元二十二年四月二十七日

凡物有詩趣，而物之潔雅浄逸、迢絶塵表者，莫如竹。老坡詩仙平生得意句，正謂「不可使居無竹」耳。俞仲疇妙齡工詩，人不知其詩趣所自得。仲疇築「吟屋」於山中，環萬玉於其外，日與此君周旋，觸目會心皆趣也。春宜雨色娟娟然，夏宜風聲泠泠然，秋宜月影刁刁然，冬宜雪節蒼蒼然。仲疇室於斯，詩於斯，故其得句也秀以貞，澤以勁，誦之而其音清越以圓。想其成詩，遍題竹間，使文與可及見之，真篔簹谷中一幅奇畫也〔一〕。君其斵竹為洞，結竹為樓，暇日嘯咏其間，當日益高遠，他日直造竹所，與君商榷古今詩未晚〔二〕。姑序其篇端，以識初識。歲在旃蒙作噩中吕月晦前三日。

〔一〕真篔簹谷中一幅奇畫也：畫，原作「盡」，據文淵閣四庫本改。

〔二〕與君商榷古今詩未晚：榷，原作「確」，據文意改。

吴仲遠詩序

至元二十二年四月二十七日

九仙山下有詩人曰吴仲遠，詩聲在吴會間。友人唐師善挾詩册示余，徵余序。余讀之，喜曰：

「杭東南奇勝，固詩人之多也，抑知余有感於杭者乎。《陌上》歌謡，坡仙遺墨未乾也，不知萬錦軍前輧車猶無恙否？梅邊吟咏，老逋香句未歇也，不知孤山林外高臺尚復存否？錢塘之潮汐吐吞，吴山之烟雨出没，不知騷人墨客尚有登高眺睨、觸景徘徊、悲嘯酣歌、噫嗚泣下而不能去者乎？此其詩思豈直在灞橋風雪、春草池塘而已？子試持問仲遠，曰奚居。」師善曰：「諾。」歲旃蒙作噩中吕月晦前三日序[一]。

[一]歲旃蒙作噩中吕月晦前三日序：旃蒙，原作「蒙旃」，據文淵閣四庫本改。

永嘉林霽山詩序

名景熙　至元二十三年五月十二日

永嘉舊同舍郎霽山林德陽，不遠數百里寄詩册屬嚴陵潛齋何某，商略近詩，三復唱歎。竊於詩之變而有感焉，方庠序群居，高談闊論，不過頌猗那，歌清廟，誦魚麗、天保，凫鷖、既醉之什，變風變雅不忍言之矣。況復齒及魏、晉、梁、陳以下窮苦愁怨等語，如細夫窶人、羈旅寡婦之為者相望。十年間而士大夫聲詩，率一變而為窮苦愁怨之語，而吾霽山詩亦若此。世喪文邪？文喪世耶？古今以杜少陵詩為詩史，至其長篇短章，横騖逸出者，多在流離奔走失意中得之。霽山詩僅見三十篇，其辭意皆婉娩悽惻，使人讀之，如異代遺黎及見渭南銅盤、長安金爵，有不動其心者哉？夜半壑舟，有力者負之以去，飛鴻印雪，爪距儼然[一]。吾是以重有感於霽山之詩也，吾是以重有感於詩之變也。時至元丙戌夏五望前三日序。

[一]爪距儼然：爪，原作「瓜」，據文淵閣四庫本改。

分陽何皆山序

名錡

皆山何君正則，當年壯氣盛時，以宦業自期，汗漫半天下。暮年倦飛，將絶迹息影，以歸休乎山樊。屬邑市災，逮其居，平生蓄租與燬俱燼，仰而歎曰：「吾家無廬，吾業無書，吾其托宿於黄帝之囿，假道於老氏之塗歟。」天目山之東有宫焉，曰「生仙瑞慶」，蓋天師第一代祖降靈之所也。一日訪舊，因止宿宇下，夜半神交，恍惚中若有所遇焉，此豈前生宿緣，嘗鞭鸞笞鳳，以從祖師羽蓋霓旌於金庭玉宇之下，今謫業已盡，當復返其故耶？明發振衣，裴回周覽，竊喜而計曰：「此吾菟裘也，吾老焉於此矣。菑畬畝甽，將為子孫播穫者，輟若干以附益諸宫中，所以引養吾餘年也。士章甫逢掖學為孔氏，推其餘，猶將大芘生民，使棟宇宫室、絲枲粟粒，舉不失其所，乃有自不得所蓋藉而逸歸於老氏者，道之隆污，豈固有時耶？」吾以是重為皆山三歎也。皆山以書來，道出處，且徵余説，於是乎書。

鮮于夫人李氏手帖序

至元二十四年二月十六日

伯機鮮于氏，中原文獻家也，持其故太母夫人李氏手筆與夫縉紳先生之女傳詩史，徵序於當世之能言者，曰：「此先人所以屬諸孤也，尚託一言以載不朽。」夫人夙遭閔凶，間關兵盜。夫没，二雛呱呱，拮據將荼，以免於育鞠。末年亂離顛沛，幽路邅徊，而玉質冰心，烈烈不泥以死。厥孤子初僅能奉持其夷居，手抄屏山《歸田十詞》為連城完璧耳。未幾，蘭亭繭紙流落人間，幾不可復詰。子初易簀詔厥子曰：「夫人書在，必得是以無忘吾在莒時也。」歲月云邁，悠悠我思，我須我友，一旦有以枕中故藏歸我伯機者，生前遺墨，手澤如新，鼪鼬藜藿之墟，聞似人足音以喜，况君蒿悽愴，若有僾然以見乎其位者，有不一動其心乎？君子是以重歎。夫一門而孝義之道四也：夫人為婦而節，為母而賢，子初孝子，伯機慈孫，於以敦彝倫，熾教化，興起人心，而愧死天下後世之不盡其分者也。天高地下，萬古無窮，人極不可以一日不立，故《書》著嬀汭[一]，《詩》詠凱風，貞節孝行傳於國史。要皆勸善懲惡，繫三綱於不墜而已矣，豈直觚翰藿云乎哉。持此以往，他日當有執彤管書汗青，以補史官之缺者，尚俟余言。至元二十四年歲在丁亥，春二月既望序。

[一]故《書》著嬀汭：書，原作「詩」，據文淵閣四庫本改。

柴謙山詩序　至元二十五年

謙山柴聲伯，故同寮從子也。僕仕天台，及與其大阮游。咸淳己巳，君滿秩先歸。庚午春，余亦被命為大學録，不相聞問六年。乙亥春復邂逅於杭，君病，僕煑藥饋之，病間謀歸，則已憊矣。途窮垂橐，時不能刲髀股少資之，平生負此欠事。相距十四年間，不知存在。何似一日得謙山書，知君物故，邯鄲昨夢，回首儼然，雷霆焚槐，天地大絯。萬物之摧拉泯滅者何限，而吾故人亦復彫落無幾，不意猶及見其子姪，能以詩篇商略可否。千里似人跟空，跫然以喜。若此者，豈復千里似人之比哉？既喜且悲，悲且歎惋，不能已已，書其篇端以歸，且志予感。謙山少壯，詩方進巨量，他日携卷再見未晚。至元戊子序。

王希聲陰陽家理學序　至元九年二月

世人嘐嘐然曰地理，地理果孰從而來哉？大塊洩溟涬決，蒼然而上，胡然而天？隤然而下，胡然而地？山胡為而峙？川胡為而流？星辰胡為而錯布榮馬？洛龜胡為一、六、二、七、三、八、四、九之數？四七之宿又胡與於齊瓶、吴蝎之分哉？至於大崗小阜，宛委頓息，蜿蜒蹲踞，千態萬狀，若不可詰，乃有望其落而知其所起，觀其發而知其所止，非有神授而使之然者，又胡為若是哉？歸而求之，亦冥於理而已矣。夫陰陽家，小數也，而有理焉。推而上之，則大而天地之所以推移，細而昆蟲草木之所以動植，前乎八萬六千之所以往，後乎十二萬九千六百之所以來，一以貫之，盡在吾目睫矣。王君希聲，儒家流也。少好山水，壯而益精。輯次諸家之説，斷之己意，以成一書，名曰《陰陽理學》，徵余為序。愚於理之説而有感焉，張而大之，非為荒唐誕謾以欺天下也。安得天下之知理如王君者，與之共談天地萬物之理於此書之外哉？壬申春仲書。

送方次山序

方君次山，一日携短軸訪易菴散人於萬山中，謂之曰：「余始也輕以出，於都邑無所遇名公大人。有賦《伐木》勸我以歸者，歸矣而又無所依，好事者則又誦司馬子長序説我以遊。横於兩端，進退無所擇，吾其為塗中之曳龜乎？為道旁之骷髏乎？」余聞其言而悲之，曰：「嘻！甚矣，吾次山之窮也。上天下地之宇，未始有極也。以吾次山浮游其中，不似壘空之在大澤乎？奚用戚戚若是。烏莫小於鷦鷯，莫大於意怠。鷦鷯之畏夫人也，雖落其實而不敢給視，然不免襲諸人間；意怠之於行列也，引援而飛，迫脅而棲，然免於害。子其逍遥以游天地間，則傾蓋之雅，杯酒之歡，皆吾友也。奚必歸睨舊業，指為陸氏一莊乎？子持吾説以往，當有卒然相遇於子所，不期然而然者，子何患焉？如曰今之天下皆龍蛇也，皆虎豹也，將無所於避，不知龍蛇虎豹滿天下久矣。子何避之晚乎！」

浮漚集序

胡君子陽，方外士也。秋八月自塔峰書院翩然引去，所與友者，一琴二笛而已。其將躡匡廬[一]、跨衡嶠，泠然御風以極莽渺而後已耶？其兄飯牛子招隱不返，得其平昔所為詩，裒集成帙，徵余為序。余謂子陽高蹈物表，惟恐影響之不幽，豈意詩名流落人間，使人得以俎豆於詩人之列，重為子陽累矣，而又使予序之，不知我累子陽耶？子陽累我耶？雖然，子陽詩之，予序之[二]，等於鷇音而已，累不累又安足筭耶？故為之書。

[一]其將躡匡廬：匡，原作「康」，據文淵閣四庫本改。

[二]予序之：予，原作「子」，據文淵閣四庫本改。

侄孫昭德遠游詩序

至元二十八年一月十五日

群從中子弟年來多學詩。存耕子年最大，學亦最先，詩自厲，甚刻苦。一日挾册來前曰：「某將有遠適，願乞一言以資其行。」予謂：「詩，天下公器也。以吾情之私雖許，予不足證。若詩之得與否，若工與否，持以問四方之明師益友如何。昔有老師僧，遣其徒三人游，與之期曰：「有得，歸以告我。」三年而歸，問所得，不告，師猶以常徒畜之。他日，師誦經窗下，適蜂鑽窗紙不達，徒呵之曰：「世間田地無限，汝即鑽那一邊故紙作麽生？」師亟起坐，謝曰：「聞汝言甚異，願以告我。」其弟子攝枷趺坐為説最上乘，老師因得悟入。余老且惰，併故紙忘久矣。子他日有得於四方師友而歸，或以相告，使余得如老師僧[一]。奇甚！奇甚！」至元辛卯，春正月望日，潛齋翁書。

[一]使余得如老師僧：余，原作「老」，據文淵閣四庫本改。

太學正節先生徐公序

夫國之危亡，必有死節。然死者，人情之所甚難，而食人禄，死人事，義有不得不然者。故其忠肝義膽之所激烈，雖太華頹乎前不吾壓，況嬰斧鉞、蹈鼎鑊、赴水火，尚復回顧却慮哉！抑古今不能多見。吾於戰國得一人曰王蠋，於晉得一人曰嵇紹，於唐得二顔、張許而下六人，五代得王彦章、姚洪而下十一人，如此而已。宋三百年宗社覆墜於怙權誤國者之手，忠臣義士死社稷、死封疆、死學校者相繼，固未可謂國無人也。太學生徐應鑣巨卿，不忍從三宫以北，將蹈火死不竟，迄沉諸井以死，且與二男一女俱。夫國亡，當事操兵者任其咎，六館諸生亦微矣，豈義有不得不死者，而若此亦既難矣。況兒女睍睍，能使之駢首相從於九地而無懟色，難矣哉！臣為君死，子為父死，一舉而忠孝萃焉。所以敦彝倫、熾教化，而懼天下後世之為亂臣賊子者也。嗚呼！天地無窮，事會無極，世安有無君無父之國哉！微斯人，吾誰與歸？義士劉汝鈞倡義葬之，畢事，以私謚「正節」易名，且徵予序其事。君經德諸生，僕亦經德舊人也，義不得辭，三歎為之書。

翠庭詩集序　至元二十三年

翠庭好吟，每握筆[一]，輒就隨所得付之小奚奴，日積月累，歸視囊中，已充斥矣。昔人有吟一字未安而撚髭斷數莖者，使翠庭若是，則於鬓於鬓將變為一婆久矣。余是以健羨翠庭得詩之易易也。子其汗漫四海，以旁搜名山大川之奇氣，博採明師益友之奇論，而後歸返故吾，解衣盤薄。畜其浩漫者，而澤之以淵微；斂其浮葩者，而質之以真實。他日舉筆試吟，故雖須刻百篇不為多，終日一字不為少。至此，則詩之妙趣又非難易所可概論矣。子持此以語四方吟友，當有信予言之不妄者，歸而求之有餘師，翠庭嚽告之不荅，書而示之，粲然領去。時柔兆淹茂榆火前一日，潛齋老兄書贈。

[一]每握筆：握，原作「掘」，據文淵閣四庫本改。

文勿齋詩序　本心長子諱本仁字性之　至元二十六年五月

詩者，所以載民風，繫世變也。商之詩慤而思；周文武之詩，憯怛而優柔；邶、鄘、衛、陳、鄭之詩哀，幽、厲之詩怨。要皆時使然也。魏晉而下，詩大抵出於羈臣逆旅、窮迫憔悴、不得志於時者之所為，故其悲憤之辭多而和平之氣少，尚論其時可知矣。勿齋少好詩，有志於古。讀其詩，其思易以幽，其辭淡以味。夫必有所得《詩》三百五篇删後，無能得其髣髴者。而吾子有志焉，則幾矣，抑知夫詩之所起乎。詩之起，由人心生也。心感物而動，故形於聲；聲成文，謂之詩。然其聲之嘽緩噍殺、廉柔散厲、錯出而不同者，豈人心之異哉？時之變者為之也。變風不企乎《二南》，變雅不競乎《二雅》，故詩者，所以載民風，繫世變也。勿齋居今學古，試問吾子所自執焉。余老且未死，尚觀商周之遺聲也。歲在屠維赤奮若月在蕤賓哉生明序。

唐心月集句序

荆公晚年好作集句，正不免黄太史一笑，余謂不然。集句雖古人糟粕，然用之如諸葛孔明學黄帝兵法，作八陣圖，必其方圓曲直、縱横離合悉在吾胸中，而後可以應敵而不窮；不然，齟齬、牽合、倉卒，鮮有不敗者。月心集句政類此，吾方羡其三多，而心手相應，隨取輒得，固未暇以涪翁之説少之。潛齋何某書。

汪復心瀟灑集序

人心感於物而成聲，詩為甚。志高山則峩峩然，志流水則洋洋然，非聲不同，所感之異也。琴且爾，况詩乎？錦峰繡嶺、雲水吞吐，又有披羊裘、把魚釣，嘯傲其間者，昔人以瀟灑名郡，真不妄。詩人汪復心在嚴陵得詩若干篇，題曰《瀟灑集》，其思與辭稱是。於此可以觀所感矣。堪輿無窮，物之感乎吾前者何限，可喜、可慕、可哆、可愕、可悲、可樂，有萬差不齊，子其慎所以感之者。（以上《潛齋先生文集》卷五）

全元文卷二四九

何夢桂 二

徐祥叔詩序

徐凝「廬山瀑布」，非惡詩也。坡翁「飛泉濺沫」之句，欲與凝之洗惡，蓋其漏泄太甚，故為廬山解嘲，非惡凝詩也。静山徐祥叔，凝之雲仍，其所為詩以《惡藁》自命。騷人墨客好自矜大，從古而然，祥叔乃獨取衆人所共惡者以自號，此其志豈淺淺者所能識？蓋將翻廬山之泉，以與古人一洗之。凝在九京，當復起生魄。

琴所王濟君用詩序 越人

琴所詩者，鼓絃而吟也，琴之趣清而詩似之。朱絃疏越[一]，使聽之者一倡三歎而有遺音。世無賞識，固無怪「高山流水」之不諧於俚耳也。善琴者固難，而聽琴者之尤不易也。《廣陵散》絶矣，不知琴所之詩為長清乎短清乎？抑為長側短側乎？㫚《東門之曲》已不能不動尼山之感，汾亭何時能使漁父不重歎於《南風》之操乎？然則琴所之詩，其琴心必有所寄矣。試為我䜣琴所，毋謂世無鍾子期。

[一]朱紘疏越：疏，原作「糸」，據文淵閣四庫本改。

玄學史提舉序　四明人轉委徐芸墅求序文

存初高士，提舉玄學史志潛，宋故參相雲麓之子，衛王之孫，越王之曾孫也。夫以三世勛德，其鼎銘載在盟府，子孫金貂華笏、錦裘羅襦，其與黄冠羽衣固有間矣。採縣溜家鏡湖，昔之人視棄官爵如棄敝屣，人固有自見也。楚大姓昭、屈、景也，其食於楚非一世矣。屠羊説之肆豈重於楚王之國哉？故大第高門、穹官膴仕，安知非造物者之拘拘也。犛牛之來縶，文狸豐豹之來田，角與鞹為之災耳。吾釋然去之，吾非詭異以求絶世也，是謂帝之懸解也，吾返吾素，抱吾朴，吾與天根日游於殷陽。吾觀吾身，且猶蛇蚹蜩翼，況其他乎？余故謂君天下，智人也。老氏謂仁義為先王之蘧廬，君今毋乃以老氏為蘧廬乎？余方襲諸人間，竊高下風，為之書，君當亦為一莞。

姪燁之詩序

猶子燁之一日持所業詩來前，請所以教。夫堦庭子弟操觚弄墨，從事詞章，愈於綴珠作鳳，拾香為囊以嬉玩於諸父間者多矣。詩不易作，亦不易談也。古之詩人名蓋一時而流芳百代，惟杜工部一人，後世雌黄所不敢到。若元輕白俗、島瘦郊寒，率不免譏議，况其下者乎？故詩，古今視為難事。童而習之，有皓首不得其閫域者。今汝以年少學詩，當如前輩所謂熟讀三百篇，及楚詞至漢魏間詩人好處，以博其識，而後約而歸諸理，殆庶幾乎。嘗誦少陵贈阿勤詩有云：「汝身已見唾成珠，汝伯何由髮如漆。」予老矣，無能為矣，汝其勉旃。他日坐使玄輩以八千輕師破百萬於淮淝水上，亦騷壇亦奇也[二]。（以上《潛齋先生文集》卷五）

[二]亦騷壇亦奇也：亦，原作「一」，據文淵閣四庫本改。

晞髮道人詩序

閩人謝臯字臯羽　至元二十七年

晞髮道人詩，原於騷，騷蓋古詩變風變雅之遺也。騷深於怨，古詩怨而不傷，而騷近之怨，非詩之正聲也。商之聲直以肆，周之聲和以柔，一變而為《國風》，再變而為《黍離》，甚矣，而騷又甚焉。道人詩蓋騷之墨守也，故其詩思遠而悲，徵而不訐，而辭稱之。詩之所至，志亦至焉，於此可以觀道人之所志矣。駕言晞髮，將以浮游於世垢之外。濯之洧盤，晞之陽阿，適矣；抑知夫終朝采緑[一]，而余髮之曲局否乎？「首如飛蓬，高沐誰容」，其於《衛》國風之詩固命之矣；知我謂我心憂，不知者固謂被髮行歌者同一調也。反騷之作，正恐如漢黄門郎者不少。折瓊枝，結佩纕，吾非斯人之徒與而誰與？至元庚寅長至日序。

[一]抑知夫終朝采緑，緑，原作「録」，據文淵閣四庫本改。

劉可隱序

余卧病山中，杜門謝客久，有客叩扃入，曰潤甫劉君，號可隱，蓋宣司檄按行郡邑掾屬也。私竊怪之，謂：「君方有事一世，而以隱自命，毋乃不可。請試問君可隱之義。夫當其可之謂時。孔子，聖之時者也。可仕則仕，可止則止，可速則速，可久則久，此聖人所以無可無不可者也。世之隱者則不然，巢、由可老死於箕山，而不可一畝揖遜之水；夷、齊可餓死於首陽，而不可一啖征伐之粟。彼雖未必盡合乎中行，然其隱居求志，確乎其不可拔，蓋千萬世四人而已。君將為四子之隱乎？抑將為夫子之仕止久速，無可無不可乎？」劉君矍然起曰：「子言何居？夫子之不可及也久矣，四子之事抑可易言哉？姑置可也。吾以魯男子之不可學，柳下惠之可斯為善學古人者。夫有際可之仕，行可之仕。際可，行可，吾仕可矣，吾固未信吾之可否也。不可則止，吾如彼何哉？吾返吾故，有田可秫，有園可蔬，釣水可魚，採山可茹，白石可漱，清泉可枕[一]，吾俯仰取之無不可，則吾可隱豈不綽綽然有餘裕哉？」余應之曰：「可。」書以贈其行。

[一]清泉可枕：枕，原作「湘」，據文淵閣四庫本改。

胡汲古詩序

胡汲古，余忘年友也，汗漫吴越者十年。歸問所業，出袖間詩册，疾起亟讀。其辭温潤以栗，其思遠而優游，夫必有所得。昌黎詩得於潮，燕公詩得於岳，工部詩得於秦、夔、巴、閬。子於何游而詩進若此？踐吴跨越，豈果足以盡四海之大觀？然其觸目駭心，有感於詩，莫近於是。湖山落日、錢塘怒潮，顧眺徘徊，祇見夫挾萬弩以射子胥之衝，釃樽酒以酹錢王之魄者，而鴟夷魚腹、闕角烏巢，千古英雄，今復安在？塗山已矣，禹穴茫然，君其問諸海濱，不知石窆玉環今尚存否？孤臣嫠婦，逆旅亡臣，感發而為幽憂悽憤之聲，至於不能不詩。詩者，所以道情性也。汲古行將覽東南名山大川之勝，盡收奇氣以歸於詩，他日載詩以歸，當復告我。

胡柳塘詩序

詩有譜，而家譜尤親。歆、向家於文，談、遷家於史。故詩不可以無家。胡氏家世於詩，詩源於浄軒，派於庸齋、坦齋，而流衍於諸孫。若植芸，若飯牛，若天放，若象先，皆攻詩。柳塘最晚出，詩鋒豈豈逼人，政似諸王子弟綴珠作鳳，下牀虎跳，總自不凡。余是以嘉柳塘伯仲之昌於詩，而喜浄軒諸老詩世之不墜也。遠來訂我，書其篇端以歸，他日相逢，當又刮目。

柯通甫醫藥序　至元二十五年

醫書祖黄帝《内外經》，非通儒率不盡解，故太史公序儒家而下九流，醫列其一，惟儒而後能攻於醫。《易》曰：「精義入神以致用。」不能精義入神，於致用乎何有？世之庸人號名曰「醫」，授之書，有讀不能以句者，彼豈天降地出，不由書而自得神聖工巧之妙邪！此吾所以深有取於儒而醫者也。通甫儒者，其有得於醫，本於書；其自得於心，非書。惟通甫而後可以語此。至元戊子序。

雷陽父序

武當山介均、房兩州之間，鳳鸞翥然於武當之後，清雰泠颸，朝霞沆瀣，峻絶不可攀企，蓋人迹之所罕及也。方外士雷陽父，年十五辭謝交舊，躡其巔而廬焉。居六年，忽焉若與神人遇[一]，授之神符《易·象數》，使之下人間活衆生，俟十年盡責業而後至。陽父歸試其法，則麾叱鬼神，嘘呵風雨，無不如意。至於談吉凶，驗福禍，特其游戲餘技耳。誠若是，亦異矣哉。桃源何許，世異晉、秦，丹霞如故，不知桑田滄海至今幾變。神仙渺茫，不可復詰，「鳳兮，鳳兮」，吾衰久矣，安得高歌以從楚狂之後邪？明年春，陽父將行踐前盟[二]，於其行也為之書，以識他日。

[一]忽焉若與神人遇，與，原作「遇」，據文淵閣四庫本改。

[二]陽父將行踐前盟：將，原作「將將」，據文淵閣四庫本删去一「將」字。

汐社詩序[一]　至元三十年二月十五日

海朝謂潮，夕謂汐，兩名也。汐社以偏名何，志感也。社期於信，而又適居時之窮，與人之衰暮偶，而猶蘄以自立者，視汐雖逮暮夜而不爽其期，若有信然者類。此謝君皋羽所以盟詩社之微意也。澤中雷隨，《易》有取於嚮晦宴息，《坎》為北斗，卦曰勞卦，亦以夫萬物之所歸也。物晝動則夜静，晝作則夜止，皆然。潮以朝盈，汐不以夕虧，君有取諸此，固將以信夫盟，抑以為夫人之衰頹窮塞，卒至陸沉而不能自拔，以死者之深悲也，抑月者水之候也，月升于天，海水涌沸；月降于地，涌沸亦然。月之升降無窮，水之為潮汐者亦更禪而無底極。方北浪駕山，魚龍掀舞，陽侯海若横江而揚靈[二]，意謂海水竭於歸虚矣，不知夫龍門未平，而九淵之下已涥涥矣。至於陽運而蝕，陰轉而勃，大鳥播濤於靈嶽，五龍噀水於北玄，則靈機吐翕，九海溢虧者，天地一大消息，庸有既耶？計人在天地間，猶大海壘空爾，其不能無旦夜之常者，天也，而猶數數然為暮年衰世之戚，則惑矣。君其謂我言然否？曰：「然。」遂識于卷末以歸。癸巳二月望。

[一]汐社詩序：序，原作「集」，據文集目録改。　[二]陽侯海若横江而揚靈，侯，原作「候」，據文淵閣四庫本改。

洪百照詩集序

至元二十九年三月三日

百照洪肅甫，以明經學業舉子文，少頡頏場屋，流輩率免胄避風[一]，卒至不偶以死，猶有詩卷流落身後。其子耕道挾故册與諸縉紳先生昔序，復徵予言。予謂百照文士也，宜不攻於詩。觸景遇物，興至而詩亦從之，詩盖百照筆硯膏馥之遺餘耳。驊騮逸騁，超影奔電，將一日萬里，乃絡首馽足，使之折旋鈎百於蟻封間者，政懼不足以盡夫才也。文人之枝折而歸諸詩，正類此。頃嘗與友人譚詩，謂文人之詩與詩人之詩異。友曰：「不然，詩患不到好處，詩到好處，又奚文人、詩人之辨哉？」此語真詩家陽秋也。嗚呼！百照往矣，安得復起生魄，試與商榷此事[二]！壬辰三月三日。

[一]流輩率免胄避風：胄，原作「冑」，據文淵閣四庫本改。

[二]試與商榷此事：榷，原作「確」，據文意改。

何氏祖譜序

何氏祖於韓。韓，晉出也。晉，唐叔虞之適胤，周武王之裔緒也。周本后稷，稷本黄帝，公孫氏其所繇來遠矣。叔虞為成王同母弟，成王即位，雖曰剪桐戲封，以有土於唐，然兄為天子，為之弟者縱不得食於唐，獨無分土而已乎？再世而燮父為晉侯，亦惟王命故也。桓叔封於曲沃，為晉謀則不臧，所以開韓侯三晉之業者，具在是歟。越十一世，而不幸遭虎狼之秦蠶食六國，韓滅，固力不競也。安王子允易姓遁身，實為千萬世子孫興亡絶續之會，千鈞一縷，亦危矣。夷考厥後，在西漢則何並守潁川，在東都則何敞守汝南，曹魏則晏侯關内，江左則充録尚書，曾、劭父子繼仕西晉，或進爵太宰，或庀職司徒。尚之父子濟美劉宋，或位列台輔，或抗志自高，雖人品高下不可以一概律，而其簪紱蟬聯，冠蓋相望，汗青簡册，代不乏人。自漢末逮晉、齊，椒房之貴，照映三朝。原其譜系，雖不皆出一派，然史傳所録，大抵出於廬江、扶風、陳留、南陽，要皆安王子允之子孫，散在四海而綿諸歷代者也。本派自晉吏部侍郎相士肇基於永嘉八年間，蓋千載於此矣。獨恨的公以下，茂公以上，中間不續者數世，使人掩卷欷歔，感慨不能已已。然有絶譜而無絶人，天未翟墜式克，至於今日。夫以一人之身，所以上承祖宗，下開後嗣者，悉繫於此，其事顧不甚重歟！以昔示今，則前日之祖宗，今日之一身也；由今視後，則今日之一身，他日之祖宗也。以一人之身，分而為百千萬人，人見其為百千萬人，而不見其一人之身也。故兄弟而為比鄰者，有之矣；再世三世而為路人者，有之矣；四世五世數世而為仇讎者，有之矣。又安知百世千世萬世上下，其初不過一人之身而已。祇今二子之在吾膝下，以至他日子子孫孫讀吾譜，而退省其私，或有似吾前所云者，可以惻然動心，以亟及其初矣。祖宗在天，實聞斯言。某年某月日，漢牧亭侯三十九代孫，前承議郎，監察御史某齋沐百拜書。

易衍序　至元十二年十一月

《易》之道變化不窮，而其致一而已矣。《易》始於一，一者，太極也，故曰《易》有太極。自一分為二，而為兩儀，兩儀錯而為四象，四象錯而為八卦，八卦錯而為六十四卦，八卦錯行而萬物錯出。窮天下善算者，不能盡其數。而《易》以一陰一陽盡之，非曰一陰一陽之能盡夫物也，錯之所以成變化也。

盈天地間謂萬物，而天地亦物也。乾上為天，坤下為地，包餘卦於其中，為萬彙萬有相錯，故物雖其類，無一物相肖者。非天地物物而造物，而物物自造固如此。故《易》者，天地萬物變化不窮之象也。孔子曰：「知變化之道者，其知神之所為乎。」夫《易》之象：為天，為地，為風，為雷，為水火，為山澤。八卦八象耳，而其動、其静、其闔、其闢、其升降往來，茲其故已不可究詰，况萬生在宇宙間相搆相揉，相推相代，且變化萬狀，而《易》亦與之變化為不窮。故《易》之道大無不包，細無不入[二]。仰觀俯觀，遠取近取，蓋無物非《易》，無《易》非物，學者所以格物致知，聖人所以窮神知化，國祚所以祈天永命，率繇此道也。子曰：「範圍天地之化而不過，曲成萬物而不遺，故神無方，《易》無體。」此易道所以為無盡也。《易》有卦畫，伏羲盡之矣；卦畫有辭，文王、姬、孔盡之矣。然伏羲之意盡於卦畫，文王、姬、孔之意，殆未盡於辭也，何也？事物萬殊，辭貞於一而已耳，聖人非固有靳也。子曰：「書不盡言，言不盡意。」聖人之意，固非言之所能盡也，故舍辭求《易》者，非知《易》者也；求《易》而止於辭者，亦非知《易》者也。善求《易》者，質辭而通諸卦畫，吾見一物之為萬物也，徵卦畫而會諸太極，吾見萬物之為一物也。散《易》為萬，《易》在天地；斂萬為一，天地在《易》。此《易》道所以為變化不窮，此變化所以為《易》道之至神也。子曰：「變而通之以盡利，鼓之舞之以盡神。」嗚呼！《易》盡於此矣。愚以固陋，夙嗜《易》，《易》幽頤不易入，探索既久，若有窺見聖人之迹之萬一者，意曰：「《易》近之矣。」然不期於言也，日𦘕諸佔畢，聊識吾私，然不期於傳也。謂《易衍》者，取衍其大義焉耳。言不文，傳不遠，固非敢望於今與後之知《易》者也。《太玄》覆瓿，或有揚子雲者好之。吾言固不足以載《易》，因是而求之，天地萬物則太極流行，無往非《易》，是《易》不在吾言而在天地間矣。雖然，《易》不易知也。歲旃蒙大淵獻月應黄鍾閉關日，嚴陵何某謹序。

［一］細無不入：入，原作「人」，據文淵閣四庫本改。

陳古莊詩序

古莊，錢塘詩家流也。錢塘多名詩人，諸老佳句流落湖山，不遜逋老。古莊後出，刻厲於詩，好事者挾册子過予徵序。讀而喜之愛之，益信錢塘詩稱不苟得。古莊詩如幽閨處女，覩粧綽約，而愁情怨思間復鬱發於姸姿媚態中，美矣！乍見謝夫人蕭散林下，猶似羞澀；歸而净洗鉛華，徐與天下婦人鬬好，又一奇也。予非知詩者，竊復好詩，輒妄評如此。隔簾畫西施，政恐不肖似。

徐冰壑詩序

近詩派盛於武林，故士生武林多攻詩。徐君冰壑，蓋詩中一派也。客有携詩册遠徵予序者，亟起展卷長誦，其遺辭與思［一］，清炯照人。時暑酷熾，天地焦熱，畏塗伏暍，誰復以清泠沃之，方坐我於凌陰壑中，斲冰積雪，亦一奇也。誦終謝客且去，客復請曰：「語止此乎？」曰：「止此。」客退，遂為之書。

[一]其遺辭與思：遺，原作「若」，據文淵閣四庫本改。

杜學正竹處詩序

古今言詩者祖少陵，蓋世之常談也。少陵祖修文而孫書記，則詩之源益遠矣。竹處杜君，蓋少陵耳孫也。人知少陵之詩在方册，而不知枕中之法，肘後之方，必有世所不傳，而君獨得之者。是鼻祖之文脈詩派殆私於君[一]，而不可與世之學詩者同日語也。少陵詩如泰山喬嶽，不可攀躋，修文、書記或可企而到，君其步驟二家，而後造極於少陵，則詩之大成盡在是矣，奚必他求哉！家雞野鶩，得失固有辨也。竹處攻於詩者也，其自命猶曰待删，則其詩之進豈淺淺所能窺哉！為之序以歸。

[一]是鼻祖之文脈詩派殆私於君：殆，原作「始」，據文淵閣四庫本改。

方叔規詩集序

史稱平原君翩翩濁世佳公子也。世之貴介，綺襦紈袴，彈絲弄竹，猶是素態，今世迺有華靴𡈼笠，以與惡少年游狎者，雖以房、杜門户，寧不為李英公所笑邪！其有弄墨操觚，下友寒畯，以文字相頡頏者，非世之所謂佳公子乎？方君叔規蓋南峯先生之冢嗣，蛟峯、山房二先生之猶子也。濡染家庭詩書之澤舊矣，平日吟詠，著之篇章，皆燦然可觀，進境始未易量[一]。坡翁謦逌、牧之稱阿宜，以是知蘇氏之有子，杜家之有姪矣。余老矣，猶及見之，此亦一快也[二]。執卷徵序，喜為之書。

[一]進境始未易量：境，原作「退」，據文淵閣四庫本改。　[二]亦一快也：快，原作「怯」，據文淵閣四庫本改。

羅濟川詩集序

世之評詩者[一]，取少陵夔州以後詩、昌黎潮州以後詩，豈非以其氣老識老，而詩隨之？至於王勃《滕王閣》之句、李賀《古樂府》之辭，又皆其妙齡絶筆，遂謂詩之工不係於老少。抑不知其後日所作視前又當何如？二君亦當遜韓、杜為文人行矣。羅君濟川年少能詩，其思清，其語俊，似其人。嘗挾册求余説，余惜其才之方進而未涯矣，曰：姑老之，非簡也，意將以速成也。請三四反，兹益堅。余非愛予言，子其識諸。後三年見子，子自壓前日之所作，則詩進矣；後十年見子，子又自壓三年之所作，則詩益進矣。而猶未也，余髮種種矣，嘗自視前日惡藁，後日悉焚之，皆余所自試者也。醫三折肱方匕不繆，子他日當信余言，則雖三年十年一變，猶竊避之，誠若此，子安、長吉諸君，正笑韓、杜於地下矣。

［一］世之評詩者：詩，原作「事」，據文淵閣四庫本改。

王菊山詩集序

詩止五、七言，尋行數墨，紙不盈尺，不過文章一小技耳，宜若易，然三尺童子調之聲律，握管可就，乃至白首不能名家。甚矣，詩之難也！試數古詩人，亦不多得。建安七子、開元九公，奚寥寥若是？一聯半句流落，人間不與焉。近世談詩尤多，造詣絶少。中叟有志於詩，尚矣。中叟詩辭雅而不野，氣温而不浮。詩進矣，毋謂詩止此。學古人詩始登高山，始莫不急足疾走，暨絶頂在咫尺，則跬步不能進。甚矣，古人之難至也！余非能詩者，每好詩，力不及，則歎曰詩難。中叟余諸少行也，不敢以尋常語相詩詡，敢以其所見告中叟，其勗哉！

肯堂序　至元二十二年二月

蜀阜錢君鑑扁其新居之室曰「肯堂」，示不忘親也。不忘親，非孝子不能也。孝之道非一端，莫大於繼志述事。父有志而事未卒功者，子能繼述而成之，夫是謂孝。厥考作室既底法，而子肯堂猶以為善，况未底法而子肯構其肯堂，孰大於是！君子是以嘉錢氏之有子也。《記》曰：「幸哉有子！」《書》曰：「予有後，弗棄基兹。」匪不辨賢否而概謂之有子，惟其克篤前人成烈，為子克家，而後謂之有子也始宜。房、杜家，辛苦立門户，不能保身後之不貽笑；平園花木，至拳拳為後世子孫之託，而不吾置，則前人之所望於其後也蓋可知。故子能以其父之心為心，則孝矣。為人子止於孝，君其懋哉！乙酉春二月書。

徐雲墅注道德經序

談六經者宗孔氏。《道德經》出於老氏，好論議者多詆之。謂清净則以黄老合言，謂虚無則以老莊合言，是蒙莊為老氏懸疣，而老氏為黄帝枝指也。世之人固未一窺蒙莊影似，奚至攘臂而仍黄老之閫域哉！老氏之學雖不屑於孔氏，然其儉以慈，静而不擾，以之治天下，將使民退讓敦朴，以反於遂古，使世之治皆若此，則亦何嫌於老氏哉！至於希夷，微不可見，聞不可得，而玄之又玄者，茲固衆人之所不識，其詆之也，固無怪也。雲墅徐君仲修，夙好老氏，學服久，其得益深。閲古今傳釋，皆不當其意，悉掃其陋，而以己意注説，發幽抉微，以大暢《道德》之旨，其為老氏之意亦勤矣[一]。世有峩冠大帶，張拱翼趨，以適市者，而狂且醉者，執而僇之，從旁者見之，為之解，而狂且醉者舍其所執而移僇於其所解者。今子之為老氏忠矣，吾懼子之值夫狂醉，而不免於其旁。將子為老氏受詆乎？抑老氏與子受詆乎？子必審於此矣。徵予序，序之，將以解夫所解者。吾又懼矣，瞠吾後者之復為吾解，則詆與解將相尋，而未知其所終也。

[一]其為老氏之意亦勤矣：亦勤，原作「不勒」，據文淵閣四庫本改。

送思院如杭問仕序

前文思院景文姪，咸淳乙丑科出榜下時，年少氣盛如騂騮，出東華門，將奔宵逐景，一日千里。命與事違，今猶夫人也。堂有偏慈，八十，貧無以養。仕，時乎！為貧為養也。曾子逮親，雖禄三釜而心樂邑校，升斗不足濡煦，其為養抑末矣。士窮至此，則出彊載贄，皇皇焉固不暇計，茲將西嘯以干王公大人，庶幾一盼，幸而得三釜，逸出所望升斗之外，以奉饘粥，不既多矣。當代諸明公當路，方弘萬間芘寒士，使風雨無恐，其視子猶醯雞，豈靳太倉一稊粒哉！子姑往，當必有遇。若曰不由其道以苟利禄，有畔於聖人之教，則非老夫所望於吾子也，寧死無仕[一]，尚其勗哉！

[一]寧死無仕：無，原作「毋」，據文淵閣四庫本改。

宋梅堂詩序

子厚以謫而文工，屈原以放而騷工，杜子美以蹇而詩工。嗚呼！文以窮而工，文之不幸也甚矣。宋君梅堂少好吟，今老矣不遇，方挾耿耿者游天地間，觸景得句，若出金石，歸探囊中，收拾其餘而輯次之，蓋已盈軸矣。一日携以過我，曰：「吾旦夕將復有事于四方，願祈一言以自壯，何如？」余謂：「梅堂志未衰，行未倦，吟愈未可量。他日有大尹遇道上驢，天子問新豐逆旅，誰謂梅堂終老不遇邪！子姑持以往。」

何貴德遠游序

天地一爐，萬木焦死，葛衣流汗，思坐水底為秋菰寒玉不可得，褦襶觸熱以奔走畏途[一]。嘻！其甚矣。夏六月既望，族子驥將有遠遊，業扉屨已在堂下。先數日過門，將乞言以行，予以前説告之不可，曰：「子行矣，抑世豈無有尋園之木植諸道旁？疏泠風，散靈氛，雖結駟千乘，猶將芘其所賴，況子一身猶蜉蝣螻蟻而託焉，木豈厭擇而拒子哉！子姑持此以往。」遂為之書。

[一]褦襶觸熱以奔走畏途：褦襶，原作「襶褦」，據文淵閣四庫本改。

宋梅堂千人營後事序

梅堂一日過我，語間貌若甚戚者，歎曰：「余老矣，死不足計，獨未能如漆園叟之厚烏鳶、螻蟻，至如劉伯倫荷鍤相隨，亦未知所於止，黃腸銀鏤，夢不及此，雖布被懸棺，斂手足形，亦非空談可了。若此，固非蚤計者之為也。士大夫樂善賙急固多，然不得知我者一言，則雖輕貲易撼者，固亦難矣。君其愛我，儻不愛其言，庶乎仁人君子當有動心者。雖然空言不足以感人，謾掇已先之。」遂書以贈。

方仁叟詩序

方君仁叟，故人伯岩山翁之冢子也。山翁存日酷好吟，今其子復好吟，其於詩家榘度得於枕中之所藏襲，疇非其平昔肘後之所秘而不屑以與人者。家雞野鶩，去取固有間矣。然古今義理無窮，而天地間詩思日新月盛，來者固未有紀極也。子其益取四方之明師良友以尚論，古之人如建安七子、開元諸公，以至近代之歐、蘇、黄、陳，長篇短章，散在方册，其奇形詭態，如風雲龍虎，不可執捉，豈待鬬長於一方一技、半聯隻字而已哉！子其旁搜博採，潛探密索，而有得焉。子將昌子之詩，他日突破煙樓，而翁伯岩亦將一笑於地下。

寄項月齋

項君月齋疾緩且瘖，借或人問答之辭以自廣。客有持以問潛齋道人曰：「達矣乎？」曰：「幾矣，猶未離乎造物之囿也。夫大塊埏埴囿我以形，故目能視，耳能聽，鼻能嗅，口能言，手足能舉履，凡皆形也。夫形，必有非形者以使之形者，故視、聽、嗅、味、言語、舉履，不在耳、目、鼻、口、手足。於此會得，將有千手從爾身根迸出，千口從爾舌根迸出，方將與萬事萬物泛應而不窮，又奚以此一臂與三寸舌rest之憯哉！」客曰：「唯。」請持以復月齋，翁病庶其有瘳乎？

王蒙泉詩序

至元二十八年三月十六日

蒙取象山泉，蓋山下出泉，蒙而始達，泉之本性未失也。蒙泉自號，蓋取諸此。蒙泉家深谷，日招青山，猷冷泉，寄興於吟，心静而思清，其得句亦峭刻峻潔如此。蒙泉詩脱藁，將有遠游，徵余為説。余謂萬水一水也，在山為泉，出流為澗，演而為河，澎湃為江海。益遠益漓，非泉之性異，地使之然也。子其汗漫四方，溥泉之用，至於不可窮，如江河注海，極其大，將沐黿鼉而澤蛟龍，謂海之水非泉不可也。毋使失泉之性[一]，斯可矣。蒙泉子從予遊久，於其出也，懼其遠而或失，因頌其詩而規焉，予其勗哉！辛卯春三月既望序。

[一]毋使失泉之性：毋：原作「母」，據文淵閣四庫本改。

貴德詩集序

晉魏而上詩古，律詩初盛於唐，唐以下豈少詩？詩終不競於唐耳。近世詩滿南北，當軼唐凌厲晉魏，然詩難，操觚弄墨，抽黄對白，四聲八音，人人亦能求其髣髴[一]，古人卓成一家者不多見。余嘗漫吟，擬學古人語言，卒不到，以是知詩不易言也。山泉以年少攻詩，詩思雋發，方氣盛疾步，譬猶挾策登泰山，及半環道，仰見前行者履底猶歷歷，俯視後至者之髻端已猝猝，至此則跬步懸絶，不易進矣。政當努力攀躋，以登造極頂，然後周覽旁睨，見下界碌碌，如在一井，則詩之大觀盡於此矣。毋曰詩止此。徵余序，為書以歸，尚其懋哉，聿觀厥成。（以上《潛齋先生文集》卷六）

[一]人人亦能求其髣髴：亦，原作「不」，據文淵閣四庫本改。

全元文卷二二五〇

何夢桂　三

王梅谷詩序

梅，幽花也；谷，幽地也。樹梅於谷，幽之幽者也。王君林叟以幽人閒於幽花幽谷，吟詠其間，人見其詩思與辭幽致可挹，不知其自託者固不凡也。夫江梅清絶，嶺梅孤高，猶嫌以其皎皎表暴。至若閟於水部，宫於壽陽，薛氏之玉堂，坡翁之雲砌，逋仙之水籬，不免以顏色媚人，殆與桃李争春姸者無異。孰若梅谷之雪骨冰魂，離群獨立，影響幽幽，以自全其天者之為得耶！徵予序，為之書以歸。

章明甫詩序

詩，志至焉[一]，氣次之。志百變而不折，故氣亦百變而不衰，知此可與言詩矣。杜少陵在秦、夔，柳子厚在永、柳，坡翁在惠，山谷在宜，皆窘束不自聊賴，而所為詩益浩漫峻厲，是豈無故而然耶？其養完，故其發碩茂如此。石溪子罹亂來，且貧且瘁，以窮其事與位，又非可與諸先正同日語。隨寓成詩，思深辭苦，淺者悽惋，深者幽夐，若甚蜷局不紓者。然其悲壯憤烈，逸氣横出，讀之如聽武昌笛，如吅雍門琴，如垓下歌、塞上曲，令人噫嗚噓𠲖，不能已已。吾是以悲子所遭若是困踣，而其志卒不屈不撓也。雲嶼徐君既為之序矣，復蘄予言。此如羈臣嫠婦，政自羅鞠，掘管為苦，秋聲瑟瑟，復在夕陽庭樹間也。

〔一〕志至焉：志至，原作「至志」，據文淵閣四庫本改。

吴愚隱詩序

大道之行與，天下為公，故毀譽出於一世之所同。道隱而毀譽不見於天下，而後出於士大夫之抗節義、矜名稱者之所獨抑狹矣，然猶賴其有是也。東漢之微，如膺、滂、固、喬，更相標榜，將以噓揚一爐之火而燃之，而卒不競。君子原其始，謂子陵高節，實養成之「狂奴」之號。後世以此少劉文叔，謂光之不屈也固宜，不知光之政樂其得是名也，則志遂矣。此東都風俗之熾所以卓冠漢唐也。古括吴君愚隱以詩文相證，讀之氣勁辭直，至於言議之公，雖親者不附，疏者不遺，予是以嘉君用志之獨如此也。來墳白雲，與閩人謝翱臯羽、婺人方景山為友，結詩社於雙臺下，蓋高子陵之風久矣。且將徵微言以自信，以君篤信不遷，而猶俟予言以信，豈以其毁譽之不苟然也。予頃嘗識臯羽，每見其談林德陽、吴某，忠誼不可企，心敬之愛之，復談愚隱曰：「好義，不屈人也。」亦敬之愛之。今臯羽下地，林、吴隔闊，及見君所作，益信臯羽之不妄許人與予之不妄交臯羽也。尚友古人，幸使得齒於君厨俊及，吾猶懼世之不樂人善者之不吾知也。九京可作無已，則申屠蟠矣乎。君有志於道者，敢以予所自信者告之。

倦游録序

《倦游録》，潘君德玉繇北南還以後之所作也。德玉為吾故人竹村正言子，亂離後生死不相聞問，及見君挾琴册來鄉校，坐客氈寒，暇日持所為詩詞商可否，三復降嘆。君流離顛沛，區脱服匿，不至乏絶以歸，幸矣，而暇操觚弄墨，以從事乎文哉。非徒文，且博雲笈金經，稗官雜俎，紛錯前陳，此騷人墨客，芸窗棐几，皓首不得其肯綮者，君負羈紲以行，而能若此，豈邊韶經在經笥，抑王充書在書市否？則司馬子長之在天下名山大川耶？吾固羡君之篤於文，且重嘉吾故人身後之有子如此也，為之書。

洪石泉知裁集序

學以狂失，亦以狂得。狂之失，未合乎中行也。一裁而約之中，則得之矣。孔子嘆：「吾黨小子狂簡，成章，不知所裁。」不名為誰。孟氏以琴張、曾皙、牧皮當之。蓋狂者能致其知於高明廣大，至於精微，中庸或略焉，故狂而至於簡也，固也。非得聖人中立而裁之，則狂而無所歸矣。然觀曾皙浴沂詠歸之趣，夫子獨與可之，吾故未敢例以二子之狂者少之也。石泉洪子好古，竊取聖門知裁之義以名其詩篇，蓋亦自懼其狂，將求有以裁之而卒歸乎中道也。愚謂誠狂如曾點，無傷也，政患其不果狂耳。狂而進取於道，則將為古之肆，而不為今之蕩，亦有超然自得於事物之表者，則吟風弄月以歸，即是吾與點也之意，於詩奚有哉？石泉才高志廣，而自知所裁蓋近於道矣，因吾言而歸，求之有餘師，將為曾點一洗狂名於千載之下。石泉曰：「唯。」為之書。

凌馭詩序

馳世名者無逸步，喧市利者乏緩聲，居使然也。一行作吏，此事便廢，政古人不免，況今握刀筆以逐縣吏者，尚暇吟乎哉！凌馭本宦家子，與吏伍，以干升斗，然未始廢吟。老焉歸田，益自奮勵。久焉，詩詞成帙，思婉媚而語清新。夫詩詞不易工，故有操觚弄墨，皓首不得其徑庭者。黑風緇塵，將四方易處，而於其所能不易其志如此，其賢於汩汩名利以逐市朝而不知返者遠矣。茲挾所業介岳父趙宰公余因鄉友求贈言，余嘉其志與事，為之書以歸，勖哉！當益進，毋謂止此，則幾矣。

章中時甫集禮書序

禮樂，二帝三王所以飾治也。竊嘗有志，而病無承焉。樂之制：金、石、絲、竹、匏、土、革、木，器存而意亡久矣。禮蓋僅有存者，而世之由禮者鮮。不復古禮，不變今樂，而欲致治，濂溪周子已不能不重歎於斯也。學者章中時甫，取古聖賢格言有及於禮者，輯次成書，曰《二範》，殆汲汲乎為表以坊民，且患倡之而世無應之者。夫天理流行穹壤間，未嘗一日泯滅，得民心之所同，與古先哲王之所遺，猶懼其不興起，吾未之信也。考亭朱子平生精力盡於諸書，獨於《禮經》若未滿，豈以考古之難，抑居今行古之不易也。故欲議禮，惟德與位稱，復際夫時，而後《經禮》三百、《曲禮》三千，將周旋二帝三王於一堂之上，放而橫之四海無難矣。子其審於三者而致意焉，則於禮其庶幾矣。

何梅境詩序

余方丱時，梅境當妙年，已聞文聲獵獵在吳會間，及壯，游上庠，為同舍郎，益親密。梅境鼻祖首丘在吾里，黄庭堅與渥[一]，逸譜復合，蓋非拜汾陽比也。乃翁東園公為文場老詞伯，晚掇科第，陞仕路，及見梅境，世科喬梓[二]，一門拜前拜後，鄉黨榮事也。梅境早好吟，得意於四靈，人或未之知也。

趙白雲嘗宰鄉邑，賞其文，與為忘年交，自是詩聲益起。中年進學老杜，故詩日益工。騷人墨客挾筴登壇，論詩閥，宗詩派，吾梅境不在王謝風流下也。世變陵谷，冠裳凋謝，房、杜寂寂，蓋不特梅境家為然。近得其第三子某持舊藁[三]，不遠相屬，曰：「先子手澤，所存僅此。知故宜莫如公，願蘄一言以託永久。」夫身後有子，能復葺厥考箕裘，庶免李英公笑人於地下矣。三復感愴，重賦角弓，蓋不特如黃公酒壚念舊而已。為之序以歸。

[一]黃庭堅與渥：庭，原作「廷」，據文淵閣四庫本改。　[二]世科喬梓：喬，原作「橋」，據文淵閣四庫本改。
[三]近得其第三子某持舊藁：持，原作「特」，據文淵閣四庫本改。

翁真卿詩序

余與真卿生同邑里而不相識，若相避然。世無陳仲舉，豈許子將以其峻介不見邪？里有荀朗陵，抑陳太丘不能馳車往見也。近得真卿詩編，曰《吹吷録》，讀不終卷，益恨見真卿之晚也。古之詩人當志得氣盛，詩未必名；至於流落不偶，困苦無聊賴，而後進於詩。真卿惟貧，故鮮與聲利接，老於授徒，故益安於讀書，遂得肆其餘力以為詩。士操觚弄墨，學為詞章，有皓首不得其肯綮者，外澤而中乾故也。真卿詩，事質而辭縝，韻遠而意深[一]。夫物必有本，溉根食實，具眼者當自知之。纖離騄駬，躡景奔宵，而蟻封鈎百，間逸步驟，安可與欵段同價哉！為之序而歸之，則知余與真卿未嘗不相與周旋於琴册間也。

［一］韻遠而意深：意，原作「最」，據文淵閣四庫本改。

王煒翁詩序

東臯子王煒翁，吾甥也。以其讀書餘力學詩，詩縝密而思邕達，渾厚而氣勁嚴，並游諸英，相推率如此。不幸中殀，其孤方髫齓，篋中手澤散亂不可尋繹。其尊翁月庭老人紬故帙，得遺詩若干篇，追悼不自已，以書囑余為序，曰：「幸藉以勿墜。」余愧劉牢之，安敢以何無忌酷似自多，王武子見衛甥，每以珠玉形穢自失。余老矣，得子詩，三復賞嘆，且為之掩卷欷歔久之。記舊所見，遺逸尚多，姑序其篇端以歸，子於地下聞吾言，亦當一慨！

陳高士自怡詩序

自怡堂蓋道家者流，而實出於儒者也。舊為儒，嘗有古莊詩，予愛之序之。今復以自怡詩相示，視昔加多而益工。夫詩在天地間，固不間儒與道也。然求道之趣，則身之所接者，玄都之仙客，丹丘之羽人，其心契神交，則鴻濛殷陽，日戴華陽，中披鶴氅，寄興於吟以自怡悦，故其詩之所得，今昔又隔幾塵矣。他時石鼎高唱，侯喜輩謹毋撩虎鬚。再為之序以歸。

夏德甫易窩吟序 大德三年二月十六日

《易窩吟》自然夏德甫之詩也。德甫吟不為詩人章句，徒玩弄光景而已，而必於易窩，蓋有得於康節窩中之趣也。故其詩曰「安樂窩中事事無，惟存一卷伏羲書」。康節二十年工夫，全在一窩中。其柳風蓉月，隨寓成功，猶是長物，復姤中間，弄丸得手，樂意無極，此無名公之至妙至妙者歟？德甫詩必有得諸此，此惟可與知道者言之。詩抑末耳，雖然，詩亦道也。大德己亥春二月既望。

胡氏清雅詩集序

古之詩人以詩鬨世多矣，而鮮世其家。杜審言有孫甫，牧之有子荀鶴，謝氏有連、運，陸氏有機、雲，然僅間一再世見而已。清溪胡氏一家，四世十二人，皆以詩名。詩集題曰《清雅》，蓋取開禧誥詞褒語也。詩豈獨昌於胡氏一家耶？由静軒先生至西塘，凡三世，擢儒科，躋膴仕，聯簪疊組，亦華矣。

世之紈袴子生長膏粱，彈絲品竹，流連忘返不知人之笑房、杜於其後者，政自不少也。胡氏世業詩書，等於寒素，然觀其家子弟，多風流緼藉，不減王謝家，固無怪其一門詩派特清雅，為四世青氊。其視世之習富貴以益其子孫之愚者，蓋不侔矣。植芸遠貽詩集，獲觀濟美與諸老先生之所品題，三復嘉嘆，為之後序以歸。

竹境姚子康詩序

杜元凱有《左傳》癖，王武子有馬癖，二公各以所好成癖，亦異矣。杭人姚安道好種竹，自謂愛竹成癖。視前二癖，抑又異矣。癖於竹未瘳，又有詩癖、畫癖、琴癖，何其多癖耶！世之人競利，癖於利；逐禄，癖於禄。之二者，世所同好，而專焉，必有攘臂者仍於其後。今子四癖亦既多矣，而皆辟於世好，故世鮮有争者，而得以遂子之癖。暇日婆娑竹間，得句則書之竹上。又暇，則繫翠袖，彈長清短清。已則解衣盤薄，畫一山一水。由他人觀之，謂子為癖，宜矣。不知子之樂此也，其免於世患夫。

吴鼎君貢求古村煙草詩序

《古村煙草》，蓋詩人懷古之遺意也。古村居九仙山下，九仙多古遺蹟，葛老仙丹井猶暖，蘇坡翁詩墨未乾，追想流風，已令人永慨。罕前老樹衣錦凋零，陌上飛花行歌絶響。上下三百年往事如彼，山前故老尚有能言，閊者莫不噫嗚泣下也。古詞人「橘里漁村半煙草」之句，橘渚漁汀，藐在何許，豈若登錦山，臨繡水，觸目盡心，俯仰今昔之異者邪！故古村詩多幽憂感發，使人一唱三歎，如清廟遺音。曷時載酒擔詩，直造金堂玉室，與古村一醉，長歌以吊昔人於九京下也。古村徵余序，遂為書，以識他日。

琳溪張兄詩序

學詩易，學詩而工難。三尺童髫丱而詩之，至紛白而不得其徑庭者，故詩不易言也。古今評詩者稱盛唐，蓋開元上下諸公也。唐詩自陳子昂一唱，至李杜大成，為不可及已。其他諸作，視魏建安七子與晉陶、謝數子，又彼此一時也，況晚唐以下詩乎！今之學詩未夢到唐人影響，其去魏晉益遠矣，故詩未易言也。琳溪張君老於學，故其詩事核而思遠。不事時世，粧以偵逐近好者，駸駸乎古人邯鄲之步矣。學詩如參洞山禪，須不犯正位而後縱横變化，其用不窮。若只傍古人籬落，終是鈍漢。余老，詩不能工，而所見落落如此。琳溪有得於詩者，故商榷及之[二]，當必以愚言為然，為之後序以歸。

[一]故商榷及之：榷，原作「確」，據文意改。

徐氏墓田誌序

丘墓，古所重也，識之所以詔他日也。孔子葬其父於防曰：「丘東西南北人也，不可以不識。」封之崇四尺。延陵季子葬其子於嬴、博之間，廣輪揜坎足矣，而墳之，其高可隱，亦所以識也。古人若此，蓋恐千秋百歲後子孫不知其先墓，而委之於狐兔荆棘者。至於墓為田，松柏為薪，高碑為柱石，而不知其為誰氏者，尚忍言哉！故丘墓不可以不識也。吾觀徐氏墓域圖，深有嘉於其子孫之不忘於前世，及今識之，所以為後世計也。為之書其篇端，亦所以識感也。

宋君巽詩序

柘臯宋君巽，少以文鳴場屋，嘗領薦冰壺。時不在邦侯，舉送者須朝士保員，然後得上春官。余時為大學官，嘗奉保剡。余未幾補外，更迭不常，君巽亦漫遊，不相聞問久之。近一再見，則君巽鬚髮盡白，吾衰益又甚矣。相顧駭愕，蓋不翅如桃源之隔世逢世人也[二]，問近業，出袖中詩相示曰：「士技窮至此。」展卷亟讀，其詩不苟作，意圓語澤，必嘗馳騁昔人徑庭，而得其邯鄲之善步者。吾固重嘉君巽之有得於詩也，科舉業廢，士以醋噫之氣，鬱發於詩，詩之工而文之窮也。時異士殊，士之技亟變如此，則夫今昔老少之變無足怪者，安知變有甚於此者哉！徵余序，為之書，且識吾感。

［一］逢世人也：世，原作「似」，據文淵閣四庫本改。

李學正遠遊序

李君忠甫舊職教吾邑，别去再來，問仕進，則鄱學正，亦既踐更；問所如往，則將奉保剡趨上京。上下五年間，君之修程如展驥千里，亦壯矣哉！試問君「揚州鶴」與「腰纏」何在？曰：「政將借羽翰於舊識故交，吾將以千金買解飛人，則朝遊扶桑，夕濟西溢，焉往而不利哉！」余喜而起曰：「君行矣，伐木未亡，必有為君動心者。」書此以贈。

馬竹泉詩序

夙聞竹泉馬君可人也，近得見其詩，詩復可人。信矣，竹泉名不虚得！夫騷人墨客滿湖海，聞名不如見面。今見子詩，其為見面多矣，奚必傾蓋握手而後為相知哉！張文潛評郊、島詩，陸龜蒙評李賀詩，皆隔世不相及而相知者，况吾與竹泉非若此其邈也。讀其詩，想其人，為之序以歸，他日邂逅一笑，當信子我之為故知也久矣。

錢肯堂詩序

平易者，詩之正聲也。心形於聲，心正而後聲正，故知聲可以觀心。肯堂錢君，修謹士也。以其讀書餘暇，發之吟詠，不肯鎸心鏤肝以為艱深刻苦之語，其辭氣平易似其人。先正融堂先生學派慈湖，其為文若詩皆根本義理。肯堂為融堂群從子弟，意必得其遺餘也。康節先生曰：「吟自在詩。」自在者，平易之謂也。夫布帛不麗於紈綺，菽粟不美於膏粱，不知布帛之有餘用，菽粟之有餘味，而紈綺膏粱，知道者厭之，肯堂詩吾於是乎觀之矣。嘗挾册徵余序，為之書。

送王德父遠遊序

樵隱王德父將遠遊，來別，求贈言。余問樵隱：「游將焉求？豈將汎臨淮，望如魯子敬指米囷三千斛邪？抑止下姑蘇，覬有如范堯夫者惠麥舟五百斛也？」樵隱勃然曰：「君奚鄙我！我豈為彼哉！大丈夫生天地間，不見天下名山巨川，不識當世名公大人，為虛生虛死，吾為是故游。使吾為三千米囷、五百麥舟，而若是栖栖開口告人，鄙亦甚矣！吾將跨揚州鶴，闊視四海；買新豐酒，濯足高歌。視一世人物將不可概數，豈無傾蓋相歡者？則吾耿耿者將無往不在，豈不綽綽有餘裕哉！」余聞其言而壯之，曰：「子持此以遊於世也，雖無求於人，安知人無求子者？子行矣，姑為序以贈之。」

贈石崖姪孫序

大德四年六月一日

群從姪孫石崖子還里展墓，暇日，相從問學，語及《中庸》，余曰：是善學者。《中庸》蓋子思子所得於孔門之至深切著明者也。法筵第一句曰「天命謂性」，又一篇之至深切著名者也。知得天命，謂性，然後知「率性之謂道」。不知性，則所謂率者為何事，道者為何物耶？孟子傳於子思，故其言曰盡心知性，知天能知性，而後為真知。不然口耳焉爾，何益哉！三尺之童授之句讀，孰不能口誦《中庸》？問其所謂性，不知也。今世學者，膠於口耳，曰：「我知性。」此與三尺童子何異！人有群聚觀畫虎者，孰不曰「我知虎之形狀盡於此」？一人者觀之，為之色動神變，蓋嘗真見虎者也。子思子言性，猶畫虎也。即指畫虎為真虎，非真知性者也。天付予於人性，非由外鑠我也。故凡四端五常，萬事萬物，皆從一性中流出。人之日用之而不自知者，滔滔皆是，亦可哀也已。子其於此體認切己，真知親見，使天命之性昭昭靈靈於日用間，則縱橫變化，無往而非中庸之道矣。所謂吾道一以貫之。若曰文字而已，則非吾之所謂學，而《中庸》之書亦糟粕爾。子其勖哉！他日有得，當信余言之不爾欺也。愚聞之子思，子思聞諸夫子，若此而已。將行，書此以贈。大德庚子六月朔日書。

題鄭松泉詩序

陶淵明一部詩在菊邊，林和靖一部詩在梅邊。夫菊、梅非詩，觸目會心，自不能不詩耳。鄭若春叟築屋松間，暇日婆娑其下，採花摭實，時汲清泉咀嚼之[一]，故其詩思多得於此。日新月長，松泉之趣無窮，君之詩所得亦未渠央也。學詩如學仙，時至骨自换。君試持問陶、林二公，當為印可。

[一]時汲清泉咀嚼之：汲，原作「給」，據文淵閣四庫本改。

送翁炳翁序

余一日山中讀《易》，至《繫辭》窮理盡性至命，有客過門，問其能，曰：「吾嘗受《易》於吾父，售於世，不遇，姑挾《列子》力命之説以糊其口於四方。」余延之坐，語之曰：「子知《易》，即以吾所讀《易》與子言命，可乎？夫大塊載我以形，勞我以生，豈私富貴貧賤我哉？至於不得為而不得不為者，命也。毁於叔孫，厄於陽虎，絶糧於陳，伐木於宋，仲尼豈有以致此哉？制於命者然也。苟制於命，則凡所以富我貧我貴我賤我，聽之天而已。我以喜怒欣戚介於其間，為不受命者矣。至於天之所以與我者，則不以貧賤富貴為之損益，此《中庸》所謂「天命之謂性」是也。於此窮理盡性，即所以至命矣。今安知子之說，又安知子之師所謂列子者邪？子謂子之《易》不遇，將易其術以幸其或遇。不知子之命，然雖百變而術猶子之《易》也。子其歸返子業，復取父書讀之，以待時之或遇，其庶幾矣。」客躍然而起曰：「命之矣。」求余為序，於是乎書。

余橘所詩序

予姓陸名吉，嘗仕楚，與楚大臣黄甘論事不合，退家巴山之大盎中，將老焉。純坤之月，天地閉塞，霜風怒號，萬木萎落，世徒見吾實枵然以大，取而剖之。余方與諸老相顧一笑，將笞蒼龍，乘莽渺以去，有客欵門，謂予曰：「某有友曰『橘所』者，意亦巴邛譜也，願從先生游，如何？」予曰：「世固有苦樂殊趣、甘酸異味者，不可以一軌律也。不知予之友其居之所，果雲夢之墟乎？抑洞庭之墅乎？余雖不及入其室，見其人，聞有《橘所詩集》，膾炙萬口，溉根食實，其將以千頭為子孫世襲，其自託得所，其於致福未涯也，焉用數數以效世之枯槁者為哉！其深根固蔕，每歲霜後食甘，有欲致之於千里外，以詑東西之產，雖狥焉可也。設好事者欲移種他所，慎勿狥橘踰淮以北，不三年，化成枳實，色、香、味盡變，雖欲復為故橘，不可得已。子與我持此語橘所。」橘所姓余名揚，陸吉自號亡是公，因序其事，囑潛齋何某為之書，以授客周嗣孫。

分陽諸公感寓詩集序

陳子昂賦感遇，朱子陽賦感興，今玉華諸君又賦感寓，賦不同，而感則均也。詩以感而賦，不感則無詩，詩之感寓，不知所謂寓何也。予嘗觀之宇宙間，無一非寓。天地至大，物在太虛中，亦寓耳。天地猶寓，況萬物乎？故日月星辰寓於天，山川草木寓於地，鳶寓於風，魚寓於水，蛟龍寓雲，螻蟻寓壤，蠋寓桑，蜩寓菀柳[一]，其所寓大小，不翅泰山毫末、大海礨空之相去。至於適其所適，各足其分而已。今諸君於詩隨寓而適，則天地間何物非吾言之寓乎？故其往者、復者、作者、止者、榮者、瘁者、蠢者、蟄者、得者、失者、隆者、汙者[二]，一以吾身寓焉。情隨寓感，詩隨寓得，故凡可興可觀可群可怨，至於千態萬狀，不可紀極者，皆吾寓中之隨形變化者也，又安用拘拘於物之小大，以來漆園老吏之譏乎！夫寓舟於壑，寓山於澤，夜半有力者負之以去，寓之不可常也如此。況於詩，欲不寓，得乎？此吾所以重感而三歎也。

[一]蜩寓菀柳：柳，原作「抑」，據文淵閣四庫本改。　[二]汙者：汙，原作「汗」，據文淵閣四庫本改。

胡季聲序

昔范公堯夫過姑蘇運麥舟五百斛，適有父執之親喪未舉者，悉以所載麥與之；蘇公子瞻居家絶禄，會有舊友之親喪未葬者，亦輟縑一束贈之。以二公所惠多寡不同，而其敦故舊，厚喪葬之心則未嘗不一也。郭溪胡季聲，二親久在淺土，欲畢襄大事，不能。雖斂手足形，稱家有無，可也，然封之四尺不為過，亦期少恔人子之心而已。俯仰逼側，皇皇焉若無所赴告，内之比閭黨族，外之親故，親者毋失其為親[一]，故者毋失其為故，尚忍使吾季聲窮乏至此，而不得盡於其親乎！輒序古誼，以介其行。季聲持此以往，當有為之惻然動心者矣。

[一]親者毋失其為親：毋，原作「母」，據文淵閣四庫本改。

題方山翁牧歌樵唱詩序

余每愛牧歌樵唱之出於人心自然之韻，晞陽出没，煙雨陰晴，時聽欸乃之發於柳邊竹外者，聲若出金石，是豈世間宫商之所能宣，丹青之所能繪哉！是意也，惟吾友方君起岩得之。暇日請與君披襏襫，騎觳觫，君歌且唱，余當吹拍以和君之後云。潛齋何某序。（以上《潛齋先生文集》卷七）

王石澗臨清詩稿序

大德七年一月十六日

石澗兄，我先人甥也，長予六年，幼學時隨吾先姑歸吾家，予方童丱[一]，兄與兒輩争念詩文，已跨人先；及長，為舉子業不肯落人後。近世學者廢舉子業，好尚為詩，石澗於好尚中獨如曾子嗜羊棗，膾炙之美，不能以易。每一過予，輒以所自為詩，奮髯高歌，如曾子歌商聲滿天地。閒居聞此，一大樂事也。今年春，予臥病菟裘，石澗來訪，出詩一大編，曰：「予近作也，願求一言以自信。」開卷讀之，盤空硬語，擲地金聲，使人驚喜。以年考之，石澗年八十一矣。其精力不衰，筆力愈勁如此。病鄉持玩，紓憂娛老之一助也。石澗進而年過九十授《尚書》，九十五作《抑》詩使吾及見，會當黄髮相看一笑。大德癸卯正月既望，潛齋何夢桂敬序。

[一]予方童丱：丱，原作「非」，據文淵閣四庫本改。

題高氏金玉帖後

至元二十年七月

高氏自齊太公八代孫傒，以王父公子高字得姓始，爾後代不乏聞人，如《北史》之伯恭、敖曹，尤為磊砢者也[二]，譜獨為宋著姓，其所從來遠矣。樞使公昆弟，一時勛業相焜燿，鶴山魏公，亦同父所自出也。諸老彫謝，東南文獻盡矣。其從子某，叙次其先世往來筆帖手澤儼然，余雖不及識，而其典刑猶在目也。唐世嘗購諸王書于王方慶家，自十一世祖導以下得書十卷以進，以故諸王書至今猶有流落人間者。君其寶之，安知此帖他日不在東壁圖書府耶。至元癸未秋七月題。

[一]尤為磊砢者也：也，原闕，據文淵閣四庫本補。

題東麓詩卷

久不見東麓談詩，忽一日，以吟稿寄示[一]，亟展亟讀，其清灑可愛，啟發弘多。學詩如學仙，時至骨自換。安期生神樓妙散，得方匕服之，縱未駕飛龍周八極，控白鶴遍九陔，而其肌骨輕爽，耳目精明，早有塵表風度。他日洗髓脱胎，回視宿習，又不知隔幾塵矣。子其勉之。輒書篇端以歸。

[一]以吟稿寄示：示，原作「似」，據文淵閣四庫本改。

題線縣尹孝經古畫圖　大德四年三月十六日

《孝經》，蓋聖人以孝道而告諸曾參者也。昔人之所注釋，先儒之所刊正[二]，亦甚詳矣。未聞圖之以為畫者，其於聖經疑若儼然。上都線君子華出此卷相示，焫香展覽。其隸書章句奇古，水墨像曲盡其情，若親拜尼山劍履，日觀曾子所以磬折答問之狀，使人容肅氣莊，不敢以褻，而知聖人之教人也嚴，則其親炙也可知矣。夫孝，所以修身、事親、事君、莅官、治民、事天地、通神明之大經大義也。學者於此焉求之，放而準諸四海至足矣。大德庚子春三月既望。

［一］先儒之所刊正：先儒，原作「儒先」，據文淵閣四庫本改。

題韓提幹伯高乃翁障東集　大德二年四月十五日

三山韓君載叔障東誌，特鄉邑一事耳。至於蹈危履險，而志不為詘，氣不為衰，其一點烈烈在天地間，不肯與世俗同流者，蓋可知也。夫水之東西流，利於一邑與否，非一人之私也。且無官守言，責而争之不置，雖掇禍不之恤，兹固人之難能也。嗟夫！人心陷溺，滔滔者天下皆是也，安得强有力如載叔者出而障之，以復其故性哉。戊戌孟夏望，嚴陵何某書于廬陵西司馬廨。

跋唐月心詩集

猶記十年前，月心携吟稿訪余山中，於是詩未脱稿，嘗為作《月心序》，兹復以棗墨全帙相示。别十年久，詩益富益工，三復降歎，群公序引，復㝷冕於前，驪珠蒼璧，蓋將纍藉，而與世之有識者共賨之。一繅三盆手，君之詩緒來者固未渠央也。姑跋卷尾，捲錦以歸。

朱默軒灝與其兄約山請跋詩編　中統二年五月

江西詩逸響久矣，金口木舌，振餘韻於千載之下者，約山老子為巨擘焉。長篇巨帙固未盡見，剟於騷人墨客唱和間，掇拾咳唾，便覺鏘然有聲，詩在江西固未嘗亡也。至於華樓燕暇，伯仲塤篪，工曲異同，不必一律，而其性情之所感發者，若出金石，豈其詩脈獨在約山乎。老逋仙去，孤山梅月，猶有主人默軒在，約山遺韻未泯也。默軒他日持樽酒舉似余言以酹之，亦當一笑於地下矣。辛酉夏五[一]。

[一]辛酉夏五：辛，原用「咸」，據文淵閣四庫本改。

趙司理菊梅百詠跋　字君賽

梅菊比群卉獨清絶，其自立於寒風凍雪中而不變其操，以之況高人逸士為最宜。古今詠者不一，而真愛梅愛菊者不多見。前理掾趙君字時賽，以梅菊百詠見寄，可以觀君所志矣。僕咸淳辛酉歲為廬陵司馬，而君適來，見其清苦冰蘗，出於天性。亂離歸來，而貧益甚，清苦益自勵，世之人竊笑之，君之自處澹如也。君特此以友梅菊無愧色。夫穠桃艷李，世之所愛，知梅菊者蓋鮮矣。而君獨愛之，故惟君知梅菊，梅菊知君，吾是以三歎而取其節焉耳。謹書其卷末以歸。

跋譚氏編首

勵勵勃，王家三珠樹也。第乃翁福時有諛兒癖，雖然有子如此，亦豈易然哉。譚氏一門父子昆弟，長編巨帙，照映鄉國，獨以乃翁平生所著揭之篇首，而歸尊焉。其賢於諛兒也遠矣。

陳氏與子請字跋

陳檢閱以倉扁術過余，為其子請字。子既冠，竊有志于學，父執名之曰景仁。余謂仁之道大，不可若是其幾也。字之曰恕，翁求仁之道於此為近。夫子曰：「有一言而可以終身行之者，其恕乎。」子其勉之。

跋馬子恢家藏三賢帖

觀紫陽先生筆帖於百載之下，於其人，不於其書；論鶴山先生交道於百載之上，觀其人，亦觀其所與而已。愚於此得二道焉。後學潛齋何某端拜敬書。

或問于湖字帖於晦翁，先生曰：「世人重于湖字，何也？曰：好是他不把持愛放逸故也。」嘗恨不得一見其真蹟，今於馬君子恢家藏得觀，其所與乃先公鶴山交際之帖，三復信然，拜手敬書。

昔人評山谷帖，謂其書入神品。蓋山谷縱横變化，自成一家，不肯隨人後，其司馬穰苴兵法之奇陣也。後之人未夢見太史，而好奇者鮮有不血指者矣。

跋何玉華南山八詠集

宗家逢原儒諭以高史君《南山八詠》寄教，且徵和篇。蓋南山何氏祖塋在焉。至元戊子，嘗道分陽，適與諸公清明上塚之集，陵前八景猶依依在目，今得詩如見蘭亭繭紙，尚想山陰遺事儼然也。敬次前韻以歸，且書尾以證他日云。（以上《潛齋先生文集》卷一〇）

全元文卷二五一

何夢桂　四

易春秋之元及時政六事策[一]

對：《易》六十有四卦，而始於乾，乾之四德而始於元，《春秋》二百四十二年，而始於君之始年，紀年之首，則又始於元。元者，其天地方開之運，帝王出治之端，最不可不謹者也。夫子彖《易》既曰：「大哉乾元，萬物資始。」仲舒説《春秋》亦曰：《春秋》謂一為元所以視大始也。大哉，始之為義乎！此《易》與《春秋》所以首之以元之一字乎。共惟皇上嗣登大寶，丕纘皇圖，以不世出之資，當大有為之會。涣號改元，嘉與天下更始。猗歟休哉！此正君子得與小人剥廬之時也，此正中國大陽，四夷熸火之日也。執事先生發策禮闈，首以《易》、《春秋》之元為問，且有感乎咸平、淳熙改元之盛，而拳拳於方今之新政。大哉問也！鯫生拭目，明盛方當頌元之時，其敢無説以對？竊謂帝王出而體大《易》之資始[二]，故能運初心之元；帝王出而法《春秋》之正始，故能新初政之元。一元之氣渾淪磅礴，充塞宇宙。在四端為仁，在四時為春。運之於心則為大善，發之於政則為大始。曆數於此焉起，政事於此焉出。陰陽有消長，而崇陽抑陰，當於此而始分；王伯有純駁，而貴王賤伯，當於此而始決。《易》於此而嚴其始，則小人不得以比君子；《春秋》於此而其正始，則夷狄不得以干中國。為人君者，惟謹諸此而已。愚嘗斂衽肅容，拜觀國史，竊窺章聖之咸平，壽皇之淳熙，其改元也，固無一事之不謹，而於君子小人之幾為尤謹；固無一事之不嚴，而於中國夷狄之辨為尤嚴。選明經而置之講席，召舊臣而處以平章，自是班行無少年輕薄之人。閱軍士而飭邊屯，重兵謀以圖狄虜，自是朝廷寬西顧之憂。茲非咸平改元之始乎？褐公道於政府而輔臣重，修成法於吏部而真才出，自是無奸邪冒濫之弊。分兩淮地而邊境嚴，閱諸路兵而軍器振，自是無諸夷乘間之虞。茲非淳熙改元之始乎？皇上遹繩祖武，率由舊章。今日之咸淳，即前日之咸平、淳熙也。鯫生憂治危明，以為最可喜者固今日也，最可慮者亦今日也。天地間有一即有二，有陽即有陰，是以君子與小人常相勝負，中國與夷狄常相盛衰。今也魚水一堂，雲龍千載，正人固翕聚矣。然同人于野，豈無伏戎于莽，陰伺其傍者乎？泰山四維，盤石九鼎，國勢固尊安矣。然諸侯朝王，豈無裔夷謀夏，竊窺于外者乎？蓋初心者，萬事之綱領，初政者，四方之觀瞻。如機之始發，而中否決焉；如樞之始運，而闔闢分焉。此正伊尹告太甲以「罔不在初」之日，此正召公告成王以「王乃初服」之年，此正申公勸武帝以「力行何如」之時也。而況方今之政事，始於元，而未極於亨，猶有如執事所云者。人心當平也，必於四方傒望之始，使之有懽愉而無戚嗟可也。政令當孚也，必於象魏布政之始，使之有信從而無惶惑可也。物情當比也，必於懋遷有無之始，使之有稱物平施之方，而無什百倍蓰之筭可也。量地取民，賦歛當始均一也，非有輕重適中之制，可乎？利權經國，錢帛當始流通也，非有子母相權之術，可乎？公私積蓄，財用當始充足也，非有周府泉流之蓄，漢都貫朽之實，可乎？皇上嘉慕乎咸平、淳熙之盛，以二祖之初心，行二祖之初政，世道不患其不咸平、淳熙矣。然而欲法二祖，當法聖經。夫元者，固《易》之始，至于陰陽柔順，消息變化之理，實詳於六十四卦之中。凡陽而健者內之，陰而柔者外之。聖人於《泰》之初六既曰拔茅征吉，於《否》之初六又曰拔茅征亨，蓋亦慮小人之盛，而謹於其初也。元者固春秋之始，至於王伯、夷夏、正邪、義利之交，實著於二百四十二年之間。凡內而中國者進之，外而夷狄者退之。聖人於隱之二年始書戎，於莊之十年始書荆，戎以好舉，荆以州言，皆不與夷狄之進，而嚴於其初也。由是觀之，天下最不容於不謹者，人君之初政，初心也。自初心而謹之，則事事皆善，此《易》所謂元善之長；自初政而謹之，則事事皆正，此《春秋》之所以正次王也。雖然，元者所以始萬物也，亦所以終萬物也。元亨利貞之通復，此元無一息之不存；元會運世之推移，此元無一日而不在。蓋運行不息之謂元，變化不窮之謂元，所貴乎體元之君者，以其終始惟一也。闢門明目，厚德允元，此舜之謹於元目得然也，而舜則終始一幾康；新民宅邑，位在德元，此周王之謹於初服者然也，而成王則終始一緝熙。萬事墮哉，常警戒於庶事康哉之後；無疆惟恤，亦申飭於無疆惟休之餘。此有虞所以常保其雍熙，成周所以常保其泰和也。《詩》曰：「靡不有初，鮮克有終。」《書》曰：「罔不能厥初，惟其終。」此皆當今之龜鑒也。愚既以《易》、《春秋》之謹其始者為今日獻，敢以《詩》、《書》之謹其終者為今日勉。惟執事以復于上。謹對。（《潛齋先生文

集》卷四）

〔一〕標題代擬。　〔二〕竊謂帝王出而體大《易》之資始：竊，原作「切」，據文意改。

邵瀌翁玉成説

天之於人猶父母於子，父母之命子，不無勞逸之異，其於愛子一也。天生民厚，而命之不能無貧富貴賤之不同者，天豈故為是厚薄之私哉？要其致而歸於成，此天與父母之心也。世之人與人之子或不能知此，故處逸而不忘親者易，處勞而不怨者難，居富貴而不忘天者易，居貧賤而不怨者難。故能知親者，父母之孝子也；能知天者，天地之仁人也。西銘一書，擴千古所未發〔一〕，至其卒章曰：「貧賤憂戚，庸玉汝于成。」若此者，可謂知親知天者矣。邵君瀌翁以玉成自號，則其素貧賤也可知。玉必琢而後成器，所以成玉之德也。然則今日之貧賤，安知非天之所以厚子以成子之德者，不然，乾天坤母，豈獨偏於子哉！徵余説，因為之書。

〔一〕擴千古所未發：未，原作「謂」，據文淵閣四庫本改。

胡古澹植竹説

魯桓公六年，子同生，以子與公生日同，故名曰同；後漢鄭玄生孫與玄年同，名曰小同。夫以桓公之子為同，則玄之孫為小同矣。父子祖孫之偶同也，古人以之紀名，以見其重同也如此。庸齋先生手植庭竹，歲在大壬辰；其孫國器植竹於其地，為小壬辰。茲固偽同爾，抑若有數然。後庸齋六十年，竹與主人化為青寧久矣。後人重植，不於他物，必於竹；植竹不於他日，必於此年，非無意也[一]，非有老成能言者識之，雖子孫不知其然者。此豈與尋常所偶同者比哉？昔人有見其祖故坐磐石，輒泫然涕下，況乃翁三徑常與二仲遊息者乎？感物懷人，故宜諸孫之眷眷，不能忘情也。國器賦詩識感，與其昆玉及其朋友載賡凡若干篇，求余説，遂為之書。（以上《潛齋先生文集》卷一〇）

[一]非無意也：原作「而非意也」，據文淵閣四庫本改。

南山天寧禪寺三門記

至元二十三年八月十六日

南山天寧禪寺堂頭無竭禪師如川主席此山之八年，重作三門，大書特書曰「華嚴法界」。書者何，所以大其門也。門大則其華於佛之居，與僧之堂若室也可知已。世謂佛善為大言，以聳動一世，然觀其徒之果於事，為有的然可稱者，非夸語也。古今言教門者有三，曰儒，曰釋，曰老。儒自羲、軒至孔氏，與天地並立，老氏中出，釋最後，二氏宜非儒抗也。然自近世以來，釋氏之宮滿天下，老氏半之，儒之宮若州若縣各一而已，儒已不競於二氏矣。至元一統，獨推釋氏為三家首，紺園貝宇，日新月盛，宏傑詭偉，蔚柄麗靡，陟其門者，將目眩氣奪，儒者尚敢望其彷彿哉！雖老氏之徒，亦將自遜其不逮矣。豈西方之教，果優於洙、泗之仁義禮樂歟？抑其徒代有能者以興起其法，而孔氏之後獨無其人歟？抑亦拘於世與化，而有不得不然者歟？不然，何以釋氏之獨盛，而軼出於儒與老若是也？師既以扁屬余耑，遄復求記，以詔不朽。師也蚤契佛乘，智慧而材幹，有功於其教門也固宜，他日而子孫有問作門者誰[一]，余固不得以没師之實也。百世而下，或於今之世與教而將有考焉者，欲弗記，得乎？門作於至元甲申冬十二月，越二年，丙戌秋八月既望始記，遲之也。

[一]他日而子孫有問作門者誰：曰，原作「目」，據文淵閣四庫本改。

西真宮記

至元二十三年八月

建德縣境西，直銅宮山二十五里之半，有宮曰「西真」，江山之奇勝萃焉。東北三峰，巋然起於蒼莽之間，奔驟雲矗，兩崖翼然，以蔽虧江濤之上下〔二〕。嵓崒虎踞，巉峭壁立，江流嚙於崖趾，激湍停淵，噴薄洄汩。西南群巘，林旅奔赴，蒼翠詭狀，綺束繡錯，作宫是間，望之知其為神仙宫府也。其初未有是宫也，惟見夫藜藿之墟，鼪狸之徑，固好事者屐齒之所不至，馬迹之所不及也。豈天作而地藏之，若有待而後畀焉者？道士諸葛與權始乞地於鄉寓，黄迪功請武强廢額於朝而兆基焉，蓋宋寶慶丙戌也。於是鄉人士之驟見而駭觀者曰：「世之所謂洞天福地，顧在是乎？」意有鬼神怪物，始推輓以出也。其未底績而與權没，亦或有待而後成也。地輪廣得若干步，外樹以垣，垣周於宫，堂室、門廡、舍館、樓閣、祠藏周於殿。其甍棟參差、金碧炳絢，蓋師之再世曰邵含光、徐景仁，協力圖究，有以踵成之也。其後復撤法堂庫堂之圮者新之，補方丈齋堂路亭之缺者完之，則其三世曰黄處信，有以迄成其功，而畢其前人未竟之志也。其在常住，田若桑為畝者，百二十有奇，其百畝則含光之所菑畬也，二十畝則處信之所播殖也。今食衆且百指而歲賴以不匱者，皆二師衣鉢所私推以與其徒公共之也。夫以上下六十年間，父子祖孫黽勉育蓄而後成此，吁，亦難矣！處信遠來乞記，其將詔今以傳後也，抑余切有感焉者。今夫齊民，田有賦，夫有役，户有科配，雖尺地占籍不免焉。貪官虐吏又舞法而乘之，民之至於貧病且徙以死者何限。而老、釋二氏獨得不與齊民齒，顧非幸歟！况以宫中與民比，計其畝則贏於一夫之井矣，數其衆則溢於八口之家矣，而獨不賦不役，又科配之所不及，而其教門復無掊剋鞭笞以拂亂其心志，故老氏之徒尤佚於釋，其所以得安居暇食，以優游生死者，顧非大幸歟！嗚呼！堯舜禹湯文武之遺民，後世曾不得以復被其澤，而老氏之子孫，得以百世食其福。俛仰慨嘆，為之記而緊之歲月云。至元丙戌八月記[二]。

[一]以蔽虧江濤之上下：濤，原作「牢」，據文淵閣四庫本改。　[二]至元丙戌八月記：元，原作「止」。文中言西真宫兆基於「宋寶慶丙戌」，又言作是記於六十年後，據此，當為至元丙戌年。

分陽覺道山麻姑祠記

至元二十三年五月七日

麻姑仙壇本盱江丹霞小有洞天，在唐為撫之南城屬縣，顔魯公刻石誌事，蓋可證也。分陽邑西四十里曰生仙鄉，亦有麻姑祠，無所於證，然以地考之，源曰麻溪村。曰「麻村」，曰「麻嶺」、「麻徑」，皆托仙以名，而其鄉亦併都仙號，則仙之著靈兹土由來舊矣。豈仙之神在天地間，如風霆雲雨，變化倏忽，將無處不有耶？覺道山巋然獨高於萬山，父老相傳謂麻姑壇若祠，舊宅其巔，水旱疾疫，隨禱輒應，民不堪登陟，徙之山下祠焉。山西北隅，瞰麻溪石壁峭立。昔有道士修煉其上，一日羽化，倒影滅没岩石間，常遺人影，冠服儼然，遠邇神之，强名之曰「覺道」，於其山亦曰「覺道山」。夫二仙相去世代，不可復考，而遺風餘烈流落人間，則雖千載猶一日也。憶昔仙人王方平見麻姑於吴蔡經家，已謂三見海變桑田矣。天地無情，日運而往，二仙不可復作，不知桑田滄海至今幾變。安得乘風來下，以拔巔崖蒼生，使之亟蘇息乎？鄉士何自明懼事久迹湮，磨碣乞記。俛仰世變，重增歎息，姑誌其槩云。《覺道仙圖記》逸名氏，不知何代人，或謂姓陳名一真，兹配祀麻姑祠。歲在至元丙戌夏五七日，潛齋何某記。

易庵記

至元十四年五月十五日

文昌山水為東里勝，何氏家世其間。前瞰雙溪，後枕三阜，湍流清泚，林木鬱葱。其人端靖樸茂，有淳古風。三阜中間，盤旋成谷，深可六七里，清泉白石，古樹幽花，邈在人世風雨外[一]。潛陽子廬於谷口，廬西偏穿徑通山，盤屈而入，逌澗可二百步，竪橋三小間，下俯清流。跨澗陟山，西南轉，縈迂而上，有山巋然。前踞後矗，中若蝸然，廣迤數畝，築室三間，扁曰「易庵」，從衡楹二十，中為潛陽子居游之室，翼以兩齋，四面闢牖，右貯書史，左置牀榻。四時徜徉俯仰，食於斯，息於斯，詩於斯，酒於斯，學於斯，得於斯，且將老死於斯，蓋不知穹壤之高下，寒暑之推遷也。暇日隱几，嗒然而起，虛室坐忘，吉祥止止。於是招青鸞，引清泉，呼松竹，侶魚鳶，與之語曰：予與若居三載矣，若知吾易庵之趣乎？異哉吾之《易》乎？羲不能畫，文不能象，姬、孔不能贊。吾俯仰取之無不足，吾以强名吾庵，雙扉闔闢，乾坤兩闢，一闔一闢，復姤中間，位坎、離而左右，乘震、艮而往還，然未足以盡吾《易》之妙用也。至於雲霞聚散，煙雨陰晴，水月吐吞，晞陽出没，山光泉色，隨景變態，不可名狀。而又古松老杉，修柯戛雲，如龍蛇夭嬌，蔽蘿蔓薜，掩翳蒙羃，烏巢其間，呼鳴啾唧，飛泉瀑布，下濺危石。霖潦則怒號如雷霆，潺湲則鏘鳴如環珮琴瑟。樵徑出半山，仰望如在雲際，畊鋤晨入，樵牧晚歸，眇在蒼煙細雨中，髣髴如畫，前歌後答，但聞人聲隱隱飛落半空。凡此，皆天地間自然之《易》也。景物無窮，千態萬狀，不過一陰一陽，往來變化，觸目會心，何者非《易》？吾以一身，窮年偃蹇，不出是間，吾將以天地為一室，日月為兩户，衆山為壁牖，萬物為徒御，其能蓄於環堵之内，如蝸牛蠔蠓，自認以為已足乎？或者不察吾言，謂其大而無當，往而不返，且將驚怖以為荒唐誕謾也。夫有實而無乎處者，宇也；有長而無本剽者，宙也；有目有趾，同囿其中而不知道者，衆也。使其不以吾言為荒唐，為誕謾，則天下之知其道者固衆矣。吾將大而小之，往而復之，則又入於無所紀極，而天下愈不可知矣。雖然，余妄言之，而亦妄聽之。奚吾將歸來乎？無有逍遥乎？不測浮游乎？環中以為之室，無門，無旁，無處，無人，大包宇宙，細入芒芴。凡吾生死窮通，動静語默，不出其域，此蓋千聖之所歸，萬生之所息也。至此，則不惟或者不知吾欲，知之而亦不可得矣。《道德經》曰：「天地中間，其猶橐籥乎？虚而不屈，動而愈出。」意者天地其知之乎？《繫辭》曰：「聖人以此洗心，退藏於密。」意者聖人其知之乎？問諸天地，天地無言，問諸聖人，聖人不容吾言[二]，吾欲言而終忘吾言矣。或者不得問，拱默而退，姑記其事，以俟來者。潛陽子不記姓氏，或云派出先天，包犧氏名之曰「復」，漆園子字之曰「天根」。歲在强圉赤奮若夏五望，潛陽子記。

[一]邈在人世風雨外：邈，原作「貌」，據文淵閣四庫本改。　[二]聖人不容吾言：吾，原脱，據文淵閣四庫本

補。

重修嚴先生祠堂書院記

嚴陵瀨谿漢逸民嚴先生以得名也。群峰嶙峗，一江帶其下，雙巖離立，巉絶矗起者，先生之釣臺也，雲煙上下，而巍簷峭棟，半出於喬林叢薄間者，先生之祠也。祠之前曰羊裘軒，其東曰燕居堂，西曰遂高樓，樓之前曰清風堂，又前為雲峰煙水閣，介兩間為書堂、堂廳、門廡、齋廬、厨湢。具祠創於范公仲淹，書院創於陸公子遹，而又諸賢相繼緣飾，迺底於成。歲久屋敝，更亂離，益就隳圮。至元辛巳，浙西道宣慰同知按部道祠下，登臺謁拜，俯仰慨歎，議飾而新之。劄下，書院官捐米稟助費，計庸即功，堂與前軒，蓋葺粗完，以費匱告，公改命府判官以司存董其事。判官承檄，召桐、建兩邑尹，相役分隸焉。早暮展力，自冬十一月丁未經始，迨十二月乙未竣事，斵艧咸新，惟清風堂四齋未就。又明年癸未春三月，書院官以書來徵余記，曰：「斯役也，其斯文絶續之會乎？尚磨雙崖之石以詔不朽。」夫光武以帝室之胄，挈漢鼎於群盜之手，而洗濯之。雲臺諸臣，殫智畢力，惟恐奔走或後，而玄纁物色，下逮微賤之故交，迺三返不能致，至則偃蹇傲兀，視漢爵若將浼焉。是豈挾朋友之私，以蓋君臣之義，猶有不足於光武耶？甘心漁釣，没齒羊裘，彼固自有見也，世之人尸而祝之，果可起先生死魄於九京下，則此江之水詎足以洗巢由之耳哉！天地無情，萬物之澌盡者何限？渭南銅盤，長安金爵，今復安在？而陰崖陽林，白雲英英，千古無恙，參差百楹，巋然魯靈光，不與兵燹俱燼，而蓬藋足音，猶有曠異代而相感，以引前人之緒而勿替者，此豈先生嘗蘄於後之人，以至此哉！姱修昭質之在天下，直烈烈與日月齊光，而人心天理橫四海，亘古今，固未始泯絶也。山高水長，萬世下猶將聞風興起。嗚呼，先生豈獨為東漢重哉！宣慰劉公宣、府判趙公祥、書院官邑人駱正大。郡人潛齋何某記。

璇璣觀記

至元二十八年三月十六日

宣授浙西道道教都提點董高士德時，乃至元丁亥秋八月，成璇璣觀於杭之城北隅，於庚寅冬遠求記於嚴陵山人何某，曰：「璇璣觀者，蓋取北斗魁四星以名也。斗魁四星為璇璣，杓三星為玉衡。璇、璣名者，尊名所以嚴事也。」余聞其説而愕焉。謂宜登天游霧，挑撓無極，以藐在野馬塵埃之外，若桐柏金庭，青崖碧樹，丹霞洞府，碧蓮翠杉，而後仙翁客都之足以棲真靈而輅靈眖，而此也，乃混於九衢車馬之衝，萬家歌舞之會，榻外市聲日夜聒焉，愚意魁躔景曜未必下臨兹土也。主人勃然起曰：有是哉？誠如君言，其何異於刻舟求劍，膠柱鼓瑟者之為也！君謂璇、璣之在天中也，獨不照臨四方乎？夫天自北極，以距南軸；地自暘谷〔一〕，以入太濛。固非璇璣之所運也！今畫地方尺，即具四方，謂北非璇璣，南非玉衡，可乎？至於一身縱橫逆順，運以斗宿，亦無不具。吾左肘屈為璇璣，右指信則為杓；吾右肘復屈為璇璣，左指信又復為杓。吾取璇璣於吾兩趾與膝，則杓上直於頂左右，易皆如之。

吾取璇璣於吾兩肩與乳，則杓下直於拇左右[二]，易亦如之。吾布吾十掌指而左右按之，又舉吾足而左右罡步之，皆斗璇璣與杓之象。吾證一物，驗一事，且無適非斗，豈於吾宫而獨不戴斗乎？吾推而擴之，斗之所以統陰陽，宰列曜，而又靡不在也。故斗上戴紫極，營旗杜厨，蕃衛翼翼者，天帝之宫也。下履階符，棓步項反搶矛盾，芒角濡濡者，三台之府也。東携蒼精、攝提、載清，西挾咸池、罕車、伏馳，南輅朱鶉，北軼玄武，閑我天駟，豐我天庫。夫如是，則四海平，萬事康，皆斗之所以庀天職而亮天功也。故吾内觀形神，見斗於心，外觀蘧舍，見斗於目，乃至出入起居，皆隨寓見斗。前吾於宋見斗於杭，後吾於元見斗於燕。斗蓋無在不在也。今吾之官於斯，以賁事斗於斯，則百雉之城，萬井之邑，環周廬而拱之，亦由帝車中運而庶民之星羅布於外，歲時禱祠，禳禬悉於斯，則吾觀之，以璇機得名也，宜無忝君，奚惑焉？余謂天地開闢至於今，不知幾變矣。雖天柱或折，地維或闕，而斗居中天，乃亘萬古而不移其所，豈若夫物之縱縱之總總者，以隨化生死、成毁，起滅，而靡有定極哉！余固有感於此，輒復因子而遂言之，以彰斯今之徽號[三]，使觀與名等垂於無窮也。德時逮事宋朝，景定臈蠟以祈雪[四]，應；咸淳郊禋以祈晴，應。錫號修真演道法師，職龍翔之祐聖，階敕補鑒義全真齋高士。至元戊寅被徵北觀，承旨禱旱而甘雨澍，禱雪而瑞霙霏，晉號修真通元體妙法師，宣授今官，開元宫都監住持，尋晉號修净通妙太極五雷宗教法師，職掌如故。歲癸未，以母老給告歸，越五禩，觀成，授其徒杭州路道録陳天錫領觀事，欽上命也。兹將鑱碣以告績，則書曰某年某月某人，而領事者不與焉。至元辛卯三月既望記。

[一]地自暘谷：暘，原作「陽」，據文淵閣四庫本改。　[二]則杓下亙於拇左右：拇，原作「栂」，據文淵閣四庫本改。　[三]以彰斯今之徽號：今，作「覩」，據文淵閣四庫本改。　[四]坮定臈蠟以祈年：祈，原作「䜣」，據文淵閣四庫本改。

洞神宮記

至元二十七年十一月

通真宏道崇玄法師，教門提點住持洞神宮黄智遠，以至元乙酉改作法堂大門兩廡成，其師孫楊處潛復創作中門成，越三年，遠乞記於潛齋何某。久弗得請，或曰記不足作故也。余謂宇宙間事所不足者，固不在老氏也。世之儇驕喬騺，相刁相靡，方相尋於無所紀極，至於老氏之徒離群立獨，其於世殆若未數數然也。夫域於封疆之内，皆民也。古之為民四，後之為民六，是老佛之徒亦民耳。戴天履地，食粟米，衣絲枲，孰能不在人世間哉！自漢文帝受河上《道德經》而老氏出，自明帝迎竺法蘭於西域而佛氏入中國。道之宫起於元封而盛於李唐，釋之刹起於永平而大盛於宋、齊、梁、陳，以至歷代興仆因革，雖不能不異，然其徒與民悉統諸有司，一其號令，而均其政刑，上下未始相戾。厥今隸有司者，惟占籍為氓[一]，其計户而不隸於氓者，各建官以署其事。十羊九牧，疾驅而亟鞭之，交受其弊僥焉，胥顧以至於死，且徙者比比也。儒有官，不競不得，與巫醫虞羅齒，貪官虐吏復越俎而魚肉之，故儒下與黔愚駢首，繫頸就吏而已。惟道與釋槩得不治於有司，而釋之官震之以權，壓之以威，其受弊殆與民類。惟道之教易以平，簡以静，故其徒得以佚於民，而優於釋，獨若不在人世間者。有廪得以食，有筐篚得以衣，而槖中之所貯蓄，不至廪廪於叫囂隳突者之所揭篋，故假之以暇，而養其力，得以棟宇宫室而安焉。世之人得一投足於老氏之門者，幸也。吾於洞神宫觀之矣[二]，其門前陌塵，牆外市聲，旦暮擾擾者，固已夐隔風雨。築徑樹木，浚池畜魚，觸目成趣。虚堂静院，花卉蔽虧，時冠鹿皮，衣鶴氅，焚香燕坐，誦《黄庭》，歌《南華》，聲若出金石。倦則登樓馮虚，仰招山雲，俯吸溪月，蒼翠繡錯，澄鮮流麗，詭態百出，皆可納之几席上。凡此者，皆吾之所獨私，而世人不得有焉者也。其視荒墟野刹，至有終歲流逋而不得以一食黔其突者。虚廊空階，往往鞠為苔蘚，而况崇臺大宅，化為禾黍荆榛者何限？而窮閻破屋，渺莽於蒼煙白水間，尚堪屬目邪！然則老氏之徒，得以安居飽食，以生死於其宫中，其相距懸絶甚矣。嗚呼！孔堂絲竹，千載寥寥，斯民苟不得蒙《詩》、《書》、《禮》、《樂》之澤，使老氏清浄之説得以孤行於天下，而民與受其庇，尚庶幾哉！時至元庚寅冬長至節記。

[一]惟占籍為氓：占，原作「古」，據文淵閣四庫本改。　[二]吾於洞神宫觀之矣：宫，原脱，據文淵閣四庫本補。

白雲山法華院記

至元二十五年四月

天地萬類，一性而已；人物萬形，一心而已；宇宙萬古，一佛而已。性外無心，心外無佛，圓顱方趾，耳目口鼻，佛蓋天地間一人耳。造物怒流，萬生錯錯，含靈蝨動，惟人最靈。天地此性，即人此性；佛有此心，即人此心。見性即見心，見心即見佛，心無二心，故佛無二佛。人見過去七佛，見在十佛，未來千佛、萬佛、億佛，遂謂佛異，不知七佛一佛，十佛一佛，千、萬、億佛亦一佛而已。人欲見佛，見心即是。何以故？以心見佛，故祇此一心照天、照地、照古、照今。心生法生，心滅法滅，心清净，故佛應心現；心塵垢，故佛隨心隱。文佛涅槃，心佛固在，迦葉後至，達摩西來，遞傳心印，燈燈見佛。在夷夷見，在狄狄見，在中國中國見，佛固未嘗往也。世謂佛入滅後，不復見佛，亦謗佛甚矣。佛之徒不善見佛，指丈六土偶為佛身，是以色相見佛；指布地黄金為佛主，是以緣相見佛。不知佛以無為法，世間一切有相可作，可壞，故此佛身佛土，有力者能作之，有力者能壞之，而固不可常也。至於佛之不生不滅，不垢不净，大包六合，細入塵微，諸相俱空，真常獨立者，固人人之所同得，亦人人之所同見。若執我見人見，終不足以見。佛且以千百億化身而謂之佛，有人信得一佛能化為千百億佛，則於一刹那間，佛當隨處應化，則亦當有千百億人，於一刹那間隨處見佛，若復千百億人認千百億佛，説言我佛非彼，彼佛非我，無有是處。譬猶東海見水，曰與西海異，西海之見亦復如是。不知水本一水，彼妄見者，認水為二。燕人見月曰與越人異，越人之見亦復如是，不知月本一月，彼病見者，指月為二，而況佛説四大部洲、東佛千逮、西瞿耶尼、南閻浮提、北鬱單越，盡諸國土所有其人，如恒河沙數，人見一佛，亦復如恒河沙見人人異，又豈特見水與見月者之異而已哉！建德之慈順鄉曰某里，古無佛寺，歲時水旱疾沴，生死福禍，民之禬且禱者，無所於託，衆謂非宜。鄉士王一桂、王某諗于衆[二]，將創置焉，度地於白雲山之阿，方範土輦木，衆歡喜踴躍，輸財若力，不日竣事，請於僧司，得兆率子院廢額曰「法華」。南北諸山主僧為之開堂設法[二]，竟，請記於余。余按郡圖志，睦諸寺自宋昇平迄宋南渡紹興，凡百三十有九，隸此邑者三十八，其在此鄉者五。今益其一，固未見其羸也[三]，或者駭焉。原晉以上，州未始有一寺，佛非昔無；迨宋以來，累百累千，佛非今有；其後遞興，不知其幾，佛非加多；遞仆不知其幾，佛非加少。而況來者之興，仆未可知也；而或者駭之，非真見佛者也。使真見佛，則地獄天宮均為佛國，無明真如等為佛乘，將大千世界，無處無佛，一切衆生，無人非佛，而佛奚被此之擇哉！同見見佛，名為正見；異見見佛，名為邪見。余非學佛者也，然直信己心與佛不異，敢以聞諸佛者，試以告之佛之徒，遂為記。至元戊子四月日何某記。

[一]王某諗于衆：于，原作「子」，據文淵閣四庫本改。[二]南北諸山主僧為之開堂設法：主，原作「王」，據文淵閣四庫本改。[三]固未見其羸也：羸，原作「羸」，據文淵閣四庫本改。

分水縣學田記

至元二十五年三月十六日

學校之法二，教與養而已。三代學校，法出諸公上，而不出於私，故司成、樂正，國為設官，所以教也；公田、米廩，國為給事，所以養也。自王公國都，以至比廬族黨，莫不有學；自王太子、王子，與夫群后之世子，卿大夫、元士之適子，以至國之俊選，莫不有教，亦莫不有養。故其四時誦絃禮樂，干戈、羽籥，若貴者賤者，皆得以一志於學，而責其成。三代學廢，其僅存於後世者，惟國學與郡縣學耳。教法不備而養之道益狹，故鄉民之秀者，群居自為師友，而詩書禮樂之化，不盡出於公上。齊民或竊取而私之，亦既非古意矣，而况學校之在郡縣者，復不能以概舉也。其幸而僅存於郡縣，又幸而隸於大都大邑，地方千里，計畝萬億，地方百里，計畝百億，歲取其贏，以供學校之不給，是猶太倉損一稊粒，稱員餼廩，特易易爾。乃不幸處於窮陋，竭地之力，不足以食農夫，尚復問田以祿不耕之士子乎！芹藻榛蕪，衿佩落落，顧瞻城𡾰上之人，亦不得不分任其責矣。分陽為睦最下邑，隸學田僅二十五畆，東北偏池六十畝，歲以蓮芡易粒，纔數石，人日給二缶，養生徒不能十人。至元丙子，學士解散，前學官何鳴鳳、何壽老葺理復完，章掖甫集，在籍至三十人。今學官徐會龍席氊未煖，掇己田三十畝隸之學籍[一]，曰：「姑以繼廩粟也。士未必宿飽，吾為義倡爾。」嗚呼！學校之設，茲固古先聖王所以公天下者，茲乃逸而歸諸邑人士之私。使人人若此，則大道之行三代之英也。推而放諸四海，且將與天下為公也，州里云乎哉！諸生龔碣乞記，以誌永久。余嘉徐君之誼，重諸君之有請，將善鄭以勸來者，遂為之記。至元戊子二月既望。

[一]掇己田三十畝隸之學籍：十，原作「千」，據文淵閣四庫本改。

玄同齋記

至元十九年九月十六日

玄同邵君桂子德芳，一日致書諗於無名人何某曰：「玄同云者，某所自號也。嘗讀猶龍翁《玄德章》，默若有契，因竊取其義，揭之座右，為求道指歸，而未能盡得其解，願聞一言自信。」余竊自笑曰：世方嗤吾玄之尚白，吾又烏識夫玄之然不然？雖然，嘗聞其似夫玄。天地之始，萬物之母也。天地異勢，萬物異體，而同出於玄，玄則無不同矣。夫物之初，固有混芒無象，反衍無端，舉天下萬有對待之，可以兩名者不足以載，有同而已。陰陽錯行，天地大絯，萬異出焉。雷霆之所鼓，風雨之所奮，日月之所運行，參差不齊，故萬形所受，為羽、為毛、為鱗、為介、為草、為木，亦萬有不類。一受其成形，而生死於二氣，而又榮者、瘁者、得者、喪者、譽者、非者、從者、違者，交乎吾前，而耳、目、口、鼻、心，思之所欲惡。日與萬物相接，為搆者惟人為甚，是人也，萬物之役也。人以一身為萬物役，則雖一俛仰之間，而形骸肝膈固已恣睢摇蕩，而不能以相攝，而況天下之離跂攘臂，忿觸而怒抗者方相尋於無所紀極，則其所大不同者，將捷出於天下。夫太虚無形，玄之本體，其聚散不同者，氣化之客形也。至寂無感，玄之淵源，其起滅不同者，物交之客感也。無形無感，至於客形客感，惟玄之又玄者能一之。是故物我雖萬殊而同於性，事物雖萬變而同於道，則禍福利害等為一致，如此而後天下之德始玄同矣。散一為萬，而玄非離；會萬為一，而玄非合。非合非離，復歸無極，强名之曰「玄」。故玄者，千聖之所出入，而萬生之所終始也。而不知者指為老氏之私言，而後玄德始隱。今子以玄號於天下，固將以同而一天下之不同也。余恐天下之不同於子，適自此始。老氏固曰不笑不足以為道，子其默默獨守吾玄，則幾矣，將無同。歲在玄默敦祥，月在無射，既望，潛齋何某記。

安禪寺記

至元二十九年二月

安禪寺比丘思如師，以至元乙酉作觀音閣成，後幾年，遠來乞記，曰：「此某與某之徒所以莊嚴佛土如此，事已迹陳，懼至湮没，願得一言以傳末世，何如？」余曰：「可也，然所傳不易也。」師曰：「豈以一閣為不足傳歟？顧所乞亦不獨此閣是為也。窮山蘭若，屋且餘百楹，殿堂樓閣，門窗、房霤翼翼，土木彫繪金碧熠熠，鐘鼓、魚板樅樅，皆四方檀施與吾徒桑門捐貲出力，而後成此。儻按其顛末而惠識諸碣石，庶有傳乎。請數其概。寺蓋肇基於蕭梁大同之二年，於今蓋八百載餘矣。宋咸淳己巳，悉熸於火，焦土餘爈，露宿草棲，蔑如也。賴好施者倡義，與衆共圖之。明年，始成佛殿，旁附庫堂，巋然離立而已。又明年，始塑佛像，他事蓋未遑也。又明年壬申，成鐘樓。又五年至元丙子，成山門。又十六年辛卯，成僧堂，旁翼接待雲水室，樓上范金為豐鐘一，閣上幻木為大權菩薩像二十。凡若此者，大之興廢，小之成毀，願大書特書，使來者有所考證。」余聞其言而嘉之曰：「甚哉！師之有志於傳也，抑余竊有感焉者何也？師，佛之徒也。佛以空為宗，空則萬法俱空，山河大地，抑空華爾。室廬諸所有物，寄於山河大地，等為空華，復計其初為平野荒草，俄為棟宇榱桷，中為煨燼瓦礫，終復為棟宇榱桷，猶是空華。亂起亂滅，於太虛空中無有實相，況天地劫運流變無極，而獨不向胡僧問昆明池底事耶？大劫小劫，同歸變壞，為此世間微塵諸相，疇匪空華？誰實作者？誰實居者？誰實施者？誰實受者？取作者施者是有我相，取居者受者是有人相。人我俱空，誰實為主？乃欲託言語以傳不朽，是倚言語之獨不為空華起滅也，雖記何為？」師矍然起曰：「我聞佛説空亦如是，抑聞世、出世間固有不空者在也。君其與我記諸，將留所謂不空者與此山無窮。」余曰：「善，可記也。」佛殿庫堂蓋葉浩首出橐橐，與衆協成者也。觀音閣直佛殿後下以為法堂，蓋思如與其徒惟新、净惠共輟衣鉢搆架，復籍衆緣以卒成者也。法堂前為亭，穿殿門，揭板署額，出思如己費。僧堂三門，扁曰「選佛場」，接待室一，門扁曰「棲雲」，思如買民屋，藉衆力，徙置鐘樓。俞某妻徐氏出奩資，獨成山門。洪氏捐木，僧惟新、道人朱覺崧，鳩衆竣事大權像，行者袁静因捐已及募衆圓成。記畢授師，師踴躍作禮曰：「若此，傳矣！」至元壬辰春二月日。（以上《潛齋先生文集》卷八）

全元文卷二五二

何夢桂

五

建德路能金課記

至元二十九年四月

大元跨有東南，初搉金課，蓋履山澤之所産而斷取焉。始繇饒、歙諸路，次逮建德。建德，古睦州也。睦為古揚州分，荆、揚貢金，在《禹貢》不廢。睦萬岫千峰，二江十八瀨，意亦鋈鏐鈑銑之所生也。然考古圖志，金非其土産，如瑶琨齒貝皆産於揚，而睦亡是。睦視揚為最僻陋，其土物之數，固亦不得與他壤齒也[一]。夷考前代，金所於取，秦漢而下，雖冶山鑄海，以竭天下之利，然載之史志，自銅錫鉛鐵之外，無閗焉。唐有陝西暨宣潤等州，歲銀而已。近代固嘗徵陝與宣、饒、歙、撫、南安諸州金，遄亦中廢。試數其地，其隸於揚者、惟饒、歙、撫、南安四州耳，而睦不與數焉。兹豈天産而地藏之？睦固不能化無以為有也。至元己丑，始籍六邑民為金户，民創見且駭，方俛首就事，官授之方，督具器物，使之披沙抉石而汰焉。民喜，殆謂天雨而鬼之輸也。初歲粗給，再歲而虧，三歲而竭，其故何哉？蓋睦居歛下流，歲春夏潦漲，歛之江瀆，揚濤吹沙，澎湃而下，故金之瑣屑如糠粃者從之，遇洄汨而伏焉為洲，聶焉為嶼。民日爬擿於此，所得蓋錙銖而已，抑不知幾千百年之所積，猶不能以供旦夕之所採取，欲久而弗窮，得乎？況遠鄉下邑，距江踰絶，民棄家輟業，裹糧以從畚鍤，未至而力已困矣。而其所司又重之以掊尅槌剥，羈紲笞捶之害，故上下二三年間，大户病，中户貧，下户賣妻鬻子不足於償，而逮及鄰比親姻，至於流離轉徙者，比比也。郡侯為民疾苦無所於愬，上之江浙等處行尚書省，省聞於朝。省官阿老瓦丁平章入覲，條奏凡諸路之不便於民者，如鷹房、河泊除之，商税、酒税輕之，金課特罷建德一路。從所請也。世之務財用而長國家者，雖竭民力而漁之，不恤也，而公之用心如此，其過人也亦遠矣。迺今年二月旨下省，檄諸路管民官詳究奉行，本府總管、朝列管侯承命以歸，與府長貳率其屬登進其民，而告之曰：「是公朝之至恩，而省府官之嘉惠也。」民父老感激懽舞[二]，則又曰：「微我侯，不及此。今而後得釋此以耕鑿、飲食、作息，而免於患者，德至厚也，願鑱石以誌不朽。」雖然，兹固幸吾一路之私也。天地生物，止有此數，窮人力乃取之，未有不受其弊者。天子富有四海，所寶固不在此數也。世有觀民風者得焉，推而放之，以幸東南，庶乎其可。遂為記。至元二十九年四月日記。

[一]固亦不得與他壤齒也：他，原作「地」，據文淵閣四庫本改。　[二]民父老感激懽舞：激，原作「烈」，據文淵閣四庫本改。

羅氏雪翠屏記

天地陰凌，朔風飛霙，黄臺白登，凍僵而死，相藉者何限？其視陰山大窖，嚼旃囓鼠，而曾不夷其毫髮者，其死生異致，相去萬萬。吾於羅氏雪翠屏有感焉。方積雪斲冰，萬木摧折，而柏壓擁勇鬱於是間，而節不為易，是亦奇矣。夫物有正性，使彼植根於荆山、新甫，披風雲，澤雨露為宜。迺若先漢諸葛孔明古廟，其久至於拔地倚天，猶未至於失其性。今也揉之、遏之、剪之、束之，支離擁腫其形質，以夸世人之盱矚[一]，而謂吾奇，非其志也。雖然，其卒不易色，其受命於天也，固若此。余既感而嘉之，遂為之記。

[一]以夸世人之盱矚：盱，原作「盰」，據文淵閣四庫本改。

壽昌縣學記

元貞二年三月一日

天生人，謂之天民，民心曷嘗一日無天理哉！其命於天，謂之天性；其得於人，謂之天德；其見之君臣、父子、夫婦、兄弟、朋友，謂之天常。曰天理者，又包内外，該顯微，會精粗，而統名之也。天將扶天理於一世，以至千萬世，而不至覆墜，故必寄諸人，以繼天立極，代天之功，而後天之生人，自開闢以至於今，不至胥為禽獸也。以此皇帝王霸所以治，《禮》、《樂》、《詩》、《書》所以教，皆天之所流行而不息者也。天生夫子於衰周，蓋將使之執《禮》、《樂》、《詩》、《書》之權，而行皇帝王霸之事，故治之隆汙，教之興廢，悉寄於夫子之身，以為一世、千萬世無窮之託。故夫子於宋人之害，曰「天生德於予」；於匡人之圍，曰「天之未喪斯文也」，「文不在兹乎」！於此可以觀天意矣。故學校者又夫子之所寄，以行其治與教，而使民之常存其天，而勿失者也。壽為嚴中邑，邑有庠，舊矣。宋建炎二年，規創有加焉。至元丙子，寇燬民室，廬俱燼為！夫子宫牆巋然為魯靈光，天也。大元以神武一天下，事定不遑他務，汲汲惟學校是崇，使斯文不至泯滅，皆天之所留以遺斯世者也。至元甲申，邑令李炳既至之明年，首撤明倫堂而新之，以觀示一邑。尉李思誠復建兩廡、齋室，厨、湢悉具。又建大門，建翼教堂，像肖邑先賢，以厲風化。又建高明亭，左翼茶爐，右翼琴堂。登眺者於斯，游息者於斯，而後章甫、逢掖，翕然知所於歸矣。惟大成殿貲夥，未及議，令王瑀諗於衆，共圖之。經始於壬辰之三月，落成於癸巳之七月，視舊制加崇五尺，加廣亦如之。今令吴恕復新像十哲，繪七十二子，凡欄楯門牖之未完者，至是悉完。邑長官八札簿元弼，學官邵尚翁、洪克復咸出貲相役，以底厥績，朔望奠拜，讙鼓升堂，民改視易聽，勿敢褻。今而後，得以壽吾夫子於無窮，而夫子之道亦將得所於寄。要皆邑之諸賢大夫之功，與夫學之職教者之力，皆遜不有，吾併得以歸乎其天。克復遠貽書乞記顛末，遂為記。元貞丙申三月朔記。

參知政事高公平盜記

至元二十七年八月十六日

至元二十七年庚寅春，歙寇搆亂，朝命起前江淮行尚書省參知政事高公徂征。夏六月底平振旅，會建德路淳安縣之長樂鄉九都，愚黠弗靖，公提兵繇歙至淳[一]，道跨永平，距長樂境。以七月朔次八都嶺西，治盜劫事竟[二]；越五日，移次屏門；明日，進九都之方村；又明日，入次湛村，以逼盜巢窟；餘兩旬肅清。八月朔，師入次邑治，訪問民疾苦，郡以長甫定，税無所於取，議徵諸鄉以補不給，公命出己橐代輸，凡絲萬二千兩有奇。官徵諸鄉，提備兵器，勒民出費，凡萬五千兩，公悉命放罷。夫淳之隸鄉十四，其敢於起戎者，特一鄉耳；長之隸都四，其敢於首惡者，一都耳。邑遠地僻，民狃於逸，而不逮於教，搆仇相賊，殺人焚廬，由有司致辟可也。事上省府，弗遽加誅，命杭萬户姜鎮國將旨下，本路劉萬户、成同知、八札治中就縣，檄尉劉天澤諭諸父老，招撫弗率，方負固陸梁，至虔劉齊民，毁掠善地。官進軍陋口臨之，乃敢嘯聚逆鬥，甾衄却走，爾後官軍進攻，困獸猶鬥，復却。信宿，公提大軍賁來，長驅深入，悉望風奔潰。公移檄隣鄉邑，控其隘，然後縱兵四蒐，若山川夷險，道里通塞，分畫指授，如示指掌。俘其為魁與其徒若干人，械送省府，餘從者議罪以戮，其屬之麗於戮者奴之，若兵之所殺與擄者不與焉。獲一囚必親涖，反覆詰問，脅從者悉杖而遣，情可矜與羸老者原之。自降者隨地置栅，擇官營護，取其名隸盜籍者殺之，餘皆安堵如故。初，太平鄉汪楊村民相梃剽竊，姜萬户至，招捕外。公班師之日，命縣官諭餘黨出首官，獲八十餘輩，致之軍前，公悉命縱釋之。公威望在四海，雖里巷童卒知公名。虎士林旅，所至如雷霆震物，當有血利劍耳。公乃一不妄殺，至師所過，戒秋毫毋得犯。在《易》所謂「師貞，丈人，吉」者，惟公有焉。孟子稱殺人以政，無以異於殺人以刃[三]，公亦曰：「吾每將兵，不忍殺人以刃，今獨忍以政殺人乎？」返旆之日，鄉邑之民，父子相歡，戚屬相慶，曰：「今而後知公之殺人者，法之不得已；而其所以活人者，公之本心也。」因請圖像學宮，併鑱石以昭德於不朽。維公盛美休烈，他日固有筆之汗青，勒之彝鼎，與河岳相為無窮者，於此特以誌邑人之不忘公也。公名興，字公起，蔡汝南人也，邇以新命除守前官，乃八月既望記。

[一]公提兵繇歙至淳：至，原闕，據文淵閣四庫本補。[二]治盜劫事竟：盜，原闕，據文淵閣四庫本補。
[三]孟子稱殺人以政無以異於殺人以刃：《孟子·梁惠王上》原文為「殺人以梃與刃，有以異乎？曰：無以異也。以刃與政，有以異乎？曰：無以異也。」

廬陵養濟買田記

大德二年

員外司馬何某佐郡無善狀，每出，覩疲癃殘疾乞呼食於道旁者，未嘗不疾蹙，力不競徒哀焉耳。

一日，有事郊外，適見髫稚雨立者尫羸垂盡，惻然動心，携以歸，告於邦侯。侯矜之，俾隸慈幼，既以月廪。某於是問諸左右曰：「慈幼有廪，養濟獨無廪乎？」或對曰：「養濟曩給常平米，開慶兵興，移助邊餉，不及養濟久矣。」會有廖氏交易訟，願納鍰贖罪，始難其請，有間惕然悔曰：「昔之所見而哀焉者，欲賑之而未能也，使得鍰買田，以活此輩，是則之所失者小，而惠之所及者大。」亟白於邦君侯與部使者，君侯曰「可」，使者亦曰「可」，乃委郡法曹謝公昕董其事，囑報恩東堂老定智物色膏田，得苗屯白米二百一十碩有奇，計直若干。展糙得羸二十一碩，歲可給四十人。嗚呼！天地之廣，兆民之衆，若今所惠，亦大狹矣。雖然，吾亦視吾力而已矣。賢君侯許益充拓之，則其所以惠利者，當不止此數民之無，蓋其庶幾乎。經營告成，定智請鑱石以詔永久，於是乎書。戊戌季夏月圓前二日何某記。

寶積院白雲堂圓常閣記

大德元年

自釋氏法入中國，而梵刹浮屠遍天下，大悲大士，佛法中龍象一人也。見釋迦猶見大士，安有二乎哉？近江南多崇大悲像，若堂與閣比比有焉。或疑大士與如來為二，不知釋迦牟尼名毘盧遮那，遍在一切處，大弟子有三，曰觀世音，曰文殊師利，曰普賢。觀音耳宗，文殊眼宗，普賢心宗，各得如來一體，亦遍在一切處。夫苟一切皆遍，將大地微塵處處見之，蓋即心即佛，佛無二心，即心無二佛也。至於三十二應、十四無畏施、四不思議，由其説若恢誕詭怪，然其願力深，法力普，隨心赴感，皆大悲之應迹爾。若堂若閣，而為千首千目手像又其迹之迹者也。世之人見其迹者或寡，況能知其悲觀、净觀、妙音、潮音之所以迹者哉？寶積山有僧戒月，作大悲閣於院之西偏白雲堂上，如法莊嚴，婆維門信士女咸施舍，樂成之。復鳩田七十餘畝，以贍香水，祈男女悉如願，蓋其融形復坳明照無二，特其三昧妙力變現之一端耳。若其普門示現，將窮恒沙筭數之所不及，大悲可勝𡊮哉！戒月心純直，行修潔，為過去尊宿普無方嗣法孫，故能信，受坳思修，而為檀波維信，向如此。褭介無方乞記未暇，兹無方囚寂，復因梅谷、張震請不置，不得遜，為之記以歸。若讚嘆大悲窮辯不能盡，其於無方宿緣固在，猶若見於三摩提地净土國中也。大德元年丁酉歲秋星夕記。

吴氏壽慶樓記

大德二年三月十六日

璜源，休陽溪山勝處也。君玉，吴氏世居之堂偏崇樓，非以蓄歌童貯舞女也。扁曰「壽慶」，以娱偏慈，此人子之至情，而天下之至樂事也。夫壽，天之與人常嗇，況得全於慶，非天之所以厚吾生乎？黄髮兒齒，撫子弄孫，美矣，況復抱曾孫乎？有子若孫若婦，盥沃巾帨，扶搔唯意，宜也。使家無食力，則巽粻宿肉，奚所於備，饘酏滫瀡脯胾，奚所於取乎？惟有壽與子孫與養，而後慶全，慶與壽相成，而後樂全，樂全而後為人子者盡於人心。《詩》言壽必言福，《範》言壽必言富，信矣，兹事之難棄也[一]。文忠富公年五十入中書，太夫人在堂躬被寵命，婦為元獻家女，敬事無斁，榮矣，及其存，見孫紹庭而已。文正范公微時，與婦躬爨，奉母至甘旨不常給。迨貴得厚禄，每慽諸子享富貴，而太夫人不待養。夫以二公位極人臣，而其事不齊猶若此，而况其凡乎？今以君玉事評之，固不必追企文忠而後為榮也。燕喜在堂，坐拜家慶，亦豈少於彼哉！至於甘毳迨親以厚吾養，而免貽文正終身之慽，亦至足矣。想其登斯樓也，昏昕几席，歲時豆觴，子携二孫二曾婦與二媳羅拜屢舞，迭起為壽，慈顔怡愉，含飴戲弄，人世間樂事有大於此者哉！夫士抗聲名，樹勳業，勒名彝鼎時，偶即為之，惟子之於親，年與養不相待，一毫或缺，後悔奚追？故曾子千鐘百乘，不如三釜之及禄也；子路累茵列鼎，不如負米之及養也。今子解官釋組，導輿以歸，其貴於三釜多矣。閑居色養，有旨有嘉，其富於負米多矣。八袠康强，及見四世，是天之所以惠我也至矣。推羸振乏，錫類及人，天之祚之，流慶固未艾也。兹不遠貽書，屬余為記，記之非徒侈斯樓為觀美也，嘉其事以勸後之為人子者，庶以敦世教云。大德戊戌三月既望，睃陵何某記。

［一］兹事之難棄也：棄，原作「并」，據文淵閣四庫本改。

淳安縣學魁星樓記　大德三年

魁星樓，蓋取北斗第一星名也。魁居斗一，為天樞，樞，所以旋斗杓而行乎周天也。志天文者謂斗璇璣四星皆為魁，號不同，而其為魁首義一也。然則取以名樓，何也？樓為邑庠作也，作樓以「魁」名，以崇科目也。何也？繇唐宋以科目拔擢天下士，其名在舉首者，率曰「魁」。大廷親策，曰「廷魁」；省闈奏名曰「省魁」；由三學選曰「舍魁」；由列郡薦曰「鄉魁」。其他大小科異等，六經異議，各有魁，惟廷試及第為天下魁。淳祐丁未，廷唱亞魁，庚戌廷唱大魁，蓋皆邑庠魁彥也。以其在人為魁名，在天為魁象，故特書魁星樓者，昭其名也。或謂於古無證，非也。考之史志，謂太微六星為三公，少微四星為處士，奎為武庫，璧為圖書，是豈天降地出以得此名哉，亦惟星家追步舉而號之云爾。苟跡其故，則知魁星樓之不為徒名也。至元丙子，寇燬官舍民廬俱燼，惟邑庠巋然，為魯靈光，事定僅能補葺宮牆，而樓久化為荆榛瓦礫矣。大元以武功定天下，固未遑事科目，然德音屢降，所以嘉惠學校者備至，餼之廪而蠲其科役，士莫不彈冠結綬，以幸明時之嚮用也。線君榮來尹茲邑，寔董學事，每奠謁事畢，與章掖周旋，親履故基，有志興復焉。越兩年，政明訟簡，吏肅民恬，爰始規畫，首輟己俸以倡，且寅協贊襄，乃刲羊釃酒，登進諸生而告諭之，衆莫敢不敬聽，度力相役有差。經營於大德戊戌之某月，落成於己亥之某月，有鼓歡鳴，有鐘於論，簪佩朋集，登斯樓也，舉觴相慶，且幸斯文之有所託也。闔辭請曰：「盍記諸？」尹曰：「記之。」或曰：「盍新其名，以改視易聽？」尹曰：「名固舊也，仍之。」乃屬何某為之記，使執事者就請焉。揖之進而語之曰：夫魁之麗於天也，豈直借其名為一樓觀美哉？斗為天之號令[二]，於以斟酌元氣，運乎四時，故其行，日周十二辰，歲建十二月。其軌度有常，則五氣不失其序，列曜不失其經，民物不失其理。觀文察徵，斯可以候機祥，而占吉凶矣。然則魁之所主，豈不甚重，魁之所運，豈不甚大矣乎？故魁所以總七星，而為中天之樞也。學校所以風四方，而為萬化之樞也。推其極致，蓋將齊七政，平泰階，躋至治，何莫非魁斗之功用，則何莫非儒道之利澤哉！茲蓋尹君作樓存名之微意也。二三子拱手曰「命之矣」。以復於尹，尹喜而起曰「旨哉請」。遂為記。大德三年冬長至日記。

[一]斗為天之號令：斗，原作「平」，據文淵閣四庫本改。

邵古香行窩記

大德二年八月一日

玄同邵某，古睦清溪家也，而贅寓於嘉禾之雲間。時玄同有母在，出非其志也。母氏敦命之，弗得，為家營壽樂堂，所以娛母也。堂之面與其背竪亭三，以為游憩也。歲時歸省，着綵稱觴，母子之天躍如也。《蓼莪》篇廢，事與願違，顧瞻維桑，此心未始一息不在白雲下也。雲間近創行窩，亦參其亭規制，悉視「壽樂」，此豈為蓄姬妓貯歌舞地哉？示不忘故也。康節先生營安樂窩，其別寓為行窩，今取此以名，蓋行者亦聊寄焉爾，非終止之地也。吾日於是間，視吾一窩之與亭也猶蘧廬然，詎能如蜎蠋「烝在桑野」乎？或游或休，故家在目，吾處而見吾壽樂於牆也，吾食而見吾壽樂於羹也，有身羈如，有足蟹如，而湯冰故鄉，依依喬木，吾於夢寐若或見之，堂下雞犬，蓋不知新豐廬巷之實，非其故也。六一翁信天下士將去鄉邦而居潁，獨不念汛掃瀧岡乎？文定公寓宅於許，猶謂百歲後將丘首眉山，可以觀君子之所存矣。夫羽毛之類，非人類比也，偶失其故，歷時而復巡其鄉，將悲鳴躑躅，而不忍去。世之人忘其故者多矣，尚忍乎哉！吾於行藏之誼深，有感於玄同之不忘其故也。行窩成，諸公作記以落之者抑衆矣，復徵余言，言非所載也[一]，得毋復重玄同之感乎！知玄同之心宜莫余若，遂為後記。大德戊戌仲秋朔記。

[一]言非所載也：載，原作「斬」，據文淵閣四庫本改。

建德路新創三皇廟記　大德三年一月一日

三皇廟，國朝所以祀羲農皇帝，為醫家祖也。廟之門曰「開天」，所以繼天立極，而發民冥迷以為有生立命也。三皇代作，功在生民，擬議形容，是天可俄度，地可俄測也。其道豈直為一藝私哉！民之初生，林林總總，標枝野鹿，不知六氣之外盪，而七情之內動也。溢節過度，為結為搏，為鬱為散，而疾沴夭枉生焉。聖人上窮天紀，下極地理，取萬物之精以佐佑生民，故民自遂古以至於今，不至泯滅。然求其遺經，伏羲初造書契，已無所於考。其曰《本草經》，神農之書也；曰《內經》，黄帝之書也。二經非得書契，將不足以載，故謂三聖人之功一也。然特其迹也。序《尚書》者言三皇之書，謂之「三墳」。

墳，大也。三墳，蓋言大道也，世遠不可得聞。豈三聖人取其精微者以治心，緒餘者以治身，土苴者以治天下，盡在是歟。三代而降，聖道不傳，漢唐以其存書列之醫學，付之伎藝之流，而薦紳先生談道所不及已，重可惜矣。歷代祀事不修，將使萬世之功不著於天下，豈不益重可惜哉！共工氏之子勾龍得祀於社，厲山氏之子農得祀於稷，社主乎土，稷主乎穀，世祀宜也。使民得平土以居，播穀以粒，而疾病死亡無以生且養，民能獨存乎？稽之《易》，係包羲氏觀象於天，觀法於地，始作八卦以通神明，以類萬物。神農黄帝氏繼，作為耒耜、舟楫、杵臼、宫室、衣裳、棺槨，以濟利天下，將與天地同功。今取其以萬物方術而救夫民，特其功用中一事爾。尸而祝之，使世世廟饗，猶懼弗稱，况缺而不祀，可乎！記稱祀五帝，蓋以三皇合少昊、顓頊而言也，不過以配五方，應五行爾，非祀功如社稷比也。皇元啟運，國都既有廟祀，州郡視儀祀殆遍天下，此郡猶或缺焉，不可。昭毅大將軍、建德路達魯花赤兼管内勸農事孛蘭奚實任其事，捐己俸以倡，總管吕師仲而下咸寅協助之，經始於大德元年之十月，迨十有一日辛未構架。越明年某月訖工，以三月丙申落成，謁奠，所以闡揚三聖人之化也弘矣。廟貌翼嚴，牲醴旨甘，神妥以歆，民肅以瞻，歛福弗僭，壽我黎黔，刊之琬琰，將使遺教千萬世，而西被東漸也。大德三年正月一日記。

百丈溪書院記

大德四年五月十六日

百丈山，唐昌之巨鎮也。按圖志，堯之時洚水懷襄，此山浸不没者餘百丈，因以名。水源發山趾，其委流成溪，亦以百丈名，宗所從出也。俯溪流爲書院，所以居其勝也。書院主者誰？蓋鄉人士陳氏子斗龍始作也。斗龍字南仲，好學讀書，要不爲時世習所變者。一日，遠來乞記，曰：「書院，吾私塾也，吾將與鄉邑同志於此講習焉。臨此溪以挹注此水，猶《易》『麗澤』、『兑』『以朋友講習也』。吾先君子玉巖蚤師承葉平巖先生采，平巖爲晦菴朱夫子高弟果齋李方子門人，其淵源講習有自來矣。書院之作，所以繼先志也。」余聞其言而嘉之，作而言曰：子讀書於百丈溪上，亦嘗觀於水乎？「子在川上曰，逝者如斯夫」。孟子曰：「源泉混混，不舍晝夜。」夫何取於水也，有道存焉。道在天地，往過來續，未嘗俄頃或息也，惟水亦然。其源涓涓，其流淵淵，疏淵浚川，匯之江而注之海，浩浩乎其滈涌而洄漩。故觀道者莫近於觀水也。天開地闢，人物萬殊，受形於是間，蝡者、動者、肖者、翹者、信者、屈者、行者、息者、生者、死者、榮者、瘁者，日夜相代乎吾前，而莫知其所底極者，是孰使之然哉？包犧氏以傳之堯，堯以傳舜，舜傳禹、湯、文、武、周公，周公傳孔子，孔子傳曾子、子思、孟軻，其所傳者，又果何物哉？唐虞以揖遜官天下，殷周以征伐家天下，雖其事不同，而同於行道。夏曰校，殷曰序，周曰庠，雖其教不同，而同於明道。在國爲學，在家爲塾，名雖異而道則一矣。由《詩》、《書》、《禮》、《樂》以探其理，由射、御、書、數以服習其藝。學者凡所以學此道也，上下數千百世，其間萬變不齊，而其三綱五常、大經大法，流行宇宙，民不胥爲禽獸者，其必有故也。道原於天，人原於道，圓顱方趾，均受此以生，亘古迄今，人之生未始一日息，而道固與之俱生而不息。使道不可見，則生人之類滅矣。蓋道者，與人爲體，而人者，與道爲用者也。夫道大包天地，細入芒芴，而其著惟存乎人而已。得乎此者，爲聖人,為賢人、吉人;失乎此者,為衆人,為愚人、凶人。鈞是人也,而其或為此,或為彼者,得失之異然也。人能反而求諸道,則道固在人而不在他也。子思子曰[一]:「道不遠人,人之為道而遠人,不可以為道。」子其藏於斯,修於斯,游且息於斯,苟於夫人日用之間,瞻前忽後,無往而不見道,則其動静語默,亦無往而不與道俱矣。他日浴而風雩,舞而詠歸,樂趣不在沂濱,而在此溪之上矣。千載而下,曾點將鬱有生氣。書院成,為堂奉祀先聖,以群賢從釋奠菜如常儀。堂東偏為室,祀果齋、平巖暨其先子玉巖。玉巖諱天澤,字澤民,嘗領鄉郡薦。弓冶有子,其不墜先業也固宜,遂為記。大德庚子夏五既望某記。

[一]子思子曰:《禮記·中庸》作「子曰」,「子思」二字疑衍。

嗣守堂記

大德四年四月十六日

創業易,守成難,古有是言也。然人知守成之難,而未知世守之為尤難也。曷為其難於守也?物成之難,而壞之易也。其守之善者得之,不善者失之矣。守孰為大?守家為大。諸侯以守社稷,卿大夫以守宗廟,士以守其家。家,一也。守之一世者有之,蓋再世希不失矣;再世而守者有之,蓋三世希不失矣。一世而守,守成者也;再世、三世而守,世守者也。守成而勿失者固難矣,世守而勿失者為尤難也。華亭曹氏為東南望姓，蓋武惠王之世家也。提幹府君號守齋先生，又東南望人也。厥考省倉府君，克昌厥家者也。子府尸由太學登甲戌第，蚤下世。有孫曰和甫，字仲達，扁其家之堂曰「嗣守」。嗣之為言，似也。嗣守，蓋將以似守齋也。守齋守之於其前，以子而守成者也。嗣守守之於其後，以孫而世守者也。以守齋而有是父，故守齋之難也難為子，以嗣守而有是祖，故嗣守之難也難為孫。東漢名族為累世相門，惟楊與袁。然當時輿論則謂袁氏子弟奢僭，不如楊氏之能守其家風，是袁氏無後，而楊氏有子矣。漢陳仲弓、荀季和父子，以德望聚一時，當時指為德星。至陳之孫羣仕魏為司空，荀之孫彧為魏尚書令[二]，由他人觀之，亦榮矣，文公朱子評之，若猶不滿，而歎其嗣守之難，則不能不滅於乃祖之風烈也。尚論曹氏世胄，固不遜於彼四家者，至其一門四世相望，有子得如守齋，有孫復如嗣守，則其善守莫大於是。茲固君子之所深嘉而樂道之也。夫富貴固人之所同欲也，然世之富貴其即人也無常，而其去人也甚易。即人無常，故其成之也猶累土而為山也；去人甚易，故其壞之也猶潰堤而決水也。一家以一人成，以一人壞，其要繫乎人而已矣。古今名門右族，其成也，莫不由於其人之勤儉積累也；其壞也，莫不由於其人之驕奢縱肆也。故善觀人之家者，觀於其人，斯可矣。經曰：「高而不危，所以長守貴；滿而不溢，所以長守富。」蓋善守者，所以為長守計也。守之時義大矣哉！譬之牧然，人之子若孫受其祖父之牛羊，而為之牧之者，日荷笠而隨之，約其羣以時，適飲食，使之歲月肥息，歸而復命於其祖父，而後牧之責始塞。前人付于有家，以望其後之善守者，亦若牧而已。全而付之，受之而全歸之，然後為孝子，為慈孫，不然則否。茲蓋吾守齋翁之所以深望其孫之能嗣守也。使翁起九原，必曰：幸哉，有孫如此。人亦曰武惠王之胤也，固宜殆將世守於無窮也。堂既落成，介玄同先生邵君遠徵余記。仲達，玄同內弟；玄同，余外兄弟也。遂為記。大德庚子四月既望何某記。

（以上《潛齋先生文集》卷九）

［一］荀之孫彧為魏尚書令：彧，原作「或」，據文淵閣四庫本改。

重修儒學記

至元二十六年

江陽，衢壯邑也。舊有學在縣治東，尤其壯焉者。昔文公朱子，以事抵邑，作《新學》、《景行堂》二記。其後久軒蔡先生衣繡使浙，又以文公之學召諸生，開講席。大抵皆所以明聖賢之道，以教後學也。自是，邑之文風大振，稱多士矣。至元壬午，鄉民不靖，合邑焦土，禮義之地，轉為營壘。後三年，馬合馬來宰是邑，慨然嘆學校之廢，乃相地於縣治之西，得丞廳舊基，作大成殿、講堂、廟門各三間，蓋粗備而未完也。又三年，下邳皇君涖以主簿兼尉，佐理斯邑。下車首捐己資，以率邑人建兩廊、四齋，立櫺星門，開文明池，下至厨廩，牆宇煥然一新，視舊有加。率邑之子弟，進於學而教之。不能達於學者，又立師而教於鄉。皇君為斯文計，可謂切至矣。明年，教諭吳君禄應領學事，俯仰儒宮之美，恐功久而無傳，徵記於予。予曰：江陽兵燹之餘，黄茅白葦，極目凄然。為斯邑者，將爬搔養疴之不暇，而暇學校乎哉？既而思之，天下之事，不期然而不容於不然者，惟天理也。時無古今，地無遠邇，亦天理也。大而治天下國家，小而為一郡一邑，綱常以正，民俗以定，大小有經，上下有序，皆天理之流行也。學校者，所以明此天理也。天理一日不容泯，故學校一日不容廢。然非邑大夫賢賢相繼，扶植者數，不及此。夫子之宫，得諸大夫而益新；諸大夫之功，得吴君而益明。抑又可嘉也。然而吴君朔望謁夫子，升講席，所以惠諸生者，要以推尋晦庵、久軒之遺，毋徒矜耀宫廟之美而已焉，則又予之所望也。

（臺灣影印本《江山縣志》卷四）

全元文卷二二五三

何夢桂 六

徐主簿仲修老子畫像贊

頎然其顙，華然其顛，身有極後，心無極先。人謂爾生壽八百年，孰知既死，壽亘乾坤；人謂爾教經五千言，孰知一嘿，言滿八埏。無名可名，强號玄元。參前如見，在天地根。

夾谷簽事生祠贊

昔日何居，取我衣冠而赭之，今昔誰居於吾乎？廈屋渠渠，四牡維騏，六轡如絲。望之儼然而威，即之温然而慈。噫！天不復興禮樂則已，如其禮樂，微公，吾誰與歸！

石崖姪孫寫神求贊

有頯其顙，有澤其傾。咢乎其虚，而不與物移；厲乎其觚，而不與世畸。持此以浮游天地，惡乎然乎？知歟愚歟。猶使或者得以寫其形似何居，吁，是殆見未善者機也。

壽星畫像贊

仗青鹿兮藻章，舞白鶴兮虹裳，神人儼兮雲上，壽千歲兮未央。

贊汪愛蓮諭食牛

天使牛耕，民乃能穀，既食其力，忍食其肉。惡死愛生，萬生同欲。力不人競，俯首就戮。暴殄物命，恣飫口腹。太上好生，昭示禍福。人能戒欲，天為錫禄。仁哉愛蓮，欲並生育。明聽告言，矜此觳悚。

林同舍求初心大字并贊

復下一陽動於重陰，及此善保天地之心。

富山方表叔求寫神贊

其顙隆然，其額豐然。髯之皤然，顏之酡然。其居也不為人後，其動也不為人先。於以養生，於以引年。是雖畸於人，而獨全乎天。

蛟峰先生畫像贊

太原孔孟，的派朱張。忠恕弘毅，剛大直方。義存出處，道繫存亡。立言垂後，德久彌光。

林子敬寫神求贊

爾形矍矍，爾目鑠鑠；兩足卓犖，天涯海角。袖有椎鑿，摧山撼嶽；虎匿龍逃，六丁眙諤。或者不知，問其所學，則掀髯而作曰：「吾服儒服，冠儒冠，吾從吾朔，而吾進於其技，故人詫我為青烏，為白鶴。」

明叟髯弟寫真贊

有髯樅樅，突成一公。歷世孔疚，弱外强中。不矜己獨，不詭衆同。有兒綦屨，有孫扶筇。聊適吾分，以壽厥躬。

毅齋畫像贊

爾形頎頎，爾貌奇奇，使位稱夫人，命偶夫時，則其仕當路，食太倉，疇謂非宜；而其受食於天，乃如彼何居。雖然，子之齒其猶夫，其方來者固未易知。

寫神自贊

癡形陋貌，瘦骨羸肌。躋之班行而華黻之，則若將浼；休之田野而被褐之，則謂之宜。豈爾前世固鼓枻而漁釣，或荷條而耘耔。不然，何其宿業之未盡，而習氣之餘遺。雖然，衣敝不寒，食糲不飢，爾其蹙額攢眉，倀倀然常若不足者何居？問之一世，一世不知。爾其獨抱此心，悠悠然而與百世以為期。

何子東墓誌

何氏為江南著姓，於潛牧亭侯，其鼻祖也。自李唐徙家文昌里，迨今且千餘年矣。尚論世系，其三評事以下為近，公評事十二世孫之一人也。自弱冠幹父蠱，左右唯命，不敢辭其勞。至門户事，震撼撞激，公悉力排捍，以濟先疇猷畝，視昔有加焉。中年營宅一區，曰：「吾老焉於此矣。」孺人邵氏作嬪公室，勤於家事，機紡達於夜分，與諸子讀書之聲相上下。余少從諸生肄業公隙宇下，每竊聞之[二]，歎曰：「此非惡聲也，如此，家有不昌者乎！」孺人不幸先公卒，兹二十有二年。公軀幹魁偉，子孫與諸婦若諸曾孫服衰功者，凡二十人。生榮死哀，若公庶乎無憾矣！歲月維良，將以三月二十四日甲申葬。先是，辛未十二月七日，以孺人附，地在家東北之七里，曰汪原，諸子為公生前之所經營也。晚得弱疾，非杖不支。丙子亂離顛頓，痼疾益甚。壬午二月二十有二日，益以寒疾，遂終於正寢。公諱震龍，字子東，生於庚午，與孺人同。三子：長雷孫，娶陳氏；次慶孫，娶方氏；三肖孫，娶鄭氏。八孫：士林、士誼俱娶王氏，士元、士榮未娶，士廉娶鄭氏，士先、士秀幼，漢老，夙命與族人纘後。曾孫三人：汝明，汝弼，汝諧。將窆，諸孤衰籲乞誌。某於公為八紀弟行，同為評事諸孫，知公事覈，不敢辭，遂為誌。

〔一〕每竊閆之：竊，原作「切」，據文淵閣四庫本改。

先叔何養正朝奉墓誌

公姓何，諱頤，字養正，將以至元癸未十月二十九日己酉與安人合葬。子夢杓泣血告于堂兄某曰：「不肖孤玆擇日以襄大事，懼没無傳，不可以無識夫墓，兄其誌諸〔一〕。」惟公昆弟四人，實出異母，公最少，子若侄凡六人，某最長，幼時猶及見吾父與諸父事吾大父母左右，色養無違，疾則更僕湯藥，無敢怠。親没，兄弟居室如一體，家事惟長公命是聽，一堂氣象，穆如也。吾父早逝。公初娶魯氏，早殀，無孕，再娶方氏，復殀，生夢杓，甫三朞，皆公所鞠育，以迄於成人。長粗克幹蠱而公疾，不復起。嗚呼！命矣夫！夢杓以隻力經營葬地，得之當里之汪原，坐丁面癸，山盤水環，僉謂吉兆。公平生敦信尚義，柰數奇不偶於時，死得葬於此，猶將食報於天，以福其孫子。公生於庚午某月某日，卒於壬戌正月二十四日。安人以勤儉克相有家，生於庚午某月某日，卒於己亥四月某日。媳婦方氏。男孫二人：長炤之，咸淳辛未以伯父任太學博士，試胄子，升上庠；次灼之，未冠。既葬，將磨礪以詔不朽，前發解進士夢材為之書，孤哀子夢杓百拜立石。

〔一〕兄其誌諸：兄，原作「見」，據文淵閣四庫本改。

方深之墓誌

至元甲申十二月辛酉，河南方公將葬，其家孫崟先大事請於某曰：「某大父平生負磊砢氣，汗漫江淮者二十年，歸老菟裘，惟指詩書為子孫弓冶，非有籯金匱帛，輕資易施如豪家大室者。至於宗族子弟，資可教者，必隨力拯之，敦詩書也。暇日呼二孫詔之曰：『吾始望而父以少壯勛名，賁我華髮，自鬘歲計偕[一]，喝盧變雉，竟以怏怏不得志死，反以諸孤遺我憂，我不敢怠教，懼不及見汝曹之成立也。百歲後，歲時祭奠，有能握筆書紙為奠辭以酹我，死且無憾。』不肖孤未能脫穎，以光昭前人之潛德。葬懼朽没，敢再拜乞誌，以永勿墮。」切惟公行事，與其所以詔後者若此，諸生又皆力學，弗替先志，是公延德未既，安知他日無遠耀者？是可誌已。且弱弟某為渭陽戚，誌安得辭？公諱淵，字深之，生於丙午十月，卒于戊午十月。娶黄氏，生子掞；娶余氏，女適何公頤，是為某堂叔母。孫二人：崟、粈。曾孫六人。葬地曰大唐之桑木原，山發坤庚，枕丁面癸，祔先塋也。

[一]自鬘歲計偕：偕，原作「階」，據文淵閣四庫本改。

宋夫人何氏墓誌

故宋公夫人何氏道真既合葬於家南園，其孤應魁懼歲久湮没，乞誌於潛齋何某，以詔子孫，俾勿墜。夫人派出文昌[一]，故淮安民曹炎起之從堂姑也。於某為十一世祖姑，誌安得辭？夫人生於慶元丙辰三月二十日，幼聰慧，觀書史，粗通文義。年未笄，父某以别業居蔗江，徙家焉。見松峰公少負奇氣，遂妻之。夫人慈惠敦愨，其事舅姑孝，奉宗祏敬，處妯娌睦，媔待宗姻，任恤内外，稱與無間言。相夫子以勤儉起家，增拓田宅，富捋里閭。中年惟以孕續怏怏於懷，一日聞有誦韓昌黎「中郎有女，伯道無兒」之句者，惻然動心，曰：「螟蛉果羸其不速肖矣乎？」偶同堂有三弄璋者，夫人喜曰：「猶吾子也。」告松峰公，命立焉，名曰華龍，提撕若己自出。長，延師槃育，有文聲。甲子秋，易今名，得雋計闈，捷書至，夫人喜見顔色。暮年嗇孫，夫人憂曰：「宋氏世積，詎無後乎！」下及抱衾，一無妬忌。辛酉冬，松峰晚出，孽子命為應魁後。

[一]夫人派出文昌：夫，原作「失」，據文淵閣四庫本改。

祭蛟峰先生文

天生哲人，千載一期，固有負經綸天下之志，乃至鬱於數，而不得以竟其所施。當其鬱而不達，不惟人不得以致其力，雖天亦不能違。自古大聖大賢，與夫一世之豪傑，不得志以死者何限，而卒不得以救夫時。惟公聲名在天下，功業在方册，而其蓄大發宏，豬深流溢，識者方望其福澤之被天下，使匹夫匹婦之不餘遺。至有不得以盡如其意者，時耶？命耶？吾不得而知。十數年來每一進見，但見其憂憂戚戚，扼腕而攢眉。窮達仕止，惟義惟命，公豈為一身區區者之私故？其語及民事，則為之太息而歔欷。畏天命，悲人窮，固聖賢之責，而民之痒疴疾痛，公忍視之藐焉，為手足之痿痺，然力不能扶，則已何為自鞠自苦以至於斯？又况世之所謂孤臣者，其慮患之深，而操心之危，驎折其足而奠楹，拽杖泰山之頹其忽。而君子此心，固非衆人之所能識，而其事亦知與不知者之所深悲。民失所怙，士失所師，九原不作，公全而歸。嗚呼！天地無窮，事會無極，愚以是悲吾道之孤奇。蓋棺事定，公之生也無愧[一]，固未知後死者之何居。百里絮酒，一束生芻，默鑒此心[二]，尚其來思！

[一]公之生也無愧：之，原作「全」，據文淵閣四庫本改。生也，原闕，據文淵閣四庫本補。[二]默鑒此心：默，原闕，據文淵閣四庫本補。

祭山房先生文

士生天地間，要不偶然，蓋有數存。其盛衰關乎時運，消長係乎斯文，是非人之所能為，而委命於天者為之。吾固嘗歷數一代之人物，上下數十年間，凋謝殆盡，而奄奄如木之遭霜，落落如星之向晨，豈果時之不齊，而斯文將至於夷泯！鄉之碩德偉望，今幾何人？如吾山房先生者，才有用而其位不滿，學未盡試而志不克伸。孬迍迴乎吾道，而重以多故之憂殷。雞呼起起而偶值夫龍蛇之厄辰，天之降喪，吾是以傷夫折足之麟。追惟疇昔，每握手論議，至於書問之相鬪，惟長吁太息，為之蒿目而眉顰。患難相救，骨肉弟昆，惟氣同而志合，故情至而義敦。睠兹交道，匪直旦暮，不知者謂近託乎婚姻，今遽如許，吾雖與親。天不憖遺一老後死者，何足與於斯道而復。嗟夫！歲月之流駛，世故之鶩奔，静言寤擗，不可重陳。疾不及省，計不及奔，痼於衰病，負咎奚云。緘辭絮酒，老淚盈襟，寄此情血，天地鬼神。嗚呼哀哉，尚饗！（以上《潛齋先生文集》卷一〇）

分陽麻姑橋疏

生仙誇兩鄉，在分陽夐隔風雨；麻姑去千載，看滄海幾變桑田。長橋已墮虹霓，横河久無烏鵲。圮上老人編書莫問，谷中道士倒影猶存。春水潰堤，縱有三石牛，不能經濟；山流斷礎，却教駟馬車，何自往來。擬創宏規，仍復舊貫。莫道三家市無千金子，須向五路頭結萬人緣。百八盤行路甚難，那狹世怎堪着脚；十二月輿梁未就[一]，這好事須做到頭。衆力共成，陰功無量。

[一]十二月輿梁未就：未，原作「夫」，據文淵閣四庫本改。

麻嶺造庵疏并序

麻姑嶺介萬山僻處，行道人久病之。兹鳩衆緣，結小庵以為往來頓息之便，願相與樂成。

麻姑嶺上，一行跨六七里山場；木客巢邊，衆議結兩三間店屋。鳥跡盤盤穿窈谷，鰲峰矗矗接層霄。前不店，後不村，風雨何所於避？來時朝，歸時暮，水火何自而求？纔辦得茆把與蓋頭，一任你草鞋牢繫脚。人家布施，三錢五孔，積少成多，胥宇告成。萬古千秋，結緣方便。

童道人立庵 至元二十九年二月一日

至元庚寅秋，參政高公提軍入長樂境，平九都亂。白蓮道人童普興得一生於萬死中，既而為驅，又復生還。是雖參政公再生之造，亦惟佛力故。佛經有云：「我若向刀兵，刀兵自摧折；我若向鑊湯，鑊湯自枯竭。」乃今始信佛不妄語。其故庵半為兵燬，其存者民復拆而為薪，欲報佛恩無地。兹有善識童覺定，捨廬為庵，捨田地為供，復以普興為法嗣，將以續佛慧命。普施無量，是心即佛，要是佛會中人，相逢不偶。其自今以往，式引勿替，自一燈傳至百燈千萬燈，東林一會，千古儼然。至元壬辰中和節，潛齋居士書。

葉道判修天樂觀疏

碧洞仙人當年一去，訪桃源幾度春風；青溪道士葉法善今日重來，見桑田倏成海水。維此地四百年香火，為吾邑第一所道場。摩挲紹興名勝之題碑，問信重和盛時之錫額。鼎湖龍去，空遺前代衣冠；華表鶴歸，不記舊時城郭。風雨空堂，蟲蛇穿壁；荆榛破屋，狐兔上門。魏伯陽之爐竈無煙，轅彌明之頭顱半雪。三清殿在，巋然魯室靈光；五季鍾存，儼是漢時銅狄。意有神明外護，要令嗣續中興。愚公立志可移山，精衛有心能塞海。雖天外事，也由人做；奈世間財，不是鬼輸。豪門富室，總大檀那；别館離宫，尚多孫子。若不靠諸土信士善人樂助[一]，豈不教一方靈壇古跡終休。不言虚注虚題，只告旋捐旋舍[二]。大家揮金指廪，有虚空無量聖師[三]，在上鑒臨；終身換水添香，願世界一切衆生，同歸仁壽。

[一]若不靠諸土信士善人樂助：土，原作「上」，據文淵閣四庫本改。　[二]只告旋捐旋舍：旋捐，原作「抽矢」，據文淵閣四庫本改。　[三]有虚空無量聖師：量，原作「鞅」，師，原作「衆」，據文淵閣四庫本改。

狀元坊施茶疏

暑中三伏，熱豈堪大，驛路往來，渴時一盞茶，勝似恒河沙。布施況有竟陵老僧，解事更從鳩坑道地。分香不妨運水搬柴，便好煽爐熖盞。大家門發歡喜意，便是結千人萬人緣；小比丘無遮礙心，任他喫七椀五椀去。

修章嶺路疏

半生赤脚，行遍江南道五十四州；老夫白頭，怕説章嶺路三十二折。星斗在三峰高處，雲梯從陸地上來。萬石稜稜，鳥迹参差，一逕盤盤，羊腸屈曲。蜀道難，難矣青泥，猶是康衢；盧山高，高哉丹崖，特其夷壑。惟此𨇤𨅊蓬藋，不堪車馬輪蹄。村翁長記兒時，尚存好路；山嫗久成鬼録，僅有荒基。伊欲再結小廬，重開大道。雖問訊山猿，何曾繹路；奈摩挲石牛，不解糞金。須結衆因緣，共成大方便。此日工執椎、徒荷鍤，直需夸蛾氏移去此山；他年車擊轂、人摩肩[一]，免使楚野女相逢狹路。遠來近悦，里詠塗歌。

[一]人摩肩：肩，原作「有」，據文淵閣四庫本改。

鶴鳴寺修造疏

叢林最勝，記當年飛鶴開山；梵宇將隤，向何處野狐説法。堂上夕天羅象緯，藏中雨潦化龍宫。不堪拄地撑天，只恁喝佛駡祖。待坐到蘆芽穿膝，怎得這茅把蓋頭。須得佛中人，共成天下事。讓禪師摩磚成寶鏡，小比丘自當努力向前；給孤獨布地作黄金，大檀那莫要甘心退後。一文布施，萬劫因緣。

爲僧作聖節道場疏

伏以寶册進東朝，天拱八千春之遐筭；玉扆奉南面，世逢五百歲之真人。穹壤薦嘉，臣民贊慶。兹蓋恭遇壽和，皇太后德備坤元，適遇宴侈瑶池之旦；皇帝嘉新乾會，又當瑞騰虹渚之辰。子後母先，天造地設，今古寶爲希遇，氣運甚屬難逢[一]。是雖介福王母受兹，然亦萬年天子不已。鶴駕通宵，而龍樓問寢；鳳闈向晨，而雞旦入朝。春滿兩宫，天齊萬壽。生喜逢於佛日，祝願效於封人。恭率緇流，拜于金相[二]。使君親之年天地之久，蓋人民所係社稷所關。天命申其用休，君子謂之善禱。德必得禄，德必得壽，舜與母以齊休；神罔時怨，神罔時恫，文偕任而同福。伏願龍天昭鑒，鴻祉來崇。

[一]氣運甚屬難逢：原作「氣運侈甚相逢」，據文淵閣四庫本改。　[二]拜于金相：于，原作「千」，據文淵閣四庫本改。

青原禪師題化修造疏

青原七祖道場，江西第一勝地。自前溪月落，東嶺雲歸，上下千年，寂寥久矣。古刹頹圮，東支西傾，欲徹而新之，非大力量不能成就。輒持短疏，上叩檀那，冀發菩提心，欲成大勝事。恩祖大師，派曹溪一滴水；净居禪寺，號江左最名山。自李唐以後者千年，而沙門所傳凡幾世。屋漏則滿天羅宿，幾無把茅蓋頭；地濕則一雨成池，謾道蓮花捧足。問訊泉邊卓錫，摩挲廡下豐碑。開山祖佛，一會儼然，後代兒孫，千燈猶燄。若欲重新功德，除非大作規模。未能馬祖一口吸西江，待廣長舌，如何説得；莫道駱駝兩脚藏北斗，硬脊梁，方可承當。喫倒雪峰飯籮，怕問廬陵米價。信大事卒難了辦，這公案還作麽參。要結好因緣，須逢善知識。布黃金八十頃地，吉檀那大大發心；登寶塔五百由旬，願如來生生結會。

栅嶺修路疏

栅嶺路控安、昌、常、長四鄉之衝，一徑崎嶇，仍復頹塌。不惟商旅愁戚，樵牧咨嗟，而各鄉大家聯姻結眷，尤不便往來。白蓮王道人發心幹緣，募衆修闢，更就嶺旁結小菴，使道者居之，迎接行客。須仗大家歡喜助緣，共成勝事。

右伏以人間世行道良難，縱野女怕逢狹路；天下事有心便做，信愚公移得高山。况一嶺盤桓十五里之間，而兩旁空扼三四鄉之要。草菅蒙蔽，當道或踏長蛇；岩石嶔崎[一]，攔路曾逢猛虎。要好闢開荒徑，更須卓立小菴。好事人自肯結緣，作福者定須布施。指廪揮金真易，開山通道何難。假數椽與佛蓋頭，立一亭容人歇脚。山有壺蟲惡獸，仗黄面老子一力護持；路通駟馬高車，看白蓮道人千聲讚歎。種三生福，作萬人緣。

[一]岩石嶔嵜：嶔嵜，原作嶔嶔，據文淵閣四庫本改。

岩下修路疏

伏以駟馬車十步九折軸，分明行路登天；大石牛一日三糞金，誰解鑿山通道。信難事從來難做，遇好人還結好緣。維兹岩下崎嶇，况值溪流澎湃。上阻千尋絶險，猿猱愁殺攀緣；下臨百尺深溪，魚龍有時掀舞。雖精衛有心啣枚塞海，柰愚公無力運土移山。須仗衆因緣，共成大方便。今日執錘運斧，要看小錢塘疊疊石隄；他時接轂摩肩，免向古劍閣行行棧道。施財有限，報福無窮。

醮群仙疏

玄牝之機至賾，為道難明；乾坤之德好生，受恩罔極。萬靈啟佑，一念鐫銘。伏念某處世塵中，遭時亂際。徜徉彭澤生涯，結緑柳之緣；髣髴邯鄲事業，熟黄粱之夢[二]。莫夜曾無鬼責，良辰時引仙來。

密抽玉鑰之關，妙泄金丹之秘。心源了了，湛然清水寒潭；命竅玄玄，擁出紅爐白雪。不期庸瑣，有此遭逢。躬承列聖之親傳，實藉皇穹之密授。然念血肉之軀有漏，罪業之障未除。朝屯莫蒙，莫難調於火候；日離月坎，豈易化於金砂。故雖已得於入門，然懼未登於彼岸。肅清蝸舍，虔仗羽流。薄陳科醮之儀，尚寓致芹之意。施隆謝菲，語短情長。伏願玄極垂慈，皇明降鑒。華陰道上，蚤聞真主之龍飛；緱氏山頭，終待群仙之鶴駕。盟心皦日，矯首青雲。

[一]熟黃粱之夢：粱，原作「梁」，據文淵閣四庫本改。

僧化供疏

常住三厨飯乏供，只得停堂；和尚一卷經即法，便可求食。這時節適遭劫數，小寺院不比常年。待喫倒雲門飯籮，那問得青原米價。歷耳不聞響板索板，空洗鉢盂不成，緊縛肚皮，只得還他脚債。若有善男善女，肯將一碗飯結緣，南無大慈大悲，便有十方僧讚歎。撑腸飽足，合掌摩訶。

祝香文

這一瓣香，種子於渾沌未分前萌芽，於盤古已生後托根於崑崙頂上，逮今八萬四千年。直幹擎天，盤根柱地。東枝覆東佛輿代，西枝覆西衢耶尼，南枝覆南閻浮提，北枝覆北鬱單越。昔有黄帝，嘗乘蒼龍登崑崙南望，娑婆樹下，起歆羡心，命從行七聖，徵修月斧八萬家，將環而斫之。度工不可得，僅取樛枝以歸，其大百圍，其長千層，盛之九鼎之爐，爇以玄珠之火，香聞九十萬里。當時國中甘露降，朱草生，五穀登，萬民育，以至羽毛孕伏，蟄蟲昭蘇，種種饒益，不可名狀。惟此一枝墮落赤水之北，好事者奉持以獻。對此銀花火樹，爇向寶鼎金爐。普供三界萬靈，一切真宰，暨我孚惠昭利靈順大王，前殿靈司，後宫聖眷，併及四近四遠，五廣神祇，無邊聖衆，憑此一炷香，弘發五大願。一願皇王萬歲，四海龍雲；二願臣僚千秋，一堂魚水；三願風調雨順，百穀豐登；四願役簡刑清，四民安樂；五願會中上士，境内齊民，美景良辰，歲歲樓臺燈火夜；賞心樂事，家家庭院管絃聲。只今萬衆齊看，盡道一聲喝采。願心已境，更有詩云：

燈毬十里照香車，謾衍魚龍富貴家；風軟香雲吹不斷，笙歌滿路落梅花。

還醮疏文

天宇雖高，嘗傾心而致禱；齋宫載蒇[一]，妄拜手以酬恩。俯瀝丹衷，仰干洪覆。切念某馳驅薄宦，偃蹇餘生。不堪姗侮於三彭，遂使憑陵於二豎。問丹砂於勾漏，敢覬長齡[二]；訪至道於崆峒，孰傳密旨。尚期徼福，願賜更生。凡起居飲食，苟旦夕之安；則覆載肅持，皆乾坤之造。肅差穀旦，有事醮壇。

用鳩圓滿之功[三]，茂衍靈長之貺。伏願一清錫鑒，列聖垂慈。注生斡斗極之樞，益筭録仙官之藉。水火木金土，復還先天太極之真；富壽德康寧，永集洪範九疇之福。次偕私室，均囿春臺。

[一]齋宫載蔵：蔵，原作「藏」，據文淵閣四庫本改。
[二]敢覬長齡：齡，原作「聆」，據文淵閣四庫本改。
[三]用鳩圓滿之功：鳩，原作「鴆」，據文淵閣四庫本改。

代上元普度青詞

上帝好生，首三元而肆赦；下民有欲，望九陛以祈恩。謹闔忱辭，冒干聖聽。伏念臣等塵寰蟻聚，濁世蠅營。胎生卵生[一]，濕生化生，人身不偶；天大地大，道大王大，聖治難逢。七情既怵惕於利害憂患之場，百體復浸淫於暑濕風寒之寇。故人不皆嚮康寧，嚮考壽；惟天所以命吉凶，命歷年。聿瞻帝闕之宏開，載肅齋壇而普度。集蚩蚩之黔首，對赫赫之皇明。仰冀鑒觀，俯垂矜憫。父兮生我，母兮育我，不能全大造之功；老者安之，少者懷之，尚敷錫庶民之福。

[一]胎生卵生：卵，原作「卯」，據文淵閣四庫本改。

薦弟青詞

顛連無告，莫重天倫。明畏棐忱，於昭帝鑒。俯殫方寸，仰叩圓穹。切念臣弟生也不辰，死而失所。秋風客路，雖嘗歸載於靈輀；暮雨他鄉，猶恐淪胥於鬼域。日月居諸，不知所届；歲時祭享，曷云能來。儻同氣之不思，於遺體乎何有。若保首領以歿於地下[一]，果何面目以見我先人[二]。歎獨行其瞏瞏，抱憂心而悄悄。載念天地好生之德，能全父兄不及之恩。比投垤蟻之忱，少見原鴒之義。有赫於下，必鑒其衷。茲盡布於夙心，願切徼於終惠。解寃釋結，永離苦趣於三塗；膺籙受圖，速殿仙班於九陛。用敷厥福，遂及我私。

[一]何有若保首領以歿於地下：歿，原作「投」，據文淵閣四庫本改。　[二]果何面目以見我先人：目，原作「日」，據文淵閣四庫本改。

謝土醮詞

乾旋坤轉，密藉洪鈞。革故鼎新，聿成燕厦。維予訪落，齋日告虔。伏念某别乘一車，數椽傳舍。

昔祝融稔釁，因不戒于民居；前長史度材，遂復新於公宇。朅來為代，切幸蒙成。擬差穀旦以謀遷，行托蘧廬而切芘。肅蠲蘋薦，庸贊芹忱。伏願金闕疏恩，紫宸錫羡。覆之德寓，道以仁門。奠厥攸居，闔室咸躋於壽域；施於有政，滿城同樂於春臺。

答貢院元許醮青詞

青原試士，濫司圍棘之權；皇天監民，嘗致瓣香之敬。吉涓醮事，庸答恩私。切念某闒決非長，曠瘝是懼。漕臺選使，獲寓目於蟻場。吉士維多，每驚心於鵠雪。方其數萬人之雜襲，莫難三四日之平安。凜懷朱門深鎖之憂，僭瀆洪造蓋高之聽。諯蒙巨芘，一戰無諠。徹曉冬初，幸返羊屠之肆；迨今歲暮，尚皋櫳報之忱。茲就精壇，用酬素願。會黃冠而星列，啟玉笈以雲翻。肅邀仙馭之臨，俯鑒塵寰之陋。伏願圓穹，垂美列聖。儲休監于萬方，尚克享於一德。歛時五福用，敷錫厥庶民。遂及我私，克昌厥後。

天慶宮建醮青詞

人情欲壽，自慚螻蟻之心；天德曰生，曷報龐鴻之造。俯殫方寸，仰叩玄穹。伏念某百念已灰，一官如粟。奈以三彭之姗侮，遂成二竪之憑陵。問勾漏而覓靈丹，誰其指示[一]；訪崆峒而求至道，孰是心傳。比伸儌福之私，切冀更生之賜。凡旦夕苟然存活，皆乾坤有以蒸持。然百年之景易窮，而千載之生不偶。天地不知其委蜕，山澤安足以藏舟。如非冥冥中而有相嘉，是豈數數然而能致福。吉蠲穀旦，有事齊宫。伏願鑒此衷忱，錫之終惠。益筭著仙宫之籙，回生斡斗極之樞。性命雙圓，人法天，天法道；心身俱妙，形化氣，氣化神。凡囿一家，鈞陶百順。

[一]誰其指示：示，原作「似」，據文淵閣四庫本改。

宴友代寶府判全器樂語

伏以東屏主，西屏賓，等是龍門之客；南山樓，北山樓，共尋螺浦之盟。交籀言新，傾蓋如故。以千載難逢之機會，而一朝締好於雲仍。爰秩初筵，為酹佳節。恭惟某官道源孔孟，詩派毛韓。問家世於燕山，内翰尚書之的系；記姓名於虎榜，南宫進士之魁題。聲華方翳丹鳳而跨白麟，步武已驅文狸而乘赤豹。載金匱細書之筆，望重紫扉；惹玉皇侍案之香，班通碧落。方此軋群仙而直上，乃肯分半刺以斜飛。振起魯公千載之遺風，唤醒醉翁百年之舊夢。數廳頭之記壁，幾何人斯；聽道上之行碑，惟恐公去。昔日游亭，盡成棠陰；明朝歸棹，但載荷香。西江總是餘波，東山為之矜色。第恐當今聖主，圖任舊人。邇方受宣室之釐，見思賈誼；行欲議明堂之事，必召申公。斜行詔，不久飛來；歸去辭，又成空賦。我府判大博，雲無心而一出，春有脚以方來。瞻泉竹於湘岩，久願識荆州而輕萬户；釣雲煙於嚴瀨，恍如隔弱水而望三神。不圖有邂逅之逢，乃獲附交孚之契。我龜既滌，式燕宏開。未論紅粧之樂指三千，且説少年之阿婆三五。黍包金蒲，切玉好陪今夜良辰；羅疊雪葛，含風再約明年端午。輒陳口號，上贊顔行：

五雲深處擁星屏，我有詩歌試為聽。白鷺青原一樽酒，銀魚朱紱兩魁星。今宵南北樓頭月，明日東西水面萍。重約春風携手處，金鑾坡上有槐廳。

絲竹致語

伏以萬井燈聯，慶神仙之萃會；九成樂奏，迓世道之昇平。聿觀盛事以銷陳，茂對芳辰而蹈厲。欽惟孚惠昭利靈順大王，生稟正氣，殁為明神。聲名揭日，事業掀天，願褰荷而猶紫；氣談動人，威靈悟物，瞻廟柏以長青。英風颯，衆望以具孚；惠澤溥，八方而均被。穆穆公侯之衮冕，振振孫子之簪纓。文昌地位，魁下三台；進士科名，雲間五色。樓臺掩映，羅幃綉幕圍香風；冠蓋逢迎，桂酒椒漿援北斗。銀燭燒而洞天未曉，金轎馳而輦路生塵。千株之火樹齊開，一部之雲門交奏。彈絲品竹，擊石摐金。闌干白玉，秦女吹簫；江上青峰，湘靈鼓瑟。影動樓心明月，慢舞雙雙；絃凝冰下寒灘，餘音裊裊。調高飛白鶴，曲妙降黄龍。笙簧合沓，柬下新聲；鼙鼓喧闐，梨園舊譜。載展詩而會舞，庶崇德以報功。皦如、純如、繹如、翕如，已備八音於樂府；優矣、游矣、康矣、常矣，同躋萬姓於熙臺。吹拍狸歌笙鏞，勝會天碧星河。天碧星河欲下來，東風吹月上樓臺。玉梅雪柳千家鬧，火樹銀花十里開。紫鳳笙繁聲曼衍，黄龍舞慢影徘徊。紗籠帖地香雲繞，莫遣銅壺漏箭催。（以上《潛齋先生文集》卷一一）

五典分屬圖

乾父

人

坤母

兄弟　堂從族外兄弟

父母　伯叔侄外伯叔侄

夫婦　主媵妾

君臣　官吏卒主僕婢師弟子

朋友　知識交際

人生天地間，得乾父坤母之情性形體以生，而均謂之人。其屬則有五者之别：君臣、父子、夫婦、兄弟、朋友。兹五者，夫人之大倫，而天下之達道也。故乾坤者，人之大父母也。然五者之外，其他豈皆無所管攝哉？若言乎君臣，則師弟子、主僕婢之類，皆屬焉。以言乎父子，則内外伯叔侄之類，皆屬焉。以言乎夫婦，則主妾媵之類，皆屬然。内外宗族，皆兄弟之屬；知識交際，皆朋友之屬。其有不隸於此屬者，則皆謂之人。人均天地父母也，其圓顱方趾同，耳目鼻口同，安可以其非吾屬而以判然不相管攝視之哉！為之圖，庶一見者知天地間皆吾人也。（《潛齋先生文集》卷七　以上樊善國校點）

全元文卷二二五四

胡次焱　一

胡次焱（一二二九——一三〇六），字濟鼎，號梅巖，晚號餘學。婺源（今屬江西）人。少孤貧，母親策勵以學，劬學不輟，博學彊識。登宋咸淳四年（一二六八）進士第，官貴池縣尉。德祐間池郡降元，次焱間道微服還家。元初有人以仕宦招，賦《媒嫠問答詩》辭不仕。以《易》教授鄉里，從者常百許人。元大德十年（一三〇六）卒，年七十八（據洪焱祖《胡主簿傳》）。著作有《梅巖文集》十卷，今存。本書所收胡次焱文，凡出《梅巖文集》者，以文淵閣四庫全書本為底本進行標點。

雪梅賦　宋景定元年十二月

草遭雪而萎，木遇雪而折，雪其酷哉！梅挺然立雪，貌澤香烈，雪雖酷，不能加于梅也。孟子曰：「威武不能屈。」于梅有焉。庚申冬十二月對雪觀梅，有慨于衷。嗚呼！人不能卓然特立，至横逆之來作兒女態，其視梅得無恧乎！乃為之賦：

孔子曰：「歲寒然後知松柏之後凋也。」豈獨松柏歟？羌對雪天之牢落，益知梅花之崛奇。且夫太陽遵晦，老陰竊機。凜氣候之慘慄，黯繁雲其四垂。冷雨雰雰而冰木，酸風刺刺而裂膚。俄而馮夷剪水兮，初瓊瑰之盈裾；天女散花兮，紛玖瑤之載塗。意者戰罷玉龍敗鱗鋪耶，遊殘粉蝶墮翅吹耶。風約柳絮高復低耶，雨落梨花密以疎耶。皚皚練練幾麻衣耶，浮浮湙湙萬玉妃耶。轇瓊糜于九垓，爛銀屑于萬廬。拂拭糞土之牆，掩蓋腥穢之渠。瓦礫飾而圭璧，瑰壞覆而璠璵。混天地高卑之分，失晝夜晦明之宜。禽鳥噤其無聲，澮木槁而草腓。于時有梅，毅然丈夫。香愈冷而有韻，貌愈澤而不枯；枝彌壓而彌彊，花彌勁而彌舒。蓋西山伯夷之清，而陋巷顏子之臞。故曰「歲寒然後知松柏之後凋」，豈獨松柏歟？思昔者春陽之載熙也，崇桃媚臉，纖李膩肌，日烘麗質，露浥華滋。公子王孫挈榼提壺，輪蹄雜遝，絃歌咽嗚。此一時也，瞠老梅之在側，緊幹蘚而枝麤，過者不顧，遊者回車。迨夫錦棚逃暑，薰風透綈，桃堆盤而脂潤，李沈水而珠纍。此一時也，雖梅實之可取，奈衆口之參差，競喜甘而樂脆，以微酸而見唾。乃若商聲入律，萬物披離。向之崇桃纖李，固已華落色衰矣。而山巔水涯之孤根，亦復葉禿而枝羸。梅亦何以自別于桃李兮，譬顏跖同堯服而舜趨，孰辯其為賢為愚。今者沍寒積雪，桃斃李疲，惟梅花蟠其彊項，夐突兀于園池。巽二不能狎其健骨，滕六不敢侮其幽姿。視前日之艷色穠華，何止灰滅煙飛也哉！然則非梅無以當雪之凌厲，非雪無以見梅之貞清，其信也夫。吾聞雪陰沴也，陰則為寒為凍，為慘為威。有條者憔悴，有葉者蔫萎，有實者摧剥，有莖者陵遲。蓋天地之殺氣，為品彙之入機。而梅陽物也，黃鍾初動，梅聖得知。陽和其所先得，陽剛其所素持。能獨立萬物之表挺，不為殺氣所敺。惟陽足以制陰，義易夫豈我誣。是故天下皆寒，不能寒梅之枝；天下皆凍，不能凍梅之蕤。爾慘自慘，梅獨愉愉；爾威自威，梅獨怡怡。瞻言雪霰之酷烈，匪于梅花而獨私。故物亦視其所以自立者如何耳，豈在外者所得而轉移。若脆草之與弱木，一遇雪則枯骨而爛皮，曾不求其在我者，將移咎于孰誰。嗟乎！俘六國，吞天下，其暴也何如。而相如一匹夫爾，乃睨視大庭，叱咤而睢盱，秦亦無得而加諸鼜。秦滅楚，其烈也何，其蕞爾一魯，不敵秦楚明矣。而守節不屈，漢為之斂師，卒亦不敢肆其屠。李陵、蘇武同遇匈奴，李將兵而驍勇，蘇奉使而羈孤。勇者卒降，羈者卒歸。何匈奴能脅甚壯之李，而不能脅愺然之蘇。漢庭三傑，比肩高祖，仕同主而生同時。何蕭何下獄，韓信誅夷，而張良以功名終始，獨無瑕疵。不寧惟是，莊公、管、蔡皆人兄也，叔段、姬旦皆人弟也。莊公欲害叔段，卒相為瘉；管、蔡欲害姬旦，莫肆詆諆。王莽之勢，足以挾子雲之美新諛辭，而郭、蔣好遯不污，雖莽之勢亦何施；桓溫之勢，足以致坦之之流汗沾衣，而謝安從容就席，雖溫之勢亦奚為。禄山僭橫，甄濟處之自如；黄巢殘酷，表聖藐之若無。方册所載，此類孔多。大抵于顛沛之際，可觀所立。而自立既固，雖行乎患難而有餘。彼不能自立也，至摧敗挫折，有兒女色，可憐而可悲。是皆自取之也，豈獨人之非此。吾對雪觀梅，起敬起慕，酹以元酒，申以孔詞，再拜而曰：「昔知梅于暇豫，結以為友；今知梅于患難，請以為師。然彼雪者，挾重陰之氣，肆轥轢于根株。雖孤標之不挫，而雪則乘時逞霸，何用心兮嶮巇。願上請于帝，以迄天誅。」梅巖曰：「貧賤憂戚，乃玉女之良規。商鼎和羹，有所屈者有所期。請釋楚以為外懼，不亦可乎？」對曰：「諾。犯而不較者德之盛，疾之已甚者亂之基。降大任者先空乏，全性命者忍須臾。先生之言，我維行之。」既而蒼狗罷噎，金烏騰輝，枝上之雪，倏已銷鑠而流澌矣。

嗟乎賦

宋景定二年九月

恭惟皇宋科目之設，得人為盛。今天子即位三十七年，改元景定。辛酉春二月下詔，賓興歸之，精擇主司，大哉王言，士咸舉手加額。秋九月，既撤棘取舍，殊鬱公論。次焱病卧斗室，口占《嗟乎賦》一首。子曰：「知我者其惟《春秋》乎？罪我者其惟《春秋》乎？」吾于此亦云。詞曰：

嗟乎！場屋為困賢能之地，科舉為老英雄之術。亶哉斯言，未嘗不書空而咄咄也。且夫士者，毓海岳之清淑，孕斗牛之靈光。駕青蛇而驂白螭，被明月而佩寶璜。金湯邊陲有表餌，以縛首虜；鼎鉉廊廟有仁義，以禪皇王。此其雄傑之志，魁壘之行，視餘子真瑣瑣耳。又豈肯低首下心，與之較一日之長。奈何鄉里舉選之法壞，公卿下士之禮亡。朝廷以時文取士，士舍文則無進用之方。嗟乎！豈料夫莞芎棄于洲澤，瓠𧓍登于篾筐。衡鑑失實，取舍不當也耶？爾乃庭槐染黄，詔泥頒紫。三年螢窗，不辭繼晷之勞；一旦鴻毛，所冀順風之遇。乃裹糧而趨，乃擔簦而至。嶀嵊山之崔嵬，僅去天兮一咫。蒺藜横道兮鈎衣，怪石嶄巖兮嚙屨。虎豹伺人兮落日，猿猩啼月兮嘯雨。五步一回頭，十步一捫趾。望僕夫兮木末，憩吾杖兮山之尾。蓋功名之迫人，則亦不敢憚征行之羈旅也。嗟乎！吾挾吾胸中之耿耿者以往，誠自以為拾芥之不難，摘髭之甚易，詎擬一跌之如此。若乃争先入棘，氣吞萬夫。得題入手，若解牛中其肯綮。揮毫落楮，驅駿馬而馳之。有如湯武仁義之兵，堂堂整整；閒出韓信背水之陣，怪怪奇奇。力刊陳腐，獨造精微。視彼碌碌，何能為僕。而燕石有襲巾之遇，明珠多按劍之疑。志士為之扼腕，羣小至于揶揄。嗟乎！貴魚目，賤珠璣；爇馬蘭，芟江離。逐鸞鳳于空谷，畜鶩鵝于庭墀；斥騏驥為緩步，謂駑駘為善馳。瑚璉擯遠兮，登甂甌于清廟；黄鐘毀棄兮，挾秦箏以彈之。孟娵媞媞而見逐，嫫母勃屑而侍幃。紛亂妍醜，顛倒是非。鼓瑟雖工兮，其如齊王之好竽；屠龍無用兮，不若市人之豭豨。事固有可怪者，何獨功名之如斯。或曰科舉之取人，關國家之氣數。祖宗盛時，可觀其故。賦金在鎔，可知王佐才；賦有物混成，可占將相器。本註疏則出師衆之鑿，尚典雅則黜軋茁之語。用能得卓犖之才，致雍熙之治。故漢之方興也，晁、董對策而高科；唐人之不競也，劉蕡直言而斥去。予曰：「不然。我皇大比之詔歸之，精擇主司。大哉王言，其知本歟？故有陳恕而後，王曾之獲進；有王旦而後，李迪之不遺。而不然者，則撾鼓以伸其説，詣府以訟其私。今者漕臺之差次，只據脚色之崇卑。彼以真材擢高第者，半已昏于簿書之期會；而以假手入仕塗者，又烏識文字之妍媸。糊眼之輩，冬烘之夫，紛流傳于謬種，朝廷亦安得而考諸。遂使兒輩，談笑登名。或析薪之手未洗，或荷蕢之肩尚赬；或口猶乳臭，或字僅識丁；或黄金買貴而不耻，或葫蘆依本以翻騰。兔園册入其素習，羊我氏豈伊所能。繆偕計吏，迥乎可憎。而吾徒者，抱周、程之問學，馳韓、柳之文聲。乃爾寂寂，鄧禹笑人。嗟乎！場屋為困賢能之地，科舉為老英雄之術。亶哉斯言，蓋未嘗不書空而咄咄也。」或者又曰：「既不關國家之氣數，即當係一身之窮通。今以子文之美，其如子命之窮。命也不淑，文亦徒工。」予笑曰：

「苟如子言，吾其賣𠯁買牛，賣硯買犢。學樊遲之稼，耕子真之谷。少糊叔段之口，不負將軍之腹。温飽可期，菽麥粗足。亦何至為詩𠯁所誤，自取挫辱。雖然天下所賴者士，古今所重者儒，君待之而堯舜，民賴之而唐虞。山林兮長往，羌麋鹿其與居。此豈世獨善之士，豈得時行道之徒。且吾詘之，玉一玉也，屈于厲武而伸于成王；驥一驥也，困于鹽車而甦于孫陽。爨桐以焦而遭蔡，太阿久幽而逢張。時有利鈍，順之者昌。盍亦親筆硯之几，啟圖𠯁之箱。左經兮右史，夜燭兮曉窗。豁着道眼，硬着脊梁，氣不可索，志當益彊。昔者孟明焚濟河之舟，馮異奮澠池之翼，皆愈挫而愈鋭，故前失而後得。視吾囊而鐵硯，固無恙也，則亦可以一笑而自釋。」

步瀛橋賦

宋開慶元年五月

步瀛橋者，槃川中市橋也。先是畧彴規模，可以徒，不可以輿。夏四月洪水嚙岸，橋遂奔溪。往來者，有褰裳之嘆。伯父樵叟，慨然出獨力新之。有椽泥之木，有中流之柱，有架穴之梁。又構屋三間于其上，長五丈許，東西廣九尺，中間廣丈有四。曲欄坐凳，如其長而兩之。塗以丹雘，黻以青黃，視舊規增百倍不啻。且扁以今名，曰「吾以望吾鄉之俊彦也」。始于開慶元年五月，越七日落成。妷次焱，喜而為之賦。其詞曰：

客有登步瀛之橋、賦步瀛之景者，率爾而歌曰：槃川之山兮蒼蒼，槃川之水兮泱泱。嗟惟槃川之人兮，深厲淺揭；孰為槃川之津兮，徒杠輿梁。猗與樵叟，慨然心目。知濡尾之無利，閔滅頂之非福。迺掄材而畫楮，迺鳩工而戒僕；迺鞭下海之石，迺架石鹽之木；迺下杙兮椽泥，迺植楹兮構屋。財吾囊中之財，粟吾廩中之粟。寧朴其屋而華其橋，蓋侈于衆而儉于獨。東坡之犀帶無所受，金閶之寶錢無所取。儻不能篤拯溺之心，未有能為中流之砥者也。觀夫玉鯨長脊兮隱隱，金鰲巨背兮隆隆。浮波心兮百丈之龜，卧水面兮千尺之虹。簷牙兮插漢，閣道兮行空。直欄横檻兮迺左迺右，朱甍碧瓦兮自西自東。初疑為百尺樓兮，則靡梯靡磴；又疑為萬斛舡兮，不帆不篷。長嘯兮，可制嗥獺于西向之穴；拂劍兮，可斃蒼蛟于馮夷之宮。宜琴兮宜棋，宜酒兮宜詩。宜錦鞍兮躍馬，宜雅歌兮投壺。使晉武見之兮，杜預不得為巧；使秦皇尚在兮，神人不得為奇。若乃鴨緑水兮鱗鱗，鵝黄花兮妍妍。岸芷芬芬兮汀蘭郁郁，荇帶長長兮柳眉娟娟。步斯橋也，可以挹杜若之洲，可以遡桃花之源。龜魚兮蔭瓦，蟬蜩兮鳴槐。篔簹解籜，芙蓉試花。步斯橋也，可以沉朱仲之李，可以浮東陵之瓜。淵貯玉鑑，波印金鈎，月兮此橋，何必庾亮之樓；漁簑入畫，鶴氅明眸，雪兮此橋，何必子猷之舟。若乃煙雨空濛，雲霞出没，海上之鷗不驚，濠中之魚自適。萃四時之佳趣，供一橋之景物。然則琴高之乘魚，采仁之石迹，儻遊此橋，當為踧踖。此所以登步瀛之橋，如登步瀛之洲。泠泠乎跨鯨汗漫，飄飄乎騎鶴揚州。樵叟兀然而坐，逌然而笑曰：「噫！客賦步瀛之景則善矣，客述步瀛之義則未也。昔唐太宗立文館兮，登瀛洲之名始立；自張大魁首多士兮，步瀛之詩始傳。今吾之扁橋也，匪為神仙之荒唐，蓋為功名之軒豁。慨惟槃川，夙號儒林。藹文風于三市兮，夜檠朝牖；普教雨于四方兮，佩劍携琴。將後來之穎秀，挹前哲之清芬。一步兮奏棘闈之凱，再步兮策蘭省之勛。穩步兮臚唱楓宸，高步兮玉堂金門。蓋自山林布衣，而一旦紆紫懷金，有似乎肉身凡骨，而一旦駕鶴驂雲。故吾即步瀛以名吾鄉之橋，實揭步瀛以望吾鄉之人。吾老矣，袖利涉之手，卷宏濟之心。爰詔枌榆之朋友，及爾階庭之郎君。因吾扁題之意，知吾期待之深也。嗟夫相如題柱，志于駟馬車；子房取履，志于王者師。將為好官兮名相，非夫步瀛兮其孰致之。且烏知今日之橋，非蜀之曲星橋；而橋上之書，無漢之黄石書。」客于是斂足避席，頓首趨隅曰：「昔子產為鄭國之相兮，無博濟之術，有婦寺之仁；伊樵叟為山中之相兮，有溱洧之濟，無乘輿之恩。彼有其勢而仁則狹，此無其位而恩則深。請移此柱石廊廟，津梁吾民，且以領袖我步瀛之人也。」于是主賓抵掌，一飲一石，行道之人，三歎三息。

山園賦　宋景定元年

景定元年春二月，鳳山查亭叔以書抵梅巖曰：「近築山園，為遊息之地。思欲得巨筆鋪張之。敢以為請。」夏四月，一再不懈家，惟奔走于貧，不暇抒思。秋八月，養痾彌旬，少間氣力未裕，未可與塵埃酬酢。于是始克運筆，效班固《兩都賦》體，離為前後篇，所謂極昔之眩耀而折以今之法度者也。

子胡子一日延四友而語之曰：「緊霜臺之胄裔，啟山園之秀麗。累徵予以品題，將何辭而模寫。」毛穎輩欣然應曰：「媪神奠位，坤維隤然，高者為山，坦者為園。求其具美，戛乎難兼。故山而不園者，有矣。若司空之中條，麗公之鹿門，雖崔巍而乏平曠，何以騁腰裊而展輻輪。園而不山者，有矣。若李氏之仁豐，牛相之歸仁，雖坦夷而乏崎礒，何以排閶闔而摘星辰。羌山園之風物，真東南之鮮麗。唐有工部之詩，近有博士之記。未獲登臨，實勞夢寐。誰驅鰲首而來，移在鳳山之里。玉壘嶄嶄，青螺簇簇，突龍蟠而虎踞，稍鳳翥而鸞伏。硐户欹林而嵽嵲，石徑封苔而屈曲。中有百弓之園，是為碩人之軸。譬猶義夫節士，巖巖不可犯，而即之坦然。中有容卿百人之腹，土平以衍，地曠而沃。可臺可榭，可亭可屋，可畹可蘭，可畦可菊。窈而深，障千章之古木；繚而曲，森萬箇之修竹。南崖青精，北岫黄獨，東丘菘韭，西崦豆菽。芋栗滿坡，蘭桂漫谷，中椒盈阿，茘薜披麓。拳蕨正肥，角笋如束，橘柚秋香，瓜李夏熟。亦有甘薺，亦有旨蓄。盼繚白而縈青，絢紛紅而駭緑。異芬徹骨，灩色眩目。可帶經而鋤，可叩角而牧。楗尺枳以為籬，滿杜蘅之豐縟；希晉宫之蒲萄，陋城東之苜蓿。疑兩間之貢巧，與五丁之獻伎。不然則斯山在簷楹間舊矣，何今出而昔閟也。不然則山神之命有時而塞，亦有時而遇也。」言未既，陳玄勦説進曰：「穎知其一，未知其二。澹風日之明媚，紛蜂蝶之遊戲。竹影瑣碎而侵堦，花陰扶疎而卧砌，是則山園宜霽。滃雲氣于山椒，棲煙靄于木末。點芭蕉而滴瀝，喧敗荷之瀟颯，是則山園宜雨。朔風嗥而枯聲，荊楠慘而離披。或隴梅破白，或霜葉賜緋，是則山園宜寒。蒸火雲于肉山，俯佳木之繁陰，或曲岪送風，或高嶺輸雲，是則山園宜暑。河低玉繩，桑浴銅鐺。赫明暾之熹微，林霏烔其廓清，是則山園宜曉。暝色蒼茫，返照依稀。牧笛怨而羊牛下來，樵路闃而禽鳥啅枝，是則山園宜暮。鹿隨筇杖，鶴認茶煙。蔑紅塵之污人，對清嶂以忘言，是則山園宜閒。虎嘯風烈，猿啼月高。飛羽觴之瀲灧，頽玉山于林皋，是則山園宜醉。犖嶂供題，列卉獻科，是則山園宜唱而宜和。俗客不來，柴扉晝掩，是則山園宜圖而宜史。至于可喜、可愕、可遊、可戲者，蓋不能一二而悉數也。」楮先生在旁捧腹不已。笑定而曰：「玄知其淺，未知其深。吾嘗隨至人以舒卷，洞主人之胸襟，曰山間之妙處，不獨在乎園林。前輩謂絲不如竹，竹不如肉。蓋又有海棠睡起之姝，荷花解語之嬪。故穠李韶華者，山園之奇卉；歌鶯飛燕者，山園之名禽。絳桃花貌，碧杏珠唇。裊娜乎章臺青青之柳，縹緲乎石榴醋醋之神。別有閒花野草，邐列左右，惱公子而怨王孫。故夫是山也，迫而睨之，似東山之偕妓；遥而望之，如巫山之行雲。良時美景，挈榼遊賞。試捲簾而通盼，灩娉婷之繽紛。斷刺史之腸，絶坐客之纓。歡聲沸山園之鼎，和氣盎山園之春。后土瓊花，羞顔而却走；洛陽牡丹，失色而逡巡。熙乎爽哉！此山園之小天台也。吾言誇矣，不知所裁。」陶泓起而評曰：「韓愈稱穎，為人强記而便敏，又通當世之務，故能援引古昔，敷陳名義。陳玄之先世生長山間，故極詫林泉之風味。楮乃白面書生也，故目恍紛華，口出麗語。之二三子之言，言各有為。我[石心]人也，難乎去取，聽主人之自擇，以何説之為是。」主人傾耳以聽，開口而笑曰：「《詩》云：『他人有心，予忖度之。』其楮先生之謂乎。」

山園後賦

子胡子喟然歎曰：「文房四友，惟兹四子，卑之無甚高論，又何足與議。山之岩嶤，以其能興雲雨也，園之平衍，以其能毓花卉也。雲出于山而雨于園，所以滋本根而大豐美也。推而廣之，則甦大旱、澤蒼生，厥施斯普也。否則山人之薪擔，園丁之菜把，世不乏此輩，主人又何是之取也。」或曰：「不然。士之大節，非出則處。許由掛一瓢于樹枝，猶嫌其為煩；蘇秦佩六國之相印，尚奔波而不止。故窮居達行，人各有志。士最惡夫以恬退為占牌，以希進為行李。昔盧藏用隱南山，抱捷徑之羞；周彥倫隱北山，負移文之愧。惟山園之美人，饜膏粱而不嗜；笑管窺之腐儒，希日涉之高倡。付功名于儻來，視富貴以無意。又豈肯使山園之叢議而獻箴，騰笑而竊議。故其創山園也，提壺而來，倒屣而去。擊筑長歌，圍棋短具。有客則談，無客則睡。不佛亦不仙，不名亦不利。斯亦可謂蟬蛻人欲，超然無慮者也。」胡子曰：「若爾之言，高則高矣，然而不可以不仕而不學，寧學優而不仕。古之林居谷耕者，但不着脚于形勢之途，未始不潛心于理義之趣。若但嗅蘂拈香，朝遊暮戲，此禽鳥之所樂，蜂蝶之故志。人所以與天地并立為三者，果如是而已乎？」或曰：「如之何？願聞其旨。」胡子曰：「萬彙葳蕤，一理攸寓，所貴善學，在觸其類。故觀松蘿而知夫婦之道，觀棣華而知兄弟之誼。觀向陽之葵而知所以為人臣，觀南山之喬而知所以為人父。觀葛藟而知睦親族，觀桑梓而知洽鄰里。觀伐木而知朋友之當親，觀葭莩而知親戚之當比。觀于竹而知堅剛之節，觀于梅而知高孤之味。觀蘭茝而知幽閒之雅韻，觀松栢而知炎凉之一致。觀籬菊不飄而知逸約之得計，觀萌蘖復生而知良心之當護。觀采苓而知所以遠讒譖，觀伐檀而知所以去貪鄙。觀芄蘭而知所以鋤驕矜，觀木瓜而知所以隆報施。觀梧檟樲棘而知貴賤去取之難，觀蓬茅槐芷而知善惡漸染之易。觀射干生于高山，而知植立貴于超人；觀蒹葭老于白露，而知貧賤所以玉汝。觀小草有遠志，而知廣狹在人所趨；觀紅杏與芙蓉，而知榮枯在時所遇。觀于碩果而知造化之剥復，觀于茅茹而知吾道之泰否。清潔則讀濂溪《愛蓮説》，取舍則讀日休《桃花賦》，御下則讀子厚《種樹傳》，好客則讀樂天《養竹記》。至于樂意關禽，生香交樹，是又可以觀浩然之氣。舉凡山園之内，一草一木，一花一卉，皆吾講學之機括、進脩之實地。顯而日用常行之道，賾而盡性至命之事。一坐山園，而盡在于此。此《大學》所以有「致知格物」之章，夫子所以有「多識草木」之語。豈但吴歈蔡謳，姑樂其繁華；漿酒腫肉，徒悦其綺靡也哉！吾欲着遊山之屐而登，抱灌園之甕而至。朝拄笏而眺臨，夕飛蓋而迤邐。諒主人一見，欣然下榻倒屣曰：「吾創山園，自以爲得遊息之策；子賦山園，乃示我以修藏之矩。向微子言，吾之志荒矣。君子之愛人以德，敬拜受賜，以終吾身，而傳吾子。」」（以上《梅巖文集》卷一）

步瀛橋樂章

伏以地雄槃谷，偉哉源之深而流之長；橋侈步瀛，免爾深則厲而淺則揭。落日青龍低卧水，秋風烏鵲起填河。不愁平地風波，賴有擎天柱石。一鄉之利，百賈所棲。恭惟材大棟梁，望隆椿桂。稽諸家世，蓋文定之有寅宏；論其文章，則老泉之與軾轍。謹取予于一介，能毁譽之兩忘。義重軫饑，仁形拯溺。慨中市之畧彴，已逐奔溪；將下流之盤渦，寧免病涉。自捐鵝眼，一力鳩工。鯨鯢背蝃蝀腰，直通南北東西路；黄金壁丹砂柱，好賞風花雪月天。榱桷如飛，楯檻似畫。盤旋十頃玻瓈水，約束兩行楊柳堤。望而見者，誦昌黎之詩非舡非閣；遊乎上者，哦坡翁之句若堂若闈。行者歌，負者休，不怕淋頭之雨；往者過，來者續，聿多人迹之霜。且取前輩步瀛之名，爰勵後生拾芥之志。是知津矣，可謂仁乎。載惟合席之賢，亶是濟川之彦。十八學士，行從文館之遊；三百英雄，即豫瓊林之宴。羣賢至，少長集，未饒曲水流觴；太守醉，賓客歡，自有釀泉為酒。今之日，紅蓼蒼洲飛白鷺，緑槐高柳叫玄蟬。水可濯纓，風乎振袂。唤取琉璃簟，卧吞琥珀鍾。待聽襄陽小兒，争唱銅堤之曲；却請茂林賦客，濃題駟馬之書。共誇文鷁清游，可吝彩虹佳句。詩曰：

跨海虹霓浸不收，值楹鯢背聳于樓。直通兩岸東西路，橫截一溪上下流。網羅學士唐天子，管領英雄張狀頭。醉墨淋漓題柱上，與君從此步瀛洲。（《梅巖集》卷二）

全元文卷二二五五

胡次焱 二

與貴池縣郭宰札

竊以琴風清穆，簾日舒長；恭惟潘縣有春，宓堂無暑。吏民嘉靖，元媪翊襄，台候動止萬福。次焱跪起爲鳬之下，驅馳桑雉之郊，行有日矣，通名告至，不敢不虔。次焱居嘗誦門前五楊柳、井上二梧桐，輒以康節詩足之曰：「月到梧桐上，風來楊柳邊。」唐秋浦何如今秋浦。伏惟梧月柳風，絃歌千室。雖土潤溽暑，何得干光霽之胸襟。否則心與至境冥符，志與四時消息，自有家法在，尚何節宣之瀆。次焱妄謂，咏緑竹猗猗者，見竹未見泉，是以起王子猷不可無此君之嘆；感源泉混混者，見泉未見竹，是以有田游巖膏肓之論。乃若森翠竹于醴泉之池，其蒼筤也猶震，而其果育也猶蒙，誰其無湘濯之想。然俗客不來何也？黄綬小吏，將得以職事受約束于庭下。則自公之暇，直造竹所。且枕且漱，以滌其胸次萬斛之塵。渠肯以萬户侯，易此願哉！遡風翹企，次焱仰惟天台一山，上應台星，元聖所遊化，神仙所窟宅。鍾為雄傑、班班穹壤間者，更僕未易數。今辨章魏公先生大用之，以宰天下，為古伊周；而判縣院轄先生姑用之，以宰一邑，為古卓魯。非地靈人傑之效耶！宰一邑即宰天下之權輿，況有二十四考之故事在。地望如是，世家如是。次焱生無佞舌，嘗聞之，尉為賤官，位卑職賤；又為緊官，責重事緊。賤故難于展布，緊故易于曠敗。非大夫寬之轡策，何以令終？次焱家徒四壁，粟儋不儲。慈親截髮待師，斷機課學，幸而不墜詩書之脈。于是取菽水于破硯，而硯則枯矣。旦暮祝于天曰：「庶幾鍾釜及親，有以為節婦賢母之勸乎！」猥由賢關，叨第入仕，又幸而隸之麾下。作而曰：「竹本棲鳳，而逸枝之鵲或不拒；泉本蟄龍，而涸轍之鱗或見容。」此天啟也。手提衛城之衣鉢而付之，予何敢不力。次焱聞李翰林歌崔令君，則曰「抱琴時弄月」；而其歌柳少府也，則曰「搖筆望白雲」。每覽是篇，有以想見當時令掾之賢。寄德化于風雲月露間，無所事乎持擊也。然柳少府之「搖筆望雲」，與崔令君之「抱琴弄月」，或同時與否，未可知耳。挾筆而來，將洗耳絲桐之音，庶乎自明矣。何敢以柳少府自負，而崔令君政未足為先生道也。事長之初，牽課儷語，敬拈此為詞頭。而搖筆抒思，意蹇語澁，彈琴多暇，幸一覽而擲之。次焱蟣虱吏爾，望五城十二樓，峻在碧霄之上。有問則借，若奔走後先，斯其職矣，拱需風旨。

與貴池縣于丞札

伏以四槐障日，千竹輸風；惟君仰佐鳧仙，平立鶩吏。政一簡静，神百撝呵，台候動止萬福。某惟少府之于贅府也，分焉有嚴則書焉，不敢不敬。夭剡藤以為贄，告齊瓜之已香，照以巖雹幸矣。次焱嘗學《月令》矣，日長至，陰陽争，謂陽盛而陰遇也。君子扶陽抑陰，則何以哉？敢再拜告于饔人曰：「薄滋味所以抑陰。」又加拜告于御人曰：「處高明所以扶陽。」僉書文檄之暇，幸留意焉。次焱讀《曼倩傳》，未嘗不慨想高門之盛。而丞相御史，駟馬高車，赫然照耀人耳目。陰德之報未艾，其子孫雖去之百世，宜必有興者。索之當今，蔓衍于湖。嘗欲登青山尋謝公宅，陟白紵窺桓公井。退而訪西平侯之故家，庶幾文獻之足徵也。筮仕尉督乃發，喬雲匪伊當拜。瞻光霽于松廳下矣，臨楮精爽飛越。次焱仰惟天門龍山，鐵甕石頭，姑孰一偉觀。往往流峙不能秘其奇，則必磅礴鬱積，鍾為巨人。而長吏實當其會，人物九苞鳳，問學五總龜。十八學士登瀛洲，祖風故無恙也，何蓄之厚而取之廉耶？肯為花縣作《師説》，復來藍田讀《壁記》，何州縣徒勞而屑屑為之耶？聖朝取外府，皆是九天除四輩。趣召幸，勿曰「子姑去，予方有公事」。次焱聞之，尉為賤官，故位卑而難展布；又為緊官，故責重易于曠敗。儆非長吏庇之萬間，何以令始而善後。次焱天賦甚拙，鬼笑其窮。慈親熊丸教育，眼粗識丁。猥以六館諸生，叨奉常第，塵埃捶楚，非吾志也。顧欲為毛義之喜耳。然而貴池地大人稠，徼巡匪易，儒腐初筮，凛乎負畚。退惟丞貳一邑，無所不當問。寬轡策以來之，宏陂量以容之，庶乎免矣。參覯有日，此禱其真。某恭想暇日吟哦，與松風除水相清越。食煙火語，不當唐突其間。然駢儷通名，禮也。囁嚅遺荷，惠徼寬擲。某遥望方壺員嶠，隔弱水之萬里。福英禄萃，天畀安愈，何問之敢。借有沿途驅役，敢問其目。

與貴池縣趙簿札

伏以南薫其徐，水花晚静。惟君坐高士軒，對賢人酒，炎氛辟易，神相駢維。台候。某惟同官為僚，三生緣也。已及瓜戍，行拜枳庭。謹先以賤姓名贄于典籤氏。次焱讀《易》至《姤》，喟然曰：「稺陰，月也。金柅有戒，止稺陰也。」推之政事，則折黏鳥竿，所以柅暴；取石佛首，所以柅妖。故我程叔子之言曰：「主簿非通《易》，能如是乎？」《月令》所謂「薄滋味，止嗜慾」，亦金柅之在一身者爾，姑舍是。次焱歷覽近世郡邑之好様，得一二大賢。或據胡牀以覓句，或揮白羽以談兵。或落筆奔馬，而談論翻河，令人起執鞭之想。何況文昭武穆之英，兼是數美，而屑棲枳棘間。則聯事而為尉督者，其執鞭之幸，宜何如之。齊山、清溪等處，李杜遺蹤故在。暇日幽尋，取其咏歌，一一和之，敢不捧硯。三十年看儒書，不如一詣習鑿齒，豫以自矜。次焱妄謂，麟趾之冑，龍種之英，亦既與齊民異。加以天台霞城之所鍾孕，古霹了翁之所過化，其間必有碩大光明者出為時瑞。豈以簿領久稽耶？甲者頌曰：「峻擢寺丞，願為通川簿。」乙者頌曰：「由給事中為宰相，自有陸渾趙主簿故事在。」次焱謹採以聞，非敢為佞。次焱竊聞，簿尉雖有分職，然核檢其稽違，與徼邏其乖戾，脈絡常相串。暨僚同心，固其職也。次焱魚釜長飢，牛衣不煖。浪遊壁水，偶復青氊。筮仕之初卑射鴨，「酸寒溧陽尉」，「孜孜營甘旨」。讀是詩，足見孟郊以一身之酸寒，而易高堂之甘旨，韓昌黎所以憫而薦之。僕何人斯，敢辭尉寮，亦幸枳棘陰中事棲托爾。匪伊合併，願言提挈。次焱聞之，楊廷秀為西昌簿，賦詩有「餐秋菊」之句。李太白為秋浦柳少府賦詩，有「樹桃李」之句。每誦二詩，未嘗不嘆餐菊對樹之清致，而復以不同時為欠事。昔嘆其睽，今值其同，喜如何耶？率課儷語，摘此詞頭，幸而照爛爛之電。次焱惟同官猶兄弟也，其于月地雲階之仙，敢不上調。興居寅想，一堂熙洽，百禄繽紛，有委敢請。

上林太守啟

伏以新天子嗣萬年之曆，加重虞庠；郭使者拔九郡之英，首推《周易》。匪藉虎符之庇，寧僥鷄口之榮。謝則宜然，愧其緩爾。竊惟馬圖閏秘，犧畫泄機。文衍六爻而分二篇，孔際八索而作十翼。顯仁藏用，精義入神。惜秦皇指為卜筮之書，而漢儒未達乾坤之藴。高丁相為授受，不離災異之談；王何未悟幽明，反扇虚浮之說。末流浸蕩，本旨遂湮。自無極太極之説明，而頭腦不差；自先天後天之圖出，而毫髮無憾。究象中之理，則顯微無間；知理中有象，則體用一原。程叔子僅發明其七分，朱太師遂折衷于百氏。室受千古，閣束九師。政應圭竇之小生，寧覩韋編之大意。如次焱者，口吃而心甚辨，貌寢而氣自昌。雖祖父為鄉儒宗，已謝藐孤于襁褓；幸聖善比古淑女，頗嚴諸子之甄陶。習舉子所習之時文，了秀才未了之生活。奔波長鋏，未酬烏哺之恩；寂寞短檠，頗笑牛醫之困。屬先皇頒科舉之詔，旅多士為場屋之遊。堂堂整整而取《書》題，乃迷過眼；怪怪奇奇而駕《易》說，謹獲中庸。不已卑乎，為之兆也。慨念傳家之簪笏，幸喜奮跡于魚鹽。遠則司業成均者，擅二賓之聲稱；近則運管潼川者，甫三年而軒翥。青衿自此升矣，造物得無意耶？雖無鳳翔蛟躍之文，賈予餘勇；亦敢詣龍蟠虎踞之地，與衆先登。巍然立赤幟于廣場，幸爾復青氈之舊物。板橋霜，茅店月，行矣爐亭；慈母綫，遊子衣，蕭然囊橐。明復得文正公，而始安于學；老蘇因雷曲尺，而大掘其名。昔賢猶假于梯媒，今我孰與之爐冶。兹蓋伏遇某官，家聲彬鬱，光昭十德之門；人物挺生，富擷三山之秀。仁義足以金湯國勢，文章足以黼黻皇猷。曾司模範于賢闕，適值縱横之姦相。士流厄甚，當時皆至于吞聲；國論謂何，明公獨為之揮涕。知彼哉，彼哉之不足與立；則歸歟，歸歟以自遂其高。公道晦而復明，正人去而旋用。曾謂黄山白水，足淹皂蓋朱幡。潤九里而及京師，宜把麾于輔郡；先一州而後天下，即正位于台躔。次焱獲仰哲人，益鞭末學。去與生徒億萬計之列，來參太守二千石之糧。北面執經，敬納黄堂之拜；西雍鼓篋，願分丹鼎之餘。庶早蜚壁水之聲，當候謁河堤之路。過此以往，未知所裁。

與貴池縣郭宰啟

伏以抱琴弄月，獨會心井上之梧桐；摇筆望雲，漫有意庭前之桃李。蓋謂讀翰林集于暇日，有以慨秋浦縣之遺風。吾甚慚柳少府之賢，公何啻崔令君之似。敬拈李句，竦告瓜期。恭惟某官判縣軍正院轄郎某先生，清哉千畝竹之襟懷，沛若萬斛泉之筆力。勁節昂霄，而心則空洞；餘波及物，而源則泓澄。萬八千丈台山，巋然地望；二十四考書令，赫矣家聲。粤從寶劒鋒之陳，以至榷筦務之委。政皆可紀，民有去思。謂宜叫閶闔，呈琅玕，峻躋鴛序；何乃紐金章，綰墨綬，來試牛刀。如絃之直，如鏡之明；乃冰之清，乃玉之潤。烹鮮有道，豈美貴池之魚；飛舄而來，獨詠涵江之雁。殆造物巧為溧陽尉之地，俾掾曹獲事彭澤令之賢。況集鳳降鸞，不吠花村之犬；則觀魚射鴨，免聽茅舍之鷄。祇恐騰嬡室之歌，宜即峻蒸臺之築。直史館，寵犀帶，則固我朝縣大夫之異除；敕行部，去襜帷，是亦君家州刺史之故事。竚見歡迎于竹馬，未容終庇于梅曹。次焱家住紫陽，世傳黄妳。儒而甚腐，罔知朝四暮三之術為何如；貧不可醫，惟有滿七除二之祟相從耳。菽水取之破硯，冠帶游乎圜橋。看長安花，遂復青氈之舊物；插齊山菊，敢卑黄綬之小官。蓽圭需次者五年，葵瓜忽香于四月。小人有母，寧不喜捧檄之榮；君子愛人，幸且棣垂隸之治。願寬轡策，俾邏弓刀。分青士一葉之陰，冀白水餘波之及。憩其辛苦，洗此酸寒。我有二天，儻獲安于吏隱；河潤九里，願勿替于祖風。式仰陟庭，未嫌楮札。

與貴池縣于丞啟

伏以庭有四老槐、千挺竹，暫淹陰德之子孫；門垂五色棒、十餘枚，行奉教條于長史。跪貢鯉魚之尺札，用塵雁鶩之文書。恭惟厚德鎮浮，長才濟劇。南龍山，北牛渚，鍾此巨人；朝閶風，夕崑崙，特其餘事。再稽氏族，允謂世家。豈無露布之雄文，與言廟貌；亦有瀛洲之清選，見録畫圖。展也典刑，付之坦率。桃浪負春風之約，菊香看晚節之濃。奏子大夫之篇，成功則一；猗縣校官之席，私淑者多。盍翱翔于要津，安徘徊于贊府。佳節落暉之故在，何惜登臨；晚花高枝之依然，政須嘯詠。不妨通判一邑之暇，而追有唐二賢之蹤。世俗雖指為閒官，當路已知其廉吏。松庭借重，蔗境漸佳。花綬傍腰新，僕方欣于執御；玉勒争門入，上已賜之追鋒。次焱此志頗大，其才則疎。曾無地以置錐，徒有書兮滿屋。幼被慈母之教，恐為烏哺之罪人；長遊賢士之關，幸忝龍門之進士。不料青衿子之脚色，而為黄綬吏之頭顱。然三釜貴于逮親，而一命皆可及物。況遭陳南仲之簡静，足慰孟東野之酸寒。貿然而來，恃此無恐。讀藍田縣丞之記，定知破崖岸而吟哦；誦秋浦少府之詩，幸與發芳菲于蕭索。心傾深切，辭納奚殫。

與貴池縣趙簿啟

西昌主簿之餐菊，花滿松庭；秋浦少府之樹桃，瓜香葵戍。行矣執弓刀而徼邏，庶乎裨符檄之勿稽。聯事為榮，通名為謹。惟君世綿石葛，家住霞城。神堯子一十八人，時維帝胄；天台山萬八千丈，鍾此地靈。温然白璧之無瑕，直若朱絃而不撓。高第既同于唐李，擢進士科；清官盍比于漢劉，望天禄閣。尚煩麟族，以重鸞棲。簿領有是，人其願為金瀨徘徊之地；貴池壯哉，縣恐難留玉林瀟灑之賢。高士且不屑之，大賢豈久鬱者。證以我朝典故。張商英由通州而擢寺丞，參之前代姓家；趙宗儒去陸渾而登宰相，況為龍種式傒。鳳泥次焱，趦趄囁嚅而拙有餘，牢滮仃儜而貧愈甚。熊丸教切，粗識一丁；烏哺恩深，妄謀三釜。我固倖牛溲馬勃之見取，人或笑獐頭鼠目而求封。母線兒衣，得與圜橋之冠帶；君恩御墨，遂抛利市之襴衫。乃以東魯之儒，而作南昌之尉。將營甘旨，豈較酸寒。切庇管轄之司，庶安巡捕之職。詣習鑿齒，悔三十年之徒勞；識韓荊州，雖萬户侯而不願。同僚幸甚，臨楮躍然。謹奉啟事，專人捧詣。

催裝啟

芬芳芸閣，天啟佳姻；馥郁菊坡，星言夙駕。聲已馳于百兩，輪則御于三周。催隱芙蓉，敢投木李。鵲整河邊之翅，排橋直透于隴西；鳳鳴臺上之簫，結伴永臨于槃澗。區區所蘊，縷縷奚殫。（以上《梅巖文集》卷八）

贈從弟東宇東行序 元貞二年春

詩能窮人，亦能達人。世率謂詩人多窮，一偏之論也。陳後山序王平甫集，雖言窮中有達，止就平甫一身言之。予請推廣而論。世第見郊寒島瘦，卒困厄以死，指為詩人多窮之證。夫以詩窮者，固多矣；以詩達者，亦不少也。孟賓于賦「雨後聞蟬」詩，褚載賦「無地可耕」詩，任濤賦「人卧船流」詩，徐凝賦「白練青山」詩。此以詩擢科第者。詩果窮人乎？魏瓘賦「霜雪滿頭」之詩，遂升龍圖。燕果賦「鬢白」詩、「腰黄」詩，遂綰黄金帶。伍喬因「夢達帝王州」之詩，遂以館伴遷考功。姚嗣宗因「掃開四海塵」之詩，遂以布衣試廷評。范文正公因「樓臺得月」詩，薦蘇巡檢。王荆公因「杖藜携酒」詩，進戴監酒。此以詩轉官職者。詩果窮人乎？姚鉉白金之賜，以「賞花釣魚」詩也。牛希濟緋段之賜，以「蜀主降唐」詩也。楊大年皆得與宴，以「蓬萊咫尺」詩及「戴了宮花」詩也。此以詩蒙寵賚者。詩果窮人乎？徐德言賦「破鏡」詩，趙嘏賦「青娥屬使君」詩，崔郊賦「侯門深似海」詩。或去妻復合，或去妾復還，則詩可完眷屬也。詩果窮人乎？張宗尹為長安令，失陳相意，賦「別業」詩以解之。鮑當時為法曹，失薛尚書意，賦「孤雁」詩以解之。則詩可以蠲忿恚也。詩果窮人乎？唐介渡淮遇風，投「野水孤舟詩」而濟。王榮老渡江阻風，吟「平生忠信」詩而濟。則詩可以行患難也。詩果窮人乎？乃若王維以詩免偽署之罪，韓翃以詩得制誥之除，載在《唐史》，尤為焯焯者。古人藉詩融顯，此類殆不勝數。而世謂詩能窮人，豈公論哉！吾家東宇，嗜詩而窮。凡一再謁予序，未厭也。今裒所作詩，媒館于四方，庶有延之吟壇者乎。求予言張之。予曰：「人生窮達，在命不在詩。命窮則詩與窮，命達則詩與達。窮而歸咎于詩，達而歸功于詩，非知命者。」乃援館事典故告之。昔廖融以詩教授生徒，宋太宗厭五代之習，用詞賦論策取士。生徒引去，融遂有「大市賣平天冠」之歎。今論策倚閣，士惟以詩鳴，詩道不日昌乎！東宇詩窮不久矣。于化茂依蔡中丞門館，一日告去，賦《燕離巢》詩而出，蔡復留之。今世安知無中丞乎！東宇詩窮不久矣。王奇為李文正館客，賦「鴈聲秋色」詩，真宗見而喜之，召對稱旨，免省到殿，定陵將不復出乎！東宇詩窮不久矣。詩以志為主，以氣為輔，謹勿以窮故而沮其志，餒其氣。縱賖孟賓于以下諸人之達，必不失後山所論王平甫之達，行矣勉旃。丙申春季上澣，從兄次焱序。

明經先世省墓序 一

次焱宦寓秋浦時，每鄉僕至，必敬問長老起居狀、輩行生計饒乏、子弟賢不肖，大抵深矉太息者大半。獨閎七世祖直下歲展省墓之禮，令人意滿，恨肉之不羽也。值乙亥秋九月，自池來歸，桑梓、墳墓恍如隔世，脱身叢棘，亹籍燕謀。明年春正月哉生明，隨例省墓，宗可兄攜籍來告曰：「虚序以俟，若之歸，寧無説乎？」次焱曰：「人之所以别于物者，為其知有祖也。春雨秋霜，悽愴怵惕，此民彝之不可泯也。奈何歲月悠邈，埏墜漫滅，牛羊之所陵轢，狐兔之所窟穴，僻者或樵或蘇，坦者或畦或圃，子孫有過之而不顧者，夫墟墓興哀，不必吾祖塋也。而若此恝然，何以别于物而為人。是宜以時展省者一。宋朝名臣如文、富、韓、范輩，後明經且百年，而蒿里淪于異區，迄今存者無幾。吾鼻祖自唐末而五代，而宋朝，次焱以上一十三世，而塚域歷歷可識。非祖德延長，則陵谷且有變遷，抔土何以塊然獨存。是宜以時展省者二。它族松楸，或遠在千里數百里者，掃拜良艱。先明經以迄于今，其宅兆多不出半舍。苟非禍患變故、癃老篤疾、及商宦于遠方者，則朞三百有六旬，獨不可輟一二日之暫而少知有祖乎。是宜以時展省者三。且夫人無賢愚，靡有不願其子孫蕃衍、而世守其丘隴者。吾今日以此心而望吾之子孫，當思吾先世嘗以此心望于吾。吾為先世之子孫，而不能時省先墓，何以責吾之子孫它日能時省吾之墓哉！梗莽纍纍，藐焉視之，不但天道報施捷于影響，亦非所以習子孫之𥅽見而教之孝也。是宜以時展省者四。吾𥅽族大以蕃，子孫不能無貧富智愚之異。往往富者奴視其貧者，智者訏弄其愚者。彼惟不知根源本同，是以秦越共視，無恠也。自斯禮之行，歲謹彝典，有尊卑少長之序，無貧富智愚之分。其羅拜某墓也，必惕然曰：「某與某貧富雖殊，皆根斯墓而枝分耳。」則其尊而貧者，胡可以不敬。其𦸗拜某墓也，必惕然曰：「某與某智愚雖異，皆源斯墓而派別耳。」則其卑而愚者，胡可以不恤。今之視如路人者，其初一人之身。老泉謂「忠厚之心，可以油然而生」者，此也。是宜以時展省者五。君子曰，是舉也，有二善焉。一以追遠，一以睦族。曾孫篤之俾勿壞，乃若故家上塚，丕闡幽光，存乎其人，毋徒責之陰陽流泉之説，可也。」

明經先世省墓序　二　至元十六年一月十五日

熊持登詩曰：「拜掃無過骨肉親，一年惟有兩三辰。」白香山詩曰：「風吹曠野紙錢飛，瀟瀟暮雨人歸去。」此皆省墓而作也。昔襄陽有選人劉其姓者，入京師，逢一舉人，語言相得，藉草同飲。舉人因賦詩曰：「荒村無人作寒食，殯宮空對棠梨花。」明年劉歸襄陽，尋訪舉人，惟殯宮存焉。乃知墓無子孫省拜，故九京有靈而其詩如此。借此觀之，省墓之禮，非特子孫之所當行，而亦祖宗之所深望也。子孫立志不堅，持登、香山之句不作，則祖宗魂靈如在，寧不動「空對梨花」之句乎？此句一作，為子孫者何若？吾門其勉之。謹序。

省墓之行，展孝敬也。蓋墓者，祖宗體魄所藏、魂靈所居。古人去家必上塚，四時必登墓，今惟正首相率省墓，已從簡矣。冠者皆行，冠則成人，成人則知祖之當尊、墓之當省也。今圓冠方履，人則人矣，歲首省墓，大欠整齊。是人也，豈獨無孝敬之天哉？夫鄉鄰者，出入相友者也，歲首必冠帶而沿其門。親戚者，骨肉相關者也，歲首必涉遠而踵其門。神祠佛宇者，禍福之不爽也，歲首必執香信而俯伏其門。至于祖宗，乃吾身之所自出，吾受其肢體之遺，吾藉其衣冠之蔭。有堂構者，承其堂構；有箕裘者，習其箕裘。其待子孫，嘗欲福之而未始禍之也。窮未達，貧未裕，豈祖宗之咎哉！今歲首樂去者三之一，勉彊不容不去者半之。養安不去，吝費不去，奔香逐臭而不去者，間亦有之。是何待祖宗反不若待鄉鄰、待親戚、待神廟之厚哉？省墓亦有不可拘者。年逾六十者不可拘，有不測之禍者不可拘，有不時之疾者不可拘，宦遊于外者不可拘。外此決所當去。荒塚纍纍，殯宮戚戚，棄置不顧，其與睨視而顙不泚者何異哉？東萊云：「今日之為人子，異日之為人父。後乎兄者為弟，而前乎弟者為兄。吾不肯為兄父之拜，則吾亦不得夫子弟之拜。然則今日不拜祖宗墳墓者，恐他日子孫亦如之。」於戲！此固理之必至者，況乎人知尊祖，然後知敬宗。惟同拜某墓也，則知某為叔，某為姪，皆與某同出某墓者也。又同拜某墓也，則知某與兄，某與弟，又與某同出某墓者也。然則拜掃無非骨肉親也，非泛然同族比也。尊卑之分，悠然不渝。縱有少嫌，風休冰釋，豈忍下詈上、卑犯尊，相欺相凌，相戕相賊，相窺相弄也哉！吾故謂省墓者，孝敬之天所由寓，而亦名分所賴以綱維者也。同門者試想之。己卯正月上元日，因整簿而書，幸毋以次焱之言爲贅。

省墓後序

官司期會，不必吏卒及門也。富者不俟車，貧者不俟屨，衝風沐雨，破霧戴星，倉遽赴限，惟恐時刻差池。何則？懼于刑也。經商逐什一之羸，暑焉漿汗，寒焉栗膚。或月店聽鷄，而山谷間關，虎狼噬嗑；或風竿俟馬，而波濤澎湃，蛟龍出没。生死一瞬息，爾方汲汲焉不爲憚。何則？競于利也。山鬼水怪，土偶人，木居士，恍然象罔妄一。巫覡云：「某祟宜禳，某廟宜禱。」瞿然齋戒，袖香奔走，爲父母妻子者，又交口從臾之。何則？畏災而邀福也。春王正月，羣行省墓。東風解凍，遲日融怡，岸容山意，梅柳漏春。非有疾風甚雨之弗便，非有大寒劇暑之當避，非有虎狼蛟龍吞噬之可憂。車屨從容，亦足行樂。且吾祖宗之靈，非土木象罔者，而諄勤邀勒，養安托故，曾不若巫覡之片言。何則？無灾可畏、無福可儌也。然而序所謂非所以習子孫之聞見而教之孝者，則固有不斧鉞之刑，非錐刀之利，而隱然他日之禍福存焉。何則？習其聞見而教之孝，彼固以尊祖敬宗爲當然，而他日還以施諸，我亦不敢不肖也。福與利，孰大于此。習其聞見而教之不孝，彼固以養安托故爲當然，而他日還以施諸，我亦不敢不肖也。灾與刑，孰大于此。蘇子有言，達者知之，衆人昧焉。可不凛然哉！十三世孫次焱謹序。

啟蒙通釋序

世之為《圖》、《書》説者，何紛紛乎。彼惟于十數中求所謂八卦者，而見其夐不相干，于是創説以强通之。幸有一節偶合，矜以自喜，而于他節不合者，輒變例易辭，牽挽傅會抑勒之，俯就其説，雖穿鑿支離不恤也。余嘗以平易之説求之，竊謂《圖》者，奇耦數而已。天一為奇，地二為耦。三五七九奇之積，四六八十耦之積。故一二為奇耦之始，五六為奇耦之中，九十為奇耦之成。一與二、三與四、以至九與十，奇偶之相得也。一與六、二與七、以至五與十，奇偶之有合也。天下之數，不出于奇偶兩者。聖人于極儀象卦之理，默會于心久矣。于是仰觀俯察，近取遠取，而有見于圖之奇偶，與吾心極儀象卦之理，犂然有合。遂則其天一畫奇，是為陽儀，而陽卦奇出焉。則其地二畫偶，是為陰儀，而陰卦偶出焉。斯兩儀也。于兩儀上各加一奇一偶，而為畫者四。斯四象也。又于四象上各加一奇一偶，而為畫者八。斯八卦也。由是衍之為十六，為三十二，為六十四，以至萬有一千五百二十，及四千九十六，以至無有終窮，皆自一奇一偶衍之。所謂則《圖》畫卦者，如此而已矣。不特此也，七八九六，《易》所謂四象。内之一二三四者，四象之位。外之六七八九者，四象之數。《圖》之外七南、八東、九西、六北，此成數之四象。《圖》之内一合五為六，居北；三合五為八，居東；二合五為七，居南；四合五為九，居西。此生數之四象。筮用其全，故七八常多，《易》取其變，故七八不用。積生數之一三五，為成數之九，乾用之。積生數之二四，為成數之六，坤用之。所謂則《圖》畫卦者，如此而已矣。何必執泥四方，强配八卦，而規規然曰：「此屬乾坤坎離，彼屬震巽艮兑。」至其窒礙牴牾，則嘔心斷腸，巧辭牽合，棄坦途，行荆棘，何乃自苦如此。宗老玉齋先生于衆言殽亂中，尊信啟蒙，為之訓釋纂註。明白正大，具有淵源，隱然足以折近説之謬。于余蓋老友也，余嘗舉前説質之，玉齋曰：「此所謂言近指遠者，而吾註偶未及之。請書為序。」予曰：「玉齋此註，足以闡明朱子之書；次焱此説，足以翼輔玉齋之註。」遂書之不辭。宗生胡次焱濟鼎謹序。

笑玉詩序

「懼蒙塵于叩缶，顧取笑乎鳴玉。」陸士衡《文賦》中語也。回峯汪君摘「笑玉」二字，目其吟卷，謁予序甚勤。且曰：「將挾此遊江湖，庶幾有知音而一笑者。」余曰：「『笑玉』名藁，得非以叩缶自喻乎？」按史，秦趙會澠池，藺相如請秦王擊缶。又按，李斯書：「擊甕扣缶，真秦聲也。」又按楊惲書：「家本秦也，能為秦聲。酒後耳熱，拊缶而歌嗚嗚。」應劭遂為之説曰：「缶者，秦人擊以節歌。」然則缶秦音也，鳴玉者如之何不笑也。抑嘗考之古人，擊缶尚矣，豈至秦始為此聲哉？《易》不云乎「鼓缶而歌」，此周公語也。秦之得封，以周孝王十年，上距周公二百餘年。擊缶節歌，何必秦人，往往秦俗尚此而已。然則缶，古音也，鳴玉者何得而笑之也。程子曰：「缶者，常用之器。是器也，家藏而户蓄之。卒然忽然之頃，興有所感，情有所觸，擊以節歌。非若玉之不可猝得也。此與缶鼓同其朴，與擊壤同其趣。人見其不得與笙、鏞、琴、瑟、鳴球輩並列韶濩，因易而侮之，以為取笑鳴玉。」其實玉即貴重，缶則真率，各有攸長，難相非笑也。前輩謂文有兩種，有山林之文，有臺閣之文。鳴玉者，臺閣之文也，其聲温潤而和平；扣缶者，山林之文也，其聲瀏漂而激烈。居使然也。士窮則扣缶，達則鳴玉，夫何笑之有。獻玉者，有時而遭刖，何暇如扣缶者之笑哉！盈缶者有時而他吉，何懼乎鳴玉之笑哉！回峯所作，大抵困悴而刻苦，政山林之文，自謂扣缶則宜。然則今日扣缶于山林，安知異日不鳴玉于臺閣。昔甯戚扣角而歌，齊桓拔諸賃車而大用之。扣缶而歌與扣角而歌，何以大相遠，豈必鳴玉而後遇知音哉！運乖則玉或為缶，時至則缶或為玉。謹無以扣缶自慚，以笑玉自沮，而流于狄成滌濫之音，以獻笑大方之家。

贅箋唐詩絶句序

至元二十六年八月十五日

疊翁註章澗二泉先生選唐絶句，次焱不自黯陋，復為贅箋。客或謂曰：「疊翁所註，博洽正大，真足以淑人心、扶世教。雖然，作者初意未必盡出于此也，子復贅箋，不愈支離乎？」次焱曰：「何傷乎！于以見義理之無窮也。試嘗高一等論之。夫子繫《易》翼義，文、周公之《易》也。《彖辭》翼《卦辭》，而或與文王之説異趣。《小象》翼《爻辭》，而未必盡與周公之旨同歸。先儒有言，有伏羲《易》，有文王《易》，有孔子《易》，而程傳又自為伊川《易》。不可便以孔子之説，為文王之説，豈必屑屑然，放規畫圓、依矩畫方者。故曰「何傷乎！于以見義理之無窮也」。又降一等論之。郢人有與燕相書者，夜書火暗，謂持燭者舉燭，遂誤書焉。舉燭，非書意也。燕相得書而説，曰：「舉燭者，尚明也。尚明者，舉賢而任之。」國因以治。韓子有云：「先王有郢書，後世有燕説，其收功反在舉賢也。」故曰：「何傷乎！于以見義理之無窮也。」客謂予贅箋為愈支離，無所逃罪。若亹翁註訓，固未敢確然以為盡得作者初意，亦未敢確然以為盡非作者初意。其大要主于淑人心、扶世教云耳。」客無以詰，遂題卷末。己丑中秋，紫陽後學胡次焱濟鼎書于家塾五休堂。（以上《梅巖文集》卷三）

跋朱伯純程文

大德五年八月中旬

辟雍廿載，虀鹽備嘗，方欣白苧之拋，嗟嗟辰乎何來之遲乎；侯泮一宮，藻芹將采，已痛丹墀之换，嗟嗟辰乎何去之速乎。默軒朱友，以其乃翁伯純同舍吴門府博《乙亥期集録》及所為程文寄示，併徵予序。予受而讀之，浩嘆來遲去速之辰，泫然屑涕。雖然，士之所以行世者，立德為上，立功、立言次之，科第特借徑耳。伯純父厚德懿行，雖未得少見于功業，亦已大見于文章。雖未得横經博士席、振刷湖學三百年來之墜緒，亦已得解褐崇化堂、結束何蕃二十餘年之公案。其不幸中之幸者歟？雖然，幸有大于此者。文中子遺書散逸，賴福疇搜輯，辨類分宗，傳為素業，然後《中説》、《世家》等始行于世。太史公臨終囑其子遷曰：「爾無忘吾所論次。」已而遷網羅放失，勒成《史記》一部，藏之名山大川。後世因《中説》知有文中子通，因《史記》知有太史公談，福疇、遷之力也。故曰幸哉有子。考作室，子肯堂；父析薪，子克荷。非幸之大者歟？二十年前歲辛巳，予跋《輶軒唱和詩集》。十年前歲壬辰，予跋胡玉齋《啟蒙通釋》。極言有子之效，今于吾伯純父子見之。嗚呼！予老矣。憶戊辰春季，與伯純飲爐亭，觴詠甚適。兩別倏三十四載，縣異而郡同，迺契闊死生不相聞。予于舍誼惄矣。幽冥之中負此良友，自咎奈何，自愧奈何。嗟夫！心之聲為言，言之精為文。圭復此集，恍兮如見伯純父生前之精神，惚兮如聞伯純父没後之謦欬。伯純父死而不死也，問何以不死？曰：「有子默軒，願言勉旃，他日立揚，當有出此集之外者。」里舍生胡次焱濟鼎敬序。時大德辛丑仲秋中澣日，書于藏雲閣之五休堂。

跋輶軒唱和詩集

六飛南渡，使金者幾三十輩，其得生渡盧溝而南者，番陽洪公皓、新安朱公弁、歷陽張公邵，纔三人耳。洪公、張公十五年，朱公十七年。其歸皆以紹興癸亥秋八月，此集蓋三公歸途吟卷也。今世説氈雪不屈者，諡曰忠宣公，而朱、張姓名幾湮没無聞。何哉？忠宣公八男，三為名臣，是故貴有子也。猶記甲寅、乙卯間，予嘗為朋友言曰：「富如陶石、貴如金張未足恃，而有子可恃；貧如原范、賤如奚敖未足憂，而無子可憂。請以天下譬之。始皇滅六國，呑二周，混一區宇，氣勢何如。是時太公特豊沛中一細人耳。較始皇于太公，何啻泰山與毫毛。無何，而太公為天子父，以天下養。始皇死，肉未寒已為不祀之鬼。始也太公欲為始皇不可得，卒也始皇欲為太公不可得。何也？太公以高祖為之子，始皇以胡亥為之子，此有子無子之效也。大而天下，小而一家，均此理耳。史傳所載士大夫家，此類不可殫舉，姑以近事為證。南渡前，説詩文家必曰蘇黄。南渡後，説道學家必曰朱張。老蘇雄詞健筆，成一家言，雖無坡、穎，無傷也。亞夫若非山谷，則康州之名何以顯。魏公功在社稷，何在南軒之增潤。若韋齋不得晦庵，竊料吏部聲價，未必如今日赫赫也。是故貴有子也。」此予少年之説，因讀《輶軒集》，併識于此。使世之為人子者，知所振拔，庶有裨于立身揚名之教云。

跋董問軒戒子苦吟説

孔子敂伯魚學詩，問軒戒堯叟苦吟。然則問軒非詩禮庭歟？曰：「問軒非戒吟，戒苦吟耳。」予謂苦吟者，情思迸露，如春江浩淼，隄不可閘；如露笋怒茁，石不可壓。戒之不可也，亦思所以移之而已。移之如何，曰：「羲畫以來聖經賢傳，義理微賾，而吾曾不能室授冰融，則猶夫人耳。盍移其苦以研覃。科斗書而下十七代，史載古今世道升降，而吾胸中無千百年典故，猶夫人耳。盍移其苦以考索古聖賢立身行己。可效可師，大者羲娥，小者列宿，而吾曾不能一追逸駕，則猶夫人耳。盍移其苦以躋攀，移其苦于子弟職，則入孝出悌，謹信愛親，當如升梯，一步峻一步。移其苦于《大學》，則格致誠正，修齊治平，如撑上水船，一篙不可緩。一念攻苦，將食不下咽，卧不安席，繼晷惜陰，皇皇汲汲。畢世無頃刻暇，何暇流連光景，較拙工于風雲月露、禽魚草木、唧唧如春鳥秋蟲也邪！向也所苦，縱到聖處，不過李杜而止耳。今者所苦，縱未到聖處，窮可思軻，達可夔傳，于斯二者宜何擇。孔門商言詩，賜言詩，參言詩，小子皆言詩，而顔子獨否。或曰顔子苦孔門之卓于彼，固有所不暇也。其然耶？顔子亞聖，卒非商、賜可及，有自來哉。蓼蟲徙葵，一轉移耳。謂荼如薺，吾且奈何，敢問問軒。」

跋胡玉齋啟蒙通釋　至元二十九年七月

宗家耆英，有以玉齋自號者。名方平。于予為老友，其子雙湖于予為益友。此書玉齋所著也。歲己丑，雙湖携入閩鋟梓，留滯踰一年。辛卯秋再往，明年壬辰夏季回，留滯過一年。冒寒暑，疲跋涉，必成父志乃已，允謂孝矣。弛擔云初首惠此本，嘗復其書曰：「玉齋平生精力，寓于此書。儻非繼志述事不懈益勤，未有不墜于泯滅無聞者。是故貴有子也。」十年前嘗跋《輶軒唱和詩集》，極言有子無子之效，于今益信。嗟夫！談史以遷縝，彪史以固縝，故曰貴有子也。然此史學也，非經學也。充禮以袞傳，曾書以祉傳，故曰貴有子也。然此書《禮》學也，非《易》學也。乃若梁丘賀之有臨，劉昆之有軼，張興之有魴，伏曼容之有晅。《易》學傳家，父作而子述之，赫乎相映。故曰貴有子也。夫《啟蒙》者，《易》門户也。玉齋既為通釋，雙湖又為本義附録。非惟橋梓相映，楂梨兼美，且將突過烟樓，此又賀臨以來所無者。嗟夫！箕裘失墜者，固不足言矣。其或苟安憚煩，無以張皇先美為不朽計，雖讀父書亦無取焉。古今嗜學著述如玉齋者，豈謂盡無其人。無雙湖為之子，遂使潛德弗耀，抱恨幽宫，雖謂之不孝，可也。有是父，有是子；有是子，有是父。或曠百載，才一遇爾。吾于雙湖此舉，敬歎無射。其中大義奥旨，尚遲紬玩。嘉羡之劇，亟題此卷端，度置几間。俾有目者必觀，有識者必羡，非徒贊揚雙湖，亦以勸天下之為人子者。併書一本，寄雙湖云。七月辛巳，宗末次焱濟鼎敬跋。

書文公感興詩後

文公贊陳詩，以為雖乏世用，實物外難得，自然之奇寶。至自言其詩，近而易知，皆切日用。然則陳詩如金膏水碧，有之固可玩，無之亦何損。文公詩，則布帛之文，菽粟之味，有補饑寒，生人不可一日缺者。雖然，文公自謂近而易知，愚則謂其近如地，其遠如天。學者可以易知而忽之哉？次焱謹識。

（以上《梅巖文集》卷七）

全元文卷二二五六

胡次焱 三

論始祖

按，諸本多以明經為始祖，而三公附見其上。發本先以三公為始祖，其後改依諸本，而以三公以為遠祖。周本于譜前載一條云：親奉先公貢元面諭。以三公為始祖，非是。焱恭睹柳湖先生焚黄祝文，以明經為始祖。又睹積善居士熙寧間親録祖墓山水，以明經為一代祖，而以三公為上高祖。則先公之言有自來矣。焱切謂，始明經則于三公為寡恩，始三公則于明經為失實。通判撰承事行狀與自誌其墓，皆曰「明經遂冒胡姓」，謂之冒，則非為父子審矣。安得以三公為始祖耶？稱遠祖，稱上高祖，始明經而于三公則未有處也。且三公載明經以歸，方在襁褓，鞠育教誨，恩均怙恃。況又行位排第十七，意其鴈行必多。明經公單孑一身，兄弟終鮮。今其行位若此，蓋如今所謂義兄弟云者。其于三公，當為義父子矣。猥見欲以明經為始祖，三公為義祖。往來于懷，未敢自信。一日，得太伯祖嘉定四年所作《慶源圖跋》，讀之，有「義養為子」之説。又一日，得時發太伯祖建中靖國元年所作《積善居士墓銘》，亦曰：「義養為子。」然則明經為三公義子，則明經子孫的然當以三公為義祖，無疑矣。《五代史》因養子立《義兒傳》，而李昇先過房徐温，遂奉温為義祖，亦一證云。

論姓氏

焱謹按，明經為大唐裔，安定三公載之以歸，遂冒胡姓。五代時中明經科，世因以明經表其族。焱切謂，以胡為姓，當以明經别其氏。何以言之？古人有姓有氏，後世混焉，非也。吕東萊曰：「姓者統其祖考所自出，百世不變；氏者别其子孫所自分，數世一變。」項平庵曰：「姓者諸卷之所同，氏也一房之所獨。」《書》紀堯之嫁女曰：「釐降二女于嬀汭，嬪于虞。」蓋嬀姓中有虞氏，則舜之家所獨稱也。故言嬀以著姓，虞以别氏。後世别而為氏者久之，遂忘其本姓。嗟夫！此史職不修之過也。古者，奠世繫，别昭穆，小史掌之。智果别為輔氏，則太史掌之。史職廢而宗法壞，或避難而以疎為束，或避仇而以束為棘，或因嘲謔而增氏為民，或因省文而減邑為朱。或因所慕而劉為員矣，或因所乘而田為車矣，或以妨父而喬為陳矣，或以尊諱而慶為賀矣。國轉為郭，奚轉為稽，步摇轉為慕容，則以聲近而訛矣。京房推律，陸羽筮易，老子指李樹，則以怪誕而稱矣。至于拆裂敬字為苟為文，殊不知敬左從苟，非苟也；敬右從支，非文也。夏侯因官改滕，而其孫又因外家改孫。紛紛藉藉，惟意之從，姓氏遂謾不可究。史職廢而宗法壞，可勝嘆哉！胡本舜裔，今以明經氏表之，庶有以自別于陳胡公之後，不亦可乎。或曰：「文正公嘗自朱還范，明經公何不自胡還李？」曰：「張孟以幸進之恩，遂冒灌氏。李元亮以養息之恩，遂冒駱氏。忘恩背義，況不為張李者乎！夫以帝王子孫而遇搶攘，微子所謂『我其發出狂，吾家耄遜于荒』，逃名自全之不遐，安敢立的以來衆矢，與文正公事體殊異也。」曰：「今可還復其姓否？」曰：「明經公不克自改，其子孫烏得而改諸？身自冒之，身自改之，范文正公是已。曾祖父冒之，則子孫不得而改之，文潞公是也。故曰姓胡，氏明經，其庶矣乎。」

論過房

夫子為政，必先正名，「名不正則言不順」。其極至于民無所措手足，名不可不正如此。夫族中過房，有以侄孫為子者。其弊則所生兄呼過房弟為叔。又有以侄曾孫為子者，其弊則所生父呼過房子為叔。又有以弟為子者，其弊則同父弟呼過房兄為侄。名之不正，莫此為甚。元發引《刑統》內一項云：「元無子，許立孫，仍以所生父世次。以侄孫或曾侄孫為子者，可援此例。」依所生父為世次，降居本行可也。但以弟為子，未有所處。元發引《袁氏世範》云：「苟不得已，則兄撫弟為子，弟事兄為父。不亂昭穆可也。」焱竊謂，此說可以篤情誼，非可以奉祭祀。何也？謂如兄撫弟為子，假使弟有兩子，將來尚可分繼。如只有一子，則將絶兄之後乎？抑自絶其後乎？此亦無所措手足之驗。僖之繼閔，

《春秋》不书「即位」，既以正逆倫之罪，而躋僖公之書，又以正逆祀之罪。失禮之中，又失禮焉，《春秋》所以屢譏也。降尊為卑，與升卑為尊，其亂昭穆等耳。禮莫大于分，分莫大于名，可不慎哉！

論稱呼

子以上稱公，以下稱郎，此例不可易。澤本自謂一行起，悉易郎稱哥，以謂郎為輕。焱竊謂，鄉俗雖以郎為輕，考之古，則不然。按，唐朝以張易之等内寵不名其官，呼易之「五郎」、昌宗「六郎」。鄭善果謂宋璟曰：「公奈何謂五郎為卿？」曰：「以官正當為卿。君非其家奴，何郎之云？」則郎者，奴稱主之辭也，尊稱也。然韓文公呼侄為十二郎，王文正公謂兒子二郎必做，則郎者，父呼子侄之辭也，卑稱也。又按，後唐莊宗時，三司使孔謙之兄事伶人景進，呼為八哥。八哥者，弟呼兄之辭也，尊稱也。又莊宗呼其子維芨小字，語張承業曰：「和哥之錢，可與錢一積。」則哥又父呼者，雖在下而以公稱焉，亦依所生之尊卑而稱耳。族中有為僧道者，或謂其離俗出家，已不拜祖父，録之無義。效文公法，遂并黜之。予謂，彼雖離俗出家，無其祖父，而吾之録之，亦欲見祖父之有子孫，而不失為忠厚。因以祔藉家傳。所載如貴且顯者，有賢德者，有能文者，故未及盡知盡載。非敢取此捨彼，方將廣求博採，不一書之。若為人子孫者，亦盍自條陳其祖父之事，以附乎中，毋徒罪編者。（以上《梅巖文集》卷五）

三十六宫都是春説

一說乾一、兑二、離三、震四、巽五、坎六、艮七、坤八。乾一加兑二為三，又加離三為六，又加震四為十，又加巽五為十五，又加坎六為二十一，又加艮七為二十八，又加坤八為三十六。予謂乾一兑二以下，乃卦之次第，非謂乾果一數、兑果二數也。此說未當。二說乾三連為三，坤六斷為六，震、坎、艮皆一陽二陰，皆為五。巽、離、兑皆一陰二陽，皆為四。乾三、坤六、震、坎、艮共十五，巽、離、兑共十二，亦三十六。予謂以八卦分陰陽爻，而陰爻占二。陰何以得一倍于陽也？借曰「陽卦奇，陰卦偶，奇則一，偶則二」。然陽以一爻為一宫，而陰乃分一爻為二宫，義將安取？此說亦疵。三說以十二卦配十二月，十二卦共七十二爻，陽爻三十六，陰爻亦三十六。或謂天根月窟，指復姤也。前二說無復姤，當以此說為優。予謂陰陽為三十六爻，共七十二爻，而此但曰三十六宫，是指陽爻為言邪？指陰爻為言邪？抑合陰陽為言邪？亦含糊不明。四說《易》六十四卦分上下經，上經三十卦，下經三十四卦，多少不同者，以反對論也。上經無反對之卦六，乾、坤、頤、大過、坎、離是也。除此六卦外，只二十四卦以反對論。則二十四卦只十二卦搭起，無反對六卦，只十八卦耳。下經雖三十四卦，而無反對只二卦，中孚、小過是也。除此二卦外，只三十二卦以反對論。三十二卦只十六卦搭起，無反對二卦，亦只十八卦而已。如此則下經比上經多四卦，雖若不均，而合有無反對裨補論之，皆十八卦，則極其均。上下經皆十八卦，故曰三十六宫。月窟在下經，天根在上經，皆自然之理，非人力可以安排也。其曰「三十六宫都是春」，春只是生生不息之意。所謂生生之謂，《易》是也。管見以第四説為優。或曰：「六十四卦何以有反對者，又有無反對者，其義安取？」曰：「此則七易嘗言之矣。得陰陽之純者無反對，乾坤是也。而肖乎純者亦無反對，頤肖坤，大過肖乾。得陰陽而居中者無反對，坎、離是也。而肖乎中者亦無反對。中孚肖離，小過肖坎。」此説甚善。向見南軒解雜卦，凡無反對者，云「只此卦無反對之畫」，而不言其所以無反對之故，疑亦未能參透此旨也。

問愛蓮説

六合一窨、木焦草焬時兮，有蓮爛其錦文。畏赫曦之鬪艷，藹晚風其薦馨。予嘗棹舟西湖，問訊鷗鷺之群，浩吟李白、宋之問之歌之賦，以驅除祥暑為一餉樂也。則作而曰：「我濂溪夫子，非流連光景者。而雅意愛蓮，豈若太液池邊、若耶溪畔昵昵兒女態哉？」歸取《愛蓮説》讀之，忽若有得，乃為之説曰：佳哉蓮乎！有花可以爽人之目，而又有實可以清人之心，花之得名君子有以也。楚楚其容儀，濟濟其風度，而究其功用，曾不足以濟人利物，則不得為君子。芳心艷葩，徒以供富兒俗子之游翫；清芳麗色，祇以輸騷人墨客之吟賞。而究其成實，上不登俎豆之列，次不入藥籠之需，則不得為花之君子。何則？君子者，有華有實，有德義、有功業相稱。水陸草木之花，其華而不實者，何可勝數，姑以愛蓮一説論之。牡丹，花之富貴者也。而「堪嘆牡丹如斗大」之句，于實竟何有哉？菊，花之隱逸者也。而「殘菊飄零滿地金」之句，于實竟何有哉？隰有荷花，則異乎三子者之撰。請先論其花，而次論其實，可乎？八九紅芰，婉姹晚顔，蓮則與霽宜；霡霂霏霏，滑肌香潤，蓮則與雨宜；南薰其徐，檀心清遠，蓮則與風宜；冰輪嬋娟，玉簪隱映，蓮則與月宜；含英咀華，幻其肺腑，寫之十指，勃勃生意，則蓮與詩宜；拈芳掇艷，斛入尊罍，平生不平，散從毛孔，則蓮與酒宜。炎歊之氣，惔焚之暑，一見此花，辟易三舍。故曰「花可以爽人之目」。乃若蘼囊既收，蜂房告成，緇墨其衣，冰雪其肌。挹沆瀣其滿腔，收絲綸于户牖。渴者得之，如瓊之漿；饑者得之，如玉之乳。不特此也，岐伯、黄帝，與夫扁鵲、倉公，下至陶隱居諸人，著書濟世，起膏肓而生全之，必以蓮實為功在人心，品在甘草、國老之右。故曰「實可以清人之心」。古今讚蓮者，往往及其華，而不及其實。而蓮之得為君子者，其成就竟不白于天下。而後人亦遂以君子為無益于人國，亦可悲夫。天之生君子也甚難，而人之自樹也尤不易。宜有以發執事之嘆也。執事且曰：「白露既戒，百草先零，向之天機雲錦，收拾何歸。且指以為造物者之不少借物，若有以憫之者。」愚則謂，此正造物者所以大蓮之成就，而斂其華、將食其實者也。蓋扶輿假天之時，天所以昌蓮之華，其頫然在人目者，誰不欣于一遇。白露既戒之時，天所以堅蓮之實，其隱然在人心者，誰其知之。此觀蓮法也，亦觀君子法也。《騷經》以香草比君子，庶幾知蓮者。而「恐鶗鴂之先鳴」，傷美人之遲暮，戞譏閟怨，憔悴枯槁，自殞其華，自剥其實。不識此義，亦可憐矣。自有宇宙，已有此蓮。更幾千百年，知之者屈原、周子。而屈原知之，尤未悉，他何望哉！或曰：「《愛蓮説》以菊與牡丹比而言之，若是班乎？」予曰：「不然。菊與牡丹，不足以儕蓮，而蓮則兼乎菊與牡丹。故周子以君子許之。君子人歟？進可同牡丹之富貴，而盛行不加；退可同菊之隱逸，而窮居不損。故其富貴也，小則居王侯之幕，進則對令狐之炬，以至班從槖、歌相府，而富貴不能淫也。其隱逸也，則制芰荷以為衣，集芙蓉以為裳，以至歌碧筩、搴木末，而貧賤不能移也。故夫太液昆明，金池玉砌，君王一顧，公侯嗟賞時，則與上林之牡丹同一富貴，而蓮不以為泰，自華、自實、自爾也。荒塘污池，菱芡交襲，樵夫牧子蹂躪鄙薄時，則等東籬之菊同一隱逸，而蓮不以為辱，自華，自實、自爾也。嗚呼！使屈原知此，亦何至不自聊賴邪？行汨羅，葬魚腹，君其問之水濱。而風月襟懷，庭草意思，九京可作，吾誰與歸。思濯滄浪之清，欣對水花之净，願執筆從先生後，相與訂《離騷經》，衍《愛蓮説》，以告世之名為君子、而獨不為蓮也者。噫嘻！世之名為君子者，非不何郎其肌也，非不荀令其香也，而其實竟何益于生民之利病，謹毋徒翫其華。」（以上《梅巖文集》卷六）

孝善胡先生謚議

宗老勉齋先生，以乙未十月終于正寢。其門人俞洪等一百五十人，援王文中、孟貞曜例，謚曰「孝善」。以其議徵次焱詳覆。次焱曰：「孝非易能也。孔門弟子在《魯論》，惟閔子騫以孝稱。善非易能也。孟門弟子在軻書，惟樂正子以善稱。勉齋殆合二子所長而一之者耶？雖然，孝善一理耳。順親有道，明善為先，善繼善述，始謂之孝。閔子騫豈不善，樂正子豈不孝，孔孟姑稱其一節，以概其餘耳。為孝子必非凶人，為善人必非逆子。吾家勉翁，行舸舸然，若不勝衣；言咄咄然，若不出口。豈有毫髮害物之心者。蓋有終身之慕，則亦終身惴惴然，修身慎行，惟恐少有虧欠，以貽辱先之議。是其善也，是其所以為可欲。謂善施由親始，孝則善之本。不問其父兄昆弟之言，推而與人為善，善則孝之擴。以繼善言，則秉夷降衷，孝自善出。以積善言，則處己待物，善又自孝出。固一理也。謚以孝，則聞其風者，梟可化為慈烏；謚以善，則聞其風者，虎可化為祥麟。表其孝善，足以愧天下後世之不孝不善者。匪惟發潛德之光，亦足為風教之助。族子次焱覆議如前。（《梅巖文集》卷五）

明經書堂記　大德六年一月十三日

明經書堂者，我明經先生讀書所也。先生本大唐昭宗子，天祐間朱全忠構禍，逃難齊民，依安定三公，卜宅于婺源之考水，因用胡姓。古老相傳，指方二塢為書堂遺址。十四世孫安國浚池築亭，為游憩之地，扁以「方塢」，予嘗記之矣。其郎龍士盈曰：「此足以樂賓娛親，非所以淑子孫也。」易以「明經書堂」，再以記請予。嘉其能尊祖尊經，觽筆弗辭。謹按，明經一科，肇于漢，盛于周，因仍于六朝。五季、宋初亦沿以取士。先生在五季時，嘗中是科。鄉人即以表其族，以別于安定之胡，尊之也。或曰：「唐人謠曰：『三十老明經，五十少進士。』宋人詩曰：『焚香禮進士，撤棘待明經。』是謂明經下于進士也。何得謂尊之邪？」應之曰：「唐制，詔三家傳禮儀出身者，不任散官，優之也。仁廟試明經舉人，至煩御筆親選試官，重之也。重之優之，尊之至矣。是宜鴻儒碩學多出此途。唐時則王允、鄭欽夫、許孟容、徐文達，以至陸德明之徒，皆以明經擢第。乃若孔穎達之博洽，狄仁傑之公忠，此明經中尤挺挺者。宋初以明經進士，則崔頤正。以九經及第，則孔維。辨析經疑，講明《易》卦，有若馮元。先列注疏，斷以己意，有若劉恕。至若經義名齋，有若胡安定。經術傳授，有若蔡端明。此明經中尤表表者。夏侯勝志在青紫，祝欽明五經掃地，何足與我明經同日語哉！」吾固于先朝「經明行修」一語有感焉。夫經明以學問言，行修以踐履言。必修行而後經明有實用，非行修則經明徒虛文。祝欽明輩有學無行，姑舍是。質諸家乘，明經以孝友處家，以謙遜處鄉，德量寬洪，人不見喜怒之色。蓋先生有得于經，素矣。惟明《書經》之敦叙，故修而為孝友之行。惟明《易經》之謙恭，故修而為謙遜之行。惟明《禮經》好惡之辟，故修而為喜慍不形之行。不特此也，經不云乎：「君子以儉德避難」？是以有「家住鄉莊深僻處，任是湖遝屬漢秦」之句。經又不云乎「獨寐寤宿，永矢弗告」？是以有「但向閑中消日月，豈知世上有興亡」之句。經不云乎「吾不如老圃老農」？是以有「園林滿目，丘隴當門」之句。經不云乎「飲酒燕樂，向晦入燕息」？是以有「醉鄉眠芳草，歸路送夕陽」之句。經又不云乎「藏焉修焉，息焉遊焉」？是以有「繹思齋中，暢情池上」之句。經明而行修，豈獨科第而已。揭明經以顏其書堂，則遠而六藝芳瀾，近而燕翼貽謀，具在是矣。祖宗以行修為明經之實，子孫亦以行修副明經之名。春誦夏絃，必思瞬存而息養；朝吟暮誦，必思晝為而宵得。否則，明經徒紙上語耳，何關于吾身哉！猿驚山人之去，鶴嘆城郭之非。壁中之科斗文字猶存，堂上之金石絲竹未咏。繹思以求諸心法，論義以稽諸家法。經明行修者，初不以投簪閣筆為作，輟祖孫百世一日也。黄卷中有聖賢，方册中有文武。雲仍詵蟄，可不率乃祖攸行。壬寅正月十三，世孫次焱記。

明經橋記 大德六年正月

《孔叢子》曰：「吾于考槃，見賢者遯世而無悶。」我明經先生以大唐世系韜隱荒郊，取「考槃在澗」之義，字故里曰考水，殆五百年椒聊蕃衍、方興而未艾也。安國得繹思齋故基，栽花蒔魚，扁曰「芳塢」。既遵過庭之訓，易為「明經書堂」。卜占上流，人或病涉。安國既立書堂，使明經雲仍，有考德問業之樂。復建輿梁，使明經里閈，無深厲淺揭之憂。意甚勤也。橋成，諗于衆而問名，讙以「明經橋」為請。予聞而韙之，曰：「吾郡有紫陽書院，旁有紫陽門。今吾里有明經書堂，旁有明經橋，此近例也。行者憑欄縱目，負者倚柱息肩。下免波濤洶湧，上免風雨震凌。商賈謳吟，樵蘇謡詠，日夕與書堂吾伊相為唱應。入而藏修堂中，訂正豕魚，此明經也。出而遊息橋上，俯仰鳶魚，亦此明經也。孔門浴沂，孟門觀瀾，無適非學，豈徒呻呫而已。游吾里者，不知有溱洧之乘輿，唯知有洙泗之絃誦。殆六鄉中小鄒魯也。」有童子問曰：「堂明經宜也，橋明經何也？」曰：「山夾水為澗，木架水為橋，地必有水，猶經必有義也。水之淵，深未易測；猶義之淵，深亦未易測也。水必有所資，以通不通之阻；義必有所資，以通不通之疑。居吾語汝，潔净精微，《易》教也。不節，則易失于賊。疏通知遠，《書》教也。不節，則易失于誣。温柔敦厚，《詩》教也。不節，則易失于愚。恭儉莊敬，《禮》教也。不節，則易失于煩。屬辭比事，《春秋》教也。不節，則易失于亂。教者不節，其失乃爾，豈不淪胥于陷溺乎？濟《易》教之溺，當以「不遠復」為橋。然後駸駸造乾坤之奥境，溺于賊者善達矣。濟《書》教之溺者，當以《秦誓》「悔過」為橋。然後徐徐造堯舜之域，溺于誣者利涉矣。濟《詩》教之溺者，當以「思無邪」為橋。然後洋洋乎動天地、感鬼神，溺于愚者誕登矣。濟《禮》教之溺者，當以「毋不敬」為橋。然後駸駸乎三千三百之盛，溺于煩者坦途矣。濟《春秋》之溺者，當以正名辨分為橋。然後熙熙乎西周之美可尋，文武之迹不墜，溺于亂者康莊矣。地理資橋以達險阻，即經義資橋以拯墊溺，無二理也。不特此也，楊子謂天下有三門。由情欲為禽門，由義禮為人門，由獨智為聖門。必由道明經之橋，方可詣人門，登聖門，而超乎禽門。先儒謂吾道有兩關，以知之致為夢覺關，以意之誠為人鬼關。必問津乎明經之橋，方可唤醒夢關為覺關，擺脱鬼關為人關。人門、聖門、人關、覺關，皆當秣馬脂車于明經橋上，將見平平義路，巍巍仁宅。終吾生徜徉外，又可遺子孫，以安駟馬高車，抑其細者乎。然則行者非橋，無以造九通八達之衢；學者非橋，無以造六經諸子之閫。里有橋，東西南北殊途而同歸；經有橋，删定繫作殊體而同歸。山梁雌雉，三嗅而作；華表化鶴，千載來歸。吾夫子會明經先生，必賀曰：「公之後，題柱有人矣。」積善餘慶，繫易豈誣公哉！」是橋也，經始于辛丑冬十一月，竣事于壬寅正月。深一丈，廣五尺，復屋三間。創之者，十四世孫安國。記之者，十三世孫次焱。上巳日書。

碧松亭記

大德元年四月

碧松亭者，君玉吳君奉其母夫人燕居之亭也。名人勝引，頌歌詳矣。君玉復徵予記。辭不可，乃謄所賦松二十五篇塞命。君玉必不可，徵益切。余觀諸公傑作，蒐獵松事、描畫松景殆盡，獨留悦親一意以屬于予。或曰：「碧松喻丈夫男固宜，幹母之蠱不可。貞于松，奚取？」余曰：「士君子材如松，可任棟梁；操如松，可貫寒暑。以養志，則母以子貴。儻群如欅柳，弱如楊梅，生寧馨兒，豈聖善所望于人子者。是故立身揚名，如松之盛，雖菽水養而親心自順。碧松名亭，非以松悦親也，有子尚松，如冠劍大臣廷立而議，親所以悦也。」君玉聞予言而韙之，且曰：「齠齔問熊丸課詩，多取詠松之什，今猶記其畧。『一枚已有餘，氣壓千仞槐。孤根裂山石，直幹排風雷。』蘇詩也。『風聲一何盛，松枝一何勁。豈不罹凝寒，松栢有本性。』劉詩也。『青松在東園，衆草没其姿。凝霜殄異類，卓然見高枝。』陶詩也。『歲暮滿山雪，松色欝蒼蒼。彼如君子心，秉操貫冰霜。』白詩也。柳詩云：『孤松挺翠蓋，托根臨廣路。不以險自防，遂為明所誤。』黄詩云：『上有百尺絲，下有千歲苓。自信得久要，為人制頹齡。』凡此皆斷機時所授。童習而日紛，常恐失墜。蒔松繞亭，蓋以今日所見，證少時所聞。恍如幼學之年，侍坐母側，聽提耳誨也。老萊衣嬰兒斑綵以娱其親，非徒戲也。欲親之視兒常如幼，則忘其年之老；欲兒之事親常如幼，則奉事之年尚長也。取兒時所誦，羅植眼界，庶古人不老其親之意歟？」余曰：

「此盛心也，請隨所誦句推廣之。蘇詩詠松之植，首以氣言，此殆塞天地之浩氣乎。若或餒之，山石壓之而攣拳，風霜震之而錯愕，則有靦慈訓。縱日汲姜詩之泉，親不悦也，不可以起居此亭。劉詩詠松之勁。繼以氣言，此殆受命于地，惟松獨也之性乎。若不率之，風吹草動，弱不自立，則有靦慈訓。縱日奉茅容之饌，親不悦也，不可以游息此亭。哦陶詩則得卓卓出群之行，哦白詩則得落落後凋之守。其或軟熟而困于荊棘，庸碌而窘于霜雪，非慈訓也。縱日投杜孝之魚，親不悦也，不可以登臨此亭。哦柳詩則得遵誨之方，哦黄詩則得康濟之術。其或矜能衒智，曾無以濟人利物，非慈訓也。縱日導崔邠之輿，親不悦也，不可以吟嘯此亭。然則揺孟宗竹不如此松，懷陸績橘不如此松，進羅威果不如此松。異時流芳融結，在皮為聚芝，在根為琥珀，以侑滫瀡，以養耇頤。寶家桂、王家槐，皆仰望如在霄漢矣。」若夫亭之勝境與創亭歲月，則君玉自有述，此不贅叙。乃庸作歌曰：

松月鏡瑩兮昏定，松露珠凝兮晨省。松雪糜瓊兮冬温，松風度磬兮夏清。碧山兮周遭，碧池兮紆潆。仰碧雲之繽紛兮，俯碧草兮綿亘。獨樹兮碧油幢之供張，連抹兮碧落天之溟涬。萬松紺碧，一亭深迴。龜伏松趺，鶴巢松頂，坤媪蕃蝵，碧瞳炯炯。殷生持瓜進母兮，豈曾得碧瓜之美；黄公食蓮而思母兮，豈曾得碧蓮之勝。酒碧筒兮豈羡稱觴之潘，羹美芹兮豈羡舍肉之穎。碧李兮蜜甜，碧藕兮冰冷。景物叢碧，松色永稱。更西母之碧桃兮，伴碧松于永永；緊我獨無兮，望碧霄而起敬。想碧梧之若子若孫兮，林丘輝映；我欲從之兮，崇崇五嶺。升堂拜母定何時兮，儻借穩枝而坐清影；松吾臭兮，應奮蒼髯而笑領。

丁酉歲夏四月澣日，胡次焱濟鼎記。

壽慶樓記 元貞二年八月十五日

海寧吴君玉父一家四代，愉愉如也。迺于里第北偏，鼎創岑樓。良辰暇日，偕其子若孫，奉母夫人燕喜其上。扁揭「壽慶」，曰「仰以壽其親，俯以衍慶于其後也」。予同年曹弘齋先生記之都矣。君玉甫近復移書介子季，徵予文。予謂斯樓可書有三，敢以狗續曹碑辭。弘齋記曰：「仁者壽積，善者餘慶。」有味乎其言哉！然嘗思之。甲戌乙亥間，江左厄運，父子夫婦不相保。當是時，一鼎同沸，何有于仁不仁、善不善之分。《語》曰「仁者壽」，《易》曰「積善者餘慶」，無一而驗。人直以為吾夫子誣天下後世之言已，而天定勝人，如吴君玉避地生還，四代雍穆，如未經患難者。東隣西舍不遑將母，君獨板輿奉侍，如潘岳家。南鄉北里我躬不閲，君獨子孫燕侍，如石奮家。火燎原而靈光巋存，水滔天而砥柱矻立。于是仁善之效，猶賴一綫之尚在。非皇天悔禍特厚吾君玉，以寄仁壽善慶之脈于欲絶不絶之頃，則六經敗矣。噫！人知澒洞初，蘭蕭等枯，仁不仁一途，《魯論》幾妄語。恭惟堂萱，皤皤遐筭，而仁壽之説藉君家以有證。人知搶攘初，玉石俱焚，善不善一轍，《周易》幾空談。恭惟階蘭，振振濟美，而善慶之説藉君家以非誣。是夫子所言，憑藉君玉得以見信于世，君玉獨有大造于《魯論》、《周易》也。惟天陰隲，非但延陵季子一家之幸，實行仁積善者之幸。而扶持夫子所言，亦《魯論》、《周易》之大幸也。文子文孫斑戲于君玉側，君玉又牽之以斑戲于慈母側，在承平時猶不多見，況患難餘乎！可書一。《閟宮》詩，魯人所以頌僖公也。曰「壽則屬之母」，曰「慶則屬之孫」，蓋壽莫大于老吾老，慶莫長于幼吾幼。頌所以稱孫，雖指僖公，然僖公為周僖公之孫。既有此慶，則為僖公之孫，豈不蒙此慶。僖公偕聲姜之令妻，奉成風之壽母。而子子孫孫後僖公十四五傳，餘四百載，流慶固深長也。《閟宮》慶壽之頌，良非溢美。擬摭《魯頌》語為壽慶樓頌。頌曰：「松桷有舄，大啟爾宇，令妻壽母，既多受祉。載色載笑，俾爾耆而艾。君玉二子，一名耆，一名艾。孝孫有慶醉且舞，君子有穀貽孫子。不騫不崩，上帝臨汝。」頌成，既又遐思，僖公仰有壽母，俯有孝孫，頌固宜矣。第未知僖公以上三代祖桓公，其母夫人子氏曾親撫僖公申否？又未知僖公以下三代孫宣公倭，曾親侍僖公夫人風氏否？猗與君玉母子孫曾笑語熙洽，耄倪四代，檀欒一家。斯又《魯頌》所無者，可書二。宋元祐間，族家創綵衣堂，楊次公作記。首曰：「婺源胡氏，五世一時。子養其父，逮養其祖之祖；父鞠其子，及鞠其孫之孫。」藍袍萃一門。」好事者繪以為圖，用侈衣冠之盛。今以五十五之男，奉七十七之母，自四代衍而為五，政和間，從祖司業公侍父太中公，重侍祖母壽昌縣君。中秋家宴賦詩，首曰：「慈親九十弄玄孫，朱紫又自五衍之無筭也。自曾孫衍而為玄，又自玄衍之無筭也。壽觴舉，慈顏和，詵詵蟄蟄，方興未艾。衣冠盛事，不獨在安定家，併在延陵家矣。可書三。函三而論，仁為壽慶樓柱石，善為壽慶樓梁棟。為人子者，行仁以壽其親，柱石牢矣；為人祖者，積善以衍慶于後，梁棟隆矣。又必以魯侯無斁之思，藏修游息其間。仁無斁，善無斁，壽慶亦與無斁。《綵衣記》中秋詩風，斯下矣。君玉名珏，圖南時登仕試漕共，北時護戎倚郭。《魯頌》稱「允文允武」，非邪？若建樓歲月及溪山勝槩，弘齋記已書，敢畧。柔兆涒灘壯月望日，里人胡次焱濟鼎書為後記。

菊墅記

晉處士不仕，寄奴藝菊，自老于是。世之隱者，率有取于菊。韋表微雖為松菊主人，天隨子為杞菊作賦，皆淵明倡之。雖然，菊非素負隱操，淵明果何取焉。博觀草木中，孰有如菊之高蹈者。槐為公屈，菊不屑也。棘為卿淹，菊不屑也。紫微、紅藥為中書留，菊不屑也。監有芸，臺有栢，翰苑有榴，泮有芹藻，營有細柳，菊不屑也。上之則魏園有芙蓉，唐禁有牡丹。下之則幕府有蓮，縣封有桃李，法廨有梅，丞廳有松，簿庭有枳。御苑官署，他草木皆托身為榮，而菊獨不屑。豈非高蹈者耶？周元公指菊為花之隱逸，有味乎其言哉。高人勝士，臭味攸同。其愛菊，則宜碧桃和露，紅杏倚雲，菊一無所羨，而甘心籬落。春陽者，物所競趨也。菊為向隅之夫，譬周室方隆，夷齊餓于首陽也。秋霜者，物所畏讋也。菊為守節之士，譬秦政方虐，園綺亨于商巖也。淵明之戀晉也，猶夷齊于商；而其鄙劉也，猶園綺于秦。宜其愛菊為萬世之倡。嗚呼！士有不幸而類淵明所遭之世者，不有籬菊，將誰與歸？拱辰洪君，自符山遷寓清港。一以廬墓，一以辟地。蒔菊盈畹，而以菊墅自號，誠有志于淵明輩行者歟？科舉停，時文歇，拱辰所挾以糊其口者，如賣履于踴者之門。歸餐落英，無競于世。嗟夫！服菊得仙，付之渺茫，而瘳風延壽，庶幾南陽人，此拱辰志也。其視公槐卿棘，下至松枳，彼不此容，此亦不彼屑也。抑聞之陶隱居論菊有二種，莖紫味甘者，真菊也。莖青味苦者，薏也，非真菊也。菊有真僞，借菊以自況者，亦有真僞。眼底紛紛，或園或圃，或巖或徑，非不冒菊之名，率名菊而實薏。陸龜蒙《辭高士徵》，自比培翁漁父，此真菊者耶？韋子明雖有松菊主人之約，已而為翰林學士，進知制誥，遷中書舍人，擢户部侍郎，卒以病痼罷，不病不能也。此殆名菊而實薏者耶？拱辰藏修乎墅中，與菊莫逆，殆將儕陸而希陶。彼哉表微，何能為役。噫！亦必有識菊如隱君者，始能辨之。拱辰名斗祥，龍溪華冑能世其學者。菊之品第，墅之延袤，俟他日升堂賦之。（以上《梅巖文集》卷四）

書厨銘引

予所有書，陷于池陽，逐旋搜索，僅得一二。貧無篋籠可盛，烟塵汨没甚矣。債穀造籠厨二面，戲為之銘：

其　左

麗房髹厨，殫巧琱塗，匪藏錦綺，即蘊貝珠。庚艮是貯，象玉是儲，鬼瞰其室，盜穿其窬。積而不散，殃咎與俱，吾厨拙樸，而華有餘。匪寶珍是華，其華以書。經史子集，圭蓽禄渠，奎璧委照，藜杖分輝。用之身則淵騫思輿，否則饕杌敦奇。用之世則三代唐虞，否則五季秦隋。故吾身以之賢愚，而吾世以是隆汙。雖器小而用大，豈貝玉之區區。然則高下四層者，格致誠正之級；而闔闢兩扉者，脩齊治平之樞。視曹倉，信陋矣；比孔壁，其庶乎。

其右

維陸維朱，厨書以腹，藐予性頑，厨之以木。木以厨書，若手未觸，何補修身，祇取娱目。必虚心涵泳，義精理熟；必克己省察，辨明行篤。蓄而弗讀，曷若勿蓄；讀而弗行，曷若勿讀。文詞柳篋，記問李篚，止摭厥艷，第熏其馥。入耳出口，乃書之辱，近裹工夫，其何能淑。博我以文，歷覽前躅；約我以禮，鞭辟佩服。多識既融，一唯已足。心齋坐忘，言語祗瀆，躬履心會，借徑簡牘。老斵笑齊桓吾伊，徐湯譏王壽彳亍。斯厨斯書，毋乃筌蹄之碌碌。（《梅巖文集》卷六　以上李軍校點）

全元文卷二五七

王積翁

王積翁（一二二九——一二八四），字良臣，一字良存。福寧（今福建霞浦）人。宋末為福建制置使，元世祖至元十三年（一二七六）降元，授福建路宣撫使，改宣慰使。十七年，擢户部尚書，十九年，除江西行省參知政事，未行。二十一年，為國信使，出使日本，途中為舟人所殺，年五十六。初謚敬愍，改忠愍。黄溍撰《故參知政事閩國公謚忠愍王公祠堂碑》，《元史》卷一八四有傳。本書收王積翁文一篇。

思聖堂銘

光嶽儲精，尼山毓聖。兩儀立心，群黎立命。中都雲乎，汶河月瑩。百王興思，萬代起敬。惟聖與凡，相去一間。君子中庸，小人則反。精一難持，微危易轉。思則得之，弗思彌遠。再思謹思，貴乎思誠。克己復禮，為仁乃精。實踐工夫，徹上徹下。徒思無益，不如學也。（清康熙五十六年《汶上縣志》，文淵閣四庫全書本《山東通志》卷三九，又清乾隆三十五年《兖州府志》　查洪德點校）

武　震

武震（一二二九——一二八五），字威卿，趙州平棘（今河北趙縣）人。至元七年（一二七〇）詔試儒生，震中高第。十一年爲州學教授，教事大興。二十一年調將仕佐郎濮州臨清縣主簿，明年七月以病卒于官，年五十七（程鉅夫《濮州臨清縣主簿武先生墓表》、《宋元學案補遺》卷九五）。本書收武震文一篇。

縣尹呼延公碑

至元十三年，縣尹呼延君由北京行省掾來涖是邑，人有與君相知之深者喜謂人曰：「君來，吾輩得以少休矣。」或問其故，曰：「君寬而明，惠而敏，寬足御衆，明足照奸，惠足利人，敏足立功，加之久於吏事，明習文法，通於世務，是以知也。」是年五月朔，君視事。君曰：「鄗，古名邑，其民敦朴易化。」遂增鄉校以申孝弟，勸種樹以厚民生，平賦役以息鬬訟，禁末技以絶游惰，識者謂悉得爲政之要焉。時江南初下，兵事未息，造作相仍，和買繼至，事一出前政，必使豪右分徵於民，不計費之多寡，惟責事辦。於是閭里貧民，恣行割剥，數年之間，民用疲弊。君曰：「國家遠討不廷，軍旅之費非出得已，豈可就使豪强不廉者接踵於民間，晝夜驚呼，欺之猶禦侮乎？不去其弊，民將不堪！」君預知上司買狐貉等皮，密召里正、鄉老等曰：「家用狐貉皮閭鄉社間多有所蓄，汝等為我依價以市之。」君以廉稱，閭有所求，欣然競與之，已而郡檄至，其數已足，邑人驚嘆，咸稱為神。繼又和買，馬一匹，官給價四十貫，價增數倍，吏民咸以為憂。君聚所市之馬於廳事，謂其主曰：「詔檄之上，令市於有馬之家，且君父而民子，安有父求於子，子靳惜而以求大利乎？來取而不償其直，若輩能拒之乎？」遂令儈人相其高下，以定其價，少有加焉。主感其言，莫不樂與，民無一毫之費，他事類如此。未及瓜期，有言有司以書徵君者，邑人聞之，皆遑遑有憂色，竊相謂曰：「賢尹去，吾輩失所依矣。」一旦詣州陳狀乞留君者百餘人，州君而下，喜君政之得民，遽以狀上聞名。提控邊靖、副巡董威、典史林若、提領張居仁、陸祐等同教諭趙致中來謁予，曰：「聖明□天下□十餘年，尹吾邑而所親見者僅十餘人，勤於公者不知恤下，廉於己者少能治人，尚寬者過於太簡，立威者失之寡恩，故治歷三載，民不服而績用不彰者，所長不補所短故也。今君之為令，政平而訟息，化行而奸改，人勤種樹，境無盜賊，省民之費不可勝數。其興利除害，優恤單弱，前輩少比。今將磨石以彰君德，敢以文為請。」予愕然曰：「汝等樂君之政，服君之德，敬君之化，將使君德聞于四方而垂千載，非藉大手筆不足以昭君德。」辭之再三，其請益堅。予謂之曰：守令之官受命天朝，出臨郡邑，上以宣主德，下以澤生民，得其人，可以服百姓，非其才，則訟難息，怨恨之聲溢於田里間，蓋職近於民，民之休戚利害，實相係焉。唐相張九齡有云：「元元之衆，宅生於刺史，垂命於縣令。」豈虛言哉！居是任者，宜才德之兼。才不由德，動必病民，德非其才，利不及衆。才德苟偏，其稱職者蓋鮮。方屬國家將建混一之功，軍國多務，調度繁夥，所在歎然。君以便省费之方，使百里之地恬若無事，則君之才德，槩可見矣。予與君有鄉里通家之舊，故得熟知君之德焉。君諱彦玉，字子玉，趙州人。弱冠為郡吏，真定總管史公一見愛其才，使掌巨盈庫。以廉，充總府令史。至元三年，提領案牘事。六年，入為户部令史。八年，補北京行省掾。以歷職既多，通曉治體，且傷近年以來官民不相得，似有過舉，毫髮不能容，聚訟於有司，必使奪俸停銓而後已，君以任信之，故吏民安之，懽然得父母之愛，寔喜誾而樂道之。但予晚生陋學，欲先揭其美，閣筆無所措，姑采輿議，以頌其德云。

天有四時，其功則均。我侯之德，四時之春。父兮母兮，其恩莫厚。於穆我侯，恩猶父母。旱乾水溢，民懼其凶。天祐君德，時和歲豐。役使不均，卒劳百姓。君政不偏，人無告病。歲不饑困，内宄外奸。晏若千室，門不夜關。四海甫一，庠序未暇。百里絃歌，觀文以化。其德有稱，其政有歌。勒之於石，千載不磨。（明正德十年《趙州志》卷五　魏崇武點校）

胡三省

胡三省（一二三〇——一三〇二），字景參，一字身之，號梅澗。台州寧海（今屬浙江）人。宋寶祐四年（一二五六）進士。初任吉州泰和縣尉，調慶元慈溪縣尉。又任江都丞，江陵縣令。咸淳三年（一二六七），任壽春府學教授，佐淮東幕府。十年，主管沿江制置司機宜文字。宋亡，隱居不仕。平生深好《資治通鑑》，游宦在外，率攜以自隨。有異人異書，必就正之。入元家居，注《資治通鑒》。袁桷撰《祭胡梅澗先生》，《新元史》卷二三四有傳。著作有《資治通鑒廣注》九十七卷，《論》十卷，《資治通鑒音注》二百九十四卷，《資治通鑒釋文辨誤》十二卷，《通鑒小學》一卷，《校讎通鑒凡例》，《竹素園稿》一百卷。今存《資治通鑒音注》、《資治通鑒釋文辨誤》。本書收胡三省文二篇。

資治通鑑音註序[一]　至元二十二年

古者國各有史，以紀年書事。《晉乘》、《楚檮杌》雖不可復見，《春秋》經聖人筆削，周轍既東，二百四十二年事，昭如日星。秦滅諸侯，燔天下書，以國各有史，刺譏其先，疾之尤甚。《詩》、《書》所以復見者，諸儒能藏之屋壁。諸國史記，各藏諸其國，國滅而史從之。至漢時，獨有《秦記》。太史公因《春秋》以為《十二諸侯年表》，因《秦記》以為《六國年表》。三代則為《世表》。當其時，黃帝以來，牒記猶存，具有年數。子長稽其歷譜牒終始，五德之傳，咸與古文乖異。且謂孔子序《書》，略無年月，雖頗有，然多闕。夫子之弗論次，蓋其慎也。子長述夫子之意，故其表三代也，以世不以年。《汲冢紀年》，出於晉太康初，編年相次，起自夏殷周，止魏哀王之二十年。此魏國史記，脱秦火之厄，而晉得之，子長不及見也[二]。子長之史，雖為紀表書傳世家，自班孟堅以下，不能易。雖以紀紀年，而書事略甚。蓋其事分見志傳，紀宜略也。自荀悦《漢紀》以下，紀年書事，世有其人，獨梁武帝《通史》至六百卷。侯景之亂，王僧辯平建業，與文德殿書七萬卷俱西。江陵之陷，其書燼焉。唐四庫書，編年四十一家，九百四十七卷，而王仲淹《元經》十五卷，蕭穎士依《春秋義類》作傳百卷，逸矣。今四十一家書，存者復無幾。乙部書以遷固等書為正史，編年類次之。蓋紀傳表志之書行，編年之書特以備乙庫之藏耳。宋英宗皇帝，命司馬光論次歷代君臣事迹，為編年一書。神宗皇帝以鑒于往事，有資於治道，賜名曰《資治通鑒》，且為序其造端立意之由。温公之意，專取關國家盛衰，繫生民休戚，善可為法，惡可為戒者，以為是書。治平、熙寧間，公與諸人議國事相是非之日也。蕭曹畫一之辯，不足以勝變法者之口。分司西京，不豫國論，專以史局為事，其忠憤感慨，不能自已於言者，則智伯才德之論，樊英名實之説，唐太宗君臣之議樂，李德裕、牛僧孺爭維州事之類是也。至黄幡綽、石野猪俳諧之語，猶書與局官，欲存之以示警。此其微意，後人不能盡知也。編年豈徒哉！世之論者，率曰：「經以載道，史以記事，史與經不可同日語也。」夫道無不在，散於事為之間，因事之得失成敗，可以知道之萬世亡弊。史可少歟？為人君而不知《通鑒》，則欲治而不知自治之源，惡亂而不知防亂之術；為人臣而不知《通鑒》，則上無以事君，下無以治民；為人子而不知《通鑒》，則謀身必至於辱先，作事不足以垂後。乃如用兵行師，創法立制，而不知迹古人之所以得，鑒古人之所以失，則求勝而敗，圖利而害，此必然者也。孔子序《書》，斷自唐虞，訖文侯之命，而繫之秦。《魯春秋》則始於平王之四十九年。左邱明傳《春秋》，止哀之二十七年。趙襄子惎智伯事，《通鑒》則書趙興智滅以先事，以此見孔子定《書》而作《春秋》。《通鑒》之作，實接《春秋》左氏後也。温公遍閲舊史，旁採小説，抉摘幽隱，薈萃為書，勞矣。而修書分屬，漢則劉攽，三國訖于南北朝則劉恕，唐則范祖禹，各因其所長屬之，皆天下選也。歷十九年而成，則合十六代一千三百六十二年行事為一書，豈一人心思耳目之力哉！公自言：「修《通鑑》成，惟王勝之借一讀，他人讀未盡一紙，已欠伸思睡。」是正文二百九十四卷，有未能遍觀者矣。若考異三十卷，所以參訂群書之異同，俾歸于一。目録三十卷，年經國緯，不特使諸國事雜然並録者，粲然有別而已，前代曆法之更造，天文之失行，實著於目録上方，是可以凡書目録觀邪？先君篤史學，淳祐癸卯，始患鼻衄，讀史不暫置。灑血漬書，遺跡故在。每謂三省曰：「史漢自服虔、應劭至三劉，注解多矣。章懷注范史，裴松之注陳壽史，雖間有音釋，其實廣異聞、補未盡，以示博洽。《晉書》之楊正衡，《唐書》之竇苹、董衝，吾無取焉。徐無黨註《五代史》，粗言歐公書法義例，他未之及也。《通鑑》先有劉安世《音義》十卷，而世不傳，釋文本出於蜀史炤，馮時行為之序。今海陵板本，又有温公之子康釋文，與炤本大同而小異。公休於書局，為檢閲官，是其得温公辟咡之教詔。劉、范諸公，群居之講明，不應乖刺乃爾。意海陵釋文，非公休為之，若能刊正乎？」三省捧手對曰：「願學焉。」乙巳，先君卒。盡瘁家蠱，又從事科舉業，史學不敢廢也。寶祐丙辰，出身進士科，始得大肆其力於是書。游宦遠外，率携以自隨，有異書異人，必就而正焉。依陸德明《經典釋文》，釐為《廣註》九十七卷，著《論》十篇，自周訖五代，略叙興亡大致。咸淳庚午，從淮壖歸杭都，延平廖公見而韙之，禮致諸家，俾讎校《通鑑》，以授其子弟，為著《讎校通鑑凡例》。廖轉薦之賈相國。德祐乙亥，從軍江上，言輒不用。既而軍潰，間道歸鄉里。丙子，浙東始騷，辟地越之新昌，師從之，以孥免，失其書。亂定反室，復購得他本，為之註，始以考異及所註者，散入《通鑒》各文之下。曆法天文，則隨目録所書而附註焉。訖乙酉冬，乃克徹編。凡紀事之本末，地名之同異，州縣之建置離合，制度之沿革損益，悉疏其所以然。若釋文之舛謬，悉改而正之。著《辯誤》十二卷。嗚呼！註班書者多矣，晉灼集服、應之義，而辯其當否。臣瓚總諸家之説，而駁以己見。至小顔新註，則又譏服、應之疏紊尚多，蘇晉之剖斷蓋鮮，訾臣瓚以差爽，詆蔡謨以牴牾，自謂窮波討源，搆會甄釋，無復遺恨。而劉氏兄弟之所以議顔者，猶顔之議前人也。人苦不自覺，前註之失，吾知之；吾註之失，吾不能知也。又古人註書，文約而義見。今吾所註，博則博矣，反之於約，有未能焉。世運推遷，文公儒師，從而凋謝，吾無從而取正。或勉以北學於中國，嘻，有志焉！然吾衰矣。旃蒙作噩冬十有一月乙酉日長至，天台胡三省身之書。（《涵芬樓古今文鈔》卷一五，又文淵閣四庫本《山西通志》卷二一二）

〔一〕資治通鑑音註序：原作《新註通鑒序》，據《山西通志》改。〔二〕不及見也：及，《山西通志》作「得」。

資治通鑑辨誤後序〔一〕　至元二十四年

《通鑒釋文》行於世，有史炤本，有公休本。史炤本，馮時行為之序；公休本，刻於海陵郡齋，前無序，後無跋，直貫公休官位姓名於卷首而已。又有成都府廣都縣費氏進修堂板行《通鑒》，於正文下附註，多本之史炤，間以己意附見。世人以其有註，遂謂之善本，號曰「龍爪通鑒」。要之，海陵釋文，龍爪註，大同而小異，皆蹈襲史炤者也，謁謬相傳。而海陵本乃託之公休以欺世，適所以誣玷公休，此不容不辨也。今觀海陵所刊，公休釋，以「烏桓」為「烏元」。按宋朝欽宗諱桓，靖康之時，公休没久矣，安得豫為欽宗諱桓字邪？又謂南北史無地理志，是其止見李延壽南北史，而不知外七史，《宋書》、《魏書》、《蕭齊書》皆有志，而《隋書》有《五代志》也。温公修《通鑒》，公休為檢閱文字官，安得不見諸書邪？海陵釋文，費氏註，雖視史炤釋文為差略，至其同處，則無一字異。費氏，蜀中鬻書之家，固宜用炤釋刊行。若公休，則在史炤前數十年。炤書既不言祖述公休，而公休書乃如剽竊史炤者。最是其書中多淺陋，甚至於不考《通鑒》上下本文而妄為之説，有不得其句者，有不得其字者，《辨誤》悉已疏之於前，讀者詳之，其真僞可見矣。又有《通鑒》前例者，浙東提舉常平茶鹽司板本，乃公休之孫伋所編，亦言欲與《音釋》並行於世。此吾先人所疑，今人所依以為信者。考伋之所編温公與范夢得論修書二帖，則得於三衢學官。與劉道原十一帖，則得於高文虎氏。伋取以編於前例之後，其網羅放失者僅如此。蓋温公之薨，公休以毁卒。通鑒之學，其家幾於無傳矣。汴京之破，温公之後曰朴者，金人以其世而敬之，盡徙其家而北，後莫知其音問。紹興，兩國講和，金使來，問「汝家復能用司馬温公子孫否」？朝廷始訪温公之後之在江南者，得伋，乃公之從曾孫也，使奉公祀，自是擢用。伋欲昌其家學，凡言书出於司馬公者，必鋟梓而行之，而不審其為時人傅會也。《容齋隨筆》曰：「司馬季思知泉州，刻温公集，有作中丞日彈王安石章。尤可笑。温公治平四年解中丞，還翰林，而此章乃熙寧三年者。季思爲妄人所誤，不能察耳。」季思，伋字也。以此證之，則伋以音釋出於其先，編前例欲與之並行，亦爲妄人所誤也。今之時，有寶應謝珏《通鑑直音》，自燕板行而南。又有盧陵郭仲山《直音》，又有閩本《直音》。直音者最害後學，更未暇問其考據，其書更不論四聲翻切，各自以土音爲之，音率語轉，而失其正音。亦有因土音而失其本，至於大相遠者，不特語轉而已。今《辨誤》爲公休辯誣，以公休本爲海陵本，龍爪本爲史氏本。先舉史炤之誤，二本與之同者，則分註其下，曰同，然後辨其非而歸於是。如直音之淺謬，皆略而不録。丁亥春二月辛亥，天台胡三省身之父書。（《通鑑全書》本《通鑑釋文辨誤》 以上查洪德校點）

[一]《資治通鑑辨誤後序》：應作《資治通鑑釋文辨誤後序》。

陳天祥

陳天祥（一二三〇——一三一六），字吉甫，號緱山，趙州寧晉（今屬河北）人。元世祖至元十一年（一二七四），爲郢、復等處招討司經歷，從元軍過江。十三年，權知興國軍事。二十一年，遷監察御史，上疏劾盧世榮罪狀，盧世榮獲罪。二十三年，除治書侍御史，桑哥誣以罪，罷歸。二十八年，起爲南臺侍御史，歷燕南、山東兩道廉訪使。元成宗大德六年（一三〇二），陞南臺中丞。七年，拜集賢大學士，商議中書省事。八年告病。九年召爲中書右丞，不起。元仁宗延祐三年（一三一六）卒，謚文忠，一作文靖。張養浩撰《資德大夫中書右丞商議樞密院事陳公神道碑銘》，《元史》卷一六八有傳。著作有《四書辨疑》十五卷。本書收陳天祥文三篇。

論盧世榮疏[一]　至元二十一年

盧世榮素無文藝，亦無武功，惟以商販所獲之貲，趨附權臣，營求入仕，輿贓輦賄，輸送權門，所獻不充，又别立欠少文券銀一千錠，由白身擢江西榷茶轉運使。於其任，專務貪饕，所犯贓私，動以萬計。其隱祕者固難悉舉，惟發露者乃可明言，凡其掊取於人，及所盗官物，略計：鈔以錠計者二萬五千一百一十九，金以錠計者二十五，銀以錠計者一百六十八，茶以引計者一萬二千四百五十有八，馬以匹計者十五，玉器七事，其餘繁雜物件稱是。已經追納及未納見追者，人所共知。今竟不悔前非，狂悖愈甚，以苛刻為自安之策，以誅求為干進之門，既懷無厭之心，廣畜攘掊之計，而又身當要路，手握重權，雖位在丞相之下，朝省大政，實得專之。是猶以盗蹠而掌阿衡之任，不止流殃於當代，亦恐取笑於將來。朝廷信其虚誑之説，俾居相位，名為試驗，實授正權。校其所能，敗闕如此；考其所行，毫髮無稱。此皆既往之真跡，可謂已試之明驗。若謂必須再試，止可叙以他官。宰相之權，豈宜輕授？夫宰天下，譬猶制錦。初欲驗其能否，先當試以布帛，如無能效，所損或輕。今捐相位以試驗賢愚，猶捨美錦以校量工拙，脱致隳壞，悔將何追！國家之與百姓，上下如同一身。民乃國之血氣，國乃民之膚體。血氣充實則膚體康强，血氣損傷則膚體羸病。未有耗其血氣，能使膚體豐榮者。是故民富則國富，民貧則國貧，民安則國安，民困則國困，其理然也。昔魯哀公欲重斂於民，問於有若，對曰：「百姓足，君孰與不足；百姓不足，君孰與足。」以此推之，民必須賦輕而後足，國必待民足而後豊。《書》曰：「民為邦本，本固邦寧。」歷考前代，因百姓富安以致治，百姓困窮以致亂，自有天地以來，未之聞也。夫財者，土地所生，民力所集，天地之間歲有常數，惟其取之有節，故其用之不乏。今世榮欲以一歲之期，將致十年之積；危萬民之命，易一世之榮；廣邀增羡之功，不恤顛連之患；期錙銖之誅取，誘上下以交征。視民如讎，為國斂怨。果欲不為國家之遠慮，惟取速效於目前，肆意誅求，何所不得。然其生財之本既已不存，斂財之方復何所賴？將見民間由此凋耗，天下由此空虛，安危利害之機，殆有不可勝言者。計其任事以來，百有餘日，驗其事跡，備有縝明。今取其所行與所言而已不相副者，略舉數端：始言能令鈔法如舊，鈔今愈虛；始言能令百物自賤，物今愈貴；始言課程增添三百萬錠，不取於民而辦，今却迫脅諸路官司增數包認；始言能令民快樂，凡今所為，無非敗法擾民者。若不早有更張，須其自敗，正猶蠹雖除去，木病亦深，始嫌曲突徙薪，終見焦頭爛額，事至於此，救將何及？臣亦知阿附權要則榮寵可期，違忤重臣則禍患難測；緘默自固，亦豈不能！正以事在國家，關繫不淺，憂深慮切，不得無言。（《元史》卷一六八，又崇禎本《廿一史文選》卷六四）

［一］題目據《廿一史文選》補。按：《元文類》題《論盧世榮奸邪狀》。

論彌盜疏[一]　元貞元年

盜賊之起，各有所因。除歲凶誘之天時，宜且勿論，如軍旅不息，工役洊興，厚斂煩刑，皆足致盜。中間保護滋長之者，赦令是也。赦者，小人之幸，君子之不幸。彼强梁之徒，執兵殺人，有司盡力以擒之，朝廷加恩以釋之，旦脱係累，暮即行劫，既不感恩，又不畏法，夫凶殘悖逆，性已預定，誠非善化所能移，惟嚴刑以制之可也。（明刊本《宋元通鑒》卷一三四元紀成宗一）

[一]題目為校點者所擬。

諫伐西南夷疏[一]　大德六年

兵有不得已而不已者，亦有得已而不已者。惟能得已則已，可使兵力永强，以備不得已而不已之用，是之謂善用兵者也。去歲，行省右丞劉深遠征八百媳婦國，此乃得已而不已之兵也。彼荒裔小邦，遠在雲南之西南又數千里，其地為僻陋無用之地，人皆頑愚無知。取之不足以為利，不取不足以為害。深欺上罔下，帥兵伐之，經過八番，縱横自恣，恃其威力，虐害居民，中途變生，所在皆叛。深既不能制亂，反為亂衆所制，軍中乏糧，人自相食，計窮勢蹙，倉皇退走，士兵隨擊，以致大敗。深棄衆奔逃，僅以身免，喪兵十八九，棄地千餘里。朝廷再發陝西、河南、江西、湖廣四省諸軍，使劉二霸都總督，以圖收復叛地。湖北、湖南大起丁夫，運送軍糧，至播州交納，其正夫與擔負自己糧食者，通計二十餘萬。正當農時，興此大役，驅愁苦之人，往迴數千里中，何事不有。或所負之米盡到，固為幸矣。然數萬之軍，止仰今次一運之米，自此以後，又當如何？比問西征敗卒及其將校，頗知西南遠夷之地，重山複嶺，陡澗深林，竹木叢茂，皆有長刺。軍行徑路在於其間，窄處僅容一人一騎，上如登天，下如入井，賊若乘險邀擊，我軍雖衆，亦難施為也。又其毒霧烟瘴之氣，皆能傷人，群蠻既知大軍將至，若皆清野遠遁，阻其要害，以老我師，或進不得前，旁無所掠，士卒饑餒，疫病死亡，將有不戰自困之勢，不可不為深慮也。且自征伐倭國、占城、交趾、爪哇、緬國以來，近三十年，未嘗見有尺土一民內屬之益，計其所費錢財，死損軍數，可勝言哉！去歲西征，及今此舉，亦復何異。前鑒不遠，非難見也。軍勞民擾，未見休期，只深一人，是其禍本。又聞八番羅國之人，向為征西之軍擾害，捐棄生業，相繼逃叛，怨深入於骨髓，皆欲得其肉而分食之。人心皆惡，天意亦憎，惟須上承天意，下順人心，早正深之罪，續下明詔，示彼一方以聖朝數十年撫養之恩，仍諭自今再無遠征之役。以此招之，自有相續歸順之日，使其官民上下，皆知未須遠勞王師，與區區小醜爭一旦之勝負也。昔大舜退師而苗氏格，充國緩戰而羌衆安，事載經傳，為萬世法。為今之計，宜且駐兵近境，使其水路遠近得通，或用鹽引茶引，或用寶鈔，多增米價，和市軍糧。但法令嚴明，官不失信，可使米船蔽江而上，軍自足食，民亦不擾，內安根本，外固邊陲。以我之鎮静，御彼之猖狂，布恩以柔其心，畜威以制其力，期之以久，漸次服之。此王者之師，萬全之利也。若謂業已如此，欲罷不能，亦當慮其關繫之大，審詳成敗，算定而行。彼溪洞諸蠻，各有種類，今之相聚者，皆烏合之徒，必無久能同心敵我之理。但急之則相救，緩之則相疑，以計使之互相讎怨，待彼有可乘之隙，我有可動之時，徐命諸軍數道俱進。服從者恩之以仁，拒敵者威之以武，恩威相濟，功乃易成。若舍恩任威，以蹈深之覆轍，恐他日之患，有甚於今日也。（《元史》卷一六八，又清光緒本《永昌府志》卷六三，又清道光廿一年《遵義府志》卷四二　以上查洪德點校）

［一］題目據《永昌府志》。按：《遵義府志》題《論征西南夷事疏》。

蒲壽宬

蒲壽宬，號心泉，阿拉伯人，一説占城人。居福建泉州。宋度宗咸淳七年（一二七一）知梅州。景炎元年（一二七六）降元。入元後，家居以終。著作有《心泉學詩稿》六卷。本書收蒲壽宬文三篇。

古賦二首

始余卜於斯丘兮，倚白雲而為廬；豈其有所使兮，爰舍吾之故居。擷秋菊以為糧兮，曰寒泉之與蝌；無饑渴之害己兮，騁予駕其焉如。朝飡氣於沆瀣兮，夕撫景於望舒；瀉靈汞以為鏡兮，結層冰而為壺。流涓涓不息兮，其原一而派殊；念區區之抱甕兮，決山雨以為腴。環碧澗之方流兮，知此樂之非魚。落方潔之潺湲兮，漱瓊瑶而飛珠。噴玉布以珊珊兮，謂未足以為娱。走東岡之巀嵲兮，驅雷駕而雷車。始雌霓之連蜷兮，忽河漢之飛趨；彼匡廬之雖大兮，愧吾馬其已瘏。語猿鶴以毋怨兮，盟千載而弗渝。

捫青霞之絶頂兮，倚千仞而為高。聞丹丘之有人兮，期萬里之與遨。追遐踪而不見兮，悵靈物之難遭。豈不同乎穹壤，抑有異乎山河。東瞻兖濟，西望岷峨。儻輕風兮可躡，衣欲結兮薜蘿。念故園之燕麥，悲荆棘之銅駞。爾乃托延陵之厚俗，曰夷獠之同波。苟聲教之所暨，豈古道之有他。笑淳于之螘夢，慨甯戚之牛歌。昔子奇兮往矣，今鮑叔兮奈何？豈無泉石可以婆娑，問競日之夸父與奔月之羿娥。我欲從兮何所，豈復怨兮蹉跎。

瀑布泉賦

昔披榛而導泉，愛其流之涓涓。居焉而為清冷，出之而為潺湲。跨蒼崖而直下，瀉鳴瀑其如騫。忽浣布於火日，俄飛帛於天門。毋乃冰蠶之織，得鮫室之所傳。滎瀯溷潏，虺虺隆隆。或散如凌空之毳鶴，或聚如飲澗之流虹。其光怪也如此，欲想像其奚窮。嘗聞吕梁之水，懸三十仞，沫四十里，黿鼉魚鱉不可游處，被髮行歌或蹈于此。羅嶺掛泉，倒注崩砉，石樓鐵橋，迥不可即。衡山三峯，最為竦桀，噴薄横飛，匪澌而結。分映青林，日光玉潔，自非素朝，翳莫能撤。香爐奇秀，實甲寰海，傳之有三千尺，賦之今幾百載。其自天而下也，耿耿長河；其赴壑而趨也，錚錚萬鎧。納兹細流，不知幾倍。或曰：香山草堂，布水三尺，瀉階隅，落渠石。或垂練於終朝，或鳴琴於永夕。非其狀之可傳，因其事之可摭。於兹瀑也，非曰千尋，豈無匹素。使遇昌黎，必云振鷺。舞風中之仙裳，響松間之寶璐。非假力於人為，果何心乎天雨。予聞斯語，斐焉而狂，躍然而悟。頓消鄙吝之胸，如餐沆瀣之露。復何騖乎川涂，粗可娱乎朝暮。苟猶誇彼之雄，寧不失吾之故。嗟夫！其源雖殊塗，其流則同赴。決合黎而西傾，環崑崙而東注。非胼胝之聖功，豈聲教之所暨。利萬物而不争，如方圓之隨器。原上善之所稱，本天一之初氣。

和倪梅村梅花賦

昔湘纍之託諷兮，顧何芳之不萃。念草木之凋零兮，貫薜荔之落蘂。嗟蘭艾之與處兮，亦固知其蕪類。於梅枏之偶缺兮，非忿顧而疾視。今靈山之獨立兮，豈不類乎江潭之憔悴。忽繽紛於暮臘兮，駭南雪之落地。俾孤山之美人兮，得以樹夫高致。彼桃李之暄妍兮，疑此黨人之獨異。惟貞潔余一心兮，又奚必擇乎都鄙。薋菉葹以盈室兮，固何足以蔽美。攬群物之紛糾兮，初何私於一氣。立耿耿於霜晨兮，豈欲別一醒於衆醉。彼徘徊于清淺兮，亦猶行吟於湘水。（以上輯自文淵閣四庫本《心泉學詩稿》卷一　以上龍德詩點校）

方逢振

方逢振，字君玉，號可齋，淳安（今屬浙江）人。宋理宗景定三年（一二六二）進士，歷官太府寺簿。宋亡居家，起為淮西憲僉，抗節不赴，在石峽書院聚徒講學，學者稱其為山房先生。著作有《山房遺文》一卷、《山房先生外集》一卷，附方逢振《蛟峰文集》卷八後。本書所收文八篇，輯自文淵閣四庫全書本《蛟峰文集》卷八附《山房遺文》。

王道以德義生民賦

王立民命，道於福基。念本根之係此，即德義以生之。坦然至正之彜，理皆日用；推此可遵之實，人遂春熙。聖人出而胎一世之春，天理乃壽群黎之地。惟寬平正大，事事無擾，故涵育渾融，元元咸遂。王維知此，宵旰之念在斯民；道豈他哉，德義之中有生意。觀夫《洪範》，其建《騶虞》以成。無反無側，以修以明。非屑屑以力假，非區區於利征。萬端皆正，此《洪範》之攸建；纖芥不仁，豈《騶虞》之大成。此王者能自得師孰是，顧所行之本，要先為益，俾遂莫不壽之情。生者可養期無憾，烏可以不厚？欲惟和種，豈容於罔克有大，孕育無窮；保息尊以不傷，是即罔砥。懋而欲並原闕無禹拯觀彌滿天下，民所蒙福。見胚胎春意，義之與德者玅以飭修之始。莫匪常行，納夫人心，歸悦之中，疇非允殖。大抵一毫悖理，此豈粹王之道；萬宇皆春，莫非吾道之功。故仁壽多在帝治醇醲之際，而糜爛每基於伯圖功利之中。王乃綱審其執，貫民所同。極予遵而汝免短凶之咎，仁我行而爾無鄙夭之風。使王民之皞皞如是，見道之生生不窮。情本欲安事，自商湯之制；典因以任教，由成后之通。是道也，在商為極，惟以用康；於夏曰中，形而允治。春風惟政之德，時雨行師之義。用能蘇怨徯之困，爇食西北；拯瘠捐之命，蠶桑兖冀。奈千載以來，亦幾斯道之泯，幸一王者作，而受更生之賜。如或戛沈其命，當不任刑；儻令念爾推肌，勿交征利。嘗論衆形皆有弊，理獨不朽壞。證苟弗除，脈終未蘇。胡乃括田非義也，忍矣膏腴之奪；科斂薄德也，傷哉疲弊之敷。曾不曰：怨已滿腹，剥將及膚。不去斯二者，使承蘇也，則生之一脉，殆將斬乎。當令化致豳原，蔣一農夫之必介；仁先政邑，餒宜老者之無。噫！滅義非可怒，曷怒商頑；敗德不必誅，曷誅苗蝨。衆芳同植，育則兼育；一物獨枯，忍與不忍。王者若曰：順吾德義者，則施以春生之惠；梗吾德義者，則示以秋殺之威。道宜兩盡。噫！陶物以古冶，固善胚腪；醫國用盜臣，反滋殘忍。毋管晏術行，斬民命於笑筴；毋孔桑利折，朘民脂於平準。否則遏絶生意，小人未去，皆足為吾民之巨蝨焉！斯道奚其能盡。

遣禮往項氏書

某端拜申禀。某惟至敬無文，大圭不琢，大羹不和，件列長儀，非古者是用。盡芟蘩蕪而一致情悃，惟高明先之以察。某切謂婚姻人道之始，禮之本也。《易》之咸，《詩》之時，《禮》之醮且命，所以重本謹始也。「嫁女之家，三夜不息燭，思相離也。取婦之家，三日不舉樂，以著代也。」古人致嚴之婚禮，蓋如此。顧今天地變，人道缺，綱常之寄在吾黨，所以立斯道者，亦有仁義而已矣。共惟親家，令閫在躬而悖善積之。本義方篤教而開德潤之基。寒緒之於華宗，以世俗論，齊大豈偶。而純誠厚德，所尚則同。此門牆之所以下取，而蛟峯所以托之子女也。某亦既送姪女出就車，雖以其未克，羞蘋藻為憂。然既獲執棗栗以見，云乎不喜。薄禮將敬，采菲斯榮，心之精微，言不能盡。伏乞台照。

瑞粟圖序

青溪之近郊，有粟一莖而兩穗者，三四穗者，民若士合辭以慶於長官。學正宫大用率諸生以其圖來諗，俾予敘其歲月。予曰：異哉！邑之嘉瑞也。昔張君之治漁陽，雨暘時若嘉穀生，百姓歌之曰：「張君為政，麥穗兩岐。」載在簡册，吏治煒然有光。」觀史者誦之而已，未嘗得於目擊。今粟穗兩岐，秀出於素，當年盛美，復見於兹，得非善政感召而然歟？民曰：「續我大命，時尹之休。」士曰：「大和，尹實有之。」尹不自有，歸之太守。太守曰：「於戲！非守若尹之力，聖君賢相之德。」予聞之喜，於是乎書，以備觀風使者之采録云。

瀟灑集序

《瀟灑集》者，復心汪稱隱之吟卷也。瀟灑者何？吾州名也。州曷為曰瀟灑？文正范公守是州日名之，而稱隱取以名其集也。稱隱，歙人，為州學正，年妙而工於吟，來吾州曾幾何時，錦囊已成巨帙，訪予卧病中，屬之叙其端。予曰：噫！柳柳州以愚自名，溪池、丘島無往而不愚。是邦瀟灑，樓亭、泉石無往而不瀟灑。凡仕於斯，歌於斯，先後來不知瀟灑幾人矣。今又將瀟灑子之詩，挾册讀之，大篇淡而不失之枯，小篇奇而不流於怪，其為人楚楚灑灑，可見其中之飛雪層冰矣。是則稱隱之詩，又不專以吾州得名也。雖然，先賢所謂瀟灑者，山水云乎哉！子陵一絲之風，凛凛千古。吾州之得名，以此子為正，亞博士一等。皋比得分半席，以講授餘閒，率冠者五六，童子六七，徜徉乎逝川之水，涵泳乎舞雩之風。蟬蜕而春融，籟鳴而機動，即其鳶飛魚躍，體認其活潑潑者，悠然思，超然覽，心領而躬行之。是則，吾之所謂瀟灑者也。子其勉之。

揚州盛恕齋吟藁序

杜少陵昔與李太白、高岑記游時，衛八處士年最妙，呼為小友。後二十年，少陵有詩贈之曰：「少壯能幾時，鬢髮各已蒼。」又曰：「訪舊半為鬼，驚呼熱中腸。」前輩羇窮流落之餘，不迸故舊如此。予少從軍淮海時，盛君之年，妙之又妙，予且未得友之，矧敢小越二十有五年，以《吟藁》索予於萬山深處，屬之叙。追省舊游，恍若隔世。斯可見少而壯，壯而老，曾日月之幾何，而天地不能以一瞬也。噫！予衰久矣。 蓋自辛未放還，抱痼疾，卧空山，垂盡無幾，平生往事，不復夢見，壁上龍蛇，化為塵土，江流浩浩，逝者如斯。然而天機動處，元無古今，固自有不毁不滅，不逝而往者，不知於何乎寄？栖霞寄於剎，瓊花寄於祠，道鄉四柏之風操誰與守。今吾得是編，然後知舞雩之下，猶有鏗爾而作，超然獨見之吟弄而歸。 則夫楚山之雲，秦淮之水，二十四橋之風月，始有所寄而不孤，子其勉之。 蔽自三百篇而下，本乎六義以觀所感，究乎四始以考其成，而又探之騷以致其幽，博之西晉晚唐以廣其趣，然後約之李、杜、歐、蘇以會其指歸。囊括造物之無盡藏者，散為太平風露，庶幾永與坡後四學士齊名。使觀是編者曰：此嚴陵方某二十五年前從軍時所不敢小友之者也。

冠二子説

《冠義》曰：「凡人之所以爲人者，禮義也。禮義之始，在於正容體、齊顏色、順辭令。容體正、顏色齊、辭令順，而後禮義備。以正君臣，親父子，和長幼。君臣正，父子親，長幼和，而後禮義立。故冠而後服備，服備而後容體正、顏色齊、辭令順。故曰：冠者，禮之始也。」

《冠義》一篇，首及禮義，而不先之以冠。禮義備可矣，未也。必禮義立，然後始及於冠，冠其可以不重乎！冠者，大人之服。古者二十而冠，十九而下，皆得爲童子。一服大人之服，則與童子辭矣，安得不重之哉！人之所以異於禽獸者，以其有禮義也。男子生能飲食，教之右手；能言，教之唯諾。六歲教之數與方名，七歲教之能別，八歲教之能讓，十歲學幼儀，十三學誦，成童學舞、射、御。其爲教，不離乎容體、顏色、辭令之間。以常情觀之，正容體，齊顏色，順辭令，初無甚高難行，今自能食、能言，至於由小學而大學，歲月若是其久，工夫若是其深，豈徒苦其心志哉！蓋大人之坯樸已造於此。容體正，顏色齊，辭令順，至於禮義始備。以之正君臣，而君臣可正；以之親父子，而父子可親；以之和長幼，而長幼可和。至於禮義立矣，然後加之大人之服，故曰「冠而後服備」，其與童子異也，然所以異於童子者，軀殼云乎哉！蓋必有事，既冠以往，三十而有室，則將有父道焉。四十而蒞官，則將有君道焉。生乎吾後者，先吾則將有兄長之道焉。回視二十以前，所學何學，則當惕然警，悱然發。痛自督厲曰：正容體，容體果正歟？齊顏色，顏色果齊歟？順辭令，辭令果順歟？必能盡乎為人子而後可以為人父，能盡乎為人臣而後可以為人君，能盡乎為人幼而後可以為人長，所謂大人之事者，蓋如此。曾子自少而壯，壯而老，一生涵養工夫，見於動容貌、正顏色、出辭氣三事，直至全而歸之，方知免。夫善乎士冠禮三加之，祝曰：「棄爾幼志。」又曰：「介爾壽考。」曰：「敬爾威儀。」又曰：「慎爾黃耇。」人生之歲月易老，天下之義理無窮，髫齔習之有餘，頭白行之不足。古人於加冠之始，不得不致丁寧告戒之意，蓋終身大人之學，方自此發軔。故又終之曰：「冠者，禮之始也。」後世冠禮廢，童子與先生並行。遜讓之節，既不防閑於幼稚之時，修治之方，又不謹嚴於行冠之始。此人才所以難成，而教道所以戛戛乎難入，愚重有感焉。故於二子之冠，繹其大義而申言之。正容體，持己處要，端儼以守之，使內賊無自而起。齊顏色，接物時，要矜莊以涖之，使外賊無自而入。順辭令。出辭氣時，要審以發守，如惡言不出，忿言不反，出必顧行，重必然諾，《大學》曰：言悖而出，亦悖而入，即此便是不順。弩有機，謹而後發。知動知微者，其為機乎？和孫名汝曰機，字汝可度。户有樞，運則不蠹。知闔知闢者，其為樞乎？良孫名汝曰樞，字汝可達。

普安寺記

佛廬於青溪者，凡三十有九，而盂粥盆飯，則普安為第一。予築室讀書清風潭上，順流以東三里折而北，又五里復折而南。峯斷流分，有峯隆然起而傴倭以伏，若虎踞熊卧，横絶二流之會以控淳、遂。蒼藤古木，蕭然翳蔽。而普安刹為翠岩千尺，别是人世。出林跬步，即翕翕熱熱，僧游其間，非鐵肝汗脅，鮮有不動心者。予丙子避地於杭，越明年寇平。纜舟西上而過之，則廬已火於盗，但見寒烟斷礎，荒草頹垣而已。四顧闃其無人，旁有室斗大，煢然一衲，如孤雲野鶴，悽其憔悴，儼繪像而事之，予為之愴然。歸舊隱且十年，有僧復禮，訪予於清風潭上。問向所經從，則雲棟雪脊奂然一新矣。問昔之煢然憔悴、造次顛沛於是者誰歟？曰：禮也。問今之輪奂翬飛，幻出於寒烟荒草者誰歟？曰：禮也。禮率其徒，撙節粥飯，苦心殫力，以濟登兹。鐘樓藏宇，創於庚辰，佛殿法堂，建於癸未，僧舍兩廡厨庫，成於丙戌。禮之來求，以記歲月云爾。予嘉其流離困踣，不忘所事，堅忍强耐以復厥初。於是喟然嘆曰：「凡物，廢興成敗，不可得而知也。天高地下，往古來今，一興一仆，一起一滅，消而長，長而消，相尋於無窮，此豈可得而知哉！蓋自有不以興仆起滅消長而為之消長者，則存乎人。」

静樂先生祠堂碑

淳安縣常樂鄉上貴寺静樂祠堂者，唐處士静樂先生方公聚徒授業之所也。先生生於唐末，以節義自高。唐亡，恥非所事，持峻行不屈，五代之吴越錢氏招之不往，遯於深山，讀書講道以終老焉。昔宋咸淳，明堂詔書求歷代忠臣烈士有功於民者，令州縣歲時祭祠。時知縣事承議郎應，應偶發錢一千緡，下本寺助造佛廬，就其中為先生祠，從衆請也。越數年，國家更代，宇宙且運而往，獨前代名人遺迹不許廢墜，先生之祠如故。嗚呼！先生之道，與天地相為久長，豈特子若孫，世守之邦人士，仰先生之風，凜凜如生，亦足以為勸。（以上《蛟峰文集》卷八　以上龍德壽點校）

汪　深

汪深（一二三一——一三〇四），字萬頃，號主静，休寧（今屬安徽）人。宋末任湖州安吉教諭。咸淳年間，賈似道專權，即辭官歸家，不仕。元大德八年卒，終年七十四。本書輯其佚文一篇。

序易占例

昔者聖人用《易》以明民，托之卜筮。然所得之辭，或有懸隔者，如問婚而得田獵，問祭祀而得涉川，問此答彼，瀾然不相對，豈有遷就迂誕而用之者哉！若是，則卦爻之辭皆贅言矣。傳曰：其言曲而中，其事肆而隱，因貳以濟民行，以明失得之報。又曰：明於天之道，而察於民之故，是興神物以前民用。又曰：探賾索隱，鉤深致遠，以定天下之吉凶，成天下之亹亹者，莫大乎蓍龜，故繫辭焉所以告也，定之以吉凶所以斷也。今占筮所得之辭，乃不應合，而在於遷就用之，則奈何哉？蓋嘗思之，《易》以卜筮設教，古人之卜筮蓋少也，非有大事不疑不卜也。其見於書者，虞有傳禪之筮，周有征伐之卜而已。故《洪範》曰：汝則有大疑，謀及乃心，謀及卿士，謀及庶人，謀及卜筮，而從逆之間，人謀先之，卜筮次焉。蓋誠以事有兩可之疑，而後托之卜筮也。而其占又必誠敬專一，積其求決之真情至誠，以達於神明，故神明感應之，誠亦正告之，以利害趨向而不浪漫也。且《易》之初其以六十四卦示人，以占之例亦已廣矣。求君父之道於《乾》，求臣子之道於《坤》，婚姻於《咸》、《恒》、《漸》、《歸妹》，待於《需》，進於《晉》，行師於《師》，爭訟於《訟》，聚於《萃》，散於《渙》，以至退於《遯》，守於《困》，安於《泰》、《鼎》，庀於《夷》、《蹇》，盈於《豐》、《大有》，壞於《損》、《蠱》，《家人》之在室，《旅》之在塗，既《未濟》，《損》、《益》、《大小過》、《大小畜》，得失進退之義，雖卦名之為七十九字，文義明白，條例具足亦可決矣。此未有文王卦辭之前已可占而斷者，況又三百八十四爻而示之以變乎？夫人誠有大疑，謀及卜筮，必積其誠意，備其禮物，齋戒專一以占之。大傳曰：是以將有為也、將有行也，問焉而以言其受命也。如響無有遠近幽深，遂知來物，此占筮必得應合之辭也。匪我求童蒙，童蒙求我。初筮告再三，瀆瀆則不告矣，此文王所以起占筮之教也。夫誠敬不至，則吾心之神明不存，而神明之應亦爽得不合之辭，而猶曰神明之告我也，必有他意，揣摩臆度，遷就曲推，强取以定吉凶，以至狂妄僥倖悖亂之念，皆自此生者，古有之矣，是惑之甚也。況世之占者，忽略滅裂，褻瀆瑣細，不敬尤甚，乃欲以此求神明之指，其所之至於不驗，又安以為卜筮之理不可信，彼豈知夫告不告之道哉。（文淵閣四庫本《新安文獻志》卷三四　曾貽芬點校）

彌里杲帶

彌里杲帶，又稱滅里吉歹，元太宗窩濶台三子濶端長子。本書收彌里杲帶文一篇。

崇道碑　庚戌　海迷失后稱制二年十一月十九日

天地底氣力里大福蔭里彌里杲帶太子令旨，道與賚童忙兀歹、黑馬、和尚並京兆府答剌火赤管民官大小官員等：據重陽萬壽宫真人提點大師每差大師董志條、杜志玄、寄哥奏告：本宫起建玉皇閣、樓觀、太平等處宫觀，念經告天祈福祝壽事。准告，令旨到日，仰欽依已降聖旨、令旨處分事意，率領道衆誦經與俺告天祝延聖壽無疆者。但是過往使臣、軍人，並不以是何諸色人等，不得亂行搔擾，强行取要物件。你每為與了這金寶文字，却隱匿做賊説謊歹人啊，不歹那甚麽。今後若有搔擾底人呵，這里説來者。准此。庚戌年十一月十九日。（《道家金石畧》　李修生點校）

廉希憲

廉希憲（一二三一——一二八〇），一名忻都，字善甫，號野雲。畏兀兒人。布魯海牙子。生時，父適拜廉訪使，因以廉為姓。年十九，入侍忽必烈潛邸。蒙古蒙哥汗四年（一二五四），為忽必烈京兆分地宣撫使。世祖中統元年（一二六〇），任京兆、四川道宣撫使，改中書右丞行秦蜀行省事，力拒阿里不哥將渾都海軍，有功，進平章政事。三年，進拜中書平章政事，改左丞。興利除害，翕然稱治。至元七年（一二七〇），因面忤世祖罷職。十一年，起為北京行省平章政事。次年，行省荆南。十四年春，因病還朝。十七年卒，謚文正。元明善撰《平章政事廉文正王神道碑》。《元史》一二六有傳。著作有《廉文靖公集》，不傳。本書收廉希憲文三篇。

論史天澤事[一]

天澤事陛下久，知天澤深者，無如陛下。小人一旦有言，疑其不臣。他日有訟臣者，臣亦遭疑矣。天澤既能，亦當能臣。（明崇禎本《歷代名臣奏議》卷一五八，又《元史》卷一二六）

[一]題依文意代擬。

木芙蓉花序

木芙蓉，葉與菊，時性喜暖。恒產南土，繁于中州，前未㞐也。友人周介甫，始移自漢中，植于咸寧之甫張別業。每於其榮，輒邀賓朋，具樽俎以樂之。時天高氣清，凌霜未肅。聽流水，躅絲竹，倚方叢，當妓麗，而嫣然其順，灼然其媚，姹然其艷，粲然其蔚。逐客獻態，又非陽春凡卉之所可厠。已而耀靈西沈，則酣然其寐。是有以象夫道義之士，順陽以逆晦。於是羽觴縱横，笑歌迭作。客輟杯而言曰：「追玩以廢光陰，塊默以孤景物，俱未適夫中。蓋一張一弛，文武之道也。今日之集，豈徒然哉？」介甫欲述以辭，俾余寫引。（《永樂大典》卷五四〇引《廉文靖公集·讌集》）

大元故平州路達嚕花赤行省萬户贈推誠定遠佐運功臣太師開府儀同三司上柱國追封營國公謚忠武塔本世系狀

延祐三年十二月，宥密官奏事殿中。有旨曰：「汝樞密臣迭里威實，曾祖塔本行省，昔在太祖皇帝朝，勞烈居多，人罕能比。及其子若孫，累効勤於吾家，其封勛贈謚，未嘗之行。勑中書錫之。」制下中書，以禮部翰林太常議，贈其高祖行省塔本推誠定遠佐運功臣，太師，開府儀同三司，上柱國，追封營國公，謚忠武。夫人阿撒八烏迷，追封營國夫人。祖阿里乞失帖木兒，贈宣忠輔義功臣，榮禄大夫，平章政事，柱國，追封營國公，謚武襄。夫人孛羅真，追封營國夫人。父阿台，贈宣力功臣，資德大夫，中書右丞，上護軍，追封永平郡公，謚忠亮。兩夫人阿台阿、俎氏，并封永平郡夫人。既拜受詔，用明年仲春吉，告祭于塋域。已事而還。秋七月，遷河間路總管。將行，言於其友人廉惇曰：「僕之三世，既獲錫命褒嘉，所以立德于家，積勞於人，承休于國者，欲拜名文之士，表之墓道，以示於衆，永於傳。

若跡行之實，必求端而不華。信于遠以述之，唯子是託，不我拒也。」予惟晚生，不獲接前烈緒餘是惜。謹按長官程泰撰忠武碑，翰林待制楊恕撰三代惠政記，而序之曰：公諱塔本，唐之北庭都護别失八里，畏吾人也。父送吾攝沱，沱生五子，公最幼。方童時，作止異乎同輩。形貌端整，音容清潔，性純粹，聰敏出人。未及冠，或聞於國太母。既見，察其儀度，委以事，皆集。謂堪器重，遂俾從事行宫，付人二十領之以試。後隨軍征進，每建勛績。主財出納，獲息亦加。自是謨謀參讚為多。不數年，大蒙倚任。太祖皇帝命使河西。及取金氏城邑，行陣有功。歲壬申，扈從大駕入中都，奉旨從哈撒兒大王收撫北京諸城郭，凡遇降民，則全活之。同行有嗜殺人者，公曰：「攻城掠地，本為生民。今殺之，徒得空地，何用為也？」太祖聞之，甚然其言。是年授金虎符鎮撫北京行省都元帥，便宜行事。其管内，北際沙漠，西南接趙地，以及畿甸，而東至於高麗。縣邑長吏，悉命公委之。未幾時，政效即著。會來京師，平州總管王誥，監軍程泰，刺史卑仲吉輩共議，令人轉達於公曰：「昔癸酉歲，天兵分師東來，本州軍民固有歸附之意，為主帥者所遏，不克如志。今天下既一，因民素心，願請屬麾下。」公曰：「今爾曹欲若是，上意如何？」遂俾人以事聞。朝廷遣使與公至平州，以公為行省部元帥。歲庚辰九月也。至則詢民，間有所惡即去之，所欲之未行者即先之。户定額，人知程課，免於刑責。又郡中每歲出金四百錠，比他郡特重。公力言於朝廷，得減五十錠。世祖皇帝即位，中統元年八月，復受平灤路達魯花赤。三年，諸王駙馬道由平灤供餉者，計以銀款百五十錠，省部欲罷不給，公赴朝廷侃言辯析，凡數月始獲承授，遂以畀民。又念豪右權貴，與編民徵收不齊，乃通為文簿，以甲乙次之，而咸得均一，至乎軍丁匠役皆然。至元十年，加懷遠大將軍，平灤路達魯花赤，兼管諸軍奥魯勸農事。值年穀不登，民飢，公與僚佐議，欲發官廪以濟，曰：「脱不蒙聽，願自償之。」同僚皆從其言，恃以活者甚衆。後言于上司，然之。以郡地古孤竹國，伯夷、叔齊之風，萬世起慕，奏請于朝，立廟封公，又出己財立祠於小河堡，歲時致祭。僚屬遷至，則先令家人備飲食供器，且曰：「所須並在，幸無及民。」親戚鄉鄰，貧者月給米麵，以周卹之。死不能葬者，為出棺槨衣被斂葬焉。至於聽訟，必温言詳讞。負迫抑不能自伸雪者，緩察審究，得其情而上。族屬有違令者，必據法論，不少假。或事緣日久，格而未便，皆舉行之。至廳事廊廡，府樓亭榭，有敗，悉興無廢弛。至元二十一年，加昭武大將軍，平灤路達魯花赤，餘如初。二十三年，乃顔叛，朝廷遣使謂公曰：「汝守東北久矣，畜馬蕃息，今當出馬以資，迴日倍汝酬也。」公乃擇健馬五百匹以上，帝嘉之。時軍中得叛寇大銀甕一，即召公以賜。上曰：「與汝為據。」二十五年元日，宴殿庭，上命承旨撒里蠻傳旨，謂尚書省臣桑哥阿台事，汝曹毋議，朕自度之。未再承命，以疾卒于京師，壽六十一，歸葬于永平之先塋。公夫人二人，阿台阿，蒙古氏，生女一。俎氏，樂亭縣儒士之女，生子男三人，女一人。長曰也先不花，朝列大夫，僉將作院事。次迭里威實，端莊明敏，由廉訪僉司馬御史裏行，揚歷中外，蔚為時聞，前樞密院判，今嘉議大夫，河間路總管。次八十，奉直大夫，寶鈔提舉。側室所生男二人，答蘭帖木兒、孛寬，壻則阿剌答津丞相，及納綿付總管、宋也先帖木兒。孫男□人女□人。公孝友寬慈，忠信易直。繼祖先之志，而政迹嚴勤，克述其美。郡之士民耆艾，迄今頌其三世政化。好德所將，慶裔綿長之自也。謹録事狀，以備太史氏採擇。（《永樂大典》卷一三九九三引

《廉文靖公集·世系狀》　以上查洪德校點）

釋自閑

釋自閑（一二三一——一三一二），號雲屋，松陽（今屬浙江遂昌）人。俗姓葉，十三歲剃度，隨樵居婺州仰庵寺。撰《成道疏》。至元二十年（一二八三），受聘住持双林寺，五年後引去，歸萬林。居十年，又薦舉住持金華智者寺。皇慶元年（一三一二）十月二十五日，疾書偈與衆僧訣別，遂終，享年八十二歲，葬于草堂寺後龜山（據釋大訢《金華智者寺雲屋閑禪師塔銘》）。著《外集》、《二會録》若干卷，今不傳。今輯得文一篇。

龍峰山修塔記[一]　大德九年三月

浦陽邑東南一里，有吴赤烏中龍德寺，是為觀音僧伽二大士靈感道場。宋天聖乙丑，永康胡則捐錢百萬，陳公養施甎千窋，建塔山巔，七層六面，周遭欄楯，金碧丹堊，類衆資合成。鐵鳳風翔，金鼇山負，龕燈光彩，參錯星宿，天風時至，簷鐸之聲聞於數里。春喧秋霽，遠近士庶登覽無虚日，空霏撲面，露氣逼人。左右顧盼，嚴越山川，雲氣遥接，仙華巖與雷公山相為主賓。花封螘垤，數千百家出入浮屠影中，誠此邑之壯觀也。宣和歲辛丑，鄰寇煽殃，屹立烈焰中不壞，信士朱寵等修之。寶祐甲寅，寺僧子豪重修，垂四十載。大朝至元壬辰，忽一夕，大雨震雹，及霽，勢若微側，豈天龍以杳觀未還有所斃而然耶！住持文啟嘆曰：「三災已定，四相靡常，我輩豈容少懈。」與其徒妙思、妙浄，傾衣裓，募檀信，竭乃心力，固本而正其末。張忠厚等施白金飾輪之表，至於大雄紺殿、四通寶閣、堂室門廡、甃階石道，粲然一新。岳陽教授陳公舉岊榜邑寓，凌蘭、吴幼敏、樓榮孫與七鄉善士捐貲交助。越六載，乃成，衆皆歡喜讚嘆，謂前莫及。昔越州龍興沙門曇彦與許詢元度同造二大塔，彦有神異，天降相輪，能駐日信工，塔未就，詢亡。彦年百二十餘，猶待得詢後身為岳陽王來撫越，彦告門人曰：「許元度來也。」時岳陽王承誌公密記，入寺尋訪，彦迎曰：「許元度來何暮？昔日浮屠今如故。」王曰：「弟子姓蕭名詧，何以許呼？」彦以三昧如彼，悟前造塔之事，由是修飭，益增崇麗。今龍德與龍興名實頗類，是知前人願力不可磨滅者，皆一會再來人也，豈偶然哉！固不可以不記。大德九年龍集乙巳春三月辛酉日記。（一九一六年重印本《光緒浦江縣志稿》卷五　彭久安點校）

〔一〕題目代擬。塔建龍峰山顛，故稱「龍峰塔」，山上有龍德寺，後人亦稱「龍德塔」。

郭守敬

郭守敬（一二三一——一三一六），字思若，順德邢臺（今屬河北）人。曾從劉秉忠學，精水利、曆算。元世祖中統三年（一二六二），以張文謙薦任諸路河道提舉，次年陞副河渠使。至元元年（一二六四），從張文謙行省西夏，治復唐來、漢延諸大渠。二年，為都水少監。十三年起，與修《授時曆》，創制天文儀器十多种。十六年，授太史院同知，次年曆成，陞太史令。二十八年，領都水監，開通惠河。三十一年，遷知太史院事。仁宗延祐三年（一三一六）卒。齊履謙撰《知太史院事郭公行狀》，《元史》一六四有傳。著作有《推步》七卷，《立成》二卷，《曆議擬稿》三卷，《轉神選擇》二卷，《上中下三曆注式》十二卷，《時候箋注》二卷，《修改源流》一卷，《儀象法式》二卷，《二至晷景考》二十卷，《五星細行考》五十卷，《古今交食考》一卷，《新測二十八舍雜坐諸星入宿去極》一卷，《新測無名諸星》一卷，《月離考》一卷，以及《仰規覆矩圖》、《異方渾蓋圖》、《日出入永短圖》，均不傳。郭守敬在天文、數學、水利方面，均作出了領先於世界的成就。本書收郭守敬文二篇。

請先南北立表取直測景[一]　至元十三年、十六年

曆之本在於測驗，而測驗之器莫先儀表。今司天渾儀，宋皇祐中汴京所造，不與此處天度相符，比量南北二極，約差四度。表石年深，亦復欹側。

唐一行開元間令南宫説天下測景，書中見者凡十三處。今疆宇比唐尤大，若不遠方測驗，日月交食分數時刻不同，晝夜長短不同，日月星辰去天高下不同，即目測驗人少，可先南北立表，取直測景。（《元史》卷一六四，又崇禎本《歷代名臣奏議》卷三八〇）

〔一〕題依文意代擬。此二奏折原连排。

上曆法考正七事創法五事〔一〕

至元十七年

臣等竊聞帝王之事，莫重於曆。自黄帝迎日推策，帝堯以閏月定四時成歲，舜在璇璣玉衡以齊七政。爰及三代，曆無定法，周、秦之間，閏餘乖次。西漢造《三統曆》，百三十年而後是非始定。東漢造《四分曆》，七十餘年而儀式方備。又百二十一年，劉洪造《乾象曆》，始悟月行有遲速。又百八十年，姜岌造《三紀甲子曆》，始悟以月食衝檢日宿度所在。又五十七年，何承天造《元嘉曆》，始悟以朔望及弦皆定大小餘。又六十五年，祖冲之造《大明曆》，始悟太陽有歲差之數，極星去不動處一度餘。又五十二年，張子信始悟日月交道有表裏，五星有遲疾留逆。又三十三年，劉焯造《皇極曆》，始悟日行有盈縮。又三十五年，傅仁均造《戊寅元曆》，頗采舊儀，始用定朔。又四十六年，李淳風造《麟德曆》，以古曆章蔀元首分度不齊，始為總法，用進朔以避晦晨月見。又六十三年，一行造《大衍曆》，始以朔有四大三小，定九服交食之異。又九十四年，徐昂造《宣明曆》，始悟日食有氣、刻、時三差。又二百三十六年，姚舜輔造《紀元曆》，始悟食甚泛餘差數。以上計千一百八十二年，曆經七十改，其創法者十有三家。自是又百七十四年，聖朝專命臣等改治新曆，臣等用創造簡儀、高表，憑其測實數，所考正者凡七事：一曰冬至。自丙子年立冬後，依每日測到晷景，逐日取對，冬至前後日差同者為準。得丁丑年冬至在戊戌日夜半後八刻半，又定丁丑夏至在庚子日夜半後七十刻；又定戊寅冬至在癸卯日夜半後三十三刻；己卯冬至在戊申日夜半後五十七刻半；庚辰冬至在癸丑日夜半後八十一刻半。各減《大明曆》十八刻，遠近相符，前後應準。二曰歲餘。自《大明曆》以來，凡測景、驗氣，得冬至時刻真數者有六，用以相距，各得其時合用歲餘。今考驗四年，相符不差，仍自宋大明壬寅年距至今日八百一十年，每歲合得三百六十五日二十四刻二十五分，其二十五分為今曆歲餘合用之數。三曰日躔。用至元丁丑四月癸酉望月食既，推求日躔，得冬至日躔赤道箕宿十度，黄道箕九度有奇。仍憑每日測到太陽躔度，或憑星測月，或憑月測日，或徑憑星度測日，立術推算。起自丁丑正月至己卯十二月，凡三年，共得一百三十四事，皆躔于箕，與日月食相符。四曰月離。自丁丑以來至今，憑每日測到逐時太陰行度推算，變從黄道求入轉極遲、疾并平行處，前後凡十三轉，計五十一事。内除去不真的外，有三十事，得《大明曆》入轉後天。又因考驗交食，加《大明曆》三十刻，與天道合。五曰入交。自丁丑五月以來，憑每日測到太陰去極度數，比擬黄道去極度，得月道交於黄道，共得八事。仍依日食法度推求，皆有食分，得入交時刻，與《大明曆》所差不多。六曰二十八宿距度。自漢《太初曆》以來，距度不同，互有損益。《大明曆》則於度下餘分，附以太半少，皆私意牽就，未嘗實測其數。今新儀皆細刻周天度分，每度為三十六分，以距線代管窺，宿度餘分並依實測，不以私意牽就。七曰日出入晝夜刻。《大明曆》日出入晝夜刻，皆據汴京為準，其刻數與大都不同。今更以本方北極出地高下，黄道出入内外度，立術推求每日日出入晝夜刻，得夏至極長，日出寅正二刻，日入戌初二刻，晝六十二刻，夜三十八刻。

冬至極短，日出辰初二刻，日入申正二刻，晝三十八刻，夜六十二刻。永為定式。

所創法凡五事：一曰太陽盈縮。用四正定氣立為升降限，依立招差求得每日行分初末極差積度，比古為密。二曰月行遲疾。古曆皆用二十八限，今以萬分日之八百二十分為一限，凡析為三百三十六限，依垜疊招差求得轉分進退，其遲疾度數逐時不同，蓋前所未有。三曰黄赤道差。舊法以一百一度相減相乘，今依算術勾股弧矢方圜斜直所容，求到度率積差，差率與天道實脗合。四曰黄赤道內外度。據累年實測，內外極度二十三度九十分，以圜容方直矢接勾股為法，求每日去極，與所測相符。五曰白道交周。舊法黄道變推白道以斜求斜，今用立渾比量，得月與赤道正交，距春秋二正黄赤道正交一十四度六十六分，擬以為法。推逐月每交二十八宿度分，於理為盡。（中華書局《元史》卷一六四，又崇禎本《歷代名臣奏議》卷三八〇　以上查洪德校點）

［一］題依文意代擬。

全元文卷二二五八

黄仲元　一

黄仲元（一二三一——一三一二），字善甫，號四如居士，後改名淵，字天叟，號韻鄉聱翁，晚年又號彦安，莆田（今屬福建）人。少攻舉子業，宋度宗咸淳七年登進士第，拜監瑞安府比較務，四除至國子監主簿，皆不赴。宋亡，隱居教授。元仁宗皇慶元年卒，年八十二。仲元承其父績，宗程朱之學，為文簡質蒼古，為當世聞人江萬里、陸秀夫等所知賞，元明間祀於郡學鄉賢祠。著有《經史辨疑》、《四如講稿》及《文稿》等。見所撰《壽藏自誌》、《三修黄氏族譜》（本集附録）。仲元文集，其子梓輯為五卷，曾孫至又裒其遺文為十卷。傳世本亦五卷，蓋即黄梓所編者。今以四部叢刊三編影印明嘉靖刊本《有宋福建莆陽黄仲元四如先生文稿》（簡稱《黄仲元文稿》）為底本，校以文淵閣四庫全書本《四如集》（簡稱文淵閣四庫本）。

上江古心先生書

古者士之摯雉，若見於師，以菜為摯。曷為或以雉、或以菜？雉言介也，菜言潔也。士不介不潔，不敢見。然士之見於周公者十人、三十人、百餘人，千餘人、何多？周公於十人、三十人、百餘人、千餘人中僅得三士，何少？周之士俱自好，亦游大人以成名乎？公好士如不及，亦為之厚薄貌乎？舍三士他無人乎？漢不古，摯禮廢，掃門者艱於一見，不嫁者禮之上賓，幸天下士者必有所擇。唐之士摯以文，貴之甚，賤之甚。以古文倡者，光範之伏，其氣餒；釋言之辨，其辭費；芻米僕賃之急，其得小，不免為今之人。我朝諸賢犖犖，可外文字，猶用片言摯於王公，矧碌碌者疇能自異？然則某固願挑名於將命者何也？古心先生，一代不數人，百年能幾見者也。某生長東南，非不知有伯淳，雲山塹隔，伏謁無路。今詣康廬，登龍門矣。然與其相羊於某丘某水先生舊所釣游之處，使人意遐而清，不若侍坐於書册琴瑟之前，得見宗廟百官之富。崑崙在望，滄海在前，而猶不即，猶空此生。如獲一見相國矣，將與四方奇士交譽盛德歟？某言吶辭拙，政不能譽，縱譽之，一把泰山不加益。國憂如髮，士低如鼠，時人之耳目在先生，公論之標表在先生，世道之輕重、天下之安危在先生。九州四海，孰不期先生之再提一筆入福蒼生也？大臣身在江湖，心在魏闕，一處一出，與陰陽相為消長，亦必有道，又非兒童走卒之所能知。前修偉人，魏野一詩獨勸子明以退，明允一書獨愛富公以德。某也始見，安敢輕浮作此躁語？將謂孫家同榜子弟當以禮拜沂公歟，寒門落落，望雲霄閬如梯天，政不敢自陳家世事分於相國也。將謂文潛客於少公，亦當與晁、秦、黃學士師事長公歟，顛顇，視姬姜自覺形穢，政不敢居參門館下士於相國也。否則以所業徹於相國歟，某生為人，又為丈夫，固不可與空生物穢天壤間。然書可成也，仲塗十年一書，不遽語之門人；程《易傳》最晚出，且謂說得七分。史可修也，《唐鑑》多有好處，亟戒開封毀板，《新唐書》經歐、宋名筆，猶無一毫《前漢》。義理微密，工夫浩大，二事俱難草草。文可工也，語言妙天下者讀同列一疏，乃遂不復自為，人目為夫子者作《六經閣記》，終不可主公意。詩可學也，建安、黄初暨晚唐幾千百家，獨子美不可擬議；江西宗派傳衣付鉢，不如西湖處士以「水影月香」一聯行世。苟焉引筆行墨，髣髴聲嗽，恐非當行家。非不欲為之，不敢易為也；就為之，如北方竫人，見者齒矧。今之世，惟古心先生傳遠之書、名世之史、金石之文、絃歌之詩，與《易》《詩》《書》《禮》《樂》《春秋》等，不知可與陳無己盡言否？某願執經焉。又否則，見相國當談政事，不談文學歟？某謂六經四書，言言是理，言言是用。一部《論語》，後先可事兩朝；正心誠意四字，中塗可持告君。彼行河之《禹貢》，復讎之《春秋》，傷財害民之「國服為息」，惟讀錯，故用錯。讀書正要有用，書亦正未易讀。冠仕冠棄，壯仕壯棄，某則不敢一行試吏。成公之《官箴》，西山之《政經》，一一可以為訓。若臨大事，當於六一翁處學來。今之世，惟古心先生清忠粹德，豐功盛烈，載旗常，銘鼎彝，與臯、伊、傅、吕、周、召並，不知可與蘇子言容平生本末否？某願問為邦焉。然則某之來，無所摯而敢見乎？曰，不介不潔不敢見。某於道之秋毫，百未得一，然某之學傳於先君子，先君子傳於瓜山潘、復齋陳，復齋、瓜山親傳文公、勉齋之學者也。學孰大？立身行己為大。時若命謀，位與材會，不憂不通顯；欲得汗青一幅，芬芳百世，則實難難。故脱凡近，志高明，陋希世，友千古。居於家，凜凜乎如處女之在閨；處於鄉，兢乎如懷千金之璧而行。不待謁刺，飾游聲，人故識面者少。不作一皺眉事，亦不受人指點。以廷對見君父，第一步直透剛腸所欲言者，一落千丈無戚容，以一命之士皆可行志，求為步兵而歸，罷冗淹速不屑意。人或朝得軒裳，暮馳奔車之上，乃獨退然斂户，與孔門冠童者游。人或倚一郡為北道主人，竊竊焉俎豆從事之列，乃獨謝以爲煩，願從子弟尋劉公父子讀書處。則某之所存，亦少異乎人也。昔黄叔度之賢無一見於外，而林宗重之；李仲元不持一字於揚雄之門，而《法言》書之。淆之不濁者其志潔，不屈不累其行介，故可重可書。今有人焉，氏名與二子同，志行與二子同，古崖既取之於驪黄牝牡之外矣；古心先生天眼一盼，儻歆然曰，若士也爲子必孝，爲臣必忠，必不讀父書而敗，必不游師門而叛，必不兩來，必不三變，進而教之，又幸也。此心流行，天地並生，物我同體，相國之門未有一人不爲道「己欲立而立人，己欲達而達人」之心也。仰惟古心先生之心，「先知覺後知，先覺覺後覺」之心也；周德全之士，豈但薦藉華寵其身哉！某故願先生輔之翼之振德之。某之挈挈而來也，思拜羽儀，如渴如飢，五步十步，盤紆樊中，脩摯師門，又何遲也？若曰「子來幾日，然後求見長者」，則克之罪大；若曰「彼亦人耳，傲將何求」，則愈之過小。恃此無恐。先生儻與其介也潔也，某敢不立雪以請，惟先生亮之。（《有宋福建莆陽黄仲元四如先生文藁》卷五）

表兄陳可山序

昔人以山號者多，然俱不過因其居焉，名無擇焉。近世有曰「此山」，曰「亦山」，曰「自山」，於名擇矣。或所居非山，而名「軒」與「庭」，又皆取可之義。今吾力行，新築一室，扁以「可山」，雖因其居名，義亦兩得之。吾仲弜序，謂可山取退之《盤谷序》語，而首尾以不一到爲嘆，如退之《新修滕王閣記》止五百五字，篇終寄不盡意於言外也。吾力行乃又求一語於余。余非子由，豈解作賦，使坡兄嘆服？然不盡之意，余尚能為可山言之。可止可仕，吾仲弢謂善學者學孔子，不知子謂仁者可以久處約，可以長處樂，則止而約、仕而樂，惟體仁而盡性者安之。何者？山水，外物之可樂者爾，非真樂也，真樂之所寓而已。來者為其景而用其樂，可山蓋用其景以寓其樂者也。用其樂者，山水之可樂者盡，則寂寥之態生。非山水能使人寂寥也，其所以樂山水者偽故爾。寓其樂者，山水之樂在性之樂。外物之可樂者相為感發，適然有契，則好樂之所形在我，而不在彼也。然則可山之寓其樂於山，其得夫子之仁歟！《語》曰「仁者樂山」，可山仁者也。故自山而觀之，峩峩其高者，皆胸中之故物；反而求之，巍巍其中者，亦雄峙之形著。寂然不動者，俱乎其静也；屹然獨立者，同乎其壽也。禽鳥之和鳴，松栢之茂悦，又與之均乎生息也。仁根於性，山觸於目，四時有以契吾可山之樂，則以我之可，對彼之可，而樂之自不能已也。惟吾可山，不知山之為仁，仁之為山。故時之可止，於此山而處約可也；時之可仕，於此山而處樂亦可也。真孔子之所謂「無可無不可」，此可山之所以名「可」。顔回善學孔子者，用行舍藏，夫子亦惟謂顔子而可。而農山之顛、景山之趾，似不容屑屑乎其遊者。回之志願，至此呈露，蓋亦自「其心三月不違仁」者得之耳。吾仲弢勉可山以學孔子之可，余獨許吾可山以顔子之仁。顔子之仁，師吾夫子之仁也。故有問吾可山於余者，余必以是對。雖未登可山之山，而山已在仁中矣。雖然，可山之下有溪焉，則水亦知者樂也。吾可山何不以適類於余，而名是溪曰「可溪」也？蓋吾可山願有仁之名，不願有知之名，此溪所以因其居曰砮溪，而不敢以名「可」。若夫見仁謂之仁，見智謂之智，可山自領會於胸次，難與俗人言也。昔老泉作《木假山記》，猶謂魁岸踞肆，意氣端重，莊栗刻峭，凛乎不可犯，而岌然決無阿附意，其可敬也夫！其可以有所感也夫！則吾於可山之山，其不曰可山，其可敬也夫！其可以有所感也夫！可山其必印可。是年重陽後一日，爲兄可山再序。

送歐陽臣夫序

斯文於宇宙間，前水後水，古今相續，何嘗一息頃不行哉！堯、舜、禹、湯、文、武、周公不作，與斯文者吾夫子。當在人世時，困悴無聊，嘗十八九；雖繩樞甕牖，中道必行。迨去人間久，天下像而祠之如前昨日，道之行如前昨日。人事覆却，萬方州縣學廢亦嘗十八九，春秋祠遂俱廢；而逢掖者道吾夫子仁義忠信，如取諸左右材。父兄猶以吾夫子書詔子弟，矧坐講肆於馬隊時邪？學不學、祠不祠不論。夫子之道，水之在地中也。六學缺，伏機發，新豐絶儒履跡，此時猶有挾經爲博士者。金甲排蕩，青衿憔悴，誰復知俎豆事？衡山聞讀書聲，便有西河風味。人以爲夫子之道不行，廢興絶續，存乎人如何爾。游泮舊學在縣之震，學幾圮，獨吾夫子祠在，風雨所逼。丁丑夏，燬于盜。董學者熙熙來，攘攘往，縱掃地而奠，夫子猶不歆止。假無官官之事，無事事之心，夫子臨而炙之乎？求夫子顧非寢宫偶像，非殿廬無以栖神明；求斯文顧非庠序圖書，非齋廡無以寓絃歌。又非必肖堯顙、禹要、皋陶頂、子産肩，奇奇怪怪，使人號爲聖且異，然後爲吾夫子。又非必學老子浮圖，法金碧綺繡，光炯凌亂，張皇尊嚴，然後為其道行。邑必有學，學必有廟，廢者必興，絶者必續，然後為職思其居、職思其憂。游洋士汪汪也，又毋曰十室之邑不如吾夫子之好學。此事姑少須。君四門裔孫，拔君子林，居諸生上，蓋有志斯文者。此行，朋儕觴之詩之，或授首簡，俾余莊之，余故勉之。異時立石廟門，又當為君書之。卯年辰月戊日，東里四如居士黄仲元叙。

送術者龜峰序

龜峰一日攲户，訪叟劇談，𠹭然笑曰：「天下惟儒者為知五行，非儒不知也。人者五行之端，《禮運》六言，老宿或道不出；木神則仁，火神則禮，《正義》中語，俗師有不經眼。數七數八，誰不讀《吕令》？問之獨陽不生、獨陰不成，則昧其來處。天時地利，誰不誦軻書？詰之一畫為孤、無畫為虚，則茫然莫對。五勝生一，五壯終九，不知祖於《淮南子》；甲丙戊庚壬子為之本，不知原於管夷吾。水准、木觸、火化、金禁、土吐，甲己九、丁壬六、丙辛七、戊癸五、己亥四，此皆出於漢諸儒之口。言天者求之氣，言地者求之位，俱不離勝復去化、出入升降之妙。《素問》一書最為精密，謂談五行非儒家事，惡可乎？」叟亦口呿，徐發一難：「五行化真，前脩嘗言之已。六甲納音，海中天上，此為何義？或曰一三五七九其數，或曰一二三四五其聲，峰將何從？」峰曰：「此即十二律還相為宫也。」叟唯唯。又送一難：「九疇『一曰水』以下，箕子文也，此千萬世五行之本領、儒家之嗣適。七篇見知聞知之論，言太公望、散宜生而不及箕子者何？」峰曰：「夫子定《書》，《洪範》專為武王、箕子設，七篇於是乎略。」叟起曰：「峰儒而博學者，它人不知峰者也，峰獨五行乎哉？」峰曰：「叟知音者，吾今賀吾之遭矣。」

序贈吳丹陽 大德十年八月

丹陽吳兄某，富沙人，精於課《易》，扣之，則曰：「《易》，占卜之書，昔人以蔭叢蓍、千齡蔡卜之占之，余用錢卜，重交單拆，蓋出《儀禮疏》，非講師説，且簡易也。」課外工拆字，扣之，又曰：「昔人謂日月為易，此拆字之祖。日月以陰陽論，余以五行論。」字外工星數，扣之，又曰：「《易》於七十二候，始中終卦，俱與經宿合。談《易》而不知星辰之遠，可坐而致，惡惡可？」然吾夫子引《易》「不恒其德，或承之羞」，曰：「不占而已矣。」《易》非專用占也。蜀趙賓以箕子為荄茲，於字何義？揚雄《太玄》參太初曆論休咎，而出處語默之義，則末之知，末矣。丹陽客莆將歸，寓士交贐以詩。余不能詩，且不能《易》，唯大書一「時」字於卷之左，時即易也，數也。年月日，大德丙午秋社戊申，四如老叟黃淵七十六歲作。

贈楊愚谷序

愚，鄙人之稱，非聰明者所宜；谷，山人之居，非市廛者所宜。以山人而隱市廛，叟知子有不獲已者矣；以聰明而學鄙人，叟於子又有不獲已者矣。昔猶有續命田，今也磽瘠幾何；昔猶有止啼錢，今也分釐亡有。山雖深，無樹可以挂許由之瓢；性雖達，無帳可以讀王充之書。子所以有不獲已，而又不獲已者也。二不獲已，而資人以果其腹，子又大不獲已者矣。游成都市，日得百錢，子之計固未為左。人世偪仄，有卜賣天津橋者。子之術胡為而神？谷曰：「愚不能皆願中也，十不失六七爾。」叟曰：「谷不愚矣。但自信其學，勿視人而二三，何門不可拽裾？」

送林理齋序

友人理齋林兄謁叟，有行色，叟叩奚之，曰之清源。叟曰：「吉一而已動，可不慎乎？」叟為熏沐命筮，遇蒙䷃之旅䷷。蓋《蒙》二三四爻俱變也。筮法，占本卦及之卦繇辭。《蒙》以內卦為主，其繇曰：「蒙，亨。童蒙求我，利貞。」《旅》以外卦為主，其繇曰：「旅，小亨。旅貞吉。」《蒙》有亨之理，所以亨者，我發之也；然必求者之意專，然後應者之意亦專。《旅》寡助之至，所以亨者，處之有道也。時非我所能為，義者我所當盡。雖然，決疑者《蒙》，不貞何以筮？人方致精誠以求於我，我當視可否以應乎彼。與子言孝，與臣言忠，然後貞。逆境者《旅》，不貞何以安？高亢而與物無偶則絶物，非暗而所比匪人則失己。或可為主，或不可主，可久則久，可速則速，然後貞。孟子之去齊、滕，夫子之客宋、衛，善用《易》者也。用即理，理即用，亨者其用，貞者其理。果貞矣，《蒙》以亨乎人，《旅》以亨乎我。有不動，動斯吉。遂書以贈其行。郡人韻鄉黃淵天叟。

蒙古字學題名記序

蒙古字學者何？上之人所以達書名于四方也。是學也，以韻起字，非以字起韻。韻耳學，字眼學。韻有經緯，字有子母，正未易精也。學之所何？莆地褊小，以舊廣文館為之。禮殿頖宮居其左，可以觀俎豆，可以邇弦誦，肅如也。學之齋何？齋有四：曰同文者，今天下書同文也；曰正心者，心正則筆正也；曰升俊者，升於學曰俊士也；曰興賢者，考其藝而興賢者也。孰書之又孰名之？翰林直學士雲溪張公也。孰董之？博士黃夢舉則行甫也。學其學者誰？國之貴遊子弟與秀才之能為士者，餘五十員。學是學者復其身，設科為最優，藏於斯，脩於斯，毋苟免。學是學者必以時術業，然後專用而志，凝而神，毋自欺。口試宜熟，墨試宜精，日課宜密，月課宜最。尚書御史，實繇茲選。徵令而比之，勸戒而糾之，必有籍。雖然，字藝也，學道也，無藝無道，無道無藝。古人小學，教以六書，形聲假借，一一皆理。六經中有奇字，有俗字，有讀如某字，有平音，有側音，又讀如某音，而一字或該數義。君子之道，孰先孰後，藝云乎哉？裘點之語，語也；魯薛之令，令也。告而諸生，「字」字從子，「學」字從子，事父母則為人子必孝，侍先生則為弟子必恭，循天理則為君子必義。孝者、恭者、義者皆籍，非斯人者勿籍。

題漫翁林春山草韻序　至元二十年五月

歲辛巳冬十月，漫翁草韻成，出示黄淵天叟。開卷詭然蔚然，似清臞，似峭勁，實精密，實妙巧，盤蹙迴斡，字字中度。叟曰：「何不書《急就》，何不作《文選》？」翁曰：「隨人作計，恐終後人。」叟又試翁平上去入字凡若干，與若干韻，翁應聲答：「韻二百有六，字一萬七百有奇。世間萬書，横寫竪寫，詞人墨客，長歌短歌，盡在箇裏。」叟服翁敏，口呿而退。又一年，翁索叟逋，叟乃語翁：「書，六藝之一形；聲，六書之一藝也。有道焉，習之，童丱皆能；不習，老宿亦難。俗之趨，科斗散軼，易爲篆隸，草書之變，迺始秦末。氣之殊，風土不同，操音亦異，《切韻》之學，來自西北。世有秦有周，而字書不能少異乎秦；地有東西、有南北，而韻學不能不祖西北。漢以來至于今皆然。前乎此，識古文惟一揚雄，後人大類矇瞍。然一法通，萬法變，草雖便急速，視壁藏猶彷彿萬分之一。前乎此，識古韻惟一韓愈，後人如調啞鍾。然一音通，百音叶，韻雖約以四聲，視傍韻皆可出入。翁雖後千年生，於草書猶可以想禽獸蟲魚草木之群態，與雷霆風雨山雲之萬狀，而意在筆前，筆隨興到；於韻書猶得因翕闢清濁之異，縱横經緯之妙，別字義訓讀之名，而醉後入吟，吟時入腔。《草韻》之所以作與。昔曹景宗不解書，又不喜問，卒以意造晉帖，「操」多作「摻」，「百」寫類「七」。時師惟不曉音，故不識字，當走筆時，波戈點畫，豈能一如古法。《草韻》所以作與。叟又嘗攷漢初，太史試學童，能諷書九千字以上，乃得為史。是時未有韻書，所諷者何，抑《蒼頡》、《爰歷》、《博學》章歟？又試六體，課最者以為尚書御史。史書令史迺皆古文奇字，篆隸繆蟲又不教以草書，何也？或秦草未落人間與？翁此書與篆隸韻並行，恐與漢初不合。」翁曰：「第書之，以俟後身張芝。」叟迺筆翁問答于集端。時癸未皋月端午。

鄭雲我存藁序

唐人語言妙天下者，莫若韓、柳氏。韓以李漢一序傳，柳以劉賓客一序傳。二序之所以傳者，序乎文也。文者天地之正氣，亦天地之奇氣。天地間惟正人能養天地之正氣，故其文正，韓氏似之；惟奇人能發天地之奇氣，故其文奇，柳氏似之。柳之醇正固不及韓，柳之奇崛亦韓所不及。《天對》文義，聱牙難讀；山水諸記，出語崔嵬，似窘邊幅。若《段太尉逸事狀》，老史筆當避三舍；《晉問》峭拔高妙，夐出魏晉；《南澗》、《田家》等詩，絶有泉明風味。回視《淮西碑》、《中丞傳後叙》、《鰐魚文》、《毛穎傳》、《南溪》、《秋懷》，前後差相頡頏。其《與中立書》，作文源委，一一有所自來，殆如答李翊與誨館下諸生時[二]。政未可少柳而多韓。韓亦正患不能奇，柳亦正未易步趨也。吾友雲我芳年韶妍，凌霄一武，謫墮人間，嘆滄海之為桑田，醉六經而營四海。於《易》獨論筮變占，以測天機之乘除；於史專論漢蜀晉，以閱人世之新故；於人則論箕子、子車，以明道統之絶續。韻語掀鼉倒鯨，散語峭崖怪石，對語争冰擲戟，紙上皆見光怪，前無俗人，號文章家。余嘗以雲喻雲之文，或如玉葉，或如冰紋，或如車蓋，或如魚鱗，千態層層，萬狀紛紛。不能皆長空萬里、一匹如練也，而行者行，止者止，去自去，留自留。此雲之所以為雲，而雲我之所以為文也。未知雲我悟入，得之韓歟？得之柳歟？正乎奇哉！奇乎正哉！予猶省童丱時，君家世父方叔以書贄迂齋樓公問古文法，樓復書曰：「學古文難，識古文滋難。子讀《世本》、《國語》、《戰國策》否？又讀《易》爻辭、《書・盤誥》、《禮》《檀弓》《内則》否？」方叔早年，文聲儼儼，氣吞學館，惜其人與可傳者不得而見，見方叔猶子。雲我亦奇人也，文惡乎而不奇？韓柳而上，更有人在。雲我文豪，未已方將。余無一毫可論，序何可傳？然雲我之文傳，余之序亦傳；余之序傳，雲我之文必傳。載之末年，附之青雲，又一奇事。余名淵，天叟字，雲我中外表，序敢辭？

［一］殆如答李翊與誨館下諸生時：翊，原作「翔」，據文淵閣四庫全書本及《韓愈集・答李翊書》改。

鄭雲我孔子年譜叙

夫子，儒之祖也，儒而不知譜其祖，恐如晉公之不知以并官氏對矣。夫子生於魯襄二十二年，而《公》、《穀》書於前一年，年已非，月亦訛，《左氏》又不書，三家胥失之。譜夫子惟司馬遷之史，徵《世家》、《年表》，多相乖忤，然於魯書夫子本末最詳深矣乎，惜乎史遷亦未修之史也。後乎此，《編年》有旹，《東家雜記》有旹，今鄭君又有譜。是譜也，首以聊大夫二事壓卷，前旹之所未有。謂儀封人請見為由魯適衛時，謂魯公問政及答季康子數問皆歸魯以來事，此見又確。謂夫子未嘗師郯子，謂行乎季孫，三月不違斯言，非知夫子者，此論又高。雖然，「吾十有五而志于學」一章，此吾夫子自作行狀，以僕觀之，留而殿於卷之左方，鄭君曰何如？

講春秋序

談經難，談《春秋》尤難。高妙者誕，幽深者晦，新奇者巧，皆非也。記、經解雖非孔子語，屬辭比事，直勘得破。孟子事文義三語，一大斷案。汗漫如莊周，只把道名分説，最直截。馬遷謂「子夏之徒不能贊一辭」，不待贊也。諸儒之説出，其辭費矣，費則差，差則害道。徐曠發題偏舉先儒異論，分別是非，乃出己意折衷，不知合乎夫子也否。孫莘老與一時名勝為經社，雖不主一人之臆説，其間卓然獨見者為誰？胡旦《編年》，先經後傳，柳仲塗欲贈一劍，意尊經也。程伊川初令門人劉質夫作傳，後來却又親筆，未知何以窺聖人用心。胡文定潛心三十年，而傳始成，夏時冠周月之論，至今可疑。朱晦庵從諸先生長者閚《春秋》義例，終不敢措辭，獨於大論大法為有感焉。陳止齋欲著《後傳》，於諸生中擇能誦者一人自隨，似不草草，謂書王存周正，未免又落科臼。林艾軒主《春秋》無褒，然太虛即六經，若何而求《春秋》？鄭夾漈曰：《春秋》者，先後倫理之書，而謂《春秋》意出魯史，非出於仲尼，殊不可曉。信矣，《春秋》未易談也。某老矣無聞，舊讀遺忘，兹辱朋友，願相磋磨。仰觀天道，俯察人事，欲以《春秋》温習，何如？又嘗聞綱山麥斜開講，衆以《春秋》請，山曰：「經未可遽言，當自傳始。」舍經讀傳，恐不就綱領處看。敢質諸同志，曰可。淵時乎此，當繹所聞，以求是正。

通志序　代憲使孫澤

山川出雲，開必先也；屋壁科斗，藏有待也。曷先乎？人先時而已生。曷待乎？書待時而後出。宇宙趨新，主上右文崇儒，以道化風四方。東宫濬哲仁孝，以好學聞天下。氣數清明之會，光岳賢哲之盛，書於是時，與人相值，時乎人也。莆夾漈鄭先生著二十略，外取歷代史稡為一書，命曰《通志》。某舊守莆，求而未獲。今兹省掾王某奉命求書郡國，是《志》與在數中。鹽使方公出所寫本以授書于帥府憲臺，喜劇，敦請博古之士鄭鉞、陳子修刊謬正訛。某適弭節八閩，從臾兹事。晦者明，隱者彰，亦此書之當出歟！書乎書乎，昔炬於咸陽，至漢而後置寫書之官，覆於底柱，至唐而後完庋書之目。則遺書之出，信有時邪。時乎時，今其時乎！人乎人，上而甲觀，次而翰林、集賢、國史院，又次而行省帥憲二府，非人孰能致之，夾漈先生多子長之愛，聯比詮次於前；鄭陳二士以更生之才，校讎緝綴於後。某於是賀此書之遭，且知二士用心之苦，遂書于集之右方。年月日，某官孫澤叙。

忍經輯要後序

忍之義二：忍於我則律己之嚴，不忍則忿不能懲，慾不能窒矣；忍於物則待人之恕，不忍則疾之已甚，亂也。克己復禮，忍於我也；犯而不校，忍於物也。顔氏之子，蓋兩得之。子畏匡，則曰「其如予何」；壞也夷踞，則以杖叩脛；來幾日見長者，則責以餔啜；謂從者為竊，則於業履不怒。孔孟於此，或忍或不忍，自有權度。下之世，此義不明。避兄離母者，豈為能充其類乎？簞豆不得，見於色者，又不若好名之人也。無它，矢人豈不仁於函人，惟無是非之心，故無惻隱之心。此《忍經輯要》所以為世戒也深且切矣。其餘夷白鄭叟詳言之。

李氏家集序　至大二年十月

河東員嶠李侯倜之，大父某，父某，國初之勞臣也，然亦仁知人也。度別合之機，乘事勢之會，識權變之宜，使玄黄者、簞壺者侯服以附，厥角稽首，此豈孱夫弱子所能了？在韓村則一邑之旄倪活；在交城則三寺之黔黎活；參陪行省、轉輸蜀道，則四川之兵民活。是心所以不忍者何？惻隱之心也。它謀臣策士懷雲起龍驤之想，二父尚可為而不為，未可已而中已，盡《蹇》之節，有《豫》之戒，商羊乎家居，嘯詠乎犀浦，上之人難强以仕。則暗合於道，所養可知矣。天嗇之齡，或僅止下壽，或未登五十。羅江北去之異，又其昭明君蒿之著也。二父之勞之仁之智如此，爲子若孫論譔先祖德善功烈、慶賞聲名，於記有之。侯所以自狀其大父行義年，而請名於當世通顯者。侯之父則宋某也，銘二父，姚某也、趙某也，傳二父者劉某，序犀浦遐觀者劉某也，具見集中。侯若曰：「人生東西南北不常味，人善於齒牙者，極不過數十年歇矣。銘藏諸幽，集傳諸遠，庶不没没，同煙雲變滅，然後可以成二父之令名。」侯之思深矣，侯之孝賢矣！侯，前集賢侍讀學士，今中大夫、南劍路總管。莆四如老叟黄淵覽侯斯文，欽誦舊德。《張中丞傳後叙》、《段太尉逸事狀》，筆法亦不是過，侯差可與韓吏部、柳員外比肩矣。於是爲侯序於集之右方。　時至大己酉良月初吉。

姚野庵詩解序

心，活動物也，詩亦活動物也，豈可以言語求哉！惟不説者爲上。夫子絃歌，而取三百十有一篇，斷之以「思無邪」一語，即詩論詩，它無文字。洙泗言詩，特子貢、子夏見於《魯論》耳，齊、魯、韓、毛四家出，傳興而經廢矣。《序》文不知果誰所作，毛於《序》猶無所與，鄭惟序是信。叔世講師又出入毛、鄭間，矽跛相迓，笑者孩之。雖然，語初學者，不爲詁釋，彼豈知或大或小、或博或約、或顯或晦，或抑或揚之妙？此野庵《詩解》所以作也。是解也，參之李迂仲，訂之張敬夫，《序》之可者從之，否則正之。

謂《風》、《雅》、《頌》皆始於文王；謂《風》、《關雎》、《鵲巢》迺應其聲；謂二《雅》聲有大小，非政有大小；謂《王風》迺王城之聲；謂《國風》無「變風」，二《雅》無「變雅」。談詩只消如此平易。野庵，姚姓，某名，某字，玉融之韶溪人。

春臺易圖序

理者太虚之實義，數者太虚之定分。未形之初，因理而有數，因數而有象；既形之後，因象而推數，因數以推理。論理遺數，惡惡可？此朱文公《啓蒙》所以作也。文公《易》得於康節邵先生為多，春臺黄君之圖又《啟蒙》之義疏。辨析精密，神智盡在是矣。譬如枝頭樹底，一一見花活處，不止擔頭看賣桃杏[一]，豈心猛氣粗者所能了了？然竊有疑。戴九履一之象圓，五行生成之象方。安知邵不以九為圖、十為書乎？圖書自圖書，大衍自大衍，以圖書而合大衍，拘矣。天地定位，此八卦立圖；帝出乎震，此八卦舒圖。或以前為義，後為文，失之。邵《觀物吟》：「乾遇巽時，地逢雷處，天根月窟，來往都春。」此解先天圓圖。《大易吟》：「否泰咸損，恒益既未，四象相反，成六十四。」此解先天方圖。不止乾一坤八也。數往者順，知來者逆。謂天、地、山、澤、風、雷、水、火[二]，此已往之象。知來者逆，謂曰雷、曰日、曰兑，而乾以君之；曰風、曰雨、曰艮，而坤以藏之，此方來之事。以左為順，以右為逆，然乎不也？九十九者，蓍之體；數用四十九者，以其圜而神也。或以五行言之，何哉？歲月易邁，義理無盡，長江浩渼，欲遡從之，邈不可即。何時一樽，與吾春臺細論此事為快？敬書右方，以答來辱。大德丁未清明，莆四如老人黄某七十七筆也。

［一］不止擔頭看賣桃杏：擔，原作「檐」，據四庫本改。

［二］依下文之例，「謂」上當有「數往者順」四字。

忍經序

皐陶明刑，而曰「好生之德，洽于民心」；孟侯義殺，而曰「若保赤子，惟民其康乂」。蓋刑者君子之盡心，有當忍者，有所不忍者。當忍者豈仁人之得已，不忍者乃仁人之本意。我廉使懶齋孫公職司風憲，於哀矜庶戮之時，寓慈祥惻怛之實。比出《忍經》示寮寀掾史，與閩惟多士，意在言外。刑故無小，是當忍者；罪疑惟輕，所不忍也。不孝不友，刑無赦，是當忍者；無或劓刵人，所不忍也。孟侯、皐陶之心，即我公之心，此《忍經》之所以作歟。吁，陽氣噓而靡草死於夏，雨露之中，乃有至忍；陰氣吸而荔挺出於冬，霜雪之後，有所不忍。天道且然，况人其代天工者乎！曰辟勿辟，曰宥勿宥，陰陽生殺，時措之宜，孰知我公之用心？莆後學四如黄淵敢僭為公叙於篇端。

題宋蜀翁北遊詩卷後

僕莆士也，壯年客遊江浙，雖吴門、京口、苕、霅，亦不能買舟縱觀，况淮以北乎。猶記樞相陸實翁酒邊談維揚事，悲歌慷慨，令人淚墮，言之夢矣。大德壬寅，郡博士宋蜀翁來踰期月，示僕《北遊詩》卷，然後知閱人世之險，與求功名之難。遇忻感戚，或笑或吁，寄興深遠，似冲澹，實壯烈。而京師桂玉之地，借書温故，豈易易得。日日楊花，家家芍藥，春夏之景自佳；狂颷早雪，葦簾土炕，北南之氣或異。惜僕老矣，前乎此不能奔車從蜀翁後。然召伯之坊猶昨，九鼓之石亡恙，此又僕畜眼之未見。暇日蜀翁儻緝御劇話，不猶勝於登峰造極也？詩卷妄意，朱筆數聯，幸毋曰此老僭且繆。小寒己巳日，韻鄉四如居士黄淵書于卷之左方。

題黄耕叟存藁

時文小技耳，然試之中否，係乎文之工拙。吾宗耕叟，賦瀏亮，論朗暢，策明整，而前軍尤萃其良。不試則已，試則願中，政未可以技小之。雖然，文謂之時，與其高下。時之春，麗澤百篇，一變也；時之夏，精騎，再變也；時之秋，濯錦，三變也；迨秋而冬變之極，則為已效體矣。天運回旋，冬轉而春，安知不復變而為麗澤百篇乎？變而麗澤百篇，猶有老成人端章甫氣象；變而為唐明水，披沙揀金，則如囊沙背水，非老將不能。吾耕叟燈窗課兒，試拾一二篇，何如？庶異時可藉此為行卷。

跋方石巖正通庸言

石巖此書，《中庸》之義疏也，以「正通」合「庸」，而並「言」者何？君子之道，唯中故庸；天下之理，唯正故通。中者其體，正者其用。庸則有常，通則無弊。但曰正通而不言庸，恐不知言者以為奇；但言庸而不曰正通，恐不知言者以為俗。所以合正通與庸而並言也。或曰：是言也，又加《中庸》二章者何？叟曰：言豈若是其規規然？巖書末章評史，最有深意。《春秋》一經，猶權於衡，故百世以俟聖人而不惑。馬遷好奇，是非多謬，況遷而下？叟喜巖之善於立言也，不顯言之而微言之，知者自知，不知者自不知。吁，無黨無偏者，蕩蕩平平之道；詖淫邪遁者，蔽陷離窮之失。甚矣，言之未易立也；亦甚矣，言之未易知也。巖善於立言，叟何足以知之？

劉畏獨答問

前進士劉姓，肩吾名，畏獨其號也，閩人；韻鄉黄淵，天叟字，莆人，有筆硯之雅。一日，韻鄉問「畏獨」之説於畏獨，畏獨曰：「『慎獨』二字自《中庸》《大學》始。慎者畏也，獨者我也。《中庸》言見隱顯微，於慎獨之先，示之以當畏。《大學》言視指其嚴，於慎獨之後，甚之以可畏。」韻鄉曰：「所當畏、所可畏者何？」畏獨曰：「理是已。理即天之所賦於我者也，無物不有，無時不在。天下之至當畏與至可畏者，莫如理。我之為我，毫釐或悖乎理，則不足以言人。故吾夫子曰『畏天命』。輿、思之學，其有自來乎！」韻鄉曰：「是獨也，人人之所謂獨，必曰君子慎其獨者何？」畏獨曰：「小人不知畏天命，故中慙者掩其不善，自肆者無所忌憚。君子知天之所以與我者甚重，故内省不疚於潛雖伏矣之地，誠毋自欺於惡惡好好之時。」韻鄉曰：「暗室屋漏，慎則慎矣，造次顛沛，則如之何？」畏獨曰：「《易》，天命之書也。素履獨行，中行獨復，若指所居之地、言日用之常，而下係三言九卦，正教學《易》者以處憂患、德吾德也，夫豈《易》自《易》、我自我哉？九卦陰陽自乾坤來，乾至健而恒易以知險，坤至順而恒簡以知阻。物有情僞，吾無作為，吾惟知閑邪存誠而已，吾惟知終日乾乾夕惕若而已，吾惟知敬以直内而已，吾惟知括囊無咎無譽而已。善觀人情世變者莫如《詩》，善言天命者亦莫如《詩》。平居暇日，上帝臨女，小心翼翼，如護元氣，而及爾出王，及爾游衍，無曰不顯，莫予云覯，不愧于人，不畏于天，跼高蹐厚，臨深履薄，如集于木，如臨于谷，多於變雅見之。亦謂窮通之序如寒如暑，世故之來如風如雨，明理達變者一付之自然。而仁人事天，孝子誠身，如執玉，如奉盈，如弗勝，如將失之，則不順逆異其境、哀樂貳其心也。」韻鄉曰：「言慎獨必言《中庸》《大學》，吾畏獨又言《詩》言《易》者何？」畏獨曰：「恐懼憂患，人不能無，《大學》曰不可使吾心之不正；貧賤患難，或所不免，《中庸》曰不可失吾身之正鵠。曰心曰身，即畏吾獨，《詩》也、《易》也、《大學》也、《中庸》也，無二理也。」韻鄉曰：「畏塗者，父子兄弟相戒，而後出袵席之上，至可畏也，人不知戒。獨行不愧影，獨寢不愧衾，此事大難，君子必慎其獨。」畏獨憮然曰：「我輩讀書理會，何事命之矣。」遂筆其語為《畏獨答問》。（以上《有宋福建莆陽黄仲元四如先生文藁》卷二）

全元文卷二二五九

黄仲元 二

誨林于高冠辭

前進士林用可之仲子于高岡冠，父執友黄淵誨之：「冠屬嘉禮，請以冠喻。初緇冠，再皮弁，三爵弁，所以莊其首也。凡人首高於身，冠高於首，所加彌尊，欲成人者德進而又進也。譬諸山焉，地勢之順而高莫如山，山脊曰岡，順而愈順，高而愈高者也。《詩》興高岡者四，獨《卷阿》之九「鳳凰鳴矣，于彼高岡」，與君子游，如長日益而不自知，與小人游，如履薄冰，每履每下，幾何不陷？此則而大父矩軒先生敬而名之義。」岡拜而對：「詩意不然。」余曰：「《閑居》記賦詩凡二，而「崧高惟岳，峻極于天」，吾夫子訓為文武之德。《表記》引詩十有七，而「高山仰止，景行行止」，吾夫子釋曰：「詩之好仁如此。」《中庸》記言登高自卑，而及於「兄弟既翕，和樂且湛」；言極高明道中庸，而及於「既明且哲，以保其身」。學《詩》一一泥於文義，皆臆書也。」于高聽叟之辭，然後知人之有冠，猶宫室之有墻屋，志在子。

歐陽學修字訓

四門博士來裔臣夫梓之子至孫冠，韻鄉老叟字之曰學修。學有小有大，十五則志于大學，况成人乎？至孫學大學矣，亦知子曾子止至善，以《詩·淇奥》取興乎？至善者，理義精微之極。如切如磋者，討論窮理之事，故曰道學；如琢如磨者，省察克治之功，故曰自修。由百能而千能，然後瑩徹；切而不磋，脱墼耳，觸之則散。由四勿而四無，然後粹精；琢而不磨，燕石耳，察之則贋。舜，大聖人，猶無一日不學。舜之學雖無書傳可見，然常如深山野人，一切皆不能以動其心，必至於此，然後為之至學。夫子亦聖人也，聚天下之賢豪，而傳其所傳，猶曰「德之不修，學之不講，是吾憂也」。俛焉孳孳，不知老之將至。則道學也，自修也，豈易易事？學與修一本，學所以為修之之地，修所以驗學之之功。敢以學修，而敬爾名。願為舜，毋為跖；願為孔，毋為墨。千里日至，始於足下，學修工夫，爾其勗哉！不則行百里者半九十，至猶不至，非所以望吾臣夫之雅子。

方天覺字重甫字訓

人心之所以知覺者何？天牖之也。人眇然小，天牖之若孔易；天曠然大，人任之則甚重。天若何牖之？室以牖而明，心無竅則塞。心與耳目皆天與我耳。耳聽目視，覺之小；心通衆理，覺之大。不立其大，而從其小，覺者昏矣，重如之何！天者人之天，父者子之天。子之身，父之枝。天牖之，父教之。思也若起，行也若翼。覺不知其為覺，重亦不知其為重。暴者弗克荷，棄者鮮克舉。猶正墻面，畫且息，胥失之。重甫重甫，來前，語汝：一貫忠恕，達則參唯，士弘且毅，仁任諸己。鑽仰雖勞，學博人約，回竭吾才，如立也卓。《大學》一書，在先明明，克拓職分，脩齊治平。《乾稱》一篇，事親如天，或樂或畏，子責當然。宇宙趨新，烏山如故。元氣清淑，豈惟爾父。天分學力，兩遺後人。重甫重甫，拱璧爾身。

學孔字訓 名異

天叟之友君善留兄之子異，丰姿清令，性識機警。冠前二日，語叟曰：「夫人處世，不能特異者俗，不能大同者介。余字異曰同叔，何如？」叟復曰：「伯夷、伊尹於孔子未嘗不同，而丑也獨以所以異問，孟以有若之言對。蓋出於其類者生與人同，拔乎其萃者德與人異。吾夫子所以不獨賢於堯舜，而又自生民以來未有；不獨未有，而又盛也。然則人患不能異耳。雖吾夫子，於逸民七人以下，亦曰『我則異於是，無可無不可』。無可者，不以可為主，而有不可者存；無不可者，不以不可為主，而有可者存。此吾夫子所以異。叟請易以學孔字。孔何余何，鈞之人也，然正唯弟子不能學也。善學孔者莫如顔，猶「末由」，猶「而微」，猶「未達」，况由、賜、商、偃乎？雖然，聖無二道，人無兩心，孔雖萬世而一人，心通千古於一息。《論語》二十篇，皆吾夫子之道，亦吾夫子之心也。而學《論語》者自《鄉黨》入，學《鄉黨》然後容體正、顔色齊、辭令順，斯可以語成人，於是乎冠。異今冠矣[一]，所以異於人者何？曰，異所願學者孔子，惟學孔子，故與人異，否則與人同，奚其異？」

[一]異今冠矣：「異」下原有「名」字，據文淵閣四庫全書本删。

夾谷可與字訓　名立

夾谷可與之在門也，度而文，日以四書為問。暇時請曰：「立以可與敬名，願先生訓其義授之。」叟曰：「《論語》二十篇，唯《子罕》二十九章最難體認。此章重在『權』字。自漢以來，談經者俱以反經合道為權。先儒謂權只是經，又謂權與經亦當有辯。吾子不字與權，而字可與者何？」可與曰：「蓋欲識權之義，必先知立之方。立者，自守之固也。立也齒未學與適道，雖粗知趣守，苟不固，前功俱棄。」叟因訓之曰：「『顔子得夫子博約之誨，既竭吾才，如有所立卓爾。孟子之答公孫丑，亦曰『中道而立，能者從之』。顔之所謂立者中也，孟子之所謂立者亦中也。惟知所謂中，然後知所謂權。中未易知也，執一則非中矣。『學道立權』四字，而立居其三，此正是過關處。學道而不能立，則轉而之它，亦易從矣。立而不中，安知權之為義哉！權者，所以稱輕重而取中也。雖然，夫子曰「可與」者，「可」者當其時之謂，「與」之為言許也。蓋學而適正道，然後許之以自立；許之以自立，然後許之以權。吾夫子十五而志于學，三十然後而立，立之一字，不亦難難！可與年騣三十，從孟之所謂立，而見顔之所謂立，庶幾可以進吾夫子之所謂立。歲月未艾，工夫儘長，可與勖哉！異時人皆與之，不獨吾與之。」

姚平山仲一字訓

夫子生知安行者也，猶曰「庸德之行，庸言之謹，有所不足，不敢不勉」。此語原從何來？蓋得於《易》之《乾》，《乾》健故一，誠故一。夫子自志學至不踰矩，無一刻一時不下工夫，健而誠，所以一。學乾自《中庸》始。庸者常也，惟常乃一。學夫子至於一，然後庶幾夫子。彼曰唯者何人哉？誰謂華高，企其齊而，仲一進之又進之。

字汝亦説 名驥

平山猶子俱韶潤，驥於第為孟。驥，名馬，佳子弟肖之。驥冠畢，友人黄淵曰：「汝來前，吾語汝。晞驥易，亦驥難晞，願學焉，亦斯齊矣。」驥之可稱者德，非謂日致千里。曷謂德？調不駭輿，良不踶齧，閑之維則，翼翼斯藏。人於子弟，願為良，不願為駑，願為駿，不願為騄。不遲頓，不跅弛，不齷齪，亦不厲搏。教則指毛命物，旅立相馴；驤則風駿霧鬣，駕雪來下，非人中驥乎？顔淵於舜曰：「有為者亦若是。」揚雄於回曰：「晞顔亦顔之徒。」余敢字汝曰「汝亦」。

夢雲夢雷伯仲字訓

雲字祥甫，雷字澤甫。

魁樞忠肅公之子，伯夢雲，仲夢雷，公在之日命之也。雲也、雷也，於公名同類而相感者也，公之意深乎哉！然則曷敬二子名？雲之閑，抱幽石，依深谷。雲之神[二]，沛雨而遍乾坤，捧日而端至尊。吾字雲曰祥父。雷之伏，孕根荄，保蟄藏。雷之起，發駭響於地中，騰百川於天下。吾字雷曰澤父。雲屬《坎》，大《象》言雲者二：將作而未大故屯，雖小而未垂故需。何以故？險猶入而未出也，出乎險則施平矣。人世有平有險，險則隱，絢然五色，賢人祥也；平則見，爛然輪囷，朝廷祥也。忠肅公之名汝雲也以此。《震》為雷，《象》於純卦獨曰「洊雷」。一而再，故曰洊，敬天之怒，當恐當懼。何以故？氣猶逆而未解也；逆者解，則雨作矣。人境有逆有順，逆則困衡拂亂，動心忍性，辟陰養陽，卷之澤一身；順則發潛振槁，闐闐天衢，莫我敢遏，鼓之澤八方。忠肅公之名汝雷也以此。祥父從忠肅公以死生，險阻備嘗矣；澤父思忠肅公之不生還，創巨痛甚矣。憂不極者智不明，困不深者思不發。天之成就大才也，每於窮困，為造化降之祥澤，汝後必矣。二子者慎而身，勉而學，以答天意。世故風雨，何足以動汝哉！

［一］雲之神：神，原作「中」，據文淵閣四庫本改。

伯俊字訓 名髦

寶父亞余十歲餘，有子伯俊，冠，余不及從賓贊後。賀之日，伯俊以見鄉先生之禮見。眉宇軒軒韶舉，居然是出群器。寶父曰：「有可以善善否？」余按：《爾雅》曰「髦，俊也」，注云：「士中之俊，如毛中之髦。」然則《詩》所謂「譽髦斯士」者，其俊士歟。又按：《淮南子》曰「知過千人謂之俊，十人謂之傑」。夫一人而蓋十人之上，難矣；又蓋千人之上，愈難矣。然傑以天資言，俊以學力言，傑以才言，俊以德言。資不可恃，須學以將；才不可衒，須德以充。人豈易為哉，學者學為人而已。未冠教之小學，所以養才而育德；已冠教之大學，所以長才而成德。冠責成人之道。人孰大，人身為大；又孰大，人倫為大。《冠義》記：「誠身為上，盡倫次之。」大賢地位，由此階升。顏子之為顏子者，由謹視、聽、言、動之四；曾子之為曾子者，由敬容貌、顏色、辭氣之三。故回居四科之首，參於晚年，傳道最先。夫子猶曰：「回其庶乎！」孟子猶曰：「事親若曾子者可。」二者咸無焉，衆人矣，何以為髦士，何以蓋千人之上？伯俊勉之！若夫年少氣盛，色矜意高，謂能文章為俊，角勝於觜距之場；謂取功名為俊，挺立於風浪之津。如天遨鶻，飛有息時；如冀北馬，馳有止時。竊竊乎何足長雄一世！伯俊戒之！

彦聖字訓 名宜春

乾坤軒豁，日星明穊，人生其間，或一值焉。舜臣五，武臣十，唐虞之際，於斯為盛。山川出雲，有開必先，當之者維申及甫。東周仲尼，七雄子車，斯文之傳，千萬萬古。然當年老身未嘗一日泰，猶之潤溽也而禾盛，蟄坏也而鞠黄，閉塞也而芸生，俱不如勾畢出、萌盡達之時。惟人亦然。天之生人也不偶，將福祐而家，扶將而身，必禀之以中和之氣，必畀之以賢聖之資，必開之以明昌之運。人生於中國，又生為人，又生為丈夫，此身不貲，夫豈易得！為雅子然後貽父母以令名，為吉士然後副國人之幸願，為良臣然後為清朝之瑞物。非但曰饑食渴飲、夏葛冬裘而已，非但曰服備可以成人矣。吾友戴君存厚之嗣適曰宜春，孩名也，問字於余：「春字六經何訓？」余以《鄉飲酒》義六言對。「春産萬物者聖」，敢奉字曰彦聖甫。彦，美也；聖，生也。君與先大夫種德，未食其報，有子如春，生意方將，美哉美哉！《詩》曰：「彼其之子，邦之彦兮。」果如是，余與存厚、閑我弟兄老伴，願見之子如唐虞成周也，豈不美哉，美哉！

明卿字訓

吾鄉莊敏龔公之族子惟月冠，其叔景陽請字於其師閑我，閑我以明卿字，天叟為之訓曰：月受日光，故與日貞明而不息，古人制字，所以從日從月為明。雖然，日無盈虧，月有圓缺。自哉生明而之望，明者漸盛而漸滿；自既生魄而之晦，明者漸減而漸消。然消者固未嘗消，而明之本體即在。人雖負陰抱陽以生，陽為一身之主。幼而冠，冠而壯，自哉生明而之望之月也；壯而衰，衰而老，自既生魄而之晦之月也。養之以理義，充之以學問，一點光明，皦皦生白，何少何老？昏於情，蔽於慾，人歲以來，即有蒙氣，矧及耄乎？昔謝重侍王道子坐，月夜明白，道子嘆以為佳。重曰：「不如微雲點綴。」道子曰：「卿居心不净，乃欲滓穢太清耶？」此事雖小，可以喻大，明卿戒之毋斁。

林則時字説

韻鄉老人黄淵天叟之友清逸處士林伯雨之良子宜，韶妍警敏，有蒼老氣，處士愛之，叔父冲素處士尤異之。歲己丑十一月丙午朔，日南至之明日，冠。前期，處士語叟：「某以則時為吾子敬名，請所以訓。」叟曰：「宜者當然之理，時者介然之幾。理若典要，幾有變易，以權合經，則存乎人。」《易·彖傳》於《頤》《大過》《解》《革》言「時」，於《坎》《睽》《蹇》言「時用」，而言「時義」者四。時與義皆兩事，獨於《隨》曰「隨時之義」，與《豫》《遯》《姤》《旅》不同。義者宜也，隨時之宜，不繫於人，故《隨》貴變也。隨之義大，在學者則審己而隨於人，臨事而擇所隨，皆隨也。有可隨，有不可隨，是謂時措之宜。苟以無可無不可為隨，惡乎宜乎！人性皆理，不能無欲。氣質之用狹，問學之功淺。於是公私、非是、剛柔、緩急、長短、小大，先昧乎介然之幾；動静、損益、出處、語默、取予、辭受，俱越乎當然之理。惟不識時，故不達宜。《隨》之爻，丈夫皆陽，小子皆陰。係陽失陰，居正者也；係陰失陽，從邪者也。己居於正，凡事皆正；己從於邪，凡事皆邪。苟隨乎哉？則時春秋尚富，難驟語《易》，然既以成人見丈夫小子，當謹所隨。叟敢申時之義，而祝以詞曰：

聖人即乾，惟一仲尼。稷、回、參、伋，賢者之隨。軻深於《易》，其庶乎幾。楊、墨、子莫，三者俱非。改而它師，陳相夷之。正乎不也，善惡兩岐。而則時甫，謂起家兒。昨丱今弁，如墻築基。大體小體，慎從爾思。舍賤就貴，清斯濁斯。稱量尋尺，範我驅馳。學道立權，惟君子時。衣茲德言，福禄來宜。

顧舜可字説

天地人物，通一氣耳。木之受氣有淺深厚薄，松也禀天地之英氣，故為百昌之傑；人之受氣有昏明清濁，舜也禀天地之正氣，故為群倫之冠。是皆自然而然者。雖然，君子不論氣。木心不正，脉理皆邪。松惟有心貫四時，而不改柯易葉。人所以虚靈知覺者心，心之精神是謂聖。聖豈異於人哉，順其天、盡其性耳。舜此仁義，我亦此仁義；舜此孝弟，我亦此孝弟。此心之存，曰我即舜。猶之松焉，中堅緻而潤澤，自根實而神王，豈必注沆瀣之華、薄日月之光，然後可以柱明堂而棟大厦？余友閑我之子松老冠，以舜可敬名。千歲之材，養於拱把，昨視如嬰，今視如龍。虬角雖弁，鱗髯未蒼，積之以年月，培之以學問，老之以師友，勿蝕之以好樂而害其長，勿薰之以聲譽而耗其實，勿深之以嗜欲而搖其本，天真全而本性得，松乎舜哉！舜乎松哉！叟亦閱世卧雲壑者，愛吾舜可如子姓，願吾舜可封殖之。

傅彌年字訓

傅元楚之孫，與點之子，九成名，清令可愛，踰就外傅之年二[二]，受業於余。啟發之資達，憤悱之志遲。長善救失，余之職也。設弧之旦，乃先吾魯中叟一日，余心奇之，雖未冠，預為之字曰彌年。彌之為言益也、久也，年之為言壽也、耇也。舜樂九成，逮周之東幾二千年，而魯中叟猶在齊聞之。德之深者，樂之入人亦深，豈可以歲月計之？雖然，年彌高，難難；德彌邵，又難難。禮經冠字之詞，祝之以成德，祝之以麋壽，蓋欲其德與年俱進進不已也。德者何？事親孝，敬長弟，存心仁，制事義，盡己忠，待人信。而又《詩》以養其情性，禮以束其肌膚，擇正人之居游，遠損者之友樂，藏修息遊，不離乎師。夫然後德偕身長，日益而不自知，昌而熾，耆而艾，不知老之將至也。年彌高，德彌邵，惟魯中叟一人當之。或曰，衛武公亦其人也。余於是訓其義以授彌年。彌年志夫子之學者也，武公事業又係乎時之我以爾，聽余言毋忽。

[二]踰就外傅之年二：傅，原作「傳」，據文淵閣四庫本改。

林于高三子字祝辭

前進士年家子林于高之子伯肖祖、仲肩祖、叔肯祖，幼而知學，婁語叟曰：「晉人呼名為小字。柴桑翁之子孩，名之曰儼，字之求思。余欲援陶例，為三子請所以字，先生其惠教之。」叟諾而未暇。一日，過于高所，呼三子前，誨之曰：「材衎宗簿公，而曾大父也；松湖宰公，而大父也，而知爾父名汝之意否？叟為若各訓以字，而祝以辭，若其聽之毋忽。」

師說祝辭　肖祖字

昔傅氏說，賚象惟肖。待以師臣，置之廊廟。問答三篇，如天兩曜。興學二言，君道體要。矧人子者，聿念厥紹。詩禮傳家，用功在少。敬內義外，父教師詔。毋侗好佚，毋浪謔笑。字爾師說，期爾英妙。庶肖而祖，之才之邵。

師孔祝辭　肩祖字

昔端木賜，喻墻及肩。衛聖人道，日月與天。雖未至孔，得孔之傳。性及聞道，晚異早年。矧人子者，筆耕書田。養正於蒙，習慣自然。毋為物誘，毋為欲遷。必弘必毅，任重力專。字爾師孔，期爾聖賢。庶肩而祖，復舊家氈。

師旦祝辭　肯祖字

昔周公旦，堂播曰肯。大誥告王，明訓炳炳。特友其辭，以教以儆。俾無棄基，歷年有永。矧人子者，學為本領。禮戒四非，日常三省。透善惡關，造聖賢境。當仁不讓，做第一等。字汝師旦，期汝忠鯁。庶肯而祖，盛名鼎鼎。

以辨以順字訓　以辨井之字，以順升之字。

叟祝于高三子以字，高之兄于野又請曰：「行可叔父之子二，曰井、曰升，俱可教，先生亦贈以言。」叟答野曰：「《易·大傳》三言九卦，其三於《井》曰『井以辨義』。井雖居其所而不移，汲者往往來來，所以汲者或大或小、或木或缶，應之多少，各隨其宜。此謂辨義。人之酬酢事物亦然。敢字井曰以辨。辨即明辨之謂，善惡不辨，寧合於義？《易》大《象》言君子五十三，有言在上者，有言在下者，有兼上下言者，各有受用處。《升》曰：『君子以順德，積小以高大。』木生地中，日高一日，此《升》之象，而必曰『順』者，蓋惟積故高，由小而大，木之勢順也。君子觀象，而順自有之德性，於小者日日積之，未有不極其高大者。此心此身，至切工夫。不善學者每於小善多不屑為，逆矣，又安能積，又安能高？敢字升曰以順。先儒讀《大學·誠意章》，方透善惡一關。爾辨爾順，戒之戒之！」野命二子拜，曰：「敢不承教。」

林起東字訓

叔父林某為其兄時軒之子寅生冠，字則朋友命之，禮也。《易·説卦》曰「帝出乎震」，震東方也。《漢·律曆志》曰「引達於寅」，寅於方為東，於時為春，天時人事，於此乎始。《書》言「東作」者，謂萬事至東而俱作，非止農功也。一歲之計在春，一日之計在寅，一生之計在少。少而學者，大明東生，然後晉而中天，不學則晦明者損矣。昔晉趙文子冠，見韓獻子，韓戒之曰：此謂成人。始與善善進，不善蔑由進。始之一字，旭日始旦之義也。戒爾寅生，字爾起東，此余所以覆露子也。起東勖哉！

甥孫郭啟翁智遠字訓

啟之為言開也。譬之户焉，闢則通，闔則塞。人之所為人者心也，心之所以通達者識也。仁義禮智，皆心所有，雖仁為先，而智實重於仁。是非之心不明，則仁義禮智皆失其本心矣。《詩》云：「天之牖民，如壎如篪。」天之啟乎人者在一牖字。伊尹曰：「先知覺後知，先覺覺後覺。」人之啟乎人者在一覺字。牖惟虚故明，心惟虚故智。心之智在覺，惟覺則悟人。甥郭之仲子曰啟翁，余為字之曰智遠。人而不智，心孔其開乎？雖然，啟之者天也，使之知所以啟而啟者人也。人非學不成，學非師不啟。誰不智，氣貳之，欲參之，啟者塞也。吾夫子之於門弟子曰「不憤不啟」，俟其自憤而後啟也。憤則智之天即在，啟則智於理必明。愈廣大，愈高明，智其遠乎！然則智之所以遠者自學始。學日廢則識日卑，智若何而致遠？師之良，友之勝，前之鍵，今之通啟矣，知奚止於一室之内？宇宙豁如，古今昭如，遠矣。若夫傅巖、老子啟沃一事，余未敢遽言之高。智遠智遠，毋為人下，勖哉勖哉！

林景惠字説

余友林德符之仲子小名佛奴，蓋感吉夢名之也。將冠，謂與伯子之名不類，更名曰和，字景惠，屬余訓其義。余曰：人於天地之性一，而氣質或失之偏，即之也温，聽其言也厲。人不皆吾夫子也，中節之和，十人中八九失之，況制行乎！和而不以禮，有子患其不可；和而不流，子思然後許以强哉矯。之生斯世，為斯民，同流合污，以此為和，不然。昔者高辛氏子，豹之惠，貍之和，各盡其一，俱謂之元。之二言而欲兼有之，不亦難難？後來魯展氏季，百世之下聞其風者，薄夫猶可使敦，鄙夫猶可使寛，和幾於聖矣。孟子車尚慮學之者其弊流於不恭，蓋學之者但知季之和，而不知季之介。季降志辱身矣，而言中倫，行中慮，事人以直，斷不枉道，雖三公莫易其介，徒和乎哉？景惠景惠，而知而大人命汝字汝之意否？而質過於狷，狷雖行己有守，惡乎和？而量失於褊，褊則待人太狹。矯其褊而歸之和，如魯男子之學惠也，斯可謂之和矣。汝聽余言，可當佩韋毋忽！

洪與我字説

先友洪德章之孫恩，祖命之名也，將冠，乃翁問字於叟。叟曰：人生在三，君、父、師也。戴履中間，食土衣毛，此君之恩也；鞠我育我，顧我腹我，此父之恩也。匡之直之，輔之翼之，此師之恩也。入而侍親，知所以孝，出而就師，知所以敬，仕而事君，知所以忠，此為人之大閑也。雖然，有此身則有此性，性孰命之，天命之，則此恩若何而報之乎？四端五實，天既全而與之人，而為人亦當全其所賦，付而有其所有。視聽言動之勿非禮，而後謂之奉天；容貌辭氣顔色之貴乎道，而後謂之順天。佪好逸則褻天矣，邇宵人則逆天矣。君者臣之天，東西南北，唯命之從可也；父者子之天，不虧其體、不辱其親可也。門第之師夫子，蓋受罔極之賜，喻以日月而未足，又喻之以天不可階。則事師猶天也，天豈易事哉？雖然，知天之與我以斯道也，當自學問中來。學有二，曰知與行。孟子車曰「知性則知天」，知之事也；「養性所以事天」，行之事也。又謂耳目心三者皆天之所與我者，「先立乎其大者，則其小弗能奪，此其為大人而已矣。」大者曰「心之官則思」也。恩將冠，則學為大人矣，叟於是字汝曰與我，蓋以天兼君、父、師言也。事天則知所以事君、父、師矣，張遠公《西銘》一篇盡之。乃翁其以此誨而子，與我而衣斯言。

陳汝作字說

鄞江陳耀卿之雅子，芳年華月，清令可愛，慕道而劬。書不遠訪天叟于莆，叟扣其名若字，以雷霖、國濟對。叟曰：「濟者舟楫之事，不如霖雨之難。雨所以澤天下蒼生也，國云乎哉？」為之更曰汝作。《易》《屯》《解》二卦俱《震》與《坎》。雷之鼓則為雨，其未作也《屯》之象，其既作也《解》之象。屯者，君子以經綸之時，屯之亨則施光矣。解者，君子有攸往之時，解之動則夙吉矣。雖然，《易》不言霖者何？雨三日以往為霖，霖即雨也。雖然，《乾》言雲雨而不言雷者何？《乾》之初爻為《震》，《震》為雷。時方就潛而未躍，故霖亦渴而未作，飛則雨施平矣。雖然，「見龍在田」，「德博而化」，是亦大人作霖之事也。維昔高宗，中興商室，此飛龍之大人也。有臣曰説，起於傅巖，此見龍之大人也。以大德之君，遇大德之臣，作霖之寄不仰諸説則仰諸誰？時之未則潛，時之以則見，聲應氣求，霖其作乎！爰敬汝字曰汝作甫。汝作歸而復于乃翁，翁必曰，作霖，相業也。説之相業，蓋自學始。叟誨汝以學，今日之學，異日之行，汝作其以此字為字。

陳耀卿字叙

《易》小《象》傳曰：「君子之光，其暉吉也。」光者明之體，暉者明之用。光至於暉，其明著矣；暉至於耀，明又盛矣。嘗譬之曰：光其質也，暉旭旦也，耀則中天而明無不照也。天地始判，日即生焉，若非日昱乎晝，宇宙晦冥，萬物何所覩哉？人之所以光明俊偉者，以陽明之氣塞吾其體也。故積中發外，如日之暉，學問之充，事業之見，炳炳烺烺，照人耳目，又暉之耀。《書》曰「爽邦由哲」，哲即暉之義，爽即耀之義。爽以事言，哲以人言。以哲人而理邦政，事事爽快明白決矣。吾曜卿之名之字以此。或曰：前脩名褒字貶，今曰暉，又曰耀，毋乃非用晦而明之理？曰：不然。君子未嘗不晦其明也，而明之誠，形自不可掩。丈夫礌礌如日，有豁達，無晦昧，不者幽陰之小人耳。昔裴耀卿字焕之，於唐貞觀、開元間有直聲，後來官至平章僕射，豈拘拘以名褒字貶為例乎？吾耀卿之名之字以此。耀卿名暉，族陳氏，鄞江人，今佐清漳府幕。余因字其子汝作，并叙耀卿所以名字之義。余莆四如老人黄淵天叟。

大年字訓

從子身道之子焴孫設弧日，伯祖名之；年十八，將加元服，伯祖又字之大年。穀熟則人民育，五穀皆熟，斯大有年。焴字從火從育。穀雖生於土，潤於雨，炊爨者火，餴饎者亦火也。非是惡乎育？農之殖苗，苗冀其秀，秀冀其實，然後謂之有年；蓄之豐，積之高，又謂之大有年。人之於學亦然。學所以育德也，如《坎》之泉養於蒙，如《離》之火進於晝，則充實而有光輝，之謂大。年彌高，德亦彌邵矣。而知伯祖名汝之意不也？而氣質非不美，剛或失之過；而問學非不諄，時或失之怠。過非中也，怠自棄也，皆德之累。旭日始旦，毋寒於陰雨；雪萌方茁，毋失於野燒。而欲為大人者，當防人心之危，深慮旦氣之梏。親正士則謹繩墨，就良師則知詩禮，磋之磨之，緝之熙之，猶農力田，年年而大有年。老伯祖豈不願吾孫之為佳兒乎？八十翁下筆至此，感慨不少，大年其衣此德言，毋謂我耄。

喬年字訓

翁老矣，欲見一孫。六十四歲，梓也房下，得長頭兒，時至元甲午四月二十三日也。喜劇醉劇，弧矢之旦，命以疇祖。蓋翁號𦳠疇，亦蘄此孫耕𦳠中之田，享𦳠中之壽也。元貞丙申，甫三晬，翁語疇曰：「汝若冠，翁名汝㷽，字汝喬年。梓，而父也，從木；㷽從火，又取生生不窮之意。」未及援陶翁字子例。外表孤山岀之，遠寄字義，謂吾道之傳，與天寖照，同一悠久。似大而夸，或者疑之。疇年十七，翁又及見汝冠矣。一日微熏，快著數語：「人身難，得男子身又難。狀貌有雄偉者，有奇怪者，俱不若精神之淳；容止有重遲者，有皎厲者，俱不若氣象之雅；識見有曠遠者，有深沉者，俱不若學問之高。精神闒颯，豈胡耇之相？氣象便儇，豈致遠之器？學問卑陋，豈典刑之老？㷽字從壽火，翁祝爾壽。汝精神淳，則生於色，見於面；爾氣象雅，則望之儼，即之温；爾學問高，則過則聖，及則賢。學問二字，又精神氣象之本領，養自家心，濟自家身。始則十五年一進，自三十年，每十年而一進，至從心所欲不踰矩地位，然後等而上之，且八十，且九十，且百歲，不知老之將至，豈不光明俊偉哉！不則悠悠失之於前，又不汲汲償之於今，精神氣象俱不惶惶，枉過歲月，夫奚益？翁年八袟，蘄汝為起家兒，又為保家兒。使邦人士稱願然，曰『四如之孫，巋巋喬岳』，翁與而父喜當如何！喬年，勖哉慎哉！」㷽再拜曰：「敢不佩服大父之訓！」

昌年字訓　大德七年

天叟以五行闕水，請於先君，更名淵。梓以子材字，水生木也。子材之子孩名疇祖、光祖，俟其冠也，孟名爇字喬年，仲名熙字昌年，卜於先聖而協，木又生火也。熙於《書》傳訓廣，於《周頌》鄭箋俱訓光明，獨《昊天有成命》篇毛傳訓廣，而鄭謂廣當為光。《酌》篇鄭又訓興。廣也，光也，興也，字訓雖異，於義可貫而一。熙字從火，地二生火，質若微而未著；及其炎上，《大有》之在天上而文明，重《離》之照四方而麗正，豈不熾而昌乎！辰為大火，於人猶少之年也；午為鶉火，於人猶壯之年也。人之年，學問貴少，事業貴壯。少而學問，始旦之旭，大昕之朝，輝如也。壯而事業，晝日之接，庭燎之會，則有光矣。然事業之係乎天者不可必，學問之盡諸己者不可廢。學問緝熙於光明，則可以續詩書之燈，可以嗣父祖之徽，不惟亢身，而又亢宗。不者，影響昧昧，老而無聞，與夜行而不以燭者何異？若夫事業之來，行其素學，不必矜察察之政，不必求赫赫之譽，亦必炳炳烺烺，為一光明俊煒底人，庶幾熙熙乎廣哉。功名久遠，理義悠長，而昌爾年，熙也允臧。　時大德癸卯秋，光祖第二晬之旦，大父四如老人作，示子材教昌年。（以上《有宋福建莆陽黄仲元四如先生文藁》卷二）

全元文卷二六〇

黄仲元　三

夢筆記　至元十一年五月

甲戌歲[一]，夏五八日午漏三刻，後學黄天叟淵課兒講《易》罷，坐而假寐，夢一神人坐于龕，諦視之，吾夫子燕居像也，亟再拜稽首。子曰：「女來前，吾授女筆二。」淵敬受，又拜。子曰：「勿拜。」退，懷其一，窺其一，圍徑三寸許，漬墨濃甚。袖而請業於夫子。偶角丱來覓句，遂覺，驚喜相半。迺自占曰：筆者，述也，述事而書之者也，其斯文之祥乎！吾夫子筆絶於獲麟，今一千八百年矣。當時闕里弟子賢哲七十七人，此筆奚不授？孟子車而後，五季而上，豈無大儒，此筆奚不夢？夫子嘗謂：「文王既没，文不在兹乎！」必如吾夫子，而後以斯文為己任。夢者，夫人所有，而聖人之夢與夫人不同。吾夫子嘗夢見周公，於斯文蚤而知之乎哉！必如吾夫子，而後精神心術與周公胥契於寤寐之間。淵於斯文，未蚤萬分一世古人，今思執筆從二孺子後不可得，安敢步趨吾夫子？雖然，吾夫子所以授筆於淵者何？《春秋》感麟而作，作起於獲麟，則筆止於所起。《春秋》，經也，續之僭，或書帝正月，或書陽正月，皆叛經者，然獲麟以後之史猶可得修乎？漢司馬子長《史記》始黄帝，終麟止，而《十二國世表》起成周共和庚申，以上傳疑矣。班孟堅專志西漢史，而秦伯莽盜，世經微，寓書法，迺以更始帝著紀，宜削。遷固而下無譏焉。唐陳伯玉自漢武迄唐為《後史記》，未及竟，亦不傳。宋邵堯夫《皇極經世書》上稽唐堯受命甲辰，為編年譜，黜吕娥姁，進孺子嬰，以土后魏附梁，以宇文周附陳，夫豈無見？而書少帝恒山王，書曹魏接獻帝，或者疑焉。張敬夫《經世紀年》，夏少康出處復國甚悉，所假立惠帝子不得紀元，斕涉世運稍大。而最可議者，山陽公尚存，即絶漢而予蜀。司馬君實先約戰國至秦二世，如《左氏》體，名為《通志》。後作《通鑑》，劉道原之力居多，而是非予奪一出光手，秦以前或即《通志》也。《舉要曆》、《稽古録》、《歷年圖》俱助此書之不及。其曾孫伋經緯離析圖，又惟與兩漢、西晉、隋、唐以一統。然一統與正統異，一統而正者，若唐、虞、夏、商、周，其次漢、唐與宋，若西晉若隋，雖一而未正。朱元晦《綱目》於始皇二十六年大書，而不分註，意謂前亡後繫，朝覲皆歸，即為正統，當送一難。《左氏傳》終魯悼之四年，實周貞定王之五年也。繇貞定王戊寅距威烈王丁丑六十載間，於史闕如此，大欠事。吕伯恭以魯史、《左氏》、《國策》、《史記》、《説苑》諸書修之，曰《大事記》，上接西狩，下止征和，繫楚義帝、繫高后，一失一得，識者自識，然於周、魯、七國事跡疎畧。此史之所以不可不修。繼周者百世可知，或者吾夫子授筆之意，其在兹乎！雖然，史未易脩也。乾坤未毁，老身長在，無憂衣食亂其心，此夢決不負負。獨念家無屋壁之藏，世多遺軼之書，畜眼未見，下筆恐未精妙。惟吾夫子陰隲之，俾昌斯文，又昌我後之人。淵遂次前語為《夢筆記》。

淵舊讀一書，記夫子作《孝經》時，簪筆拜北辰，老忘所出。何休序《公羊傳》曰：孔子有云：「吾志在《春秋》，行在《孝經》。」此二經者，夫子二筆與。《孝經》當時授之子輿，而《春秋》筆削，子夏不能贊一辭。朱元晦謂《孝經》，曾氏門人所記，若以為夫子自著，可笑之尤。吾鄉鄭漁仲又疑夫子所取魯史之筆適至獲麟，時欲修之，而未及修，然非與？後乎此，復夢夫子，記問此事。記成之明日，淵敬跋。

[一]甲戌歲：甲，原作「丙」。按黄仲元在八十二年間祇有一丙戌年，即至元二十三年，然《有宋福建莆陽黄仲元四如先生文稿》卷末附余一謙《夢筆記跋》，作於宋咸淳十年甲戌，中云「《夢筆記》成，特以示僕。」則《夢筆記》作於宋咸淳十年即元至元十一年無疑，「丙戌」乃「甲戌」之誤，今改。

族祠思敬堂記

堂以祠名，即古家廟，或曰影堂，東里族黄氏春秋享祀、歲節序拜之所也。堂以思敬名何？祭之所思，主乎敬也。所以有斯堂者何？堂即族伯通守府君諱時之舊廳事。某與弟仲固、日新、直公、姪現祖、與權得之，不欲分而有之，願移為堂，而祠吾族祖所自出，御史公諱滔以下若而人，評事公諱陟以下大宗小宗、繼别繼禰若而人，上治、旁治、下治，序以昭穆，凡十三代。亦曰天之生物一本也，子孫孫子，親親故尊祖，尊祖故敬宗，敬宗故收族。不則何以奠世系，聯族屬，接文獻，而相與維持禮法於永年哉？雖然，不敬惡惡可？敬，所以致愛也，所以致慤也。而所以致愛致慤者，又存乎心。惟有怵惕悽愴之心，故祭之前期，思其居處笑語，思其所樂所嗜，以己之精明而與慌惚交，然後祭之質明。其立敬以詘，其進敬以愉，其薦敬以欲。徹，退，敬齊之色，陶陶遂遂。夫如是，則所思者敬，而各敬爾思也。若悠悠而來，不蠲不享，祭畢餕餘，汎汎而去，此豈足以稱斯堂之名之義？仲元竊念，花樹韋家宗法，畜眼所未及見；老蘇《族譜》一引，弟姪雲仍讀之，油然而生孝弟。拜於斯，饗於斯，思之無射，敬之無射，先祖是聽，介爾景福，豈不休哉！或曰：「新斯堂也，費焉須？」曰「節縮祭田之贏，勾稽山林之入」。弟姪親表間佽助焉，或微乎微，具刻牲碑，此不書。後來者牆屋之或當脩，器具之或當庀，吾宗有緼融者、良奥者，修之庀之，猶今之年，庶俾勿壞，書之又不一書。書已，系之詩曰：

猗歟吾族，餘四百祼。人世趨新，宗法不墜。聿升斯堂，耋稚雅雅。孝孫虔祝，神保致嘏。數世之後，毋自封畛。演迤扶將，勿替有引。

學稼軒記　至元二十年

癸未六月哉生魄，天叟記學稼軒。何以記？記為傅君德陽作也。德陽者何？心田翁景周之子也。

不名而字之何？前進士也。以學稼名軒何？稼農事，士學之，志常業也。昔之民無不農之士，後之民皆不士之農。故九井廢，四民分，農之子常為農，士之子常為士。農農而已，冀缺携儷，沮、溺結耦，雖農不農。問稼於士，哆然而對：「吾食舊德，非服先疇。」士士而已。此格物之學所以不明也。農夫以百畝不易為憂，君子以一物不知為羞，不必種粟而後食也。《神農》二十篇，《宰氏》十七篇，亦不必談與不必耒耜吾家操也。丈夫二犁，童五尺一犁，亦不必問與稼者稼也。有生之義，稼之地，某宜一易，某宜再易，某宜三種，某宜五種。稼之名，某種當早，某種當晚，某熟最先[一]，某熟最後。稼之器，曷為錢鎛，曷為耔芨，曷為槍刈，曷為椎銍。稼之政，曷用人耦，曷用牛耦，曷用貆麋，曷用羊豕，止水以何，寫水以何，先雨何待，時雨何挾，又當稼事所當簡稽也。有為國卿者[二]，於苗曰：「少也晌晌乎，何其孺子！壯也莊莊乎，何其士！成也由由乎，何其君子！」有為王子者，於田曰：「深耕概種[三]，立苗欲疏。非其種者，鉏而去之。」士何事，曷不尚論古之人？于耜納禾，始播百穀，與豳父老為周旋人，卒焉起焉，作勞無一日之休。旆旆穟穟，幪幪唪唪，模寫稷躬稼時物物景狀，後老師耆儒塗易一字不得。二詩者，非周公決不能作。此等趣味，千載下何人獨解？「平疇交遠風，良苗國願豐」，又如詠吾宗孫子時。信居寵之虛榮，不如為農之可樂。雖然，井飲田食，出作入息，農曰稼，士曰學；百畝五畝，以事父兄，農曰稼，士曰學。耕野皆堯舜之道，農桑即王道之始，百姓日用，由之而不知，仁者見之謂之仁，智者見之謂之智。陶、杜可謂知稼穡之興，語學未到周公地位，古今無兩周公。德陽願學者何？年年秔熟，約叟重客，往來阡陌，尋浣花溪，酌彭澤酒，相與歌風雅於碑山之南，使田更野叟，擎壤群和，曰：「吾儕小人，亦學稼者，而有此樂乎不也？」豈不為山中清話？叟為何[四]？黃姓，淵名，自號韻鄉老居士。

[一]某熟最先：熟，原作「種」，據文淵閣四庫本改。
[二]有為國卿者：卿，原作「鄉」，據文淵閣四庫本改。
[三]深耕概種：概，原作「概」，據文淵閣四庫本改。
[四]叟為何：為，原作「叟」，據文淵閣四庫本改。

半山精舍記　至元十七年

癸酉歲，莆邑昉起學宮，博士張君肖季實來。丙子冬，學宮成。時樞相宣閫如心陳公以博士名聞于朝，已改舍入宮矣。居無何，莆更兵燬。余舘外弟宇下，距環泉尺有咫。後三年庚辰春，博士寓環泉之南，過存相勞苦，夜闌語軟，時或酬倡。余貧到骨，博士父子不相聊。少日蹙頞相告：「吾違父母國有年，昔昔嶌吟。秋半戒途，無以實橐。小人有闔廬曰半山精舍，願徵子文，輝潤捲樞。」余賦曰：「子謂吾文其與可竹、亦懷新，領此惟一元亮。『冬菁飯之半，牛力晚來新』，識此惟一子美。東皋、下潩、官張、杜曲，或視稷，或補畦，崎嶇往來，奚空自苦？亦曰：士而未仕則耕，仕已又耕，常也。今章逢者以首苧蒲、身襏襫為恥；山林者以載嬪息、服疆畝為名。不倡書中有粟之高談，則出豆落為箕之怨語。回視陶、杜，孰真孰偽？德陽，仕而已者也。俯不耻細民之賤，前不慕退士之名。有溪可撈，有田可饘。既耕且種，還讀我書，如讀《山海經》時，在家早起，憂廷珪墨與？迂何甚！」後五月，又相促迫，予迺更端而問：「曷名乎半山？」博士曰：「昔王文公築第白下門外，為道之中，後捨報寧，人以半山名寺，黄太史遂稱公為半山老人。吾精舍在莒溪山半，因用其名名之，非慕此老也。」「然則孰名之？」曰：「杜公康侯名之，且大書。」「然則面勢何鄉？」曰：「一水護田將緑遶，兩山排闥送青來。」「然則經營何始，斷手何年？」曰：「先君子庀徒於甲午，落祭於乙未。歲丙午漂於水，唯棟扁坋汙泥淤中，濯溉如新，殆若陰相，遺我後人。又四年己酉六月，誅茅編竹，苟完一區。吾精舍雖不加闢，成先志也。」「然則精舍之名昉于何時？」曰：「漢仲承、文有、子良諸儒以之講授，蜀元直以之聽習，魏譙東、宋石璧以之讀書。逮晉武帝奉佛，引沙門内殿，名義胥失之。吾精舍，書室也，非緇廬也。有田可耕，有池可魚。莆雖信美，然非吾土，携書歸隱，不失故吾，則走也幸。」余蹴然曰：「莒山之半，甲午以前，樵夫野老之所同有；甲午以後，巖處奇士之所獨擅。端平距淳祐丙午幾何時[二]，而此舍已荒田野草。丙午距己酉又幾何時，而荒田野草又為幽人之廬。己酉距庚辰又幾何時，間關濡滯，在天一握，安知伊威不在室，蠨蛸不在户也？博士於癸卯、壬子兩隨計吏，俱試奉常屈。戊辰叨恩，僅授縣師，家食六載，方告戍期，何分寸之難躋攀！宦莆終更，遄脱選調，寵晉兩階，又何朝適而昔至？突未黔，事乃大謬不然。盎無儲米，囊慳一錢，栖栖萬狀，又何頭方命薄，舉翮觸四隅？使瞽者揣聽，又未知博士相法當何如？陰陽儲與，千變萬紾，曷為從類，曷為居方，索之不得，求之招摇之下。然昔人觀園囿之興廢，知洛陽之盛衰。博士行歸故都，視城郭而猶如故，蒼生而各環堵，豈惟為平泉一樹一石。喜過比隣訪故舊，或各隔異方，或無家可問，晨煙夕露，莽蒼滅没，使人意象惘然。甫也草堂，亦無顔色，直有感也夫！然予閚管仲父曰：定心在中，耳目聰明，四支堅固，可以為精舍。博士春秋高，精力完，無一點老人衰憊氣，壽猶方將未已。不知返子之舍，種瓜采蕨，穿花藉草，尚憶吾天叟否？」天叟名淵，姓黄，自號韻鄉。博士，樵之挐川人，名靖夫，李出也，為處士夢庚叔建後，可謂能為之子矣。因記而授之歸，且與莒山結緣，庶他日不作生客。

[一]端平距淳祐丙午幾何時：丙，原作「甲」。按：宋淳祐年間無甲午年，當作「丙午」。前云「歲丙午漂於水」，是。丙午即宋淳祐六年，今改。

藥房記　大德八年

房，書室也，命以藥何？喻芳潔也。正則《九歌》謂芷為藥。芷，楚草也，一名白茝，一名澤芬。蜀與楚接壤，而蜀産尤多。然草之芳潔者何限，而獨取於藥者，又喻檢束約敕之義。此公所以藥命房也。公意若曰：「天地間，陽為君子，陰為小人。君子者，禮義束其心，廉耻敕其躬，故明光俊偉，正大洞達。烺烺炳炳，如青天白日；磊磊落落，如高山大川；師師儀儀，如瑞麟祥鳳。嚴李輩抱道懷德，無營當世，使人油油翼翼，歆慕不已，千載下芬猶未沫。與小人肆而無忌憚，頑而無羞惡，溺深壞速，然後泄泄沓沓，甚虺蜴蜩螗之幽陰，幡幡捷捷，貪槿花石灰之榮利。子雲、允南、伯玉諸人糞壤同腐，識者為之喙唾胸嘔矣。人之為人，而不別芳臭，不辨清濁，可與不也？」以公之識趣如此，則公之律身可知已。公孝友如密，信義如忳，誠直如輔，非但以政事文學表表自見於世者。襟懷光霽，無一點宿生葷酒，而又沃以經傳芳潤，故處樂如處約，人不得以是顛倒之。乾坤回互，岷峨愴悽，浮家江南。澼絖之封，支離之粟，苟活其孥，而公嚼葛麻、飡苻蘺，不改度也。天外飛鴻，偶留方壺，回首白雲，浩然謝事。昔人以官滿燈熱行得清凉館，况脱冠珮，訪林泉，顧平生無一可恨者，豈不菲菲兮其彌章。龜鶴翁、史祐陵目為八葉。公親擢乙科，見可翁、史坡老，以師事之。蜀非無賢士大夫，要非其極也。公以學齋之嫡，超詣諸老之右，萬卷繞坐，不知年數。於其將行，賦長短句，一筇雙屨，吃了離支歸去。然而離支不如藥也，離支三日則色香味俱變，芷未嘗變而不芳也。僕歛衽清芬有年矣，因記藥房，以為公别。公采馨香，以遺所思否？公名某，少中大夫，前興化路總管。僕則莆四如居士黄淵也。年月日，大德閼逢執徐歲，白露節旦。

居安堂記　至元十六年

居安者，吾友居之所居之堂之名也。居之，鐵庵先生之世也。承先緒如捧盈，視浮榮不滿睫。宜狐黄而緼袍敗絮，宜膏粱而脱粟寒茹，以是為居，安乎？居之曰：「貴者仞軒冕為素有，不知包周身之防，吾就吾閑，居庶乎安。富者謂金玉可長守，不知非無賄之患，吾散吾積，居庶乎安。世故憂患，來如疾風甚雨，在彼者常漂摇，在我者常静，以俟其定。時乎携琴觴，問松菊，燕喜壽母，樂爾妻孥，此一安也。時乎駕長舸，並鷩瀾，與漁争隈，延緣荇間，此又一安也。時乎巾屨徜徉，對彌明聯句，採松焚瀑，解腰共飯，此又一安也。時乎蒲團曲几，共遠公入社，青山白雲，開遮自在，此又一安也。萬事隨緣，是安樂法。」客共曰「然」。雖若此，險易之相尋也，聚散之無定也，幽賞之未能遂其極也，心思之不可囿而滯也。尚有大方之家，數仞之牆，長高深廣，平闊無閡，藏脩息遊，惟意所適。是中固非坐馳所能止止，亦豈視為蘧廬者所能托宿。肯堂肯構，嗣前人功。出門如見大賓，入虚如有人。敬常勝怠，志常帥氣，我常為主，物常為客，則安居也，廣宅也。余敢以是為居之勉。《易》曰：「君子所居而安者，《易》之序也。」《孟子》曰：「君子深造之以道，欲其自得之也；自得之，則居之安。」君子一也，由《易》而進《孟子》之天，居之安者，渾然之本，所居而安者，粲然之用。由《孟子》而進《易》之地，居之安者至之之事，所居而安者終之之事。非所居而安，奚居之安？惟居之安，故所居而安。富貴行乎富貴，貧賤行乎貧賤，患難行乎患難，斯謂居易以俟命。為子止孝，為臣主忠，然後東西南北，不擇地而安。予敢以是為居之勉。雖若此，相與居，由乎詩書之府，安處乎道德之奥，豈可無孟獻子之友哉？孟獻子有友五人，皆無孟獻子之家者也；必得無獻子之家者而與之友，則仁者助守，義者助行，智者助謀，勇者助決。使閒居不為不善，宴安不懷耽毒，又使賢子弟日見所未見，聞所未聞，來者弗納於邪，庶幾稱斯堂之名之義。余敢以是為居之勉。雖若此，時運之盛，已隔天外，文獻之遺，猶在眼邊。丁斯時也，四月維夏，六月徂暑，秋日淒淒，冬日烈烈，升斯堂也，思昔之遺我以安者，今如之何。燕燕居息，勿替引之也，其為感詠深矣，何如？居之曰：「願識斯語，以俟他日。」居之名廣翁，予則四如居士黄善甫。年月日則己卯丁丑。

小孤山記　至元十八年

天叟知命之年，外兄孤山處士記余韻鄉，授使者曰：「為我語天叟，以《孤山記》見還。」諾之宿。明年夏五，孤山又自以記來。風月花鳥，松篁泉石，一一在眼。携孫課詩，對客論文，二三社翁，乞火煑茗，如畫入圖。想吾孤山，杖屨相羊其間，豈復更知有塵事。抑前此，日舒風薰，居雖尋常之室，食雖苟簡之田，古梅横前，老栢樹後，雲穀春亭，或釣或弋，或琴或歌，或同鷄豚，或持杯螯，睥睨天壤，評裁古今。藉有「問予何事栖碧山，笑而不答心自閑」，吾孤山不失為幽人之貞。龍蛇起陸，天地反覆，貴豈不仁，視汝蓬蒿。蹋高脊厚，猶恐鎮厭，濺淚驚心，何可賞識。孤雲縱海都無定，出个青山入个山，吾孤山雖有此，不樂也。今水雲黑白，霜樹青紅，吾孤山之景物猶前也。吟中看山，睡起引鶴，吾孤山之閒静猶前也。疎影横斜，暗香浮動，吾孤山之清淡猶前也。「非秦甲子，有晉春秋」，吾孤山之文之學又猶前也。「山叟寄藥，野僧留詩」，吾孤山之友之客又猶前也。所居無古杭西湖之勝，吾孤山獨甘陳槁之味；其世非景德、天聖之舊，吾孤山獨成嘯傲之趣。於此可以言有道矣。和靖千載人，後來者未能或之雙，吾孤山與之並行，清亦清乎哉！高亦高乎哉！雖然，前孤山易，後孤山難。「心事數莖白髮，生涯一片青山」，焉知此樂不自苦中間來乎？俗人不知吾孤山者，叟知吾孤山者。造廬有約，當分孤山一半。對兄劇談，且以記往。記到，童子放鶴，俟孤山歸，刻之石上，曰黄淵作。

一粟齋記　至元十六年

大化起伏，陰陽錯置。人民草木，澌澌泯泯，而農不廢；天下學士，逃難解散，而書不廢。隘巷平林，稷獨成人，千載下為田家師。始皇斧六國肉，老伏生、寶氏抱遺經，倚巖穴，漢一再傳猶活。迺知人生定分，不應餓死溝壑、死兵革者，天與人俱不能殺；而憂患風雨、窮通寒暑，正農者之時也。進士方君，芳年華月，坎壈於時，屋隘如困，書富如京，磨丹漬墨，日田其間。暇日語余：「秦菁曰，種一粟而千萬之粟滋。吾以命吾書齋，庶生意兮方將，四如居士幸印可。」居士曰：「一粒之粟，道何從來？生於寅，壯於午，老於戍。其蓄而弱也，欲相與俱；其熟也，欲相與扶。堅好穎栗，然後刈之盈手，舂揄簸蹂〔一〕，然後米而藏之，可易易得乎？聖而少壯老堅，如仲尼十有五至于七十，猶非一朝一夕之故，夫人焉可須臾不學？深耕熟耰，穰穰在秋寒之落矣，然而有稷有黍、有稻有秬〔二〕，農視其稷，先視其播。人莫不讀書。六經歟，五穀也；諸子百家歟，稊稗也。世有一輩人，漫不省立身行己大丈夫事，日出小技，驕穉朋儕。文章，滄海一粟爾，焉能名世？又有一輩人，好利惡衰，厭苦逐樂，色色墮無名種子中。虚名浮利，世界一粟耳，何足介意？」皆非讀書者。吾家山谷嘗云：「吾輩但勿令書種斷絶，若夫成功則天。」居士試著轉語：「看下何種？」某曰：「此真《一粟窩記》。」太歲己卯土，正月丙寅火，十六甲子金，書于種讀所。

［一］春揄簸蹂：揄，原作「榆」，據文淵閣四庫本及《詩・大雅・生民》改。　［二］有稻有秬：稻，原作「禾」，據文淵閣四庫本改。

劉氏厚堂記　至元十九年

劉氏厚堂成有年矣，歲壬午吉月之陽朔，吾友有實始來謁記，韻鄉老人黄淵曰：古文厚為垕字［一］，從土。宇宙間最厚者莫如土，故居中宫而生百昌。古《尚書》説《吕氏春秋》以土為心，心官天地、府萬物，故厚。前千載已往，後千載未來，人所傳者心耳。世之論人子孫，嘗推本其父祖，曰世德之積也，壵澤之深也。余謂父祖之有子孫，不過傳身；子孫之肖父祖，斯謂傳人。傳身者一氣而屬，同體而壽；傳人，則心之廣大實似之。父祖猶夏屋，有傳人，則後弗棄基；父祖猶喬木，有傳人，則枝葉類本根。忠信孝悌，皆為世德，後之人亦必行忠言信、人孝出弟，以培其厚，否則陵矣。仁義禮樂，皆為壵澤，後之人亦必率仁由義、立禮成樂，以養其厚，否則不肖矣。雖然，傳人難事也。伊之後一陟，吕之後一伋，曾之後惟參與西，孟之後惟軻。上而世德之厚莫厚於周公，其從來非一朝一夕。伯禽、君陳於《書》，僖公於《詩》，差强人意。大而書澤之厚莫厚於孔聖，廟食幾二千年。鯉也《詩》《禮》，伋也《中庸》，次則安國也，穎達也傳疏，間代迺始一見。俗日下，無西周之文獻，道日喪，無洙泗之淵源，傳人抑又難難。建、慶隆貴時，萬石君尚無恙，未再傳而孝謹衰。太丘聲譽如雷，公慙卿，卿慙長。位益高，名益下，德渥於前，而薄於後也。韋孟至賢，一經始振鄒魯，少子為相，殊又不及迺翁。河汾家世，時傳《中説》，勃名文章，成就堇堇耳。耳學於昔者未深，而今尤淺也。人又有言，傳人非難，天分良難。便儇皎厲，非進道之資；碩大且儼，斯載道之具。望之太山喬岳，必廊廟人；聽之黃鍾無間，必禮樂器，吾多之。濯濯春柳，類美少年，飄飄遊雲，類淺丈夫，吾劣諸。昔退之叙北平王三世，鸞鵠之停峙視龍虎之傑魁，蘭芽之茁秀視竹梧之翠碧，人物已有次第，書澤世德又不與焉。余曰：此目論[二]，非以心論。德勝氣，雖言吶不出口，而稱為長者；學變質，雖容貌不能動人，而人不敢輕其書。色厲内荏者無德以將，外澤内篚者無學以充，資禀政不足恃也。劉，名家福門；有實，雅子聞孫。前徽未沫，手澤猶存。然德難嗣也，細不矜大之累，惟四端可以廣心；書難繼也，術少差學之偏，惟六經可以養心。兩漢而下不足學，孔周而上不易學。余願有實之滋世德，近如韓門之持國、范氏之淳夫、馬家之公休，然後謂之傳人。又願有實之衍書澤，近如吏部之文公、太史之成公、忠獻之宣公，然後謂之傳人。誰謂華高，企其齊而，且詔子孫孫子無斁。有實梅翁，北山先生嘗目之為良壻云。

〔一〕古文厚為垕字：文，原作「立」，據文淵閣四庫本改。　〔二〕此目論：此，原作「比」，據文淵閣四庫本改。

委成齋記

至元二十年

天叟記厚堂之明年，有實更名希夷，且命其息游之室曰委成齋。齋一榻，且盥靧已，爐熏燕坐，徐呻呫畢，少倦假寐，覺又緬架上之書矣。性淡泊，未免與世闊踈，客去亦睡，客來亦睡，知者不以為簡。時升沉，所以卷舒由我，是非一切斷絶，日夢遊乎無何，知者不以為放。叟曰：「『委成』二言，於書奚自？於義何居？『委和』、『委順』，宋人子休《外篇》語也。郭子玄曰：『明委結而自成耳。』成玄英曰：『天地陰陽結聚和順之氣，成汝身形性命。』委成之名昉此乎。人身藐然與天地通，乾坤吾體，坎離吾用。坎精離氣，坎泉離火，以神運精與氣，自然凝成内丹。後漢伯陽故借爻象納甲之法，以寓行持進退之候，委成之義昉乎此。」有實曰：「唐儒孔氏疏《儒行》記以委訓聚，近世賈氏《群經音辯》以委訓隨。聚一義也，隨又一義也。宇宙中間，成者自成，果孰為之？又孰使之？天地有時傾陷，山川有時震墜，日星有時隕蝕。蒼狗浮雲，滄海桑田，古有此事。氣運有泰有否，世事有險有易，人境有逆有順。前侯後瓜，朝耕暮相。又有此事，詳言之，萬事萬理，隨其自然；約言之，强曰委成。吾之委成，意而子之乘成，冉相氏之隨成也。」叟又曰：「隨其自然為天理，行其自然為人事。天理通徹，人事棄置，以栩栩然為夢，蘧蘧然為覺。吾謂汝夢亦夢，汝覺亦覺。」有實曰：「『無視無聽，抱神以静，所以正形。無勞爾形，無摇爾精，所以長生。」廣成子之卧非卧也，卧時工夫，起時受用。吾之委成，如廣成子，然後可以言。」天叟又曰：「子舍伯陽而學子休乎？」有賓曰：「學伯陽而不成，則不運吾身自然之水火，而術流於幻妄。學子休而不成，則不達吾生自然之性命，而談入於玄空，亦非也。吾全吾真，吾養吾氣，在我者存其自然，在彼者隨其自然。不必學伯陽，不必學子休，但學希夷先生斯可矣。雜家小説多謂先生睡或半載數月，近亦不止月餘。不知真人無夢，至人無睡。東方未晞，顛倒裳衣，不容不欹枕看兒戲耳。」叟亟摇手：「慎勿多言，且打一覺睡，抵别人三覺睡。」

讀書堂記

堂以讀書名何？吾宗春臺居士至樂之所也。堂祠文公朱氏，「讀書」二字，公墨蹟也。春之韶，夏之薰，冬之餘，居士課子若孫，各治一經。非城南燈火之陋，有彭澤種讀之閑，異流俗矣。雖然，「讀書」二言昉於何？昉乎《魯論》。書何書？文籍既生以來，豈無書乎，唯《詩》《書》《禮》《樂》《易》《春秋》耕桑之文，行世杲杲，人誰不讀。所讀者又何？秦焚項炬，漢儒補葺，《樂》竟亡傳，他非全書。傳註固不可無，然亦難以盡信。《書》存孔，《禮》守鄭，《易宗》輔嗣，《詩》主毛、鄭，《春秋》惟僾左、杜。抵悟半矣，讖緯雜之〔二〕。騖高遠者欲徑造，不屑讀；安卑近者止記誦，苟焉讀。穿穴新奇者讀之僻，勦説雷同者讀之雜。皆非也。我思古人，尚友千載。魯中叟由志于學至不踰矩，或十五，或十年，自覺其進，而人不知。顔氏子初仰鑽瞻忽，中博文約禮，終欲罷不能。曾之至善，自格知、正心、誠意始；思之明誠，自學問、思辯、篤行入；孟之問知，自居安、資深、逢原來。言言六經，句句六經。後乎此，文公集周、邵、程、張之大成者也。《詩傳》凡幾折衷，《本義》最為簡要，《經傳通解》卷猶未完，《書》止三篇。與《皇極》辯《春秋》，不敢直下注脚；於四書用功良多，雖暮年猶屢删改。惟山林之日長，故學問之功深。斯文之宰，止有斯人。居士喜讀文公書者，然當循序致精，居敬持志，因文公師賢聖，因賢聖師六經。虚心涵泳，迺得自趣之妙；切己省察，庶不當仁之讓。書特陳迹耳。雖然，天下未有無用之體，亦未有無體之用。講道撫世，元非兩事。期月之可，今時之易，聖賢正患不用，用則皋、夔、稷、契、伊、傅、周、召。《擊壤》云：「欲為天下屠龍手，肯讀人間非聖書。」居士其印可余言，余即記。文峰書堂者於居士為同姓伯仲，遂筆而授之，俾刻于堂之左。

[一]讖緯雜之：緯，原作「諱」，據文淵閣四庫本改。

還笏樓記

大德十一年正月

前民曹省吾葉君書樓，藏諸峰間，以「還笏」扁，徵余記一再。余曰：「環樓皆山，獨名笏何？」省吾曰：「笏山起於東南，環内而面斯樓也，嵒嵒又山之傑然者。古字假借，環、還通用，音亦相通，故名。」余曰：「笏，君家故物也，取義於還，猶還氊之義與。雖然，古者以適公所，執笏莭，思對命，備遺忘也。大夫魚須，士竹象，本制有等差，豈以此為龍光哉？下之世，歲時家宴，積笏榻上。臣主問答，亦曰笏。今甘棠，猶謂此家寶也。為子若孫而知寶之，則知得之難，而守之又難。策天子廷，中進士第，然後賜笏。通籍陞朝，銀緋金紫，然後以象易槐。得之難，如段秀實，如顧少連，如孔道輔，然後無負此笏。不者，倒持手板，汗流沾衣，豈不有辱此笏？信夫守之難難。」或曰：「還笏有固寶乎？」曰：「昔有諫立昭儀，叩頭還笏，丐歸田里，芳名娉節，焜燿史册，守之矣。若但以昔之得，冀今之還，此特淺淺者誇詡庸孺耳。一時富貴，如槿如灰，孔光、張禹輩不為三公邪？」省吾名崧甫，文昌東石公之嗣。東石之學之行之節，鄉前脩尚能言之，正不以奮高科、登禁從為此笏榮也。省吾學聖人學，久處約而不移，長處樂而不淫，亦不在笏之還未還也。余語省吾，酌酒祝此山曰：「山亦有知，日當料理。」又酌酒祝此笏曰：「笏如有知，勃然而起。」是為《還笏樓記》。年月則大德丁未孟陬。余名淵，字天叟，自號四如老人。七十七，醉作此筆。

孝節郭公祠堂記

大德五年正月

天下前代名人遺跡不得毀折，此至元十三年間令甲也。行臺楊監察某過莆，廉訪商副使某案部，俱諉博士郭廷偉重建迺祖孝子坊祠，此大德元禩孟冬二公所教屬也。人世有新故，民彝無今昔。孝之原情性、關風俗如此。聖上之宅天衷、位人極，以此君倡臣和，氣感機應，興化厲賢，鑠乎盛哉！昔孝節公之葬母夫人而廬于墓也，亦曰：「母之於子也常裕，子之於母也，裕猶不裕。」子貢心喪其師，冢傍築室，尚未忍離，況母喪未期乎？瑞露降，慈烏馴，明神知之，殊類知之，公不知也。若國子生，若邑大夫，若守師，悉以氏名送官，朝省知之，公不知也。表門閭，傳國史，復其身及子孫，天子知之，史官知之，公不知也。是心何來，事亡若存，誠至慮一，唯知有母耳。今博士君之敬其五世祖也，亦曰：「自高以上，服簡情疎，此陋儒耳目之學。人而忘本，非薄則誣。《小戴禮》云：『顯揚先祖，所以崇孝。』況知而不傳，君子所耻乎？」迺白府縣，而禁經踰相翔；迺謀族尊，而計徒庸功程。陶埴桷楹，扣囊共事。廢者興而華表矗如，舊者新而堂宇翬如。像嚴貌古，典刑如昨。舟行者弭櫂[二]，輿行者憑式，游者觀者皆顯者來，下馬題詠。鄉役於丁酉冬，祭落於戊戌春。又募司鑰者而屋之、而穀之，俾勿壞。是心亦非外至，氣體之流通，學問之肫切，自然而然也。噫嘻！孝節公之祠，初不待記而顯，然德輶如毛，民鮮克舉。如先生者，後絶嗣，前無鄰，子孫而不論撰先世之美，何以勗後之人？博士君之名亦豈待記而重，然精神氣貌，議論風指，有光慶冑，家庭愉悦，洞洞屬屬。前乎此，迫從王事，祗畏簡書，朝望夕思，與雲俱至。昉乎此，有薦于朝，辭牒歸養。此豈慕人爵以為親榮哉？昔齊聘曾子輿為卿而不就，曰：「吾父老，食人之禄，則憂人之事，吾不忍遠親而為人役。」子輿所以為孝。博士君之學子輿之學者如之何，不書。四如翁黄淵於是喜為公記，且羡公之有聞孫也。公諱義重，字處仁，行義年則鄉先達艾軒老筆炯炯，此不書。博士字景文，滄邊其號，前甲戌進士，兩任清漳儒學教授。堂顏則儒學提舉吳濤書。年月日則辛丑孟春初吉。

［一］舟行者弭櫂：弭，原作「彌」，據文淵閣四庫本改。

仙遊縣學尊道堂記　大德八年三月

莆邑三，仙遊為壯邑。舊廟學直縣南百步許。學有尊道堂，世變風移，講肆馬隊，過者喈喈。至元丙戌，邑長官雖構禮殿於講堂，猶未皇也。大德壬寅秋，文學掾方平釋菜云初，職思其憂，亟謁之郡。府佐孟某、幕掾孔某檄縣起廢，慮材計庸，揆日攻位，是年冬也。癸卯春，令尹王某來，官官事事，李贊府某又從臾之。逮良月，輪奐美。凡為間五，楹廿有八。深尺五十，廣倍其三。不侈不陋，衿佩訢訢然，曰：「是不可不記。」學者宿徵記於天叟黃仲元，叟謹記曰：夫子之道，日月萬古，著在人心，不以有堂而後尊。士而自尊其道，是即尊夫子也。與夫子並世者，尊吾道獨子貢一人耳；去夫子未遠者，尊吾道獨孟氏一人耳。為子貢且難難，況孟氏乎？升斯堂者如子貢與孟氏，而後夫子之道尊。不者，武叔、子禽之徒，此堂得以移之；夷之、相辛之學，此堂得以攻之。雖然，此為學子言也。若夫宰百里者皆以吾夫子學道之語而俾習弦歌，此堂孰得而議之？長庠序者皆如吾夫子學不厭而誨不倦，此堂可得而譽之。必如是，而後夫子之道尊。子曰：「尊五美，斯可以從政矣。」宰百里者而記斯言；又曰：「謙尊而光，卑而不可踰。」長庠序者而記斯言；又曰：「君子尊德性而道問學。」為學者而記斯言，庶無負昔人命堂之意。堂顔今孰書之？僉事張公某也。又孰立之？郡侯史公某也。令佐後期會，先教化，文學賢。前於永陽修泮水，愜輿誦；今斆茲邑，獲上信友，又起學宫，俱可記。年月日，甲辰，清明旦。

莆田縣廟學聖像記　至元三十年

莆邑舊未有學，儒隸郡博士弟子員，逮學宫成，天地輿薪矣。學左為廟，廟者貌也，先聖先師之所宴娭。官吏師生，朔望奠謁、春秋薦幣唯謹。至元癸巳，教諭高元子感夢之明月，始繪泗水侯右方三十五人于廡之右，單父侯左方之十五人于廡之左。已事舍菜，頌禮威如。按孔象唯家廟小影為真。聖胄亦曰：「先君生無須眉，天下王侯不以此損敬。」生並世者又曰：「脩上趍下，末僂後耳。」漢成都學始有石刻，席地跪坐。唐開元像，先聖堂西東向，先師則東北南向，有神位而無像設。下之世，雍泮都邑，偶塑轉異，美髯長髭，未嚌奚據。從祀雖應禮圖，歲深人古，太史公亦謂鈞之未覩容貌，不知有子果似聖人，子羽果狀甚惡，子羔果長不盈五尺不也。然道貌天形，非有縱目卬鼻、四手八足之怪，但生知者為聖，學知者為賢耳，形狀末也。心之誠與，洋乎如在；心不誠與，視而不見。諸賢來於宋、齊、衛、陳、蔡、秦、楚之邦，與魯君子學道洙泗之上，立問坐答，更唱迭和，《論語》二十篇，儒羹墻也。遊斯廟者，求諸心，踐諸身。有孝弟為仁、崇德辯惑者不？有三復白圭、克伐怨欲不行者不？有君子若人、吾斯未能信者不？有行不由徑、舍瑟詠歸者不？皆入。或教不先，承不謹，侗好佚，邇宵人，顛冥富貴，相鹽以利者，勿入。非裘、點之於旅語，亦魯薛之令弟子辭也。元子，莆之良奧者，當事自當爾，何敢以鬬牢稟辭。講堂齋廬、門序瓴甋，俱欲華好，尚藉力於令長貳。勗哉無斁！月日不书。

自得齋記

「自得」二言何始乎？始於放勳命契之辭也。然猶有待於使然而後然也。宇宙中間，鳶飛魚躍，蟲兮能天，物之所自得者也。昭文於琴，柴桑於酒，謫仙於詩，人之自得者也。扁斲輪，梓削鐻，痀瘻累丸，又精於伎者之自得也，况有道者乎！子思子無入而不自得，此以人事言也；子車子深造欲其自得，此以天理言也。天下無事外之理，亦無理外之事。素位而行，觸事而與理俱，左右逢原，理熟而隨事見。由上下察，而極於無聲無臭之至；由根於心，而形四體不言而喻之妙。之二子者，所得有自來矣。進而求之子淵子，其未得也，仰瞻鑽忽；既得，則欲罷不能，如有所立卓爾。上而求之吾夫子，生知而猶志學。其未得也，發憤忘食；既得，則樂以忘憂，不知老之將至，豈但簞瓢陋巷、疏食飲水而寓自得哉！前二子者之言自得，趣固不淺；一聖一賢之不言自得，味猶深長。自之為言，由己而不屬乎人；得之為言，誠中而無待乎外。晞聖與賢，正未易易。下之世，元凱，晉士耳，其序《左氏傳》，謂將令學者優而柔之，使自求之，饜之飫之，使自趣之。若江河之浸，膏澤之潤，渙然冰釋，怡然理順，然後爲得。此豈惟讀《左氏》法，凡讀六經四書皆然，元凱惡足語此！河東李侯，以文獻之餘，襲風聲之舊，窮理之學常惺惺，經世之志活潑潑。蓋難與俗人言，故命其書齋曰「自得」。夫豈自得之名之贅，記之又贅，然不記，則無以見左右逢原之天，素位而行之地，又無以見所樂者何，於是濡筆記之。余即記虛己遊世之堂者，名氏與年月日不書。（以上《有宋福建莆陽黄仲元四如先生文藁》卷一）

全元文卷二六一

黄仲元 四

虚己遊世之堂記 至大元年

員嶠李侯名所居堂曰「虚己遊世」。余耄矣，不及登侯之門。兒梓至自鐔津，傳侯教曰：「歸語而翁，為記數語。」余答梓曰：「斯堂斯名，合内外之道，廓乎大哉！虚己者，無為也；遊世者，無不為也。己之所以虚者心，心之所以虚者道。猶之水以虚而明，須眉可燭；猶之鏡以虚而鑒，肝膽亦見。不知己之有我，但見宰之者天。己之外皆人也，己生於人世，不能不與世接；既與世接，不能皆静而無動，皆休而無作，皆處而無出。於是乎時與之遊焉。然是遊也，非奔車之上，非塵垢之外。彼為嬰兒，此亦與之為嬰兒；彼無町畦，此亦與之無町畦。而是非不亂於心，利害不變於己，未嘗為種種者、役役者，雖人之合，即天之合也。孔孟之道不行，學鄭列、宋莊書者皆曰：吾虚湛寥泊，可以遊方之外。不知之二子所謂虚者，有仁義，無嗜欲，不將不迎，以道集虚，泰宇定而發天光。又不知二子所謂遊者，觀其所變，非觀所見，或出入六合九州，或縱觀江海山林，順人而不失己，莫非與天者遊。學是㞢者，何嘗夢到《莊》《列》妙處！侯無㞢不讀，眇乎二㞢，亦造其微。謂《莊》即《列》也，《養生主》即虛己之道，《人間世》即遊世之方。唯虛己故能遊世，雖遊世而實虛己，故摭《莊》㞢四言以扁斯堂。反而求之《易大傳》，寂然不動，感而遂通天下之故，之二子且庋高閣[一]。梓其為余謝侯之屬，可則，㞢於堂顔之左；不者，雖帳下兒勿與之讀。」侯，偶名，士弘字，河東人，前集賢侍讀學士，今中大夫、南劍路總管。員嶠真逸，其自號也。歲至大戊申，月孟冬癸亥，日庚子望，莆四如老人黄淵彦安七十八筆。

[一]之二子且庋高閣：庋，原作「反」，據文淵閣四庫本改。

篔谷記

至大二年

莆之支邑曰游洋，其西有山，兩谷對峙，俗號谷目。境與人勝，而陳氏族於斯。西軒先生與老艾同一輩人，邑庠祠之。裔孫仲和名，以節字。屋後有竹一畝，取文與可名竹之名，自號篔谷。兩為儒祭酒，今茲再調鄞江學正，此豈足為以節榮哉？將之戍，告別於叟，叟贈言曰：竹之類三十九，而名亦夥，篔當其一也。房千里竹室以氣為主，白樂天養竹以賢為異，然皆不如《衛詩》之興君子。去之二千餘載，想其人而不可見，而竹亦無知音者。晉賢之遊，溺於酒，流於虛，於竹祇辱。獨一仲差强人意，又不可得而友矣。唐賢詠竹最多，唯錦里翁「净香」一聯最為絶唱。竹之净易吟也，竹之香誰嗅哉？大抵人生斯世，同流合污，皆非豪傑之士，唯特立獨行，而拔乎流俗，然後可以對此君也。孰不種竹，而比之以千户侯，陋矣；孰不愛竹，而比之以十萬丈夫，鄙矣。坡仙云：「無竹令人俗。」士俗不可醫。篔谷非俗士也，知谷者、愛谷者第以詞翰器之則俗矣。竹惟净，故不俗，以素衣而染緇塵乎？竹惟香，故不俗，不流芳而遺臭乎？其知竹者、愛竹者當以此而觀篔谷。谷家有留陰堂，西軒賦之。稚子解褐，班斑有文。繼王謝子弟，生長見聞，霜雪貿貿，不改其度。美哉斯堂，伯夷之築，叟敢以此贈君。知谷者、愛谷者如羊裘，則持以出客，不則不顧主人而去。時屠維作噩歲余月芒種日，韻鄉七十九翁黄彦安記。

昭武危西仲寄傲軒記

至元二十四年

「静寄東軒，春醪獨撫」，此避俗翁《停雲》四言也。「嘯傲東軒下，聊復得此生」，此避俗翁《飲酒》五言也。東軒，翁疇昔琴書之所，故時時寄傲於其間，翁之寄以天，翁之傲以天。「倚南牕以寄傲，審容膝之易安」，此又翁《歸去來兮》第一章也。不知翁者賞識其文，知翁者以退為高，無有解翁韻者。翁辭三章，俱寄傲者也。《停雲》四言乎哉？《飲酒》五言乎哉？此翁胸中度世，於道悟入；悟入，神閑意遠，邈出宇宙，未可與俗人言。坡老和翁四言、五言，風味大畧相似；及和翁辭，自許為翁後身，畢竟道着翁意落在何處。後來坡以寄傲為軒。翁千載人，坡亦百世士也。坡去翁幾何年，叟去坡又幾何年。揭天地以趨新，負山岳而舍故。宦于東嘉之歲，叟以歸去來為幸；活于環泉之歲，叟以得此生為幸。門無萿雨之車，時誦《停雲》之句。新吾大殊故吾，寄傲之樂無有乎爾。後十年丁亥，客至自樵，曰族危氏，不遠徵記於天叟黄淵。叟問：「所以記何？」曰：「記寄傲軒。」「軒以寄傲名何？」曰：「先世岊家也，今猶鐵鑑步，；拏川，福地也，今非小桃源矣。禽戀萿林，魚思故淵，人兮能無情乎？背山面溪，架樓敞軒，畧容臥起。煙雲獻狀，風月入懷，差侑觴詠。樵漁寄此生，不是傲當時。」叟曰：「子不誦避俗翁語乎？寄，非如子休所謂軒冕物之倘來寄也；傲，非如退之所謂既傲翰林、又傲相國也。亦非視世直逆旅，與夫林泉人物、草木蟲魚託興以為寄；亦非離人立於獨，與夫談諧雜俗、醒醉相笑以為傲。倘解翁韻，唯我與爾。或忱唐虞上，或問畓中叟，或結耦沮溺，或多謝綺角，子之寄，此翁之寄。或稱葛天民，或乘藍輿入州，或與田父飲，或掉頭遠公社，子之傲，此翁之傲。或仕則求吏不為嫌，或隱則解綬不為矯。或無則扣門而謁食，或有則雞黍以迎客。子之寄傲，此翁之寄傲。雖然，子車馬有行色，韻處恐落翁後。有兄可友，有親可娛，有田可粟，有溪可漁，有軒可吟，有案可書，在世無須，言息其廬，庶幾樂此翁之樂歟。不爾，畏途馳狂，歸路夢迷，子身客寄乎東西，何時傲笑乎山溪？迺記翁語，以壯客歸。」客名公鎮，字西仲，鄉貢即南仲之季，在軒黄君之後也。

命隱室記

命隱室何？處士林君讀書所也。隱之名多矣，其上聖隱，其次賢隱，談隱斯為下。不耀天隱，未及於聖。季齋名隱，殆庶乎賢。曼倩人隱，談者之流。非天非名非人，而以命隱，蓋不怨天，不尤人，而不求名之人也。之人也，伯休邪？君平邪？伯休隱於醫，君平隱於卜。隱於醫者活人，隱於卜者知天，然而二子者不可得兼。昔有河汾隱者，以銅川夫人好藥，始著方；以芮城府君好陰陽，始著曆。儒固無不通也。之人也，殆若人與。雖然，學醫者人費，談何容易，視色而名不出家，視毫毛而名不出門。今有斯人乎否？太史公傳秦民淳于氏，不與日者、龜筴傳接，或者疑之，過矣。三命是律，五星是曆，律曆猶可談也。人為萬物靈，雖天之高，星辰之遠，千歲之日，至人能測之。律造於伶倫，曆造於容成，甲子始於大撓，星筭專於師曠。迨《軌革》之書出，前千萬年之已往，後千萬年之方來，興廢盛衰，治亂禍福，皆於此乎占。凡人初生，年月日辰，生勝衰旺，窮通壽夭，亦於此乎推。謂有耶，未必有；謂無耶，非果無。聖人不言命，賢者安乎命。人不能皆聖賢也，然後決於命。惟決於命，召之在前，命之在後，斯自取爾。善言命者莫如《易》：「澤無水〔一〕，困，君子以致命遂志。」水在澤下，坳堂爾，所以困。君子居之，以莫之致者聽之命，以所得為者遂其志。不恐懼於險難，不隕穫於窮厄，從吾所好而已，故困而不失其所亨。此吾處士名其室曰「命隱」之意。記者誰？韻鄉老人黃天叟淵也。年月日不記。

[一]澤無水：無，原脱，據《易・困卦・象辭》補。

灌畦記

州東行不百步，有進士家，曰歐陽氏，治其昔室，榜曰「灌畦」，蓋當家事也。來速予記，凡四月餘。眡畦之齋，縱横一席地，經史筆研外，無敗意物。畦之所廣，四尋有半，深半。畦之蔬，早韭晚菘，可茹可湘。畦之花，春蘭秋菊，可佩可觴。夫婦持甕出汲，老奚剖竹走泉，稚子掬水弄月，可入圖畫。客時外來，酒三行，嗅花而去。斯人也，而有斯樂也。然吾挹勺水濡沫，不如甘澤之流澍；機舂潺湲，不如天瓢之滴瀝。人力所至，不及則渴，過則溓，不如空中揮洒，無有疎密。天有時以生，有時以殺。日出杲杲時，田污萊，民菜色，一草一木，亦為燋卷枯槁。賜也桔槔，俯仰隨人，幾何膏潤。甫也連筒，南北羈遊，不皇寓息。樂乎不也？春膏脉脉，堯之壤，周之野，惟夭惟條，賁苞賁茂，東阡西陌，件件生意，奚獨此畦之人之蔬之花？主人逌然曰：「斯時也，富者園池不復守，貧者置圃無所。吾灌吾畦，猶有葱肆可業。有饑未及菱者[二]，有致昔吾求蕹者。吾灌吾畦，猶有菜根可咬。夏屋渠渠，壞垣納車，污敗糜毁。吾灌吾畦，有馬逸踐吾葵否？井邑聚落，旦暮吏來，叫囂隳突，吾灌吾畦，有催租人敗吾菊否？天公憒憒，殊不可曉，吾致吾力，無妨吾畦。」余對以《易・坎》「陽一陰二，為雲為雨」。雷與雲薄，於卦為《屯》，天造草昧，此一時也；雨與雷交，於卦為《解》，甲者皆坼[三]，此一時也。屯必解，天之道。

子之畦，吾將賀，姑少俟灌此畦者。臣夫名梓，記此畦者四如居士。

〔一〕有饑未及菱者：菱，原作「夌」，據文淵閣四庫本改。　〔二〕甲者皆坼：坼，原作「折」，據文淵閣四庫本改。

愚丘記

愚號也，丘姓也，姓同而號獨也。愚之號，類君子而非君子。問何以故，醉與？狂與？假混沌與？學嬰兒與？丘曰：「不然。巧不如拙，語不如默，明不如晦，詐不如直。人軒軒，卬落落；人役役，卬舒舒；人蹻蹻，卬種種；人晏晏，卬劬劬。寧為舌，不為齒；寧為萬，不為規；寧為鹿，不為馬；寧為龜，不為犧。吾而號吾曰愚也宜〔一〕。萬夫九鼎，深巷四科。司空城旦，時吾誦《仲尼居》；劍士語難，時吾作《裘氏吟》；杖折委笄，時吾衣魯逢掖；青衿顛頷，時吾為漢博士生。匪鳶匪鮪，于天于淵，未離人世，有此倒顛。吾而號吾曰愚也宜。蹉跎陶唐，鞭撻日月，推數步曆，吾不如西州智士；妙術通玄，吾不如竺國澄公；揲蓍布卦，吾不如河東關生；經世觀物，吾不如伊川丈人。一燈萬卷，盲人觀棋，縱浪大化，喜懼不知。吾而號吾曰愚也宜。嗟嗞乎！生之後不如生之初，迺暇豫之吾吾。不蘧篨而戚施，甘擁腫之與居。太行王屋，奔車覆車，自鞭古心，庶歸夷塗。惟愚，故道可載與俱。然而通國靳儒，不孰何予。此吾所以專承曰愚。」叟試諧語：「昔有愚夫，十襲石以為寶，冕玄服以出客。客見之而盧胡，主人猶忘為石。子之愚，毋若宋人然。雖然，叟懼其不果愚也。矰弋上，尉羅下，法重心駭，室交徧讁，或未免於投虎自衛也。木石居，鹿豕遊，離人立獨，群吠所怪，或亦難乎休陰息影也。昔芳草，今蕭艾，賢者齊民，變俱俗流，或不得以脩吾初服也。前講肆，後馬隊，咈耳搔心，怵迫西東，或何暇而歸尋舊也。子之於愚，且喜且笑。竊不自料，吾言而中。悔前轍之不遂，偭常度而遽改。愚不辱子，子能辱愚，奈何乎丘。雖然，伲詩不云乎：『弟子勉學，天不忘。聖人共手，時幾將。』子毋以愚為疑，叟尚能為子歌之。」丘名某，字臣甫，莆良士。叟無名族，故與歲月日不記。

愚丘之號，不過如昔人稱「短李迂辛」耳。記者類於丘姓辭費，且用回、寧、柳子為故實。然回之愚，著一「如」字，似然似不然；甯之愚，著一「則」字，時然而後然；柳之愚，其然，豈其然。叟此作，上不及回，中不及甯，下不及柳，不欲屋下架屋也。客有問丘，請代叟對如前云云。

[一]吾而號吾曰愚也宜：而，原作「為」，據下文同類句式改。

二友亭記

至元三十一年

亭名二友何？主人志也。賓曰：「孟獻子之友樂正、裘牧仲與？李元禮之友荀淑、陳寔與？」主人曰：「非也。」賓敢問。主人曰：「木，植物也。木之有心者莫如松，可冬可夏；木之有節者莫如竹，宜風宜雪。二陶愛松而不愛竹，二仲喜竹而不喜松，俱有其一，而遺其一。杜陵野老，東西南北，所至誅茅，覓松分竹。「净香」一聯，人道不到。千年老意，相期華皓。成都若非故居，來往往來。入門而四松在，步堞而萬竹踈。奇可知已。吾守莆客莆，第之左，小亭踈明，僅墨尺許。窗之北，松槮槮，而有扗明堂之規；左右鄉，竹叟叟，而可等封君之榮。吾朝夕斯坐卧斯，二美合并，如宿素交，吾是以名吾亭。」賓曰：「淇奥緑竹，衛人以興武公。時公九十有五，德盛善至，民不能忘。徂徠之松，魯邦以美僖侯，祝侯黄髮兒齒。何以使人稱願如此？雖然，俱一也，而非二也。我主人心立獨，故畸於人，侔於天。節高世，故貴不淫，賤不移，可冠劍而廷議，可兵甲而環侍。或處或逸，或公或相，無適而不與二友俱。魯、衛風斯下矣。」昔左史李公牧廬陵日，手植松竹，堂扁「二友」，命郡人胡澹庵記之。我主人政成化舒，不減左史；賓退士，豈庵前一輩。主人有命，賓安敢辭，遂筆答問為斯亭記。主人族信氏，名世昌，號中隱，東平人，莆州尊也。賓謂誰？四如老叟黄淵也。主人韻，二友韻，老叟亦韻，此豈可與俗子道？年月日，至元甲午孟夏戊子也。

意足亭記

大德八年

天叟每誦司馬公《花庵獨坐》詩「荒園才一畝，意足已為多」語，兒孫曰：「『意足』二言可命吾亭。」第不窺園三十載，非菑種讀時也。異日，叟訪友人德輔林兄，開樽延坐亭上。亭之前架蒲萄[一]，小盆池三，植以菡萏。級石為臺，臺之上與左右山皆奇石也。有海棠、南天竹，有茶、柳、月季花。亭之後架荼蘼，東西則木香、刺紅，而那悉茗四繚其旁。蘭、松、雜花百餘本，竹與拒霜又在亭之南。它果木不登數。雖不丘壑，如隱薜蘿，吾德輔可以適意矣。德輔曰：「斯亭名何亭，為吾擇令名名之。」叟遂命曰「意足」。德輔曰：「曷謂之足？」叟曰：「士或以功名為足，而未免浪泊之歎悔；或以衣食為足，而不知郭播之羞訕；或以林泉為足，而又貽北山之嘲謝。之三者，皆未知所謂足也。德輔非汲汲於青紫印綬者，非區區於肥甘輕暖者，又非枯槁於飡霞煑石者。坐斯亭也，四時瀞佳，衆芳暄妍，山石之崮岕，草木之葱倩，迎風揖月，課兒觴客，洒然無累於外，而充然有得於中。此不為足，又奚足？」德輔又曰：「余深顧長慮，而冀永年，子孫孫子，勿替引之。斯亭若不得天叟記於顔間，豈得方之東池之勝？」叟逌然對：「柴桑翁不云乎：『此中有真意，欲辯已忘言。』」於是欣欣落筆。德輔名某，唐忠義蘊之裔孫，望族也。亭在少府聽事之左，世美堂之右，廣深各六丈有奇。繇大德初迄甲辰冬始完。天叟則四如老人黃仲元。是日曷日？日南至。

［一］亭之前架蒲萄：萄，原作「蔔」，據文淵閣四庫本改。

萬竹胡希道見思堂記

至元二十一年

歲甲申夏六月，莆黃淵天叟異姓兄可山陳文翁客温陵胡君希道所，以書抵叟：「吾主人文雅醞藉，美無可揀，吾里如心陳公奇貴之，今為相國尊客。所居有玉槊萬，堂顔「見思」，字羨尺。日坐其下，使意也消。願屬叟記。」其秋，叟愛友平山姚勉至自泉，申主人之辭，曰：「天地間何物最韻？曰抱節君。晉士雅愛此君，自子猷諸賢始，然其弊也不恭。後三百年，唐詞人俱喜吟詠，少陵「净香」一聯卻退餘子，然未免求於聲色臭味間。香山老坐東亭，以人觀物，不以物觀物。是時年壯氣鋭，猶以遭不遭為幸不幸。洎居洛第，静對寒碧，吟醉醉吟，浮雲富貴矣。退省此老平生，初以直道争安危，中不附離權勢，終完節自高。異日想象四等人物，今皆歷歷踐言，元微之、劉夢得視之顡泚。雖然，此猶唐士。孰百世上、風百世下者誰？衛武公之詩三：《賓筵》譬如新篁，得時張王，勢欲騰騫。《懿戒》又如脩林，禁持風雨，猶欠料簡。《淇奥》則如遠根宿幹，聲陽質亮，老歲月，飽雪霜，然後以美君子瞻瞻嚮慕之切，猗猗盛美之極。詩人工於興物如此。君子成德之名不可諼，不能忘之至，詩人深於愛賢如此。後來者子曾子猶好，他人不好。余十四五時，有晉士之雅，而無晉士之弊。年强仕，慕香山之節，而得香山之趣。今耆老，誦武公之詩，則師武公之德。叟，吾同甲，又同好，敢温前請。」叟讀已，逌然曰：「此人有此韻，煩吾兩山問信希道。叟號韻鄉，有圃種讀。歲寒老伴，數竿自足。彼美丈夫，盈庭鸞鵠。刑，老成《淇奥》。鶴鳴子和，君倡余讀。努力華皓，元身圭玉。幽人之貞，《大過》之獨。黨印斯言，持誰歟户外，羊求隣卜。人各天方，娟娟在目。彼心我心，我竹彼竹。晉風流迂，唐文章俗。《大學》典扣九曲。」兩山曰：「是即《見思堂記》，當為叟報希道龕于壁。」

劉氏復本堂記　至大三年

劉氏之堂以復本名何？用簡復乃祖知本之萫也。人生乎祖，一念之，復祖其相，而子孫孫子嵩澤演迤，方將未艾。堂之東西有亭各二：浩浩者，養本然之氣；怡怡者，全一本之貞；小小者，心誠以事本初之元；悠悠者，力久以充本體之賓。由身及家，事天如親，是本也，根於方寸，溥之萬有，鉅無不包，細無或遺，邇而無間，遠而不測，其《中庸》所謂大本者乎。雖然，談何易易。惟學問可以配浩浩，惟孝友可以樂怡怡，惟嚴恭可以翼小小，惟純一可以致悠悠，談何易易！雖然，在《易》之《復》，初九一爻，為德之本，造化由是復元氣之初，人心由是復真性之初。進而上之，二《臨》三《泰》，皆初爻所生也。天運復則人事復，則君子之朋亦復而亨矣。君子之亨，則劉氏聲名赫奕，又象乃祖，可以為斯堂之光。余記萫年，後村、桃衖相頡頏時，二老壽俱八秩之上。城市陵谷之後，禁從家聲，空有鐵爐步之名，賓重烏衣巷之歎。惟桃衖堂宇浩浩，兒孫怡怡，跼天蹐地，畏心小小，課子讀書，尊禮賢士，未嘗付吾道於悠悠。以家觀家，復劉氏者，其在用簡乎。落筆至此，感慨亦當何如！至大庚戌小雪後記。

尹氏萃貞堂後記　至大三年

尹氏鄭圃，官族也；良臣，彦士也；萃貞堂，尹氏先塋孝享之地也。名斯堂、記斯堂者誰？西疇野人施某、安慶郡博士謝某也。此復記何？情無窮，文亦無窮也。然則堂所以命「萃貞」者於義何？曰：萃之義一，貞之義四。萃者聚也。人之身，父祖之身也。陰精陽神，二氣之聚，斯為人。若父若祖，魂升魄降，氣之變則散矣。散者曷使之聚，於是祠之。有其心，信於禮，無一毫而不中，斯之謂正。祭不欲數，又不欲疏，春雨而怵惕，秋霜而悽愴，或朔望，或薦新，以時思之，斯之謂常。天地有升降，而貞者常觀；日月有盈虧，而貞者常明；人世有新故，而貞者常一。夫如是，然後可以言固。不者，視時污隆，為己敬簡，僾愾之心，何自而生，豈先民報本反始之義哉？亦豈尹氏翁季所望於來昆雲仍哉？或曰：《萃》之繇為有天下者設，尹氏名斯堂何？曰：《易》不可為典要，聖人有，聖人用，賢人有，賢人用，學者有，學者用。公卿大夫、士農工賈，隨所用而用之，斯堂獨不可以萃貞名乎？遂濡毫而記其義於後。若夫尹氏之家乘、堂之年月，此不書。是記也，莆四如老人黄淵彦安七十九筆。

東野書房記

叟蓑客樵川、富沙、匯江、芝山、瑞安時，傾囊置書歸里，朱墨校讎唯謹。丙子、戊寅間，兵蹂其半，盜藏其半，然後歎藏書之難。廿餘年來，新進小生以科舉不行而輟讀；與刀筆相從事者不暇讀；吟風月以為工者又他讀；間知課兒燈火，尋行數墨，而不知其所以讀。叟雖未離清净業，然聰明不及中年，開卷如生，掩卷旋忘，迺又歎讀書之難。或喜摧訂訛缺，穿穴叢瑣，騁韶妍，鈞聲譽，而斲木不勝任，製錦不中度，不為行河之《禹貢》，則為理財之《周官》，惟讀錯，故用錯。叟髮種種，不諧於時，益重歎用呰之難。噫嘻！藏而不善讀，猶不藏也；讀而不善用，猶不讀也。三山讞掾汪君學仕俱優，有房庋呰萬卷，朝夕彷徉其間，慨然忻慼今古。介博士涂君囑叟記數語。叟喜君之善藏又善讀，且善用也，故以其所感歎，樂為君道之。前代元夫鉅人宅三事者，惟受用《論語》一句兩句，用呰正不在多。此語又惟東野領會，幸勿他客見曰，我輩學問止《論語》。汪君名某，新安人。叟謂誰？莆四如老人黃淵字天叟。記已，授涂君復之，俾留東野壁間，以為吾兒異日邂逅一笑話柄。

魚我亭記

孟子曰「萬物皆備於我」，則物物皆我性分之所有也。以物觀物，則物自物；以道觀物，則物即我。魚雖天地間物，眇然小哉，而大《易》之信可及，《中庸》之至可察。在淵或渚，則知理之無定在；潛伏孔昭，則又獨之所當謹。孰謂我自我，而魚自魚？莊、惠二子亦豪快士，惠曰「子安知魚之樂」，莊曰「安知我不知魚之樂」，惠固辯矣，莊未為真知魚。其設為吾夫子之言曰：「魚相造乎水，人相造乎道。」然不過謂魚與人各自足而相忘耳。聖賢之學不然。東野汪君穿池養魚，蓋悟《詩》《易》《中庸》之理，而非惠、莊灑落玄虛之誇。但此我與我道，而我難與俗言。叟與野俱不相知，以道觀我，則野同乎我，而非異乎我。獨魚我之謂我，而非我之謂我乎？彼魚也，獨庾氏之魚，而非辛氏之魚乎？遂筆以授魚我，野寄聲曰：「賢者亦樂此乎？」叟又復曰：「儻與我共我，將魚我從而聽[二]。」叟即記東野書房者，年月不書。

[一]將魚我從而聽：文淵閣四庫本作「將與魚我從而聽」。

南劍路新社稷壇記

至大二年十月

河東李侯以前集賢侍讀學士、中大夫守南劍路總管府。政成之明年，喜溪山之如昨，慨社稷之弗稱，與侯之箎程侯謀撤而新之，程亦願庀其事。計徒於己酉某月，訖役於某月某日。壇在郡西山之麓，面勢址壝、丈尺崇殺、齋廬門垣，一如禮法。左右掖則公風雨雷而壇之，尊祀典、重農事也。侯寓書徵莆黄淵記。淵敬記曰：社稷之示各一，而所配之神亦各一，社與稷若二，而實一也。百昌皆生於土，而土爰稼穡，於穀為重。穀非土不長，土無穀則耗，故稷與社等，祭社必祭稷。風雷，天之號令，雨其水澤也。土非雷風奚其動，奚其散？穀非雨奚其潤，奚其化？歲之上下係焉。於是郡國得以通祭。祭於北墉，荅陰義也；祭日惟戊，用剛辰也。獨陽不生，獨陰不成，土穀得冲和之氣，然後由貞而元亨利也。竊嘗怪下之世，春秋祭外，陰陽之或沴，雨暘之不時，高士泥閉縱之術，齊民信巫覡之禱，於社稷漫不省，至謂箕畢之不神，百里之不足震驚。吁，陋矣！農所依者二侯，二侯所依者神。土穀之神，與天同功，而能召風雷、下雨澤者也[一]。不此神之告，若何彌水旱、順豐年哉？我二侯之仁於民、敬於神，神亦體二侯之意，不疚爾農，且麻於民，田叟野叟，樂歲終身飽。雖神之賜，亦二侯之賜也。而今而後，語僚屬府史曰：予二侯者，非干譽以徼福也，為爾後之人。後之人繇上逮下，以和召和，庶證咸若，萬分一潦若旱[二]，有謁從欲，非瀆非僭，勿怠勿壞。李侯名倜，自號員嶠真逸。程侯名文沆，號西樓，南劍總管府判官。淵號四如老叟。年月日，至大二年立冬乙巳。

[一]下雨澤者也：下，原作「上」，據文淵閣四庫本改。　[二]若旱：旱，原作「早」，據文淵閣四庫本改。

將樂縣桃源橋記

至大元年七月

將樂，南劍路支邑也。邑十里南曰桃源溪，古渡也。溪有橋，汀廣午道也，東西行者利之。歲異月殊，水磯横斷，並溪之民，或塗以茅，皮以木，繩以筰。夏潦秋霖，茅朽木蠹，筰亦解坼，涉者病焉。今總管李侯士弘始下車，惻然曰：「橋梁不脩，誰之過？」諉邑簿徐某、前廣德路同知吴某董其事，堂僧覺德首受役要。繇是善勝、金明等有輸財者、捐粟者、助工庸者。壘石為址，橢而方之，釃渠為洪，導而四之。不低不杵[三]，架梁其上。左右埂丈六十有咫，環築以石。直欄横檻，崇麗堅緻，輿者行者，如行九逵。靡楮一萬萬餘，而民不以為苦且勞。興役於大德丁未十月，竣事於至大戊申七月。祭飲之日，仕於此邑者、邑之已仕未仕者[二]，田更野叟，共祝橋壽。余於是賀此橋之遭也，不可不記。記已，賦以詩曰：

穹壤間水，有利有害。其害橫流，其利沃溉。川陂澤梁，關國之政。昔人以此，覘陳議鄭。仁哉我侯，説以使民。相厥桃源，通旅敬賓。水既昏正，土功乃興。梁空以行，不夙而成。鎮蛟龍淵，跨黿背上。天造地設，蓬瀛蕩蕩。萬口一詞，我侯之德。侯曰當然，牧守之職。旄倪祝侯，如傳植鰭。濟彼巨川，舟之楫之。誰能詩乎，泳漢以歌。俾侯黄耇，等橋之高。

[一]不低不柞：柞，原作「祚」，據文淵閣四庫本改。[二]邑之已仕未仕者：已仕，原作「已任」，據文淵閣四庫本改。

聖墪順濟祖廟新建蕃釐殿記

大德七年十二月

妃號累封，前此有年矣。宇宙趨新，真人啟運，祀秩百禮，命申一再。護國者功，庇民者德，明著則神之，誠不可掩也。盛矣哉！聖墪廟幾三百禩，歲月老，正殿陋。李君清叔承先志敬神，揄龜筮，卿士庶民協從，繇寢及殿，易而新之。鳩工於大德己亥，祭落於癸卯臘月。五六年間始克就，難矣哉！按舊記，妃族林氏，湄州故家有祠，即姑射神人之處子也。泉南楚越、淮浙川峽海島，在在奉嘗，即補陀大士之千億化身也。而莆聖塋，賁源廟之祖。墩以聖命之何？妃馮浮槎，現祥光，徧夢於墩之父老，遂祠之。賜順濟始於何時？妃護夕郎路公允迪使高麗舟，國使李公振請于朝也。廟前曰殿，半以後曰寢，乙殿居甲丙間。建於何年？自制幹李公富奉妃像、正位序始。殿曷名蕃釐？地示稱媼，釐者福也，百順故蕃。筆則法從陳公讜，立則李令尹茹，存舊也。殿之木焉須？妃陰隲民之精爽不貳者，曰「山之西有木鉅甚」，工師求之，果如神言，盡售其材以歸。殿之費焉出？四方之善信樂施也。殿之役誰助？教役屬功則鄉之寓士耆宿，奔走疏附則里之千夫百夫長也。雖人也，亦神使之也。始者乘槎而宴娭於斯，今兹指木而輪奂於斯，吁，異矣哉！或曰：神妙萬物，御風乘雲，變化無方，奚必留瓊舘於人間？曰：不然。妃猶日也，日必有次，妃猶星也，星必有舍。他所謂神者，以死生禍福驚動人，唯妃生人福人，未嘗以死與禍恐之。故人人事妃，愛敬如母，中心鄉之，然後於廟饗之。廟言貌也，其求諸神，於彼乎，於此乎？迺有寢、有殿、有正殿。神之報乎人，猶親之愛其子孫，故是饗是宜，穀我士女，降福而亦穰簡。此殿之所以扁蕃釐，於是大書特書。若夫妃禦大菑、捍大患，應在祀典，此不書。清叔廉静謙和，而老於事。廟東湄嶼，移星轉漢，有識者已，亦不書；前殿觀瞻未稱，清叔有志竟成，將不一書。某甲午冬嘗夢妃以記相諉，忽焉十載，而李君奉妃之命來，不敢以老醜辭，故墨筆以印前夢。書既，系以詩曰：

穆穆天子，前聖後聖。上昭下漏，靡神弗敬。灑澤龍宫，河圖輝映。莆僻海陬，臚歡拜命。赫赫公家，有齊季女。生也賢哲，嶽鍾瀆聚。歿也神靈，雲飛電吐。不識不知，自成功所。天回地游，否泰消息。殷墟周京，化為黍麥。大哉乾元，坤順合德。斯廟眈眈，千年血食。福地仙居，珠簾玉坐。帝子天孫，容衛右左。木從西來，神受人造。駃騠嶙峋，方壺翠隝。春秋歲時，謁欵穰穰。迎兮何至，送兮何往。神而宇之，其中習鑾。聽爾六祝，嘏爾景貺。

張天師正殿記

昔有船訪蓬萊，日候神人，見跡甚巨，喜以為仙者。又有老翁折葉為舟，與客泛渭，登旬抵家者。謂無邪，載之史及他書；謂有邪，知者蓋未盡信。孰有駕鐵舸、留靈跡如我仙師與？師以仙名，分形散景，通神變化，豈塵凡所能測識。舸雖焱騰，為虬為龍，而步嶙留石，可尺二許，甚彰彰也。易溪流而平崗，驅黎民於境上，農祈穀麥而雨應，商禱颿檣而風若，盜賊不作，呰癘不生，此又有功於民者。捍災禦患，於祀典宜。師之廟，福清州峰頭，王蜍山之左。始創於天禧初，重構於治平三。前殿則首事於紹興二，其賜額昭靈則又八禩也。師之錫號保禧，熙寧之十；進封妙應、顯祐、惠應、妙濟、福順，皆紹興三十年以後，淳祐、德祐間也。記是宫者，進士陳良，宦族黄顔榮也。然前記謂按圖史而無所載，未知何許時人；後記書師之諱曰存，或有所考與？抑以疑傳疑，遂信而徵與？嘗閩翊聖真君降言於守真之子：「汝父遭逢於吾，故令子孫受福。」正一真人亦逢聖代，得道之後，世世不絶。竊意師非翊聖之裔，即正一二十三代諸孫行。故親傳秘訣，與道合真，乘雲御風。其來勃勃，其去縹縹，入鐵透鐵，入石透石，有如飛鴻[一]，偶留指爪，夫豈凝滯於物，以人間冕服宫室為戀哉！雖然，此一福地，與他葆祠不同，黨非後寢前廟，若何而栖神靈？繇是姚勉募編列，新正殿，敞㝉室，闢步廊。僝功於至元乙酉，祭落於丙戌。碧窗朱栱，聯聯皇皇，非前日之柱穿蜂溜、燕舞帷塵矣。洎丁亥春，改塑神儀，瑞氣徹天，侍衛導從，如朝通明，無有有無，恍然上界官府，今登天矣。余嘗遊斯廟，覽江山之奇，羡蓬萊之樂，裴回久不忍去。因記太史公曰：「嗟乎！仙者非斯人，而誰為之。」遂脩辭紀貿於麗牲之石，而系以詩曰：

至人學道師赤松，神姿逸氣心芙蓉。手五明扇腰雌雄，馮虚駕鐵超鴻濛。玉距痕深雕鍬工，巨跡千古鎮蜍峰。狂飈怒濤鎖魚龍，夜醒月凉水笙鏞。騎吏無靮鸞鶴從，朝侍玉堂雲朵紅。天樂隱隱聲徹空，俗耳可聞不可逢。渺視齊州等蠛蠓，滄海有時揚塵風。獨此瓊館留人封，神仙之説非夢夢。士民尸祝社稷同，椒醑鞠膃瓜棗供。余非紫陽山人翁，若為詩之銘新宫。

[一]有如飛鴻：鴻，原作「鳴」。按此顯然用蘇軾《和子由澠池懷舊》詩中「雪泥鴻爪」之語，據改。

汀州路重造府治定光吉祥寺記

至大三年四月

鄞江府治之東，寺曰吉祥，白衣菩薩、伏虎禪師主賓真相，奉嘗于兹有年矣。俗姓法名、地産僧臘，先後封號，有銘塔者，有狀事蹟者，有碑記者，有贊頌歌詠之者，具載實録，此不書。第偈句九十五首，各書贈以之中，或隱語，或名氏，不可測知耳。二師大抵以本尊本而心法勝，以願為願而氣力大，故覺道威靈，豪出諸大士之右。若貴賤，若賢愚，若小中大乘，人遊我門，繞我座，禮我足，皆傾府空藏以侈其祠宇，攻木礱石以紀其功德。至元丙子，不幸奇劫，寺熸于兵。豈物巨細各有數，師亦不得仞而有邪？然壞固有數，興亦有時。郡侯黄公去疾誘僧寶興起廢，未成而去。同知薛公元積亦誘之構均慶院。都元帥李公梅、剌孫端請見堂老以性庀事。繇是大殿、前後殿成，天寶閣成。三門兩廡，言言嶷嶷，上凌煙空。性老戊戌年西歸，屬護者西堂宏刻意專，用力勤，營度有序。宏弟子慧鏡補見堂處，質偉行潔，對師發誓，了大莊嚴。以次法輪藏殿、羅漢堂、毗盧觀音二閣，寢殿，坐禪亭，丈室，水火池，一時壯觀，寶相梵儀，宛如本來面目。然宏之功居多，抑師有相之道歟。宣慰劉公巡部，又於北坡架萬歲亭，以表嵩呼之祝。遠邇走集，唯見佛尊，猗與盛哉！甫四如居士黄淵耄矣，戢户懶去，乞水洗眼。至大己酉秋，鏡介鄉友汀庠學正陳仲和、前蓮邑典史方元善徵余記。余恐當筆不過遲半載，而速至再三。余乃歎曰：於戲！道之盛，師以誠動；宫之侈，師兮何心。師與諸佛，不生不滅。鏡為龍象出，勢力心下，始大安隱。起戊戌，迄庚戌，拮据蓄租，亦十三載甫就，豈不難難。居士嘗聞佛法似一隻船，祖師東來付兒孫。大家把纜，要到彼岸，直待時節，因緣燥性，撐向須彌峯頂，下觀三千大千世界。鏡老駕舟，不至須彌峯頂不歇，且與後人作古。居士又竊歎：大浮屠辦堅固心，如水穿石。儒童菩薩直下傳燈，幾宫幾人，能如居士前所聞佛法否？又能如鏡老光輝道場放黑月成白月否？居士雖喜爲鏡老記，亦重爲斯文媿，遂併書於記末。鏡，莆遊洋林司業之後，自號明心，法門尊足也。記已，系之辭曰：

白衣隱去，是空非空。魔化爲檀，歸歸祠宫。滿山泉石，十里松風。千萬億年，庇蔭人封。日月神通，相百歲翁。覓偈四句，贈之以中。至大三年清明日，莆四如居士黄淵記。

韻鄉記

此鄉何鄉，四達皇皇。山潤川媚，月湛霜明。有天叟者遊處中央，宇泰定而發乎天光。四如居士一日徑造主人，叟杖藜應門，顏色種嚕，而眼如點漆，妙處正在阿堵。舉止寒澀，若無甚技。解然不言，而四時之氣備。坐良久，沃三蕉葉。情浩浩，笑云云，飲罷薦茗，商較一水兩水。居士曰：「昔叔度何如人，並世者時月不見，鄙吝復萌，或往從之，累日方還。莫議其將少間，願聞此鄉之風。」叟曰：「春之朝，縞花净擢，香入肌骨。夏之日，竹陰清閟，門自可欵。秋之月，鮮鮮寒榮，愈晚愈好〔二〕。冬之雪，踈枝冷蘂，怪怪奇奇。此鄉之勝致也。蓬茨桑樞，牖室褐塞。門庭藩落，皆着紙筆。一榻炷香，人意幽遠。堂上九十餘尊，含飴弄孫，眉間漏出喜色。伯仲如坡如潁，夫婦如鴻如光。此鄉之居室也。架無多書，古文六經，外惟左氏語、蒙莊書、馬遷史、子雲《玄》、淵明少陵詩、昌黎柳州集，不貯他物。此鄉之簡素也。湮彝沈鼎，遺欵墜刻，偶有流落人間者，收於几案；餘則無絃琴一、折脚鐺一、老瓦盆一。

此鄉之器玩也。暑被白練裙，寒著百衲衣，時捉蒲葵，擲麈尾。炊雕胡飯，釀真一酒，送菊苗虀，蘆服鮓。此鄉之服食也。或安山林内，枕流漱石，不纓塵垢氛，大鵬六月，而有閒意。或著富貴中，一龜一鶴，旁無姬侍，清規粹德，與雲俱潔。或寓京師，未嘗候公卿門，人欲即之，終不可即。或浮湛里閭，同雞豚社，對田父飲，坐深而鄉黨敬。或遇儁人勝流，飲酣論豪，語古純孝貞烈，從臾尚友千載。或耻徇財每生之失，慷慨劇詆，直欲不與同世。胸中雖竟一紙識，不肯讀人間非聖書。文雖未至小好大好，古氣可以參《彖》《繫》。詩雖不能天然可愛，口中時有稷契輩語。碩膚几几之似周公；威儀抑抑之似衛武；侃如誾如，襜如翼如，似夫子；手之舞之，足之蹈之，似孟軻；陋巷簞瓢，不改其樂，似回；春莫舞雩，浴沂詠歸，似點；道學自脩，盛德至善，似參；簡文温理，似伋；不屈其志，不累其身，夷惠之間，似蜀賢人；鼓有虞琴，庭文王操，優游高明，似唐儒生。此鄉之老成人也。」居士曰：「入其國，其敢不知其為人也？『温柔敦厚深於《詩》，疏通知遠深於《書》，廣博易良深於樂，恭儉莊敬深於禮』，此鄉此人之謂與。雖然，願聞先生之風。」叟曰：「良如金玉，重如丘山，儀如鸞鳳，氣如芝蘭。知居士之所以為居士者此，則知叟之所以為叟者亦此。」居士曰：「不知叟之為居士兮，不知居士之為叟與？」相視一笑，乃相與忘言乎此鄉之天，退而書為《韻鄉記》。天叟名淵，與居士同姓同時人。（以上《有宋福建莆陽黄仲元四如先生文㮚》卷一）

［一］愈晚愈好：晚，原作「晲」，據文淵閣四庫本改。

全元文卷二六二

黄仲元　五

清逸處士春山林君墓誌銘　元貞三年十二月

嗚呼！天人革命之際，仗節守義，世自有人，直少耳。山林皋壤之士履潔高蹈，又一輩人。若夫城是民非，火水焦没，人皆遠嫌謗、算成敗，事如蟣虱，誰爬梳之？士有不幸身值時危，浪驚柁旋，若亡楫維〔一〕。春山林君伯雨雷龍所以冒風塵而不辭。君豈樂諧附、邀顯融者，姑尚抑齊陳公〔二〕，開閫秉樞，君朝夕侍，何官弗可，迺迴翔隨計，甘垂翅於青冥。仙寇鼎沸，君逃難客止北山。方公思練事達變者左右之，檄君參録、令莆田。無何，陞佐郡，改宣教郎。北騎環城來之，皆坎命隻患，深墮乎樊中。輿圖混，官制行，君以治中署郡事。不年餘，流離集，震撼定。君精神倦，閉門却掃，而清逸之褎渥矣。鴻已冥飛，猶離矰繳，雖家事落然，而賦詩怡然。《耕吟》前稿予跋，《醉吟》《漫吟》後稿予叙。本生父大有、母葉氏更葬，予銘，已系家牒。最可痛者，世父大存卒，君後之；伯氏霖龍卒，君元配黄夫人子世雄後之。世雄與季敏孫死兵。夫人前卒，繼陳氏，子猶子宜翁。宜溫恭，善為子，婦貢士黃鎧女。十年君卒，又五年宜夭，母陳氏以宜兄伯奇次男富孫主宜喪。彼蒼迴斡，胡為是區區者不畀于君，殊未可曉。君貌魁梧，襟坦夷。《詩》精毛氏故，史熟司馬治鑑，書工顏筆，天文地理貫穿融液。辰冬末疾帳坐，猶校唐詩。明夏端午，再作手教，囑宜學禮於余。余亟存問，連呼易簀者三，死生大聚散矣。君生乙未正月，歿癸巳五月，年五十九。宜生癸酉四月，歿丁酉三月，年二十五。伯奇卜是歲閏臘庚申，葬君延壽維峰原，以宜祔。女子子四：長婿教諭陳大雅男良蒜，次與側出住奴許嫁傅、黃宦族，幼恃其母。孫男富孫，女二。伯奇飲泣謁銘，予書曰：

先賤後貴者多，壯達晚窮者幾？窮似達、貴似賤者，此莫之致而致。君跋疐於景定，驅馳乎丑寅，無須臾之樂，有寵辱之危。殆如沐而求解，未有騎而不下。覺今昨之是非，付春華之開謝。雖令客之不來，幸處士之可書。竹風燥兮霜梧，雄鳳去兮呼雛。造物者未定，君父子竟制於天歟！造物者果定，君子孫其必振歟！嗚呼！

[一]若亡楫維：亡，原作「山」，據文淵閣四庫本改。

韶溪姚君墓銘 至元十六年

屠維單閼之歲，閼逢閹茂之月，前福清尉姚勉將葬其父，走隸人以善狀來謁銘，曰：「銘所以緊名傳世。先生諱淇，字景瞻，世居莆之韶溪，因號韶溪。曰朝嗣者，晦德不仕，曾大父也。曰野庵先生隆，贈朝散大夫者，大父也。曰龍川府君直夫，階至朝奉大夫者，父也。配魏氏。息九人，男君錫、君焕，俱夭；君舉為伯貢士元泰後；君厚業於文，勉也。女適魏節、孫益敬、顧成父、郭元善，皆士大夫族。願書之，以附緊名傳世之義。銘所以論譔先美。先人蚤讀世書，侍龍川府君之治所，禦寇捍城，士之甚，武之甚。晚學空竺，不牽六欲。自東脩至耆指使，為子孝，為弟弟，於僚友稱長者，於閭巷稱善人。願書之以附論譔先美之義。銘所以志卒葬月日。先人不幸甲戌臘月十七日以疾終。禮，踰月而葬，何以緩？亂故。勉未即死，危不得葬。今兹筮宅于鳳蹟山，占曰從；卜日癸酉，占曰從。卒窆有期，願書之以附志卒葬月日之義。」淵曰：「嗟嗟乎！景瞻之光系如此，不書，惡惡可？景瞻之為人如此，不書，惡惡可？嗟嗟乎！景瞻之有子如此，不書，惡惡可？勉以京學進士恩，免受初階。屬車蒙塵，承詔扈從，特循一資，景瞻亦旨贈從事郎，惜景瞻之不及見也夫！」書而予之銘，曰：

后土濕兮天陰陰，山河在兮草木深。東西兮乞命大王，南北兮校尉摸金。人何生兮可藉，骨何土兮可托。思滄海兮欲傾，歎親朋兮凋落。若景瞻者，積善之餘。死順其正，葬歸其居。凄凄寒風，蒼蒼宰木。泉石有知，護一團玉。

書宋故龍川使君姚公墓誌後　至元十八年

公官至二千石，而清貧如韋布士。德彌厚，葬彌薄，後三十載，或猶尋陽翟藏處。嗚呼，時危世難，干戈接聯，泉下德人，有幸不幸，非關葬厚薄也。公之孫勉偕諸昆弟忍痛更葬，事已，泣曰：「丈夫得一幅汗青足矣。事謬不然，史筆悠悠。昔誌吾祖者其人最强項，迺大書曰善人、曰君子、曰循吏、曰老壯窮堅。陵遷谷易，一切毁壞，此紙幸留，吾將重刻宰上，以識吾哀。願徵辭於石陰。」余嘗銘公之子景瞻之墓，三嘆兹事，忍書之乎？雖然，自有龍坡，有此山川，人朽名芳，公何憾焉。諸孫雅雅，書種綿綿，時之來兮，當復家氊。如一株桂，散花萬千，秋香未歇，更有年年。維女後之人，慎旃慎旃！歲辛巳，後中秋，里後學韻鄉老人黄淵誌。更葬月日不書。

歐陽君厚墓誌銘　至元十五年九月

漢重儒林，學《尚書》者，班固著以「歐陽氏」；唐尚進士，官四門者，韓愈號以「歐陽生」。曷為「氏」若「生」，尊異之也？問其人與可傳者，問名不問位。士有不第進士，置籍儒林伍中，亦可書已，況四門苗裔乎！或問某生，曰，吾里井上君厚也，井上粤若來登年矣。君厚曾大父渭卿，鬱林州博白縣令。大父祺父起莘，世食舊德。君厚諱德載，以質行稱，財五十有九卒。君厚持家約，與人信，誨子弟以誠。塊處一室，對聖賢書，目謹勑士。偶快意飲，酣歌永叔《醉翁亭記》、坡老《赤壁賦》，又風塵表物。初署博士生，浮屠氏歸我田，博士以「文功比於武事」命題，君厚賦出，聲籍甚。後二十年，浮屠氏復取我田，君厚持左契白大閫，卒我歸，某甲愧墨去。君厚孺人〔一〕，此事未見，儕輩猶交誦義籍。棄場屋，試州縣，什出二三，恐未可少弄筆生。不幸老死窒衡，堇堇耳耳。君厚未死前七日，趣具觴，客與訣，參悟死生，如雨日霽，此豈無所養者。黨逮耇兮留今視東門其可蕪，未知尚端坐讀書，或拊缶而呼烏烏，唉！君厚之弟似幼孤，字之誨之，歲甲子，果荐名。娶吴氏。子男四：椿壽、梓、稚圭、泰吉。女二，皆歸士族。孫至孫。丙子秋，吴夫人亦亡。亡之四月，椿壽有兵難。明年又明年，仲子梓卜窆桃枝嶺，吉。玄月己酉，雙合窆。椿壽從祔。緩，以亂故。梓也才來謁銘，涕滿匡，問所以表於原上，吾曰：「先大夫之可傳，與子之可傳先大夫也，【氏】亦可，【生】亦可。不者，鄉人之於先大夫也君厚之，我其亦君厚之乎。公羊子曰，稱字，褒之也，然則亦尊異之辭與。」梓唯唯。吾於是書君厚之墓曰君厚，而與銘曰：

彼岡碻然，有宅隆然。藏者甞甞然，來者顒顒然。昔之日絢絢然，今之日蓬蓬然，而我銘之爐爐然。

〔一〕什厚孺人：孺，文淵閣四庫本作「儒」，疑是。

李仁可墓銘

嗚呼！義士李君之墓。君諱汝文，字仁可。其先温陵北鎮人。六世祖以武功顯，析居莆仙遊太平溪，遂為大族，甲溪上。大王父某、王父某。父某，承信郎，出出樹德。君倜儻有節槩，遇事當否立決，盤錯無窘色，視之韮汪汪於人。自青白眼，一試進士屈，即棄場屋，中燬者再，不悒悒。人以緩急扣，俱足分願去，或累負券，亦不掛口。晚年牀頭金盡，有謁猶獲。狠者柔之，冤者平之，餓者活之，尸者殣之。於是此邑稱義士，必曰李君李君。閑居由由然，與鄉人皆迎師教子，非國士不我乎館。精舍規橅視學宫，先聖先師像設其間，東西齋、寢、偃、庖湢，備置都養，來衿佩。於是學子稱義士，必曰李君李君。丙子夏，西鄉弄兵，掀簸而南，逼溪市二里許，君率民伍勇前，魁者手之。徒有年少仞曰：「此李官人，義士義士！」挾君挺身逃。亡何，忠肅陳公以樞參出為撫諭使，辟君，授初階。君好辭謝，誠不願官。忠肅公語余曰：「此時而有此人，義士義士！」丑冬寅春，兵南北來，死者坻京。君脱奇厄，寄止湄塢。不一月，重遇攻劫，窮空甚。兵退，君還溪滸，招流逋，化龍蛇為赤子，變榛莽為聚落，雖北人亦曰：「李官人義士義士！」溪北居者稍寧，君翛然南山，盖茅葢間，為菟裘計。病已藏，不安穀。君適子師古衣不解帶，醫禱萬方。里父老俱蹙曰：「李官人義士義士！」辦香北嚮，為君祈生。

君竟不起疾。其卒也，人有欠君債者，無有欠君淚者。君所識多勝流，獨敬余爲法度士。庚午西上，君爲治裝。乙亥之戌，君又治裝。比君逋播，猶資送余。余亦曰：「君義士！君義士！」每歲荔子丹，走一力到城，是年伻不來，余心怪。吾朱甥語君病故，余亟寓書問無恙。君病在席，但寄聲云：「非止失食飲節，恐有死生分。」前夕，君見夢於余：「上帝授我山主。」余覺，喈曰：「吾故人將如白雲在天，不可呼，不可呼！」又八日，朱甥書言君死，迺吾夢之明日。又明日，余爲位哭，且哭以文，此故人死，無已知者。師古日謀葬君户外，事或如疾風甚雨，隻手爬梳，保先人遺體，不暇葬，以此故緩。今卜宅於某里某山之原食。先一月，師古哭徵銘，余亦哭曰：「余尚忍銘？此故人也夫！」然余不君銘，又誰銘？君元妃梁氏，前卒，繼室黄氏。春秋六十六死，當辛巳七月二十九日。葬在某年某月某日。師古黄出，久從余學，頡頏詞章，不與髽俱髽，不與咮俱咮，可謂克世其家。它姬子某，九歲；女某，四歲。君平生厚親故里閈，而汾曲之田不足供子舍饘粥，然後人人知君爲龐公。人人知君於死之年，余知君於生之前，君所以嗜予，至老不衰。今無此故人矣！徙倚溪橋，興懷舊事：晴風佳日，並轡班荆，把酒持螯。雨浪之時，促膝語軟，鷄鳴未散。俛仰已爲陳迹！環溪觀，傍此土，人尚有義士如吾故人李君者乎否？不待吊君新墳，然後洒淚向西風也，悲夫！銘曰：

人促促以争名，君視如涴；人劫劫以營生，君棄如唾。藐若視乎公卿，其交有道。若混世於埃塵，其身皓皓。前此酣歌升平，灑掃摯考；後乎蜩螗沸羹，青山眊矂。歲月忽兮流星，死生事大；無老成兮典刑，科斗瑣瑣。埋斯人於幽扃，九原者不可作些。下馬者讀吾銘，不沃酹車勿過。

故中山處士林明甫墓銘　大德十一年二月

國清林氏之昭曰回年府君，贈承奉郎國鈞，於艾軒為諸父行。穆曰存庵先生浦。生雷震，震生丞，丞生夢栗，其嗣適諱遵文，字明甫，自號中山處士。生於甲辰四月。娶朱氏，生丈夫子二：曾度、曾贍。女子一，歸吳遡山次男公老。孫男三：賁、賨、潛。以大德庚子九月某日考終，年五十七。余閩而哭之三。丁未仲春，卜某日窆於其原。前期，明甫親友存厚戴君元吉為其孤來徵銘，且告綏故。余對存厚泣霑襟，曰：「余嘗銘明甫先君子定齋矣，尚忍銘吾明甫乎哉，敢不諾！」嗚呼，明甫家聲之懿、世學之傳，余初意為快士；及門授業，迺衣服朴而無華，辭觀德而有度，識高趣正，余大器識。每月兩講，雨甚亦至，耳聽手抄，退質所疑，涣然怡然，則於吾言無不說。舉子業中，方幅間得前輩緒論，扣所自，以網山、樂軒、宏齋三先生對。結字小楷不俗，五七言妥帖深遠。為子弟無違禮，處伯仲皆順德。暇日校讎經史，客來開樽觴詠。春初秋九，湖上宴集，族戚怡如。風月佳時，買舟速余耕樂堂前、濯纓亭上，爵油油後，賦程伯子「四時佳興」，殊不減舍瑟人。兵火後，明甫孤苦負土，中猶遣伻來勞余。戊戌，酌余穀城，炰鱉擘蟹。明甫語余：「軒冕無分，湖山有緣。」今猶旦暮，明甫已不可作。明甫雖事作業，非賜之殖；最樂周急，非商之悋。與人立然諾，非求之辟；凡事務平實，非師之過。貢法久停，擇師教子，惟聖哲之書乃讀。馬復有令，計租受庸。於刀筆之習，必戒「箕裘吾世業，圭璧爾元身」，此明甫過庭之誨，可以知所學所存矣。婚嫁之債甫畢，鐘鼎之養不待，世運浩漾，人壽爾夭，奈何乎明甫！追念疇昔，落月屋梁，如見顔色，不惟存厚痛吾明甫，余彌痛吾明甫。銘曰：

忠信篤敬若而人，文質彬彬若而人。之人也，斯可謂之處士。命子以曾欲其孝，兄弟友于信其孝。之子也，斯可謂之雅子。二孤皇皇，相厥陰陽。有封若堂，歸燕爾藏。德厚者流光，善積者慶長。書種兮不斷，來裔兮永昌。

故進士謝春塘墓誌銘　至大二年

南劒將樂有進士謝景雲，諱漢章，號春塘者，篤實君子也。春塘性資聰穎，十三通《詩》毛氏學，弱冠兼治《春秋》三傳，與老成人相頡頏。二十有七，以《詩經》拔解，太常報闕，還山著書，有《詩集傳》、《春秋分國事類》、《春塘小藁》八卷。不幸年三十二蚤世。孰予其有，不使其施，悲夫！先春塘病逾旬，自忖不可諱，呼冢子中，筆授之曰：「嗟有生而有死兮，適晝夜之常理。惜祖父之托重兮，依後人以爲衛。既未見於朝市兮，合於山林而肆志。嗟買山之無錢，吁捲茅之可慮。無一名一位之可戀兮，無好田良宅之可羨。所戀者明師，而今不可復親；所羨者佳友，而今不可復交。生不得以遂丘水之願，死必欲親身於丘水之遊。後人成人，以成余謀。」筆已，浩歎而訣。僕諷誦，喟然曰：春塘之所養可知已！然此春塘之學之文也，其大者，孝爲百行之先。春塘六歲失怙，八歲而母趙嫁。十四而大父母繼殁，嫁母與後夫突如來如，陽曰恤孤，陰則剥廬，齎産而去，家事落矣。他人不堪其憂，春塘一身百難，自童兒至没齒無怨言。昔孟子車謂「《凱風》親之過小」，而七子曰「母氏勞苦」，「母氏聖善」，不知其母之過。春塘甚似甚似，蓋又難於《凱風》矣。有學有文而嗇於年，世固有之；醇孝而不胡耇，未之有也。薰致燒膏見焫，天何為哉！此可為春塘嗟嘆也。僕於春塘雅不相識，於其子鬨譽處而已。無疑號也，不遠哀春塘行義年，寓書徵文於後死者曰：「《詩》云『明發不寐，有懷二人』，傳禮者曰父母之謂。中於日月將改葬先父母，敢泣以請。」僕拊心語：我不知其人，人奚我知？欲辭之，而遠不可辭，迺摭家乘，緊其世出。謝方雅之族，晉末散居江左，入閩則五代之季，於泉為著姓。有諱履者，官至工部，春塘鼻祖也，占籍惠安菱溪，多聞人。有諱瑞者，宦學古鏞，樂其風土，家焉。曾大父維清，結廬邑南三十里許。大父如晦又於泉獅巖下卜宅，四載而返古鏞。二父業《詩》，為經師。大父娶趙，不宜男，父炎，劉出，裒粮盱江受業，名未就而夭。母亦趙氏，生春塘及女子子一。春塘妃吳氏。丈夫子中，前順昌雙峯山長；仲文遠；季不成殤。女昭奴下殤。春塘生於某年某日，卒以乙亥八月某日。吳矢靡它，後春塘三十三年卒。中娶李氏，文遠娶伍氏。孫男三：襄，詢，子一未名。孫女三：長未行，餘幼。二孤奉春塘吳氏柩合葬于瑞龍山之原，至大己酉某月某日也。無疑慷慨有大志，學贍而工詩文，前此逃難，春塘平生所著十無二三，無疑收拾殘斷，廣求魁人韻士印可，以慰春塘於九京。吾家山谷叙謝師復遺稿：「方行萬里，出門而車軸折，可以隕涕。」余於春塘亦云。吁嗟乎春塘，難乎其為子也；子如無疑，又能為子。來者觀謝氏世世不失令名，當求之文墨之外，不銘惡惡可？銘曰：

春塘小字曰騫兮，終身之孝國稱賢。德行雖列四科兮，可慟者似顏之年。後之人後之人兮，如松之茂蘭之滋。後之人其謂誰兮，五馬山下謝無疑。相丘水而塴新阡兮，是爲無疑之父之墓。銘春塘者又誰兮，莆四如黄淵彦安甫。

架閣通直劉君墓誌銘　大德四年六月

嗚呼！丙申之難，岷峨悽愴，衣冠屑播於江浙湖廣者夥，獨閩最尠。丙子之變，山岳舍故，輿徒奔湊於七閩又多，惟莆罕見。己卯春，余坐文峯下，有一士巾履儼如，步趨翼如，意其官人也，揖與之言，氣下語温，粹德君子也。詢族出，則曾森諱，存畊字，蜀簡池後溪文節劉公之曾孫也。交臂而散，猶未相知且相善。君時僑爲莆人，郡庠學正虚席，余贊君氏名於博士曰：「願借蜀産之珍，以爲莆泮之望。」博士即延致之。余寄食西東，貧故之以。君抽賞金，舘勝彦，買書教子，經緝生計，雖不豐，亦苟美，且養先夫人文氏、所生楊氏如母，而尚平之債俱了。時相過存，呼樽對牀，嘯咏談賞。君善余，余亦知君矣。君靖厚淳質，慎交遊，遵涯分。而意外之來，有如疾風甚雨，不數年，物之倘來皆寄，百年之身，寄而又寄，前孰翼之，後孰顛之？天公似太憒憒，遂以存吾自號，然忍人所不能忍，有無累不掛口。篤鄉情者，今玉融守梅庵毋公、前莆田尉菊存班君二人耳。歲丙申，來往延平良苦。至未越月，冢訟復起，君心勩形瘵，疾於是乎作。余於君雖悃悃款款，然亦奈君何哉！少間，君愀然曰：「吾祖與父，壽俱五十八，吾年相符，恐止此數。」余對毋恐。亡何，君果不起。倫莫大於朋友，痛莫大於死生，嗚呼！君之世系：大王父光祖，即後溪先生，學禁中魁人韻士也。王父某，秘閣監丞。父某，大理正。母鄧氏。君之宦學，繇蔭補，銓注泰州民曹，調三衢讞掾，攝龍游令，諯劾為真。在有政稱，人呼活佛。改通直郎、刑工部架閣。洎長涵江書院，非君志也。君之歲月：庚子十月二十六日生於雪川，丁酉五月十二日卒於莆田寓舍。君之妃胤平舟楊公之外孫女，即文氏，先己卯二月卒。男季源、季深。女適前宗正丞蒲公某之子杭、前進士趙時㮣之子佛孫；佛家、奴女、珠娘。外孫旂孫、嗣祖、續祖，女聖奴。先是，君自度窆於常太里芳蓮塘辰山，葬其配而虛其左。今二孤筮庚子六月甲寅奉柩即窆。昔有父没而不克葬，後好事者改卜新宅，文士多之。君家弊矣，源也、深也垢衣削食，復君于土，則為有子矣。雖然，此子道之當然。是則銘。銘曰：

時之來兮顯融，時之去兮窮空。日未昳兮數終，宴其歸兮幽宮。極必復兮變則通，後人弗棄基兮庶揚乃祖乃父之清風。重曰：瞻彼墓門，云誰之思？彼西方之美人兮，九京若何起之。噫！

太學録此堂葉公墓銘

至大元年十二月

嗚呼，天下事有幸不幸，惟士亦然。士之進身，先鄉貢，次舍法。偶中鵠則謂之幸，非知得也；不貫革則為不幸，非愚失也。月書歲考，健者升梯，或再優，或三優，猶黄甲郎，堂下再拜，釋褐去。余於此堂葉公君選見之。君選，樵之泰寧人，諱必茂。妙年異群兒，侍父宦遊，師東莞謝某習《周禮》學。己酉預計偕，次年補太學生，乙卯魁，監舉三舍積優，調温陵郡博士。四考循從政郎，監行在草料場[一]，未上，改轉文林郎，除太學録。兵戈横放，蒲海雲以招撫幕辟、儒學提舉辟，俱不就。邑燬於盗，公居深密，而强梗不敢犯。敞門温故書。邑宰張梅溪某來，即家起領學事，公勉一出，新廟學，振文風。張為行省都事，以公行蹟薦聞，公已勇退，淡泊無宦情矣。自號此堂。寡言慎行，居鄉事上信友，無貴賤老少，一以謙和，所謂泰而不驕者。耄雖及而未嘗一食息廢學，所謂俯焉孳孳者。儒書外，喜讀《關》、《老子》，繕生養性，所謂修身以俟者。其可敬也夫！公之先大將軍從輝自富沙領軍鎮歸化，即令邑，因家焉，洎公十二世矣。曾大父某，監潭州南岳廟。大父某，通直郎。父某，從政郎、容州判官。母，三華陳封州某之女；所生母蕭氏。配亦廬陵尉蕭某之女。公之栖辟雍也，孺人治家課兒，一不以諉公。丈夫子二：長繼與，南劍路延平書院山長；次某。孫某、某。孺人甲午冬先卒，葬于蓁湖。生於丙戌二月某日，乙未十一月二十一日終于家，壽八十二。卜以戊申臘某日窆公三湖祖塋之右，承公志也。余閑居，無四方之役，於公無一面之雅。公之孤某不遠寓書兒梓，以銘文屬余。後死者得托名於不腐，焉敢以衰涸辭？迺叙公世族行義年，而銘曰：

天何為哉，奪有道士。人生大齊，百旦夜耳。譬諸流水，流者止矣；譬諸行客，行者歸矣。然而歸者未嘗歸，止者未嘗止。詩書之澤流，聖賢之道行，不在其身，則在其子孫孫子。旭日東升，又旦之始。嗚呼此堂，死乎不死！

[一]監行在草料場：草，原作「卓」，據文淵閣四庫本改。

隱君子林君亨之墓銘

至元十七年十一月

莆，士大夫郡；仙遊，莆巖邑；羅峰林氏，仙遊右姓。有以文藝官其族者，有以耋老望其里者，有以詩旹世其家者，余心慕之忻忻然。一日過詩人春山許，堂上畫像甚古，望之鶴骨松貌，川渟谷虛，蕭然如雲水人，使余已在塵壒之外，曰：「此方山子季常與？」春山曰：「吾先君紫陽翁也。」像之右，楷法端勁峭快，即之，「貧賤自若，王公不趨。以此自處，是名村夫」，翁自贊也。曰：「此東郊仲塗與？」嗚呼，可以想見其為人矣。問先諱，曰：「大有名，亨之字，以字行，紫陽翁其別號也。」問世出，曰：「唐侍御史藻，遠祖也。太中公茂宗，五世祖也。累贈朝散大夫巨，曾王父也。朝奉郎、添差通判江州一鶚，王父也。宣教郎、知南康郡都昌縣渙，考也。」問年，曰：「三百九十有二甲子也。」問娶，曰：「夫人葉氏，正簡公顒之曾孫女也。」問子姓，曰：「男霖龍，終承信郎、監潮州鮀浦場。為伯父後者雷龍也。妻進士葉國佐者女也。世雄，承信郎、閩廣宣撫大使司計議，死于兵者，孫也。」問學行年，曰：「先君年十六即棄舉子業，曰：『三場焉能名世？』千里求師，授六經學，不肯為章句儒。老猶書，眼如月。暇則觴客賦詩，深酌細論，自解謫仙、坡老妙處。殆異乎弄筆生皓首不能離場屋者。先君女兄弟抑齋忠肅陳公領招捕使時，求士可客者，先君甫弱冠，練事若素宦，器為偉人，以官聞於朝，摇手，「止止，勿破戒」，殆異乎豪士俠客夤緣僥倖以發身者。咸淳改元，寵秩高年，先君以雷龍名薦書故，恩錫初階。命書下，一御冠裳拜於庭，退，解褐如它日。語子孫曰：「生稱善人，死表於墓曰處士，吾願畢矣。」殆異乎織夫窶人晚名一官沾沾自喜者。」余曰：「不試進士如伊陽伯，不拜聘爵如擊壤翁，夫也中之矣。」春山又曰：「先君事親孝，持身潔，耆義樂施，志節可託緩急。莫年闢藏室，徧讀方外書[一]，人疑其為三景弟子，而不知學伯陽也。將謝人封，撫琴談笑，端坐委蛻。視家人無戀戀意。人疑其為仙臺郎，而不知似東明也。」余乃問卒葬，曰：「卒則戊辰四月二十八日，葬則其年十月二十日也。邑之慈孝里西明山，所葬之麓也。後一星終十一月庚申，更葬之年月日也。葬者霖龍，更葬者雷龍也。楄柎窀穸如初禮。雖更葬，不改宅也。」「不改宅，何有舊也？」春山又涕下不能禁，曰：「葬也者藏也，子而藏其親，孝斯終矣。易墓非古，喪不可不深，長思也。葬之又更葬，於余心有大不獲已者。昔人有云「蓋棺事了」，由今言之，了猶未了。乾巛慘慘，盜賊攘攘，百室之邑，生者或可以隱，死而埋藏地下者曾不得安乎若堂若坊。荒炬野草，雨夜風晨，昭明焄蒿，不與萬物共盡，安知不怒號而悲鳴？人間別無寃事，孝子創鉅痛甚，宜於此焉變矣，更葬云乎哉！十餘年間，天祝予，天祝予！吾所生父不幸大故，吾兄死，吾從子又死。春餘展墓，孑立捧奠，思卜所以為後者，不可食息少遼緩，更葬云乎哉！元祐子孫，一片精白，後輩不知，給事胡公知之。子知我者，願畀斯文，光此壞樹。」余亦有愴於予懷，不知哀之來處，遂以所聞於春山者，書曰「有宋隱君子林君亨之墓」。迪功郎不書，成君志也。春山即君之仲子雷龍，世其學者，官侵貴顯矣，今食于家，爵以不旹。旹已，揭銘宰上曰：

吁嗟夫君友羊裘，鼻端不齅利名鈎。死生夜旦等浮休，泠然御風逍遥遊。空餘駿骨扃巖幽，寒沙捲地岠齊州。蒼生破碎天為愁，九京紛紛離此郵。星飛枕化託留侯，櫝而藏之難也收。體魄既宅神棲留，白鶴柱頭嗟井丘。表獨立兮山之陬，一酹寒泉蘋藻羞。有來者那問松楸，仰看河漢占斗牛。時雨將降雲油油，詩旹之澤百世流。

〔一〕偏讀方外書：偏，原作「編」，據文淵閣四庫本改。

貢士洪德章墓誌銘 大德十一年

丁卯貢士洪德章，諱巖虎，余親友也。自號吾圃。里人但以字行。弱冠，拜鄉先生鄭獻翁為師。言吶吶然，如不出口，而以詞賦鳴世，鄉校選場，餘子俱避三舍。晚年工五七言詩，日鍛月鍊，妙處入神，有《小技存藁》、《軒渠集》，余為之序；外有講藁二卷，余賞識之。德章大父奕孫自孝義里寧海鎮析居郡右。父一之，月書季考，斐占魁亞。有屋一間，介于諸林之側，湫隘囂塵，闢而新之，左右丈尺不可得。諸林門户熱時，以氣凌人，獨於此老敬其長者，曰：「此丁宋傑僚友。」迨諸郎競爽，林戒兒姪曰：「隣家子有錚錚，異日俱青雲器，爾曹宜折節下之。」德章果拔解。天迴地游，林泠如灰，洪升如日。仲叔季不幸早世，獨德章為第一流。授門徒，累束脩，買隣地治圃，種花澆蔬，視簞瓢猶山雌然。士無科目，舍學校焉之？會師闔選諸縣學官，人競善地，德章退注興化縣教諭。囑伯子膺門户，仍挈仲子坐萬山中，朝晡盂飯，燒芋咬菜，課諸生外，翁季唱和。人或不知，無愠色。大德丙午，代者將至，衿佩歌餞，亦無喜色。秋丁後，微得滯後疾，别歸問醫。及門信宿，整巾而逝，九月十二日己卯也。生於己亥十一月丁亥，年六十有八。性不意飲，每好飲余，飲半談星行，婁語余曰：「某事先生之日尚長，渠料德章命止於斯！」前娶陳氏，其母族也，生男珠。繼陸氏，生男希文。女二，適林清父、林員孫。孫恩，年甫十四，德章在時為其配。卜葬靈川里洪庄澗之原，蓋四世樂斯丘也。二孤卜丁未某月某日奉柩窆，余不待孤之請而銘其辛曰：

後之達縣博士，不如前之榮鄉貢郎。區區升斗之禄，而俾壽之不將。伸於彼而屈於此，憒憒不可曉兮彼蒼。陟彼岵瞻望父兮，痛哉厚夜之長。稽諸卜筮，終然允臧。子孫孫子，書種綿綿，留待墳前，桂子之芳。

夏宣武將軍墓誌銘　大德十年

天運有别合，山岳有故新。從漢遊者多猛士，隸秦府者俱將才。而籍飛騎、歌都護，孰無雲起龍驤之思？若夏宣武，蓋以豪雋而乘明時、而成榮聞者也。宣武諱璟，字元臣，其先自淮入閩，占籍于泉。帳前總轄隱夫之孫，閤門宣贊必勝之子。宣武舊忠訓郎、殿前司左翼軍統領。智足應變，勇足御軍，功足決勝，海雲蒲平章器愛之。河漢改色，車書共道，帥殷士而侯服，篚玄黃而臣附。是時奔走先後，捷瑞安，捷温陵，捷三陽，宣武之力居多。觀其所使，知在上之德；觀其所主，知在下之能。平章舉最，太史書勳，迺刻符印，以償優勞。宣命下，初武德將軍、管軍千户，再宣武將軍、管軍總管，三管軍上千户，散官如故。若省都鎮撫，福、泉、興化鎮守，又行省累署表也。宣武號存齋，資厖厚，性寬慈，持身廉勤，同士甘苦。時平固圉，雖憚單騎之嚴明；文書省約，亦樂將軍之簡易。鞍馬餘閑，喜延勝彦，絃壺娱笑，於鄉黨姻舊。敬尊己者，慈下己者，友敵己者，一無間言。驥蹶鴻墜，大德庚子十一月二十一日感微恙終于三山治所。其生之年戊申九月初六，壽五十三。娶曾氏，繼丁氏。男定保，丁出，以父任賜黄組，昭信校尉，福州新軍上千户，捧萬户府檄，鎮守興化路，娶尤宣慰孫女。它姬子觀僧失明，應保尚幼。長女歸莊刑部子在，次歸陳天賜。孫男大順，女一。定保卜以丙午某月某日奉柩窆晉江楞伽山。前期下馬訪余，泣曰：「孤不孝，抱陟岵之痛。舊嘗執經師門，願丐令辭，俾光壤樹。」余憐其言哀，諾而銘曰：

嗚呼宣武，奮身右科。寵功之典不一，猶未脱矢石之勞；嗣爵之德至渥，宜爾受山河之褒。不假之年者天，西風嘘送於雲蘿；克濟其美者子，異時積閥於節旄。嗚呼宣武，死奚可憾，魂即安乎繭窠。

薛君立墓誌銘　至元十年十二月

興化吉了薛，自侍御史廷覇、給事中元鼎來莆前埭，薛南海令之穆又自吉了來。穆生一興，興生阿小，小生君立，諱鑾。晬而孤，母鄭氏携就外家教養，嚴教李天隱器愛之。余與君立居相近，知相諗。髫齔誦數百言，成童，命題立就。弱冠，志鋭塲屋。迨至元改物，余逋播深密[一]。解后，君立號泣旻天：「吾母未知存否！」禱之吉。余酌以酒，别去。君立訪母，果無恙，孝通神明如此。户外事殷，征繇趣迫，勉受鈔庫使。無何，以母老辭。母喪甫祥，又科治賦，君立因號鐵耕道人。痛念先廬，弗忍棄基，撤舊起廢。堂寢雖安，廳事未完。里中子航海遭寇死，君立曰：「吾舊也，讎必復！」間關瘴區，獲寇抵罪。暑歸發瘡，却醫，遂不起病，年四十五，大德己亥八月二十五日也。君立生於某月某日。佚蕩有膽畧，凡事不與神謀，唯决諸心。皂白人物，無銖兩差。葬諸父以禮，待親舊以誠。雅不意飲，風月佳時，觴客少飲，而未嘗醉。娶彭氏，生男二，長烏公，次白公。女學道紫澤觀。孫女一。烏公卜丙午臘月庚申，崩柩于常太里滄溪橋西原，哭徵銘。余猶記天隱酒邊語余：「君立踰三十，福力未可量，第恐發之驟，享之淺。」今知天隱之言信，哀而予銘。銘曰[二]：

婦持門户，勝大丈夫。兒肯堂構，異六尺孤。隨時聽屈信之運，應變無悔吝之虞。嗚呼君立，有子也夫！瞻彼堂坊，山川縈紆。君立體魄，其安之乎。詩書苗裔，其兹兹乎。

[一]逋播深密：逋，原作「捕」，據文意改。作者《故通守太學博士介山林公墓銘》中有「余逋播不暇諾」句，可證。
[二]銘曰：銘，原作「詩」，據文淵閣四庫本改。

故通守太學博士介山林公墓銘　至元十九年

故介山林公諱㾮協，字若山。丙辰大對，龍峯陳公某讀公策，曰：「得此士，可魁天下。」參詳官以言太直沮，公對人語：「狀元不做何恨，吾母不見吾一第，大可恨。」又八年，以太學博士添差建寧府通判。又四年冬，不候代歸，劍守迎公溪鐔，飲餞賦詩：「直聲曾向榻前摶，先帝褒加已十年。不是主司迷李膺，只緣通判屬齊賢。」守即龍峯，意猶以前事為公惜。便道之福清縣，舘内子孺人方氏家，跋涉無恙。又明年己巳正月，感末疾卒。累官承議郎，年五十四。孤陶纍纍返柩説輤。後渴葬甚。化變而嬗，衣冠蕩析，壬午臘月丙申，始堋于尊賢里秋竹原。葬迫，陶書來曰：「先生父執，幸賜銘。」余逋播不暇諾。比一再泣告余：「先君宰木之葉再易，不表兹阡，陶非孝。」余退考公氏族，三山石井人，初從游洋，後占籍郡左。王大父某，成忠郎。王父某，松門居士。父贈宣教郎。為儒闡家，至公則門益大。公七歲失怙，家窮約，母贈孺人游氏督教有方。公不好弄，委己從師，日手抄，夜暗誦。少長，文宿意新。妙年與計偕，升辟雍，拔冑解，魁舍選，中進士乙科。青霄步武，健者登梯，舉足愈高遠。調郢州教授，改監京局，未上，尹漕繼卒，幕事殷，參決無留，不茹不吐。居無何，除工部架閣文字，國子録，太學博士。凡所薦皆名侍從，券内官職，如稼而獲，不丐而有，卻授員外司馬。家食課兒，時貴不知有此寄公。暨箎會府，七邑訟累政不能决，公譬禍福，曉理義，兩造交讓。冶司綱五年不及補，公却例卷，捐己俸，官吏愧服。夏五水漂民，民仰存活，公白庾臺曰：「孰重？」乃開義廩。恩貢增額，郡欲扞格，公獲棘闈，曰：「宜寬。」果得異能。朔齋劉公召公，被旨承乏，半錢勺酒，不支府帑，贏數千緡。終更出關，耆宿遮道，有百餘人殿擁一大旗，書「徹底清」三字，留去。余每侍飲，從頌語公：「士夫持身如玉，須無點涴。科第官爵可致，却無慙難；公惟無慙，故不受涴，學有本原矣。」莆自艾軒老仙去，朱晦翁客復齋陳公仰止堂，吾道盡付滄洲。後翁門人瓜山潘公來，復齋師里居良士禮東嚮席。時西岳顧君立、先君德遠號尊足。潘、陳二師繼歿，公拜西岳；西岳又歿，公拜先君，永矢靡它。公需次，先君屈公書堂月講。先後未三載，先君與公下世，天乎！公本孝友，實踐履，嚴進退，審義利。於是八九歲時，謂鄉校人人先奪，即不肯入。客京師時，束脩奉母粗糲費外，悉歸仲氏。伯父囿山公當臺時，公以子姪侍，書策謁請一不聽。内舍積優，欠進士級，伻報母疾，公亟輟試，駕湍南下，入門不見母，哀幾毁。將徙月樂，舍期復迫，公寧遲遲。一詔掌固實。時平湖陳公榻前特奏：「林某道德文章超異流俗。」公初不知，後亦不謝。拜學官。時北地薄福建子，無賢否例罷，獨器賞公，公不為動。丐外補。時西澗葉公强留：「少須一除，可得美郡。」公以書生寧不求多對。在富沙時，西澗登庸，同寅勸公問鈞，公以一字不入帝城卻。彼詭御者貫，小人乘疾，顛者敗覆車下，視公所學所守，可以少愧。公白而長身，安恬和易。飲止栝杓，偶微醺，即哦杜詩坡詞，上下倨句皆中律同。散語平粹，儷語雅則，邈有清韻，殊醻厚福。陶送死皇皇，事生業業，大者既識，公志必傳。陶之子□□女□於公為孫。余追念死友，猶記軼事，收涕次其語。銘曰：

昔坐齋窗，𦖟𦖟杓移。夢汝先人，對床話私。士甲乙伍，爾雄衆雌。官止别駕，見州勿為。後兩大試，前言中之。建古三刀，越俎而尸。以占法原，數盡化期。介山訊予，成是邪非。越再星終，琴鶴歸里。一夕舘甥，老兵假寐。閧萬喏聲，曰迎福師。視之乃公，覺相驚異。明日而五，疾不可諱。氣體流通，咸、陟觭致。司隸何心，非醉非寐。彼冥之間，疑有是事。聰明正直，杜國閻羅。玉堂給札，訣語又何。賢如精氣，非物焄蒿。不騎箕去，猗麟鳳那。千萬億年，如水行地。龍魚去矣，蝌蚪瑣尾。相爾來裔，故書盈庋。竟爾緒業，吉祥止止。

重曰：

夢之占嚮可徵兮，蓍之命今如神兮。墨筆操牘，問所以然兮，於卦遇《同人》之《乾》兮。

故梅西先生郭教授墓銘　大德十年三月

梅西先生，魁壘士也。於夷白鄭鉞，異姓兄弟；於滄邊郭廷煒，同宗兄弟。大德乙巳秋，先生客二兄所，走也周旋其間，視予猶叔度也。先生和余十聲韻《歲晚》七絶，余亦有「重約十年又十年」之詩。

别半期，舊對自北來，過門語余，莆新博士又我先生，余呼樽喜劇。時丙午歲後陬月也。無何，先生書來：「它日黨堪一行，去秋之約，殆天啟之。」未一月，先生凶問至。人能料生，渠能料死？嗚呼先生！

昔陸子壽再調郡文學掾，未上而殁。區區尋尺之禄，棄如脱屣，宰物者亦不與之年，命與數也。然子壽所以傳不朽者，正不計官資之崇庳、歲月之修短，我先生似之。先生舊客授時，以方石巖公權為愛友，余為畏友。風日佳時，登臨觴詠[一]，石巖偕，商榷理義，磋磨平粹，唯余訪問。氊寒燈青，握手軟語：「四如禮學精邃，願叩兩端。《易》與四書，僕雖有述，然不敢示吾四如。遲六七十脱稾，就正然否未晚也。前於泉山，繼於吴江，閑居於里閈，與守令佐矜佩講畫者，皆學問之大端、經濟之要務；長篇、近體，樂府，散語，翰墨餘事耳。」晚輩以此知我先生淺之，為丈夫也。先生之學，得於家傳；先生之行，無一不可以語人者。其事母孝，生業業，死皇皇，其待人恕，内偲偲，外怡怡，又余耳目所睹記。此先生所以為先生。先生諱堂，字德基。其世出自光之固始，來家長樂芝山。曾王父某，王父某，以文學稱，號「書厨家」。父存齋翁某，《春秋傳論》，盡掃塵腐，登壬辰第，終合浦教授。先生甫十一歲，母夫人林氏力貧教督，以至成立。甲戌補國子生，將積外優，貢舉停矣。知先生者，馮公某、張公某、商公某、趙公某、陳公某、潘公某、賈公某，最最者翰林學士雪樓程公某也，或輓或推。先生淡與泊遭，苟焉為貧，奚意奔車之上，所養者大也。初號梅西居士，中號息齋，末後號六平山人，公卿大夫士但以梅西稱，以是知先生之心。先生以乙巳九月二十九日生。今春清明，詣張令尹某燕席，翊日偏謁親舊，歸猶課僕種葵，丙夜赴玉樓召，二月十八也，春秋六十二。嗚呼先生！二丈夫子：長履，行人書學博士選，遽奪所天；次鼎。女子一，適進士陳某，先一年夭。履卜五月二十七丙申，奉柩堋于稷嶺原先塋之側，不遠伻來徵銘。余日以詩哭，尚忍銘乎哉！然前此余銘先生之母夫人，今焉敢辭？收涕銘曰：

嗚呼先生！貞不絶俗近於時，行危言遜近於知，獎士成名近於仁，其類有道者歟！唯有道而諧乎古，故盡道而令其終也，固可重為斯文惜。惟有子而續其世也，又可為斯文幸。先生之期其子，蓋異乎人之期；余之期先生之子亦然。遂銘先生之竁，庶人與先生之書而俱傳。

[一]登臨觴詠：臨，原作「時」，據文淵閣四庫本改。

太孺人林氏墓誌銘　至元三十年

莆郡文學掾梅西郭先生之母太孺人林氏，以至元癸巳五月六日卒于寓舍，年七十七。先庚寅冬，梅西載道來南，僅一蒼頭自隨，明年春始迎養太孺人。學如舟，室如斗，糲飯茹薇，母子怡如。設帨之旦，諸生講，升堂拜，太孺人簡脂澤，勝杯杓，不類諄諄者。暇日佐婦箴縷，課孫吾伊。三端午猶酌艾，詰朝日加午，無它恙，遽為歸人。梅西授代未能歸室，不幸親喪，未即反輤，貧故之以。梅西言語妙天下，莆士友孰不愛之，而莫助之，龜毛成氈，豈不難難！梅西號泣語叟曰：「先君存齋丞蕭山時，吾母相其貧不廢禮，成其廉不失義。視官禄上下，節縮供賓祭，餘則置苟簡之田。先君晚年懶宦，未幾無禄。陞甫年十有一，吾母單持，督從師嚴，脱簪珥致束修，夜對膏火，必從旁紉緝，達曙不寐。歲甲戌，陞補國學生，吾母喜曰：「吾今可以見乃翁九京矣。」天運回旋，人世故新，吾母戚戚，唯恐吾之不顯融，蓋期以遠者大者，不但一博士耳。痛哉！吾母喪矣亡矣，陞若何酬母之志？陞將以是年某月奉柩歸葬于先君稷嶺西之原。叟知余者，幸與吾母銘，以寫余哀。」吁，閨閫常德，誌婦人不宜書。太孺人教子如軻，有歐陽氏母家訓，獨不宜書歟？莆距長樂倍三舍，草涷樹枯，丹旐凄凄，梅西望國望鄉，哭如何其！嗚呼！太孺人諱道静，存齋先生之次妃。存齋精《春秋》學，魁辛卯鄉書，第壬辰進士，官止廉州教授。男陞也，孫履、鼎。孫女一人。銘曰：

閨門恭約得温温，家以善積子名聞，存齋之書今故存。露楸雲塚藏瑶琨，相厥夫君利後昆，涵暉發祥紛輪囷。

壽藏自誌　大德十年

唐御史黄文江滔之十二代孫仲元，字善甫，辛卯十月廿八日生。高大父兖，漕貢進士。曾大父必彰。大父汝守，脩職郎。父績表德遠為鄉先生，晚號獨不懼翁。二母俱宋監丞藻之孫，沙丞克剛之女。余十二喪母，然已工舉子業，鄉校婁占魁亞。壬子預計偕太常，報罷。與孤山陳端然、可山陳文翁中外表刻意讀潘、陳二先生書，雖不甚解，然必窮旨趣，使自得之。翁集四書為《近思本録》，未脱稾，余日夕删補。翁有詩曰：「深為助我喜，敢作譽兒癡。」餘力自韓、柳、歐、曾文外，手抄二百四十二家，汪龍溪、洪景盧題於集後，妄意貶剥。翁語仲元曰：「吾兒萬一成立，末節必不漏逗。」及掇邵堯夫《善人吟》，以四如自號，翁又喜曰：「難難！但勿過飲，於號斯稱。」逮聚徒發策，以周元公問行義，多大成集所不載，翁代季子仲固答，且謂非吾兒不能問，非老父不能對。烏山一見器貲，館樵川。山歿，余坐家，不殖生產，事如母起孝起敬，歲輟學職俸及束脩四之三為菽水歡。寄食富沙，楞翁三薦達於朔齋劉公，余不謁見，公語林太博曰[二]：「此兒當於古君子中求之。」歲辛未省闈，文本心以論策賓第五，廷對以直言忤時宰，賜同進士出身，四十有一矣。調監瑞安府比較務。需次食貧，如心貽書常齋，俾就二劉祠堂，一月兩講，為學者師，董之者後坡劉求志也。癸酉捧檄考類試，歸過鐔津，古崖江公留郡齋，載之匯江。席未温，古心先生買舟速余芝山，將及期，告假省親。抵里門十日，鄙被兵，龍顛虎倒，余幸苟活。時甲戌臘月也。乙亥冬之官，守相陳山泉虚經博士席相處，不就，屈余入幕。有强民挾貴、不禮税官者，有頑佃廿載、不納主租者，有妄首富家造麯者，一見剖決，泉喜得人。無何泉罷，以書別余：「君來我去，彼此無福。」丙子春，端明陸君實至自平江，偶同邸，一交臂，再三褒歎古雅可敬，待如子姓，飲食必俱。入夜炙燭，對酌劇談，曙動共飯迺出。及聞杭陷，挑包辭歸，既資送余，又留行橐。夏五，趣余行都充益王府撰述官、兼處置使司幹辦公事，又改刑工部架閣。以通直郎陞武學諭。不兼旬，得五京剡，處置使楊公、刑侍應公、祭酒許公、少傅張公，一實翁也。遂轉朝奉郎、國子監簿，兼福建路招捕使司都參議官。雖苟已知，竊天寵，然未嘗供一日職，升斗不批券曆，斯時何時，穀而耻也。

實齋拜樞使，猶命撫諭使毛公邀余同舟，將有異除，余力以母老辭。及聞公全家投海，余哭公詩：「人皆傳已死，僕尚愛其生。」公忠義終古不朽，而余猶為人，猗！古崖於余，異姓兄弟，有《四如吟》最簡古；實翁於余，異姓父子，《題種讀詩》極理致。卓樂山以《易解》囑余叙篇端，未七日而樂山亦以兵死。末着渠不可料如此！余當潮汐洶湧之衝，嘗著《檮杌集》，識此邦之仕於朝者與士而求仕、及他州士夫仕於此邦者，不敢出客。丁丑屠城之變，此集與前後告身無存，言之如夢然。老身自甲戌冬混迹大化，阽死者數。客芝山而免，客瑞安而免，客碧溪王洋而免，客環泉而免，可謂不幸之大幸，非宰物者孰相之？尺絲寸縷不留著身，又孰念之？家世清白，石田茅屋，二親歿後，余不與叔季分財，東西南北，又不殖生產，家道敝又敝矣。余三十方娶斗軒先生丁南一之女，辛巳歲以同產弟仲會之子子材為嗣。余命屬木，於五行欠水，人世趨新，余以四字從水虔卜先君拈得淵字，北山方公為字天叟，改號韻鄉。水生木，故子材名梓。余舊旅食它州，即傾囊買異書歸。干戈横放，盗竊兵燬，雖欲讀，無可借。所著《學記農談》，欠改；《春秋説》止閔公，欠續；他散雜寸片，亦未上藁，蓋無暇披揀，亦無傭書者。嘗夢感麟翁遺余雙筆，志欲脩史，而未果，大槩見於《夢筆記》矣。一生不能歌樂府，詩亦不甚工。嘗自以「四端差欠智，六極占居貧」一聯為得句。暮年雪鬢，書案黏黐，户外事不到耳，間有聽談經者，大抵如越人之視章甫。道世交喪，殊亦可歎。孫疇祖，名燾，字喬年；光祖，名熙，字昌年，義又取木生火也。女孫名應娘，皆子材婦林氏出。林癸卯秋中蚤世，仰事俯育，子材殊亦難難。子材於乙巳臘月為余營一貉之丘於篠塘原，余甚樂焉，殆天作地藏，吾祖留以遺余。大馬之齒，行耄及矣，書債未了，僥焉孳孥。萬一應盡便盡，何憂何懼。昭武在軒黄公紹嘗許余文「艾夜之太白，殘年之卷施」，子材異時當爲余彙稡遺文，以成余志。子材課兩兒郎，讀本分書，毋差塗轍，得壽斯文一脉，以昌我後之人，此則老夫區區願望；不然，目不瞑於九京。大德十祀丙午，立春第三日，四如老叟自誌。（以上《有宋福建莆陽黄仲元四如先生文稾》卷四　以上劉琳、樊善國校點）

〔一〕公語林太博曰：林，原作「材」，據文淵閣四庫本改。

全元文卷二六三

魏　初　一

魏初（一二三二——一二九二），字大初，一作太初。弘州順聖（今河北陽原東）人，金末名士魏璠重孫。中統元年（一二六〇）為中書省掾，兼掌書記。以祖母老，告歸。後為國史院編修，尋拜監察御史，歷官至侍御史、江南行臺御史中丞。著作有《青崖集》五卷。本書所收魏初文，以文淵閣四庫全書本為底本。

賀正表

萬彙俱春，允協姒朝之正；四時成歲，載更堯曆之新。閶闔天開，衣冠星拱。中賀。欽惟，以聖繼聖，由仁行仁。濟之以不世之才，奮之以有為之志。量包天地，好洽宗親。凝神淵默之間，允求於治；稽古禮文之事，方采其宜。高麗蒙再造之恩，交趾受維藩之禮。襄陽可得而不迫以力，日本末臣而姑奉以辭。為民極以立官，酌古而不泥於古；度國用以取賦，準今而不專於今。謂篆生隸、隸生楷，必歷數手而完；則人本心、心本天，當有一代之制。規模傑作，文物蔚新。臣等叨列宰司，幸逢昌運。雖調劑爕理，無裨二氣之和；敢舞蹈對揚，仰祝萬年之壽！

奏章　一[一]

至元五年十月六日。欽奉聖旨，令「自堯、舜、孔子以下，經史所載嘉言、善政，明白直言奏得來者。」欽奉如此。謹具條陳于後，皆經史事，今略其文。用是，有尋魏徵之旨，一曰正君心，二曰教太子，三曰任人材，四曰慎聽覽，五曰辨邪正，六曰革舊弊，七曰通下情，八曰理財用，九曰修武備。所得奏者，任人材一節而已。周顯德元年，河南府推官高錫所上書也。

[一]標題代擬。以下三十八篇同。

奏章　二

六年正月六日。臣初等面奉聖旨：「魏徵般人尋者。如魏徵般人無，只似魏學士般人尋者。」臣愚竊謂天下未嘗乏才，顧人君用之者如何耳。如魏徵者，陛下必欲得之，亦非難事。且徵之所以為徵，以太宗之能聽受也。若太宗不聽，徵雖有經國之才，抗直不屈，將何所施？今陛下將與堯、舜比隆，太宗之事，臣知其優為之也。誠能霽至尊至大之威，收至聰至明之辨，曲屈情意，勉强以制禮義，使臣下盡言不諱，魏徵將自至，尚何竢於尋哉？一生殺與奪之權，人主所司，不可使少移於臣下。一有所移於臣下，欺弄禍患可立至。此非臣之私言也。《書》曰：「惟辟作福，惟辟作威。」《春秋》稱君能制命為義。《史記》謂能擅國之為王。此自古之明戒也。雖然，宰相所以代君治事者也，苟不委任責成，則何以辦治？此亦非臣之私言也。孔子嘗曰：「先有司，赦小過。」蓋不先有司，則事無所統。不赦小過，則下無全才。臣願生殺與奪之權，持之當在陛下，而「先有司，赦小過」之義，亦不可不致論也。一人情姦偽，不可不防。古之治天下者大為防禁，民猶踰之。在朝廷而失其防，則有民不知君，如魯三桓之專。在邊境而失其防，則有尾大不掉，如唐藩鎮之亂。在諸侯而失其防，則有號令不行，如秦、楚、吴、越之僭。在百姓而失其防，則有掉臂大呼、睚眦殺人，如陳勝、郭解之徒。是固不可不防也。然防之得其道，則可以制亂；防之失其道，則適足生亂。若夫用正人，用之則當其材而不過。此朝廷之防也。兵不可不精鍊，既精鍊矣，必分其勢，使權不久在一人。此邊境之防也。地不可廣，民不可衆，且遷轉之格，今已行之。此諸侯之防也。民固不可使窮困，亦不可太豪富。窮困則易以為盗，豪富則易以驕亂。此百姓之防也。陛下必欲防姦偽，宜以此防之。若以擁蔽之故，而使之互相告訐，臣恐姦人因此厚誣大臣，以生釁端。方今已見其漸。小則恐迫財賄，大則扼其吭而奪之位。至有同列不相能，聚群不逞之徒而啗之以利，使相為訐發，當路者莫敢誰何。以成風俗，甚不可長。聖上明見萬里，無不昭察。臣愚，欽奉聖旨，故不敢不盡愚。伏取聖鑒。

奏章　三

八年三月二十三日。監察御史言：法者，所以維持天下之具也。憲臺，則守法之司也。方今無一定之法，百司無所循守。雖省府已嘗奏論，未即施行。合無從御史臺，再行舉奏，早定一代之法，使有司有所守，百姓有所畏避，天下幸甚！

奏章　四

四月初二日。竊惟欲致天下之治，必求所以治天下之具。所謂治天下之具者無他，人才是也。取人之法，具在方册。三代有鄉舉、里選之制；漢有孝廉、賢良之科；隋、唐以來，加以詞賦、明經；遼、金因之，亦能得人。國家有天下六七十年之間，取人之法，未遑暇及。今天子神聖，百職具舉。苟取之不以法，則奔趨請託、憑藉黨與，無所不逞其私才。有一闕，則上司所付，門下、親舊之所囑，駢肩累足，莫知適從。卒之，人才無所得，而賄利訐制者取之。至有贓污負罪而投謁有所，則已登津要而肆猾狡矣。欲其政平訟理，恐未能也。合無取近代之制，若文武舉、若試吏員、若任子等法。至於方技、醫卜之術，皆以試補，則人得其才，僥倖之門塞，治安之功可期矣。

奏章　五

四月二十四日。竊見聖主即位以來，經理天下。中書省以總朝綱，尚書省以決庶務，樞密院以典兵，御史臺以糾彈非違。其統而一之，能分陛下之憂者，聖慮固已定矣。竊見燕王嘗欽奉聖旨，守中書令兼樞密使。名雖如是，寔則未聞。當今之計，宜妙選天下賢而有德業者輔翼燕王。欽依，已降聖旨，領中書省。凡軍馬、刑殺、大除拜、大錢穀及應合聞奏之事，須先啟白燕王處決，然後入奏。如是，則政柄歸一，聖慮少安，而天下國家之大本定矣。

奏章　六

四月二十四日。竊惟君猶天也，臣猶地也。天尊地卑，禮不可不肅。方今內有太常，有國史，有修起居注，以議典禮，紀言動；外則交趾稱臣，高麗入貢，日本江左瞻望德化。自祖宗開國以來，其創法立制，至陛下為最備。故外域遠方，企仰朝廷，以為中朝禮義之國。昨聞御前食肉，負者裸形舞唱，恐非所以正朝廷、待臣下、尊天子之禮也。自今，御前不可作此戲舉，務存大體，天下幸甚！

奏章　七

五月七日。照得近例：州縣不滿千户者合併，又軍户、鄂囉、轉運司俱各併入總管府。所以省冗員，禁侵擾也。竊見目今除諸王位下户計外，係大官數目内，送納差發米糧種田等户，如耶律丞相、南合中書、楊中書、賈達、阿嘍罕等，投項甚多。其各官頭目俱有長次，及首領官、令史、催差人等。各人既無俸禄以養廉，則侵擾之弊不能不無。以此參詳，既是依例納絲、銀人户，合無照依合併州縣、鄂勒、轉運司體例，并入見住州縣，與民一滾通行科差。若有合回付絲、銀去處，令於官庫内驗數支取，不必更為設官。如此，似為官民俱得便益。據元管頭目，於内若有曾受宣勑，勾當年深人員，擬合量才任用。

奏章　八

五月八日。襄陽蕞爾一城，國家以河南一道，加以内地供給，自始功迄今幾三年矣，未有成效。今水潦方漲，彼必大舉來援。我軍雖已成圍，亦宜據守險要，厲兵秣馬，以需一戰。此正諸將用奇應變之秋也。朝廷宜遣使以此戒諭將士，且點視兵甲、卒伍，糧餉之有不利、不備者，督責合屬官吏，使必致精利、完備，以圖事功。若不早為備禦，使必内外相應，突圍以走，縱得空城，夫復何益？不惟不償所損，亦有以虧損朝廷師武臣力之望。伏乞詳酌施行。

奏章　九

五月十六日。比聞朝廷以山東蝗、旱，民多闕食，已差官給糧賑濟，及倚閣懸欠税糧，其民固已幸矣。外據鹽貨，見行椿配，其法施之豐穰之歲，猶有所不堪，况其蝗、旱之餘，闕食之際，豈可不為之更張哉？今體知得其鹽貨在，先令瀕海去處椿配。今滕、嶧、淄州等處去海七八百里，俱各椿配，每户月椿配三斤。以毫厘品答近上户計，每年不下椿配鹽三百斤，每斤價鈔四分。絲、絹、麻、布並不收受。大絹一疋長二丈八尺，重一十三兩，於街市倒鈔七錢，布一疋長十八尺，倒鈔五錢，然後赴鹽局送納。又立主首，賫信牌，立限約，催督民户赴州縣官局關買。遠者離城三百餘里，正於農忙時分，往復不下十日，每年四季如此。及到城，無錢，多於鋪户之家借貸，以應官司督迫之急。及關買出局，却於城内，每斤折二三兩，依市價轉買，每斤價鈔三分。賣訖，鈔却還元借鋪户。參詳，今既給糧賑濟，又倚閣懸欠税糧，則朝廷優恤元元之意可謂深切著明矣！如上件鹽貨事理，更為從長講究施行，是亦賑濟之一大端也。古所謂惠而不費，因民之所利而利之，蓋近是也。

奏章 一〇

五月二十七日。今體知得外路客旅於上都和糴所中納米糧，皆揭利錢，於隨處糴到白米。至元七年十二月内，般載到和糴所永盈、萬盈兩倉下卸中納。其兩倉見百姓搬載米糧數多，推稱元糴糧數已足，不肯收受。百姓在客日久，牛隻損死，盤費俱盡，將所載米糧不得已折本賤糶。本都官豪富要之家釐勒減價收糴，却赴倉中納。倉官通同看循，便行收受。其客旅，如太原王烏德美、西京杜阿薩爾、馮琪、李春等納到米糧，皆刁蹬不受，見於兩倉露地堆積約一萬石，以致損耗，委是生受。參詳，上都每年合用米糧不下五十萬石，故增其價直，令百姓和中，所以備國用、便貧民也。今客旅所中米糧，兩倉刁蹬如此，見有露積至今者。脱因雨水變壞，則百姓揭借鈔本，無以倍償，況敢言利乎？夫細民圖斗升之利，不遠千里，來應和中。若如此刁蹬，恐四方不信，後無以應糴者，則國用之須將何所仰？目今雖收中米數已足，若將在倉露囤、客未驗數更為收受，不惟救客旅倒懸之急，亦所以備用，示不失信於民也。并據倉官見客米多，稱推數足，閉倉不受，致令官豪富要勒價賤糴，却中納入倉，隨即收受。其情弊欺公害民，莫此之甚，合行嚴加禁治。今後有無驗寔到倉米數，不問貧富，依月日挨次收受。將當日寔收米數及合給支鈔人名姓，只作一串，赴支鈔庫照驗關支。如此，不惟不能作弊害民，其勾當官吏亦不至破家獲罪。

奏章　一一

五月二十九日。近為察到上都萬盈倉飛鈔事，就問得監視官運司知事趙瑄，曾於巴圖軍人烏爾古處買到支帖三百石，每石用鈔一兩二錢，却於官庫内每石關支鈔二兩五錢。已行具呈御史臺，照詳施行。今參詳得國家蓄糧本以養軍，而糧及於軍者不足，此一弊也。給鈔以中糧，本以便民，而糧不得盡中，其弊二也。養不及軍，便不及民，官庫之鈔，隨於富强作弊之手，其弊三也。三弊之生，生於買籌而已。今後，軍人及應合支糧者有無聽從所願，就令發帖官司審問。軍人及應合支糧者若欲用鈔，先取本人文字，開寫正支米糧、折支鈔數各各數目。其米價若在和糴未足其間，依官定價錢；如於收糴已足之後，隨倉米市價，從寔折筭。其發帖官司憑准合人文字據正支米糧，下倉放支；其折鈔數，下庫支訖，仍於本倉門首分朗出榜，省諭軍人及應合支糧人通知。仍禁約不得私下買籌、賣籌，或將支帖抵還欠少錢債，違者並行治罪。如此，則軍得寔用，官無虧損。是亦革弊之一端也。

奏章　一二

六月五日。竊惟皇后之尊與天子同體，上以供奉天地，下以承祀宗社，故歷代天子即位，册文、玉璽隨即行之，所以崇三綱之始、正風化之原也。今皇后母儀天下已十餘年，册璽之禮未覩施行。伏乞御史臺奏聞，下太常、翰林講求典故，以行册禮，天下幸甚！

奏章 一三

六月十七日。照得唐制，宰相修時政記，月送史館。又起居郎，天子御正殿，則對立於殿下，有命則臨陛俯聽，退而書之，以為「起居注」，凡册命、啟奏、封拜、罷免悉載之。史院嘗欽奉聖旨，修纂祖宗事跡。恭惟主上即位以來，立宗廟，議禮樂，定官制，百度修舉。今兩省、臺院及修起居注，凡有軍國大政并册命、啟奏、封拜、罷免等事，合從中統建元及今見行事理，逐月送付史院，以修寔録，則主上之豐功盛烈有以光耀萬世，亦臣下所當為者。

奏章 一四

七月十三日。風聞中書省奏特訥克國王與廉平章北京行省事。竊惟趙右丞往年嘗與國王行省東京等路，能審量時勢緩急，且勤恪不怠，遂成安集之功。今若繼往，則彼中民情、物態備嘗之矣，不惟與國王相得，庶幾事易辦而民易安。廉平章明敏有為，若請還省，則內外俱便。初人微名輕，職當言責，見有便於國家者，不敢嘿嘿。

奏章　一五

八月十一日。竊惟國家開創以來，其增崇文物、講求典禮莫盛於今日。然大端大節，猶有所未周者，蓋啟白開導之有未至耳。方今孔祀絶封，廟户當差。其餘儒户，已有散至田帖者。數年之後，切恐聖道湮廢。推原其自，無大人君子以主張維持為己任故也。照得見在儒户，各散漫州縣，無所統紀，非若釋、道二家而有以總之也。故其利害安危，無一人曾加省者。竊見翰林丞旨學士和爾果斯朝夕侍從，且賦性雅重，若使之管領諸路儒户，必能教護有方。是亦維持聖道之一節也。又照得太常寺舊例，奉行典禮之司，初無户口統屬。今太常卿哈坦所管禮樂户近五伯户。翰林在今日為衣冠之表率，使之管領諸路儒户，亦為有例。竊謂天下之事有似緩而寔急、似迂而寔切者，蓋此類也。

奏章　一六

十月十一日。竊惟古之將士所以敢死、勇於立功者，蓋上之人有以激勸之使然也。不爾，將偷、卒惰，望其有奇功於天下，不能也。聞故河南路統軍鄭江於今年四月内，襄陽城下以戰而死，迄今幾半載，朝廷無追奬之命。今來叅詳，國家方混一區宇，苟死於王事者不加追奬，則偷安苟容之徒以為得計。照得近例，以他功追封者往往有之。彼被堅執鋭，不顧死難，為國家報効者，若不㞃加追贈，切恐於激勸克敵制勝之術，有所未盡。

奏章 一七

十月二十三日。照得在先提舉諸路交鈔，如王渙等，以户部郎中兼之。制府總領天下錢穀，與户部不相統屬，故别立提舉官。尚書省令總領六部，如運司，鐵冶，已皆併省。外據提舉司官亦合令户部兼領，所以一錢穀之司省周歲之費也。據見勾當官吏如無粘帶，乞依例升轉，似為相應。

奏章 一八

十二月十五日。竊見西南，國家重地。其所以撫養軍民、鎮服寇敵，必得朝廷名德大臣、才幹有為者，然後為可。今賽平章已經停職。打筭其綱紀省事者，宜為遴選其人。伏見廉平章明敏有志，度在閒日久，若應是選，寔為朝廷、軍民之便。

奏章　一九

至元九年二月二日。竊惟京都，天下之根本。要在殷盛，以鎮服乎八荒。古者隆上都而觀萬國，蓋此意也。比年車駕臨幸，修築城闕，調運糧草，一切應辦和買，俱以中都百姓倚辦。比之别路，寔為繁劇。側聞將與外路一體簽軍，不惟内外、輕重不倫，且示天下以不廣也。輦轂之下，何至如此驚擾？

奏章　二〇

二月十九日。竊見大都路近蒙聖恩，赦免今次合簽軍數。大小臣民，無不忻忭。比聞市人傳布，將所免大都軍數俵散外路，補充元額。切詳，内外臣民，皆朝廷赤子。天子聖明，以大都應辦和買，比之諸路繁劇，故有此非常之恩。若復俵散外路，寔為重併。必欲不失元額，自合以錢招募，必得勇力之士，足為國家驅用。如更不然，合無將河南乾討虜等軍簽入正軍，不惟足以補充軍額，亦所以正聲罪致討之名，比之乾討虜，蓋有間矣。

奏章　二一

二十四日。照得欽奉《登寶位詔書》内一欵，節該「五岳四瀆、名山大川，歷代聖帝明王、忠臣烈士，載在祀典者，所在官司，歲時致祭。欽此」。竊惟孟子亞聖，其鄒邑廟貌，歷代崇奉，未嘗缺廢。今國家增崇文物，高越前古。比聞鄒廟摧圮，祀禮湮絶。今來參詳，擬合官為修補，庶幾仰副聖朝崇尚文德之意。

奏章　二二

四月二十五日。體察得大都自今年正月至今，被强盗劫掠數起，未曾捕獲。參詳都城輦轂之下，四方輻輳，人物繁夥。今强盗如此，若不遴選捕盗官吏，及督責府尹等官，切恐積弊既久，人無所畏，則無所不至矣。若夫省浮費、薄賦斂，去雜冗之擾，使民重本抑末，倉廪足而知禮節，此又止盗之本也。

奏章　二三

五月二十五日至二十六日，大都大雨，流潦瀰漫，居民室屋傾圮，溺壓人口，流没財物、糧粟甚衆。通元門外金口黄浪如屋，新建橋廡及各門舊橋五六座，一時摧敗如拉朽漂枯，長楣巨棟，不知所之。里閭耆艾莫不驚異，以謂自居燕以來，未省有此水也。伏惟兩都宗廟、宫室、省臺、府庫，一切軍國所須具在於此。今雨才兩日，已漂没如此。脱有自三日以往之霖，切恐為害未必止此。參詳兩都，承金口下流，勢若建瓴，其水潰惡，平時猶不能遏止，西北已衝渲至城脚。若積雨會合漂没，偶大於此，則所謂省木石漕運之費，收藉渠灌溉之功，恐未易補償也。又照得金世宗大定十一年，尚書省奏請開瀘溝以通京師之漕，從之。至二十七年，尚書省奏孟家山金口閘下視都城高一百四十餘尺，從來止以射糧軍守之，其人不足倚用。若遇暴漲，時或有作，過人等所係利害非細，宜行閉塞。其所灌稻田俱為陸地，種植禾麥，亦非曠土。不然，即乞更立重閘，仍於岸上置埽官廨署并埽兵所居，庶幾用心巡護，不致疎虞。世宗是其言，委官相視，於是竟塞之。大抵興建事功，必較量利害輕重而取舍之。利重於害，猶當舉行；若害重於利，安得膠柱鼓瑟而不為之更張哉？恐其奸惡竊發，前代固已慮及，且以今日傾圮室屋、溺歷人口、流没財物糧粟等事勢觀之，莫若塞金口為便。

奏章　二四

七月十七日。照得唐制，常參官及刺史上，訖三日後，舉一人自代，況巡行糾劾之任與常叙例轉不同者乎？夫郡縣之職以撫字為功，故必以日月滿考然後轉叙。惟按察官與監察御史則不宜然。蓋人情久則熟，熟則慢，慢則事不立矣。目今，按察官已有過滿，去處未有轉代；監察御史必待例滿，代官至，然後離職。皆非計之得者也。合無令按察官及監察御史在任一歲後，不問內、外，各舉資望相應者一人以自代。不惟可以作新風節、起厲頑弊，亦可以廣收才能，以憑倚用。

奏章　二五

七月十三日。竊見天下之事，具在於省；省之事，責之六部；六部之事，其呈覆出納，在於各科分令史。由是言之，部令史名雖卑，其掌行為最要，其所係為最重。得其人則庶事流通，無所壅塞；不得其人，則叢脞隳墮，詐偽百出。若近者插補撿目、冒用中書户部印信及扯毁關撿等事，推是心以往，將何所不至？望其政平訟理，恐未能也。目今各部正補吏員如無過犯、能以廉勤自律、有幹局者，不必追其既往。若科分果有繁劇，令史闕少，亦合約量收補。如更不知警懼，敢為欺誑者，當隨事黜罰，則能、否有别矣。方其資考未滿則掌握機柄，既滿則臨治州縣，苟非其人，將何以堪之？擬合定立格法，如歲貢之例，守一不變，不輕以他道入補，則人無覬覦，知所勸戒，奔兢之門塞矣。六部，諸路表率，若不先為振肅，四方將何所則效？方今之急，是亦其一節也。（以上《青崖集》卷四）

全元文卷二六四

魏　初　二

奏章　二六

七月十五日。竊見上年包銀、絲料、税糧等差發，隨路俱各驗貧富，品答均科。今體察得隨路新簽軍户多係各處近上户，計止依額。除訖包俸鈔五兩外，其餘趓兑下數目，却於近下户計驗正額科撥，及一切横雜科著名為和買，有司不即給價等事。為此，譽問得安平縣尹孔奎稱本縣新簽軍七十七户内，止當絲投下一户外，當包銀户七十六户，俱係近上户。計元當包銀二十四錠七兩四錢七分。每户依額，除訖五兩，該七錠三十兩。外趓下包銀一十六錠二十七兩四錢七分。又老幼户添到包銀六錠三十三兩二錢五分。又槩省人伕盤纏等鈔一十錠八兩。替真定府麯使司散下碧香麯三千七百斤，即時勒要鈔一十四錠四十兩。已上四項，計八十八錠八兩七錢三分。又和買造甲、皮舩、馬疋一切等物，自八年三月為始，至今一十五起。除納本色外，折納訖鈔六十五錠三十二兩七錢四分四厘。已闕鈔二十一錠一十七兩七錢三分，未鬫鈔四十四錠一十五兩一分四厘。今來叅詳，安平，一下縣耳，自八年三月至九年五月，十五箇月內，除元著包鈔，其趓下新軍差發并其餘科著，計銀四十八錠八兩七錢二分。又和買，除本色外，折納訖鈔六十五錠三十三兩七錢四分四厘。以一縣而計之一路，以一路而計之天下，其趓兑科省及和買不即給價，豈止此數而已也？今計國家宮室廪禄之費、宗藩歲賜之常，加以南圖江漢、西鎮川蜀、東撫高麗而來日本，歲不下累萬計。求其所出，不自天來，出於百姓而已。若百姓富寔，何求不獲？何事不成？苟一旦耗損，則流亡寇盗，靡所不至。然則為國家成長治之業，建久安之勢，莫若培植此百姓而已。如不於此加意，恐漸涉消乏。今畧以包銀俸鈔比附，亦可見其大槩云耳。元每一十户額當鈔五十兩。內包鈔四十兩、俸鈔一十兩，驗貧、富，品荅均科。除壬寅至今，累次簽軍，該簽訖三户。其軍多係近上户。計權以十兩為率，三户該納包俸三十兩。今官司依額，止除豁一十五兩。外有近下户七户，元着二十兩，每户該二兩八錢半。今官司依額科降，該三十五兩，比與上户通滚，品荅均科，時該添訖一十五兩，每户該添二兩一錢半。又代納弓手并事故等户差發其絲料、税糧、課程和買諸物、修城人伕，亦與前項一體事理。合無將軍户依額除豁五兩外，其餘數目，於正額內從長講究，量加減免，似望不致耗損，則日庶月富，足以成吾聖天子太平之功，俾斯民以享有生之樂，不亦美乎？外據和買，國家調度不一，不能無之。但有司以理給價，民不為擾。若以遷延為能，剋剥為功，竊恐名為和買，其寔則幾於掊斂。若不改更，伏慮迤久，不勝其弊。

奏章　二七

九月十日。竊惟父母三年之喪，從古以來無貴賤，一也。今之居官食禄者爲下民表率，有不幸遇此，則或一月，或十數日，已棄去衰斬，從事官府，起居飲食、衣服言笑與無喪同。其毁傷風俗，敗滅天理，莫此之甚。是豈獨非人子而安忍爲此不情之舉，亦風教之道有所未盡而然也。今體察得大都路霸州益津縣臧縣尉於今年六月内，以其父喪奔赴安州高城縣。及還職，往復計住訖二十七日。八月内，承州帖，坐奉總管府劄付，該備申省部，奉符文，除往迴馬程外，給假一十五日。承此。總府下本州，依上照會。又云：「照得不即聽候上司明降，一面令本官前去，事屬不應。今後應申告假，官員須候申復明降，無得似此違錯。」今來參詳，應告假官員須候申覆明降，方許離職，理固當然。奈人子聞父母之喪，如天摧地陷，五内崩裂，安忍一日寧居？若與常例，須候申覆明降，於理未允。合無自今凡有父母之喪，聞命即往，不可以常例拘，更許告丁憂。俟服闋，依例轉叙。若其人才力深長，非此人不能辦此事，必須倚用，然後奪哀起復，則又其變也。自餘皆令以禮居喪，亦所以厚風俗、存天理也。

奏章　二八

十月六日。竊惟國家愛養百姓，所以備用也。雖用之，亦當愛其力而使之以其時耳。以其時則力不盡，力不盡則用無窮。今國家修築宮城，此正用民之時也。然用之苟奪其時，切恐民力有時而盡，無以供吾國家之用。目今，大都供役人伕自春徂秋，雖支鹽粮、工價，寔於農務有所妨奪。為此，就問得户部鹽粮科令史燕珍呈：每伕一名，日支工價鈔一錢三分，鹽粮計該一分，工項計該鈔一錢四分。人户有慮妨歲計，除各得工價、鹽粮外，更貼鈔或一錢，或一錢有零，顧覓人伕替代。今來參詳，合無將合給鹽粮、工價鈔通折作鈔，更少加分數，令諸路召募少壯不服田畝之丁，俾長用供役，按月支請工鈔。戒董役之官，使少寬捶楚，則子來之民不獨見稱於昔日矣。

奏章　二九

十月八日。太廟省牲為不見用犧。問得太常楊寺丞稱為此已曾閆奏。今來參詳，祭享太廟，國家大事。三牲之禮，自古為重。今特用羊，合行復奏，以備供祀祖宗之禮，天下幸甚！

奏章　三〇

十二月十一日。竊見大都修建宮闕，合用諸色人匠，每年逐旋於隨路樁要。至有逃避隱匿，煩勞有司勾捉，不惟失誤造作，恐積久，民力不勝煩擾之弊。今來參詳，合無於各處取會諸色人匠，見數依和顧之例，以理給付工價。利之所在，人將趨赴。古人謂「悦以使民，庶民子來」者，正在此也。若以謂國家畜養百姓，正欲有用，必每事和顧，恐府藏之積不足以供無窮之應。竊謂不然。今國家以穀成金，以桑成銀。使民力不困，則何事不成？何求不獲？苟不措畫以道，切恐一旦彫弊，甚非栽培國家根本之意也。

奏章　三一

至元八年十二月二十五日。欽奉聖旨，節該「《泰和律令》不用着，休依着行者。欽此」！風聞史開府與諸大老講定《大元新律》，積有歲月，未覩奏行。今來參詳，周因於殷，殷因於夏，固有必不可更者。至於禮樂、刑政，小過、不及之間，因時損益，亦不可以一律定也。泰和之律非獨金律也，旁采五經及三代、漢、唐歷代之遺制耳。若刪去金俗所尚，及其勑條等律，益以開國以來聖旨條畫及奏准體例以成一書，即《至元新律》也。且法者，所以維持天下之具，在御史臺尤不可不以立法為本。

奏章　三二

正月二十一日。竊維御史臺，天子耳目之寄。自本朝官以下，宜妙選朝廷名德大臣為主上所倚信者一員，足以坐鎮雅俗，庶幾合天下之公望，以振起臺綱。此非一人之私言，寔内外之公議也。

奏章 三三

三月十五日。伏覩皇太子册立禮畢。此誠社稷生靈之福，遠近臣民無不忻忭。其所以鎮服藩國之心，係仰天下之志，正在於今日。昔成王幼冲，出則有周公、召公、太公、史佚為之訓諭匡直之；入則有太顛、閎夭、南宫适、散宜生之徒為之輔翼周旋之，故能制禮作樂，興建太平，為周家八百年之基。今皇太子仁孝，四海屬心，獨官屬尚闕。宜博稽賢才，妙選朝廷耆舊有聞望、德業者為之保傅，及明通政事、謹密有器局者為之左右前後，則凡所施為，必有超絶。所謂鎮服藩國之心，係仰天下之志，蓋在此也。不肖職當言責，區區之情，不敢不盡。

奏章 三四

八月四日。竊見兵法，先為不可勝，以待敵之可勝。又曰：師克在和，不在衆。今襄樊新附，宋人恟懼，乘機抵隙，混一之議固在於此。然或措置乖方，規圖未盡，切恐未易有功。比聞河南等路行旅往來，傳説新簽軍三萬。河南民户數少，加以貧乏，或三户五户併作一軍。向來困逼襄陽，飛挽之勢，數年於此。重以今歲水災，巢居野處，衣糧俱盡。單弱怯懦，自救不暇，又安敢望其得用哉？古者，將拓土宇，必培植邊鎮，使之强盛，然後可以立功。若藩籬摧弱，不惟不能有功，切恐鼠輩窺窬，易有驚擾。合無移咨樞密院再行講究，聞奏施行。

奏章　三五

六月二十一日。竊惟際天之下，皆朝廷赤子，初無内外之間。古人由近以及遠，故有先後、緩急之勢。大抵京師，根本也；四方，枝葉也。根本盛寔，則枝葉茂密。此必然之理也。殷、周王畿千里，諸侯大者方百里。秦、漢徙天下豪强以寔京師，亦所以强幹弱枝、隆上都而觀萬國之意也。若京師根本不固，四方脱有風塵之弊、饑饉之虞，則何以鎮遏寇掠？今竊觀大都形勢，則四方之根柢也。其百姓宜加愛養，厚其力以固根本。迺者，近餘年間，其賦役科差比之外方更為煩重，每歲除包銀、絲料、課程、税糧外，畧於總管府各科分取。問得打造石材、般載木植，及一切營造等處，不下一百五六十萬工。和買稈草、燒草又不下數十百萬束，料粟不下數十萬石，車具不下數千餘輛。其餘雜細，不能縷數也。今來叅詳，曰買、曰顧，非常法也，前代不測則用之，今一一逐旋顧買。侵漁之徒又因而剋减，有致使官民不相信。凡所給價以十分為率，必掯留一二分，俟估計體度定，然後破除放支，行移遷調，有數年不得足其價者。今營造方始，此等事不能遽已，要當講求良方，擬定價直，明示榜文。鈔出則貨入，貨入則鈔出，使侵漁之徒不能少有剋減。倘計置不盡不測，必用之物，宜比市價稍加增添。利之所在，民争趨之，何患有不辦者哉？且夫民之所以不饑寒者，以其當耕而耕，當織而織耳，故農有餘粟，女有餘布。今農事方殷，夫役若此，安得不妨奪歲計！欲民力之不困，不可得也。大都四方輻輳，閑民居多。若將見支工價、鹽糧餘上少添分數，明示榜文，召募赴役，不致剋減，亦足以濟貧民。倘召募不足，當農隙之時遍及則可也。若農事未隙，除農民之家，其餘諸色人户，時暫科差，亦不妨奪農務，不誤造作，似可久行。兼本路鹽貨與外方亦更偏重。河間每袋重四百五十斤，價鈔一十四兩一錢一分四釐。山東每袋重四百五十斤，價鈔一十二兩六錢六分二釐。大都每引重四百斤正，該鈔一十六兩三錢，又利禄錢七錢，每引通計鈔一十七兩，比山東、河間斤重少五十斤，價鈔比河間多二兩八錢八分六釐。合無照依河間、山東，酌中定擬價直。官賣鹽引從諸人興販，則足以少寬民力。是亦愛養之一節也。古者，將用民力，必先有以養之。養之既富而知義，然後用之，則何功不獲？何事不成？今國家方將混一區宇，輦轂之下，頗涉困弊，利害非細。主上仁慈，愛養元元。如近者免徵積年拖欠之錢債、除豁軍人垛兑之差發，皆希世之洪恩，得復覩於今日。是誠生民之大幸，社稷之永福也。如大都和買、和顧夫役、鹽貨等事，與所以培養根本之意，特未有以達之耳。

奏章　三六

四月十六日。竊惟襄陽，宋人名藩，今既失之，豈無恼懼？且吕氏，彼國大族，與之抗衡者，必因此有所誅殺。此誠可乘之機也。為今日計，莫若待呂安撫以殊禮，加以寵名，置之於内。别選呂族可倚用者，與國朝名卿共守襄陽，宣布德澤，秋毫不犯。分遣諸將，水陸並進，則人心不摇，混一可期矣。若待彼措畫既定，人心稍安，則大事去矣。此機間不容髮，廟堂之上必有成筭。誠以區區之情，職當言責，不得不爾。

奏章　三七

二十年五月原缺日。治書侍御史行御史臺御史大夫相威奏罷日本之役，奉旨不准。切詳，盜賊草竊，人民流困。加之饑饉，軍旅勃興，不勝搔動。相威所言，社稷生靈之福也。雖聖意時暫不允，本臺自合執奏，至於再、至於三，期于便國便民而後已，則天光必有回照。

奏章　三八

八月原缺日。竊謂，古之用人以考能否為本。今不過通筭月日、抑其資品而已，其於古人考績黜陟之意，蓋無有也。直至各官贓污發露，才有停、解、降等之法。其於所管部分，人户果安而無逃移者乎？盜賊果息而無耗亂者乎？詞訟果簡而無寃抑者乎？賦役果平而無偏重者乎？田野果闢而無荒蕪者乎？是之不論，直以受錢得罪，驟升乃降，此治之所以未臻也。今後某官在某任，歷某月日，於五事某事不辦，可中是何等選，縣考之於州，州考之於府，府考之於各道按察司，御史臺歲終奏，遣監察御史分道考按，得寔呈省。其各道按察司亦以所屬路分，通考五事之殿最而升黜之。夫欲考按如此，而取人之路不可不謹。今司縣司吏取之無法，因之以升州、升府，以至部、臺、院、省，莫不由此途出，與夫諸衙門創保人員皆經營求請而得之。積以月日，以之臨民，以之治軍，以之典財賦，以之任風憲，求之超出倫輩，肯為國家效力者，幾何人哉？前代有鄉舉、里選之法，賢良、方正之科，如科舉，如任子，如試吏員，其途不一也。今止於貼書寫發之間取之，豈能盡天下之才？合從吏部，與諸名德講究，定一代選舉之典則，人才有望，澆風可戢矣。

奏章　三九

至元二十三年十二月十一日。朝列大夫侍御史行臺事奏事房，十月二十日，巴林集賽第三日，香殿內有時分，本臺官伊蘇特穆爾大夫、實哩瑪勒中丞、阿實克特穆爾中丞、崔中丞們，都展侍御和爾齊納古爾、奇拉爾、舒庫爾齊、阿實克阿拉巴延，殿中巴哩巴、實寶齊、特穆爾布哈等奏過事理，合行開坐具呈者。

一奏，俺每臺裏遷轉底官人每，待奏博囉岱每一處去底伴當每，兩箇臺官、兩箇都事、四箇監察，這些有上位不認得底人每，奏名字那没。欽奉聖旨，你每説者奏。如今，博囉岱每、新去底人每，為那上頭。俺這裏，臺官魏學士底孩兒魏治書，為好人底上頭，交去麽道商量來。更張夢符小名底人，先是按察副使勾當來，如今保定府做同知有。他是好人底上頭，他根前交一處去麽道商量。這刑部裏筆且齊頭兒畢主事小名底人，再一箇做縣令來底和九思小名底人，這兩根前，筆且齊頭兒交做都事去麽道商量來。再，四箇監察有體例，幹濟底好人委付交去麽道商量來。欽奉聖旨，這底每我不認底有，你每識者交去者。雖那般呵，交我覷我雖不認底呵，見他每面皮呵，理會底也者。欽此。奏事房十一月二十九日、安圖集賽第三日，香殿裏本臺官實哩瑪勒中丞、阿實克特穆爾中丞、崔中丞們，都展侍御和爾齊，奈曼岱、呼爾察舒庫爾齊、阿薩爾、巴哩巴、蘇蘇勒圖們都奏過下項事理，覆過奉臺官鈞旨付禮吏房。欽依施行，合行移付者。

一奏，博囉岱每一處去底伴當，魏學士底孩兒，更兩箇做監察去底張瑀周祚。再，這箇筆且齊頭兒，做都事去底畢主事。更六箇達勒達監察去底數裏福努。這底每月奏呵，聖旨問了。「各人根脚教去者」麽道聖旨了也。欽此。竊謂，欲清其流，毋濯其源；欲求治人，先須自治。憲臺為天子耳目之寄，拾遺補闕，進賢退不肖，使百司畏肅，内外乂安，此其職也。今務訐發陰私，追究贓物，簿書堆積，過於有司。比者臺政一新，有合講究事理，開具于後：

一，御史臺官監察御史，此非常選，前代多出自宸裏，自餘糾按之職，宜中書省選奏，若有不當，御史臺劾之而已。今自作一選，其間或公或私，或可或否，不能不招物議。

一，贓罰庫，前代無此例。御史臺職當糾劾，若有合追贓罰，付之有司，令御史臺察院自行追理。另置贓罰庫，雖赤歷按驗明白，終非其體。

一，各道按察司書吏，不宜止於府州司吏内選取，宜兼用儒生之通達事物者。府州司吏習雖既熟，能卓然自立者有幾？一旦處清要之地，掌進退與奪之權，所以開招物議者多本於此。

一，各道按察司奏差、察事、問事，甚為不便。如奏差專以察體究問，不知司官掌何等事，且操縱與奪之間，豈能盡公！今後宜減奏差之員之半，以補書吏，體察究問司官當自為之奏差承奉使奏可也。

上高張二侍御書

晚生魏初頓首再拜，獻書於侍御高、張二先生執事：初自揆無似，過蒙獎拔，何勝榮幸！然以懦怯鄙薄，不克負荷，不得不少布一言以露卑懇，伏惟照察。范仲淹在天聖中通判河中府，召為右司諫。歐陽公上書稱賀，累數百言。大要謂貴官大職，非無可行其道者。然郡縣守長有所守，吏部鴻臚有所司。必若天下之得失、生民之利病、社稷之大計，獨宰相可行之，諫官得言之。宰相與天子相可否，諫官與天子相是非。乃知諫官與宰相等。初竊謂，司諫，七品耳，前輩猶若是其重，況侍御乎！侍御，天子耳目之官。凡所施為，要當聳動天下之觀聽。況國朝有天下以來，六七十年之間，風憲之職未始議也。今天子神聖，動欲稽古。内外百司，莫不具舉。復立憲臺，將肅清天下，而兩侍御首膺是選。是不可獨為侍御賀，將為天下賀。雖然，亦不可不為兩侍御慮也。程顥為監察御史，進説甚多。大要以正心窒欲、求賢育才為先。神宗嘗問所以為御史，對曰：「使臣拾遺補闕、裨贊朝廷則可；使臣掇拾臣下短長，以沽直名則不能。」神宗歎賞，以為得御史體。方今生民之利病何以興除？邊鄙之狎縱何以經畧？錢穀之出入何以會計？人材之闕乏何以獎拔？百官之賢否何以黜陟？兩侍御必有成筭矣。若有非者彈之，有罪者糾之，人皆可為，則聖天子何獨注意于兩侍御哉？二賢相君又何倚辦于兩侍御哉？是知兩侍御之可賀，又知侍御之不可不致慮也。比來，風澆俗薄，士氣頹薾。猖獗之徒不以唇吻相交取勝，則必訐人陰私以為仕途之終南山，故中外聞言事者，不謂之狂，則謂之奸矣。間有諄至、切中事機之論，當路亦藐然一例觀之。是以布衣韋帶之士，無職分、無言責，率分一噤，不敢少為時吐奇也，兹者，兩侍御不以初不肖，將置諸臺掾之末。初自揆不能不知所以得此，然以庶幾瞻望大人君子所以肅清天下之德器矣！何幸如之？而所不敢以身許兩侍御者，誠以祖母春秋高，初亦愚暗，不嫻吏事，用敢以是請。且古之君子不彊人以所不能，故人無棄才，物無小成。季康子問仲由、冉求、子貢之從政，孔子各以其所長答之。漆雕開以未信不仕，孔子説之。初無三子之長，有開之未信。兩侍御幸哀憐之，使不為棄才，且有冀於他日，幸甚、幸甚！

答郭仲常手簡

初頓首拜啟：初久以童輩羇纏，不獲馳問，計必得疏慢之罪於左右。何意先辱華翰，且激厲其退懦之氣，欲引之樹功名之場。初自知不肖，生生之资且未暇，故癡坐如此。讀吾兄書辭，使人不覺有震厲意，特其勢有不能遽然者，此吾兄所知也。不啻當幾何時得脱此蛙湫，以少慰吾知己愛親之念。愧歎、愧歎！王丈回，姑爾奉謝。令郎學問，想日就高朗。向所請書義標註格式，因便示及，幸甚！臨紙悵然，不盡所欲言。（以上《青崖集》卷四）

送殷侍郎獻臣使日本序

唐殷侑使回鶻，韓昌黎謂曰：「今人適數百里，出門惘惘，有離别可憐之色。今子使萬里外國，獨無幾微出于言面，豈不真知輕重大丈夫哉！」又謂：「士不通經，果不足用。」初嘗以是謂凡受命于朝者，無得失利害，必盡夫公而已。一有計較，則私矣。今天子仁聖，克肖天德。際海内外，罔不欲覆燾。至元三年，既受諸國朝賀，將遣使諭日本，用敷宣聖意。命朝臣擇其人。宰相以今殷君侍郎應其選，制曰：「可。」京師去日本，不知其幾千里也。殷君受命，言笑自若。用是，知殷君能審輕重者矣，通經術者矣，公無私者矣，非其侑之後身，必有以得侑之心者矣。然則通烏氏、開身毒、置交趾郡，不患其不能辨也。燕大夫士咸有歌詠，順聖魏初為之序云。

送尉生序

雲川尉生從余學，將歸覲其親，求余言為佩服之資。余謂，古之學者自小學入於大學，自格物致知以至於修身、齊家，各有叙。程、朱兩先生於《語》、《孟》中發之詳矣。苟能熟讀而力體之，古人不難造也。生其勉乎哉！先儒謂教人者如醫家對病用藥，若曰必揭其受病處，從而藥之。生亦質美、嗜學，而謹於守畦畛者也，余不能言。余嘗以書獻當路者，其自謂則曰：讀經以治心為主，不泥章句。讀史尚氣義，不喜敢死、恠力之士。作文先大體、主意而鄙雕刻，涉世貴知義、有守而恥不通。此余所願學而未至者也，今亦以告生。生其勉乎哉！

送尚秀才序

厥初生民，倥侗渾濛，雖秉彝，罔不在越，匪修弗率，未有不替於天性之初。惟彼玉石，既切復琢，茲用異于塊礫。惟彼箘楛，既括復羽，茲用應于機張。惟彼稼穡，既穫復鉏，茲用望於有秋。若古有訓，黄帝、堯、舜氏作其政，一其民，醇其學，罔攸頒道，亦無不在。逮文、武、成康，人民匪彜，防慮周遠，越百姓里居，罔敢不敬天德。惟稼惟穡，朝夕克服厥躬間於藝獲。時則有若庠序，有若老成，詢兹大倫，不暇他以為，不惟不暇，亦不敢。周德既衰，重耳、小白迭為盟主，沽功府利，誕惟厥縱于匪彜，其後有國立王，亦罔克念聽。則或專於兵、於刑、於權謀、於鈎距、於捭闔、於縱横、於鬼誕、於貨、於佛、於玄，百孔具出。於是先王大道泯泯棼棼，日入于壞。學者尚賴六經、孔氏之學僅存而不泯，以仰鑽高堅，用明天命，俾知所止定。恒懼寒暴，因乃晝筭于一，為可惜也。保下尚野從余學，今將歸，獻书求余言。余悶曰：勤力一心，乃其有成。作止交戰，危微孰明？爾尚式時，先民之訓，夙夜惟厲。華其末必植其本，圖其始必思其終。慎厥攸好爾。克敬在德，余惟汝畏。酒壺既傾，序以識別。

送王之問序

古所謂天民大人者，一於道義，而功名不論也。志於功名者，富貴不論也。世變既降，士氣益弱，天民大人即不敢論，而所謂志功名者尚邈乎其無聞焉。是以竊位苟禄之譏、備員全身之謗往往有之。兹感激之士所以痛心疾首，有不能自已者然也。吾友王君之問肅而剛，約而有文，在今賢相君廉公賓席有年矣。至元歲丁卯，將拏車詣京師。余恐其遭罹頓挫，遂有落寞不平意，於其行，乃飲之酒以張其氣，且與之言曰：廉相君方以天下為己任，故雖荒僻窮陋，一有奇俊，猶將搜抉，欲共升之朝，況其美材巨璞已在其宇下者乎？吾子可毋慮。所慮者，惟吾子去就之當否，與持心之變與不變爾。就之不當而富且貴，人孰以為榮？去之當而貧且賤，人孰以為辱？世之苟得患失之士泛泛踽踽，脂韋囁嚅，若水中之鳧，若轅中之駒，若饑龍之乞憐，何没没敗人意如是耶？吾子懷抱利器，有賢君侯為之依歸，持此心以往，能不為風俗所移易，功名不難辦也。吾子其行矣！

送王國賓序

君子非無名之患，無令名實難。名，身之文也。言，名之輿也。言之不辟，名之不遠，宜哉！昔叔孫豹有言：「太上立德，其次立功，其次立言。」德，上也。功，次也。言，又次也。咸無焉，為衆人，生為五穀蠹，死與草木朽，何没没也？夫或曰：言，以駕説者也。學者將務駕其説，則冥行擿埴，道莫之索，其次用何如也？曰：中天下而立，定四海之民，君子樂之存乎命。故堯、禹躬行，仲尼皇皇，非命乎？非命乎？堯、禹不言之孔子，孔子能言之堯、禹，非堯、非禹。余以《春秋》、《論語》為贅疣，棁之藻童子之雕刻，施之天下壯夫，不為末也。未可勝乎？是以華而不實、蕩而不法，君子耻諸。余友生王子國賓有志于言，將以是鳴于世者也。余願子以孝敬為冠履，謙讓為襟帶，《中庸》、《詩》、《禮》為佩服，則其言之出也，鏗乎球琳琅玕之戛焉，燦乎絺綌錦繡之錯焉，於以補造化，於以變風俗，於以叅天地之盛衰。不然，何名之多言足貴哉？子行矣，他日有遨遊諸侯間、氣象焰焰者，非子而誰？

送歸愚劉丈尹新河序

近代用人之法，不過曰資、曰望而已。資以御其常，望以御其變。常者，有司之事。變者，宰相之公。知其變，不知其所謂常，則鳳鳴而鷙翰、顔狀而跖心者得冒進矣。則夫拔於稠人之中，任以不次之位，非明眼者不敢遽以旬月取相、一歲累遷者為至當。故范文正公立朝抗論，置百官圖，指示曰：某遲，某速；此公，此私。意者，范公不敢一於變，而必為之防限者，杜私門，抑干進，為後世定法也。知其常而不知其所謂變，則一枝棲鸞，百里不足展驥足者，亦有之矣。則夫積日累久，循序平進，非體道者不敢遽以十年不調、七十為郎者為至公。故寇忠愍公當國除拜，見吏持例簿進，却而弗視，曰：「宰相器使百官，若皆用例，非所謂進賢、退不肖也。」意者，寇公不敢一於常，必為之振舊革弊。古者取人才求賢用，從當世之公議也。大抵用人者不可不安其常，而亦不可拘於常。安其常而不知所以時出其不常之用，以神吾之常，則其弊也不可止。國初，法令簡易，將相、大臣皆得以意辟召。逮中統、至元之間，肇定銓格，俾循序而進。久變而忽常，人固以為駭；方常而遽變，人亦以為駭。噫！當是時，器使百官，吾知其為難矣。雖然，銓格既定，因其有常才者待之以常，因其有非常之才者待之以變，從施橫設，無往不可，顧吾所自立者如何耳，無患其坐廟朝，為天子進退賢不肖者不能也。五叔歸愚劉君，才而望者也。今循序尹縣，屈而不伸，蓋可知已。雖然，孔子嘗為委吏矣，必曰：「會計當而已矣。」

常為乘田矣，必曰：「牛羊茁壯長而已矣。」孔子盡其在我者，在人者不論也。人以常待我，我以常處之，則人之待我者非不善也。人以常待我，我以不常處之，待我者當必有能辨之者矣。方今郡縣之職非若曩時也，有養廉之餼，有奉祭之田，有皂隸以供役使，有考課以辨能否。是豈可不上為天子、下為斯民，而中以伸吾之所學乎？然亦有所謂難者，不可不知也。荒遠細民知天子有意于治，懼司牧之非其人，以撓吾民生，將悉其情而升黜之。用是，豪猾不逞之徒，苟在任者，一有棖觸，則舞文欺詆，必排擯而後已。不然，即竢其滿秩之日，羣聚譁譟，遮道而訾辱之。噫，風俗如此，任是責者急之，則民怨興；緩之，則公賦缺。不謂之難，可乎？雖然，亦必有道以持之。公平廉斷，與物無競，不以近而動者，吾知其不足辨矣。若一為猾吏所餌，左右不敢舉動，良可惜也。吾叔，當代名士，是固能審處矣。而初屑屑以言此者，蓋以立法有常。執法者雖以常待吾叔，初不敢以常待吾叔也。宰相，所以造化是法者也，雖姑以常待士，初不敢必其終以常待士也。幸吾叔不以常自處，則宰相自不能以常待吾叔矣。異時閱新河治最，宰相奏白，不敢以常尹長遇之，然後知初言為不妄也。於其行，謹以是序送之。

遯齋先生詩集序

先生諱元節，字子元，遯齋，其自號也，弘州人。渾源劉南山翁以女妻之，傳其賦學。中進士第。雅尚氣節，不隨俗俯仰。仕至密州觀察判官。既能，即逍遥鄉里，以詩酒自適。年五十餘，以卒。壬辰北渡，元遺山名重一時，於人品、於文字毫髮不少貸。嘗收集中州名士詩文，先生得與其選，且為之傳，故先生之文行於是乎公論定矣。其孫振伯起至元十九年，勑授江南浙西道提刑按察司經歷，以廉幹稱。二十三年，會余於杭，以余有鄉曲之舊，頗相愛念，因以先生詩集見示，古律共若干首。余謂，金國百有餘年，以文章名家者，如党竹谿、王黄華、趙黄山，楊、趙二禮部，雷、李、王、麻諸公，不啻百數十人。其餘為兵亂磨滅者不可勝計。今伯起收集先世遺文以為子孫傳，其意亦有足嘉者。嗚呼！衣冠之後有不得已在胥吏、在商賈、在農工卒伍者，知其有先業之美而能繼起之，是又吾伯起之心也，故併書之。其年五月，順聖魏初引。（以上《青崖集》卷三）

全元文卷二六五

魏　初

三

素庵先生事言補序

太上立德，其次立功，其次立言。自世變不一，有委心於權謀，謂之知；死心於勢利，謂之通；苦心於雕蟲篆刻，謂之文。故立德者鮮，立功者鮮，立言者亦已鮮，久矣。嗟乎！士君子所以垂憲於後，顧所學何如耳，遇不遇，不論也。素庵楊先生少羈孤，致力古學，為名輩所推重，嘗著《事言補》三卷。至元二十五年，其壻陳祥觀農江西，以其書示初，請序所以意。初年十六七時，曾侍我先大父玉峯，得拜先生於木庵英上人之歸義方丈，今四十年矣。先生有《獲麟》詩二首，蓋其明年之詩也。初晚生不肖，誠得附名不朽，何幸如之！今考其上篇，如曰：「以儉養福，以謙養貴，以知養富。」又曰：「『五就湯、五就桀』，非孟子之言也。」其中篇如「大學衍義」節有七例，其所謂「筆削」者，蓋有為而作也。此又見諸行實，非空言比也。其下篇如酒癡之論，如人妖鐵面之譏，舉可以為世訓。士論惜其遭際變革，羈旅隱約，使先生之藴蓄負荷百不一施。雖然，有所為不亡者存焉耳。其自序謂「「勸戒，蓋學孟子，亦不異於歐陽公也。有能識先生之志，採先生之言，其於事功不可謂無補。至於論文字、紀風俗、遠讒嫉、安困窮，先生雖得而録之，非有意於文也。兹又不可不察。順聖魏初謹序。

山莊雅集圖序

古今一，天地也。人物一，元氣也。元氣一，古今不可以二。故山陰蘭亭之集，春夜桃園之宴，竹林七逸，洛下九老，雖鉅細不同，其託物興懷，自得天地之妙者，豈以古今有二哉？至元丙戌，馬卿德昌拉諸賢出錢塘門，或舟或騎，要以陳氏山莊此君亭為約。既至，亭在萬竹中。軒户足清，杯盤足古。酒數行，談議蜂起，笑謔間作。觴猛於陣，詩嚴於律。薰陶浹洽，其氣象有大不凡者。明日，諸公咸有樂府以歌詠其事，又令子昂趙君圖之，且囑余序所以意。余謂，湖山拱秀、花竹呈麗，此不必論。第我輩所以自立者，其一於古，其不一於古。余於是有懼焉。敢序。因以例和樂府附之。

藁城尹闕君哀挽詩序

至元五年三月初一

至元五年三月朔，藁城尹闕君子玉卒。明年，其孤子某泣謂初曰：「先人少遭閔凶，挺身自樹立。

行唐邸侯尤器重之，嘗薦於故蔡國張公。張一見，大喜，命典屬縣。先人辭不就，即杜門却掃，彈琴學《易》，澹然與世味相忘，若將終身焉者。中統壬戌，順天宣慰趙公辟先人諮議其事。先人從容贊畫，不求赫赫名。用是，歷曲陽、高陽、藁城三縣令，所在有能名。今不幸棄世，不得展盡蘊畜，寧為無遺恨邪？某早夜思所以慰藉九原者，惟是縉紳先生之哀辭有所闕耳。先人雅重吾子，幸吾子序其端。」初閩愕然，且謝曰：「令先大夫不以初不肖，頗相愛厚。嘗命初為邸侯作《北嶽露臺記》，間與語，喜道河朔諸將事迹，且曰：『某少時不學，好騎射。貞祐間，河北豪傑並起。某時因邸侯數相與往還，用是得其事迹為詳。每念古人遭際草昧，功名事業播在人耳目，至今不朽者，以其史傳為考實故耳。今國家立經陳紀，百度修舉。他日，太史氏必求訪遺逸。某將封諸將事實以獻，不識何如？』初應曰：『昔韓昌黎以李翰林所為《張巡傳》雖頗詳密，尚有闕者，又不為許遠立傳，愈痛之，為作《張中丞傳後叙》，具載巡、遠，事垂不朽。又有答《元微之侍郎書》，論甄逢父濟卒不污祿山父子，宜得書。初嘗以是推愈心，知其賢于人者益遠。夫忠義感激之士，魁巍偉儁之迹，要當與白日爭輝。不幸一旦磨滅而不閩，豈不深可惜也？君能擴推是心，則他日登要津，秉國政，必不肯蔽賢以自售。比之閩人之善，頷而下咽；小有過，必極口暴露而後已，蓋相去萬萬也。』別後方期大用，以展布所長，不意遽有此不祿。今吾子將懇求縉紳先生之哀辭，以為泉下之光，是亦吾子之職分耳。初閩令先君與藏春相君最相愛念。相君名重天下，衣冠所倚望。此正遺山所謂『鄴中賓客應、劉、徐、阮，皆天下之選。使坐無陳思王，亦不得不為西園清夜惜也。』初敢為吾子發之。」初再拜序。

申氏父子慶會詩引

至元十八年五月二十三日

今東曹掾申繼賢以事至長安，持其先塋之碑以示余，蓋今儀同三司致仕張公孝純之所撰也。且曰：「繼賢上世家澤州，多讀書顯仕者。繼賢晚生，譜牒散亡，不能具述。大人自壬辰兵變，與祖父母暨伯父相失。大人搜訪百至，竟不知所在，日夜號哭。一日，有道人崔其姓者，亦澤州人，與大人語。大人因以祖父母及伯父年甲、字貫付之。後數年，道人與伯父之子天錫偕至。大人即趨其所在，遂得父子如初。此亦間代奇事，願乞公數語為序引，以求諸名公之詩，將為子孫傳。不識可乎？」余謂：向分司東川，與順慶教官史子桓者相遇。子桓有元遺山、李敬齋中州諸人之詩一巨軸，皆贈遺子桓尋親之什也。子桓亦以壬辰之變，與其父睽隔。北渡後，子桓周流數萬里，歷六十七城，自始迄今近五十年，卒無所得。子桓悲悼，未嘗一日忘也。余因以詩贈之云：「泣血尋親白髮兒，牛腰半是昔人詩。傷心四十年前夢，一片白雲無了時。」子桓泣數行下，因謂余言：「僕年垂七十，此事不辦，雖死地下，亦不瞑目矣！」今子賢尊君與子王父母隔絶日久，一旦會遇。非精誠感通，與先世陰德積累之故，何以臻此？以君家與子桓校之，其得、其失，其幸、其不幸，蓋相去萬萬也！子能求諸賢詠歌，以布永久，宜也！遂援翰書繼賢所致之辭，以為之引。諸君其有以思之也。至元十八年五月二十有三日，魏初引。

庸齋先生哀挽詩引

至元十五年正月九日

庸齋楊先生，薊州玉田人。嘗避地河南。北渡後居燕，以教授為業。樂於提誨，循循有法。性仁厚愷悌，耻言人之過失。有小善，必極口稱道，不啻如其自己出。客有窮窘無所依，先生與之周旋百至，或館於其家，至更易寒暑，無一毫倦怠意。用是，賓客日滿門，有「布衣孟嘗君」之號。一時名公巨卿，如陳學士秀玉、梁都運斗南、先祖靖肅君玉峯，皆折官位、輩行與之交，故海内識與不識悉能道先生之姓字。先生嘗奉命提舉河間常平事，後改衛輝勸農，未幾，辭去。朝廷復授興文署丞。先生有志量，有幹局。課童子學三十年，後雖被擢用，又復閒冷，不得盡所施，為士論惜之，而先生澹如也。有詩千餘篇。一子遇，今在史館。近以書貽初云：「關東諸公於先人率有哀挽。陝西大夫士，非吾子，孰任其責？」初為之藴然。初十有五從先生學，知先生，莫初詳也。先生今亡有年矣，其子以是請，可哀也已！元遺山作孟内翰宗獻傳，并記劉元黨、孔嗣訓、高特夫諸人哀挽數詩，以謂有以見先生於出處之際，死生之變，造物者皆使之前知，其以天下重名畀之者，為不偶然云。是知前輩一言、一字為人物之重輕如此。今陝西耆舊中，商左山叅政、李先生諮議皆素知先生之為人。誠得摛辭，以發揮先生之幽光，則先生之德業有以詔後世而慰九泉者，蓋無疑。是豈獨孟内翰之名為不偶然云。先生諱時照，字春卿，庸齋，其自號也。至元十有五年正月九日，門生魏初引。（以上《青崖集》卷三）

書濟河焚舟賦後

《焚舟賦》辭意憤激，蓋急於求薦者也。宰相以薦賢為職。苟有賢者，使之零落憤激如此，則宰相之過也。賢者苟未遇，不能安於義命，遽憤激如此，亦賢者之過也。中丞西溪公為卜掾彦才書之。彦才能珍其書而什襲之，不知能於進退、用舍之間，曾用力靲察否？故敢此相告。

跋宋漢臣諸賢尺牘手軸

京兆漕使漢臣集耆舊所寄尺牘一軸，以為珍玩物。謂遺山、紫陽，一代宗盟；王内翰、楊大參，有名節，天朝今仰以羽翼斯世者。至於九山諸人，雖遠迹林壑，亦一時名士。宋卿皆與之游，則所得宜不淺。文章、字畫，隨人品高下，宋卿當自知之。此不敢論。

書夫子廟碑後

聖人所以與天地參、為萬世法，非有甚奇怪恍惚以驚動耳目者之所為也，亦曰率性修道而已。如菽粟布帛，饑者必食，寒者必衣，不可一日無也。

書元遺山墓石後

遺山先生文章行業，海内所共知，士大夫不敢直以金國百年之論者，蓋以文派有所在也。姜彧、魏初嘗辱先生教誨，又嘗聞先生之言「某身死之日，不願有碑誌也。墓頭樹三尺石，書曰『詩人元遺山之墓』足矣」！或與初適按部河東，得拜墓下，因買石以刻之。先生有文集、樂府行于世。至於大書特書，有太史氏在，兹不敢云。先生諱好問，字裕之。遺山，其自號也。

題安漢中紙屏

吉甫安侯作紙屏二十，用列於所館之室。初謂侯位梁州牧，秩比漢二千石，且少長紈綺中，作錦、作繡、作著色、作翡翠孔雀，無往而有不可者，乃今樸素如此，其亦有意乎？否耶？侯曰：「余家滏陽，去漢中三千里。母老在堂。不齊一日考滿，萍梗何向？姑為此，以取棄去為輕爾，無他意也。」因為侯言：侯能鋭意致治，不屑此外物，比之視田宅便利則買之，玩好詭異則奪之，車載馬負，去路絡繹，蓋有間矣。君侯此心，幸終守之。不知者恐有公孫布被之譏，故書此，為侯他日解嘲云。

書王復亨三樂堂壁

漢中賢良王無疾復亨買亭於黑水之上，丐名於余。余謂：復亨仰事尊君，俯友佳弟，且致力古學，以作新後進。是殆孟子之所謂「三樂」者也，因以名之。復亨要當進進不已，推己之樂以及於人，是又望於他日也。至於山水之秀、花木之蕃，兹不必云。

題劉醫遂通詩卷後

余今春因濕疾，左股殷腫欲裂。宜之王君刺之而愈。遂通，余未嘗識。宜之，其婦翁也。則其所得必不淺。諸公豈其誇哉？

書傅氏家傳後

至元二十七年七月二十六日

初伏讀《傅氏家傳》，見東皋先生所與游諸名公，因竊憶初年十七八，侍先祖靖肅徵君，結廈於趙汲古鍾德園，東皋與先祖數相往還。時先生年近六十，衣冠整肅，進止舒徐，言語清切。承平耆舊風味，隱然於接人應物之間。聖上在潛邸，庚戌歲，以安車徵我先君。不幸，我先君其年九月即世歸。槀中得手澤數紙。其一，欽承先太后旨，令對聖上條陳未盡事宜，如定官號、頒俸禄、功罪有賞罰、能否有升降四者，治天下之急務。又曰：「農業，天下之大本，不可不重。是故明君重五穀而賤金玉。告訐之俗興，罰及無辜。僥倖之門啟，官給不善。漢之常平、宋之講筵，萬世可常行也。」如此近三十餘條。其二，則薦中州名士大夫六七十人。其曰「燕京傅輔之，年六十五，健行性温，實廉介有守，通世務，可使臨財」，即東皋先生也。近閲家中舊書，又得先徵君手澤一紙，薦進士有才幹者、有文章者、秀才者、承應者，其餘出身者，亦有「中都傅輔之至廉而幹，可以臨財」。由此觀之，則先徵君與東皋先生相知愛者為不淺。初奔走於鞍馬簿書之間餘二十年，未嘗以此示人。傳之者，無所考。昔韓昌黎謂李翰為張巡傳，不為許遠立傳，又不載雷萬春事首尾，為作《張中丞傳後叙》。用是敢録所以，且為其孫夢弼言：初與夢弼要，不可汎論也。先徵君待交友者如此，東皋先生為名公所推重又如此，則初與夢弼，其可不自謹畏所以待人與所以自處者，有一毫得罪於先世，可乎？至元二十七年七月二十有六日，順聖魏初載拜書。

書崔正言傳後

初少時讀史傳，見有杖策軍門一言，悟意朝奏莫見，恨相見之晚者，輒謂君臣會遇之不難也。長大來畧涉世故，又知會遇不易也。君子立言，遇不遇不論也。苟能切中時病，雖留中不報，帝不省視，世有董狐筆，不足為賢良累也。崔正言在宋徽宗朝，因日食之變上封事，論章惇、司馬温公之邪正，為蔡京所忌，排擯不得進。後遷右正言，乞斬京以謝天下。雖不得如所言，其風節可槩見矣。裔孫道亨以醫鳴河南，持其傳以示初，切切丐數語以跋。初為前輩德業布在方册，與天地相終始，非晚生後進一言能為輕重者。竊令賢嗣觀讀旹立行，嶄嶄見頭角，當始終一心，以光大前烈。初不肖，不克負荷，方夙夜祗懼，因道亨之請，益用感歎，故敢以是相告。至元歲壽星月衛分，順聖魏初拜手旹。

尚野銘説

東萊吕伯恭甫謂韓子簡古，一本於經，亦學《孟子》。又謂柳出《國語》。學者知韓、柳不可到，非鑿空得出，亦自有原委。近世党竹溪謂王黄華、趙黄山少讀六經，餘人當何如？保下尚生喜學詩文，又欲進學古人。余懼其愛春英之華，而忘秋實之鮮也，因請名，乃蔚文其字，野其名。求為説。余曰：是其説。（以上《青崖集》卷五）

江漢堂記

堂在漢中，其始構與構之之所在，今不可考，其字則魏了翁之所書也。了翁，宋名士，其所以書必有以也。聖元有漢中幾五十餘年，名公鉅卿典是郡者非一，能不棄了翁之所書，揭之於公署之後堂，亦必有所取焉耳。第以歲月逾邁，風雨頹圮，一往一來，或未知其所以然，為雉豕、蒿礫所溷。雖漢中士大夫，不知有了翁之書者，況究了翁之所以書者乎？至元十四年，陝西、四川道提刑按察副使安公士甫以才得尹是郡，乃葺其堂，而了翁「江漢」之名始出。余適以按覈至。公與余有一日之雅，俾余記所以意。余不敏，不能度公意，敢私為之説以詰公曰：「絲簧夜燈，錦綺春麗，觀游眺望，公豈有心於茲堂乎？燕閑休息，賓從雜坐，談説蜂起，公豈有心於茲堂乎？會計出入，毫髮不少貸。一予一奪，籠絡豪右。公亦豈有心於茲堂乎？不爾，則必曰：田菜多荒，粟帛不給，吾於此堂可以議之。賦役煩重，因仍蠹食，吾於此堂可以治之。群小並進，以私害公，吾於此堂可以去之。英俊下沉，文治不與，吾於此堂可以舉之。惸獨抑鬱，無所控告，吾於此堂可以信之。」説未更，公竦然曰：「《詩》所謂『他人有心，予忖度之』，君之謂也。」余徐應曰：「公之所以葺堂之意，今竊幸中之。公知了翁所以書堂之意乎？敢併為公陳之。江自岷漢，自嶓冢，淵深渟蓄，湍激奔放，源源混混，不舍晝夜，雖百折必至於海。蓋天地之元氣，流而為江漢。元氣餒，則江漢涸；江漢涸，則乾坤幾乎息矣。人心之有義理，發而為事業，其揆一也。義理明，則事業著。事業不著，由人心勝而義理之心塞矣。故一心之公，一心之江漢也；一言之信，一言之江漢也；一行之謹，一行之江漢也。苟反於是，則旱乾枯竭，無復生意矣。與夫秋之溝、夏之港朝盈而夕涸何以異哉？知天地之有江漢，當知了翁之所以取名於江漢。知了翁之取名於江漢，當知吾身之自有一江漢，不可徒羨夫鶴山之書劄而已也。」公拱手曰：「君記竟矣，請書之。吾將從事於斯。」

趙公泉記

趙公家世將種，在金朝，父、祖、昆季咸有戰功，死王事者數人。公幼業儒學，不齊偪章句，卓然以遠大自期。上在潛邸，公與廉、趙、姚、張諸人偕入扈從。主上龍飛，詔公宣撫陝西、四川等路。朝廷草創，百度未備，況西南，國都之門，所以蓄内釁而啟外侮者，人莫不以為懼。公至，具言天子聖明，宣布渥澤，以恩、以威。雖以杞子、逢孫之黠，悉縮朒於殼，而莫我敢發，卒致内外帖然，使主上無西顧之憂者，公之力也。由是，公之名重天下，將謂謨謀廟堂，佐天子出號令旦夕可冀矣。公乃中流勇退，買田，以泉石自娱。得古夏侯氏之地，在長安韋、杜之間，負少陵而揖終南。雲烟竹樹，錦綺錯綉。四時朝暮，光景萬狀。昔人所謂輞川之鄉社、桃源氏之别墅者，正在此也。初，公既得卜，乃引東澗之泉，以溉蔬藥，以供庖丁之用。又鑿池，植菱、荷，養魚數百尾。每四五月之間，旱輒細流淙淙，僅濡石齒而已，則所謂小有江湖之興，為之索然。用是，瀕北崖以鑿之，有泉湧出，如隙光，如匣劍，砉然清泠。歷引而南，由告院，由蔬圃，由堂，由池，隨所用而之焉。當暑潦方漲，亦奔湧湍漣有聲，舞盤渦而蹙輕浪，甚可愛也。及其風定烟收，澹如醁醽，雖云智者之樂，而禪僧野客亦有所慕焉。公時屐履其間，居人望之若神仙焉，因以「趙公」名之。初謂，古人以人取名者多矣。如柳子厚之袁家渴、蘇穎濱之君子泉，皆是物也。夫其以袁家名渴者，必袁氏之有主乎渴也。以君子名泉者，必其神之有類乎君子也。今士大夫以公名是泉，公亦以泉受是名，其必有説也。士大夫之説，余能知之。謂公嘗少攄底蘊，而秦中百姓至今歌舞之。使其執大柄，輔大政，其潤澤天下也必矣。庶幾公之後出得若是泉，以平天下之欿坎，以潤天下之枯槁，以流天下之穢惡，以鑑天下之妍醜，此其所以望於公也。然公得是名而不辭，不能無疑，因以詰之。公曰：「余以丁内艱，廬丘隴，朝夕哭踊。比得痺疾，自分閑退久矣。然所以自治、自勵者，奚可少怠？余觀夫泉之就下不争則似謙，不幾於顔子之不伐乎？盈科而進則似約，不幾於曾子之養氣乎？蹈險不疑則似勇，不幾於季路之有為乎？源泉混混、不舍晝夜則似道，不幾於君子之自强不息乎？古人盤盂有銘，几杖有銘。若韋、若弦，皆所以自厲也。余之得是泉而喜之者，亦將以是自銘也。不然，則役於物而急於名，是以巧智自私，余不敢為也。」初謂，泉，一也。士君子得之而所以期公者如此，公得之而所以自守者如此。然則君子之所以必觀，與夫觀之之有術者於是為益信。公諱良弼，字輔之。本郵品人，家贊皇者四世矣，今占籍於兹焉。

重修懷州三皇廟記

太醫王某詣初言：「懷州孝感坊舊有三皇廟五間，蓋壬子歲，州醫教授趙元、張淵、管勾張嗣興所創也，迄今四十餘年矣。至元乙酉，某承太醫院令，造供御地黄於其間。某謂，奉上藥物不敢不精潔。且三皇，醫之所自出也，其廟貌圮毁疏漏如此，甚不稱輿望。乃與本府官及醫生輩相與重修之，凡用緡若干。雖木石已具，未遂落成。某今年供上赴北，太醫院以兹事奏聞。欽承睿旨，俾有司施行。請紀其始末，以詔不朽。」初竊為伏羲氏法象天地，畫八卦以通神明之德，以類萬物之情。神農氏教民五穀，嘗百草木。黄帝與雷公、岐伯論討經脉，旁通問難經方問説之旨出焉。醫之有本，不於是以求之，將何所取衷焉？可謂知本者矣。雖然，子，醫也。知醫之本於三聖人，當知三聖人，天下萬世之本也。太極未分而奇偶畫陰陽而無窮，陰陽合變而萬物生，理亦無不備。不有聖人，孰明是理？孰體是物？孰為之垂教萬世？由是觀之，萬物一，五行也。五行一，陰陽也。陰陽一，太極也。太極即此理也。此理明，則天地位而萬物育。故歷代祀典所在，官司歲時致祭，昭其本也。聖上慈民愛物，與天地為一心，與三聖為一體。凡在有司，可不體聖上之心，發三聖人之妙用？其司牧天民，順其心，不强其所不欲，寬其賦，不迫其所不為。不奪其時，不困其力，使之雍雍有親，嶄嶄有義，長幼有序，内外有别，養生送死，一無所虞，則陰陽安得不和？風雨安得不時？百穀畢登，鳥獸、草木咸若。當是時也，三聖可以四皇可以齊乎三矣。是豈止補榱棟炷香火為醫者所自出而已邪？雖然，亦不可謂不因吾子輩啟之也。謹記。

重修磻溪長春成道宫記

至元十七年，重修磻溪長春成道宫成。提點方志正具筠溪李公之狀，以文來請。謝不敏，不獲。

按所具狀，磻溪在鳳翔虢縣界，一泉絶清泠，北流二十里入於渭。層巒疊嶂，秀異如畫。初入谷口甚狹，沿溪五六里，豁然塏爽，土膏腴而樹蓊鬱。雲烟朝夕，千態萬狀，使人顧揖之不暇，所謂尚父之釣磯者在焉。其曰「磻」，豈非以是而得之邪？始，重陽王公寓寧海馬氏。棲霞長春子知其為異人，往師事之，得心傳焉。又二年，與丹陽馬公、長真譚公、長生劉公從重陽公遊汴。未幾，重陽厭世，長春與三子護葬於終南之劉蔣村。長春以溪形勝，慨慕古昔，因占居焉。洗心鍊行，深造自得，時作詩以開示元秘，用是，名聲藉甚。大定二十八年，詔赴京師，築館于萬寧宫之西，以便咨訪。明年，乞還山，從之。明昌辛亥，東歸棲霞。又二十有八年，適元太祖聖武皇帝遣近侍劉仲禄召至雪山之陽，虚席以問至道。對以寡欲修身之要，愛民永國之方，及上天所以好生惡殺之意。上皆嘉納之。是時，干戈方殷，賴是以全活者不可以數計。古所謂「仁人之言，其利溥哉」，蓋近是已。又四年，勅居燕之太極宫，即今長春宫也。又勅悉主天下道教事。又四年，乃羽化。又十有一年，弟子洞真于公住持終南重陽宫，感念磻溪祖師鍊化之迹兵亂蕪没，召盧志清輩經度之。時關中甫定，土荒人稀，艱於得食。磻溪當東西軍旅往來之衝，志清輩披荆棘，薙草萊，修垣墉，力耕稼。數年之間，棟者、宇者、楹而礎者始有可瞻仰而定居矣。乃額以「長春」而觀焉。又十有四年，真常李公代禮嶽瀆，炷香祖庭，以恩例升觀為宫，而得今名焉。志清即世，道士方志正繼述其事。志正有幹局，能自勤苦刻勵，以倡率乃衆構大殿三：曰玉虚，曰通明，曰太宗。玉虚之南、太宗之北曰南昌，曰方丈。自餘細大，各有攸處。嗚呼！如志正者，可謂篤於向道、有志而竟成者也。雖然，是溪之在太古，荒寒寂寞，與山川、天地為一氣，初無名知也。及尚父奮起，佐周以有天下，立齊與周相為終始。當斯時也，君子謂如羲皇至於唐虞，文物始備，可謂溪之治世矣。自周，自齊，歷漢、魏、南、北、隋、唐，迄於五季，幾二千餘年，遂寂滅空洞，不復有大賢者出。君子謂溪之復太古也，亦宜。自金大定至于今百餘年，有長春公積德累行，開闡元化，風行四方。以人主之尊，猶物色而招訪之，雖逃虛而樂山林，一言可以利天下，不憚煩也。用是，人人想望其風采，至今高其德而不忘。當斯時也，君子謂如宣王勞來安集、光啟前烈，可謂溪之後世而中興焉。又謂自今至于百世、萬世，溪之復古、不古，或益張熾光大，則存乎其人焉。至於丹雘粉碧，上觚稜而棲金爵，是又吾長春子之甘棠云。

敕建真武廟碑記

國家肇基北方，以神武有天下。歷聖承承，際海內外，罔不臣妾。主上眷膺天命，嗣守大統，稽考典禮，以潤色鴻業。立宗廟，議禮樂，定官制，炳然蔚然，文物一新。惟是宮殿未備，群臣請定都於燕。上可其奏，逮至元年，始勅有司經度其事。議遠近，畧基址，平板榦，具餱糧，分功命，日以肇建都城。既役之□年十二月庚寅，城之西高梁河有蛇出焉，長尺有奇，首金色。觀者以閉藏之候，非所宜出，乃今見之，其為靈惠也昭昭矣。咸奉香迎拜。蛇馴而近人，引頸顧盼，領其誠意而去。明日，復有靈龜回旋岸曲，金文燦錯，衆悉以為神。太府監玉牒齊布哈以其事達禁掖，皇后俾詢之博物者曰：「是何祥也？」或以玄武神現為對。皇后雅欽神靈，即命於所現之地構祠而像設焉。有司方庀工蒧役，皇帝若曰：「神能大庇吾民，可不敬錫明享，以答靈貺！」乃詔大其棟宇，以行工部尚書段某董其役，仍以詞臣文其石。謹按，張衡《思玄賦》云：「玄武縮於殼中，騰蛇蜿而自糾。」蓋蛇，龍類，陽也，上應乎乾綱。龜，元物，陰也，下應乎坤軸。惟陰、陽交和，而神應斯至。今主上神慈威武，子育億兆，沉幾開闔，旋乾轉坤。其創制立法，則有魏孝文之度焉。其綜名核實，則有漢孝宗之則焉。至若覲光揚烈，以辭色假借臣下，使之敢言，則周成王、唐太宗不啻過也。加以敬戒不怠，肅恭神明，宜上帝降靈以表彰德信，而昌明景祚於無窮也。臣初敢百拜稽首獻銘以對，揚天子之丕顯休命。銘曰：

玄武惟星，黑帝之精。有來其徵，有占其靈，將應其龍德之馨。皇帝曰：嘻！神保是承，赫赫厥聲。綏我思成，盍敦其申錫之誠？乃大其庭，乃高其楹。鳥翼矢棘，神之攸寧，以長我王國之禎。（以上《青崖集》卷三）

全元文卷二一六六

魏初 四

重修北嶽露臺記

嶽，古恒也。先王奠祀用秩，茲表乃北。歷代承承，明禋休享，罔有降革。金衰，群盜蜂起，奪掠斬艾，所在蕩盡。時國朝肇一區宇，禮文故事，日不遑給，故嶽祠為爾寂寂幾十餘年。天誘其衷，故萬户邸侯為建正殿，四方始有瞻拜之所。殿南餘二十許步舊有臺，以容俳優、抵角、變幻、百戲之獻，乃募工起南山白石而崇擴之。高丈弱，從仞十有一三分仞之一有奇。横如之。經營規度，凡五易寒暑，計費錢二千餘緡。侯没後十有一年，其故人關尹子玉丐余文，用識不朽。余復曰：「邸侯，河朔名將。其英鋭敢悍之氣固已光耀本朝，非此可以鋪張萬一。」且謝不敏。玉曰：「有金南渡，河北群雄如牛毛。弱之肉，强之食，鄉人惴惴焉。其心危，獨倚公以為重。公亦以此自任。貞祐初，天兵南牧，衆推公主石城寨。丙子，石海亂，歲且饑。民瀕於沙河者夜採魚藕草糧以餬口，晝穴窨不敢出。海遣何運副者，擁精騎五千駐之曲河村，得一窖即食之。析骸爨骨，腥聞於天。公不勝忿恚，募健勇者，得數百人，與何鏖戰，生擒何，刳其心以謝衆。用是，順天都元帥府升公為恒州安撫使。其年十一月，與武仙騎將葛鐵槍戰有功，帥府承制，遷公為驃騎衛上將軍、元帥右監軍，金虎符，恒州安撫使如故。庚辰正月，武仙復陷真定。公會諸部兵欲謀必取。行半道，聞中山李成叛，即趨恒。申儆守備，候釁將動。五月，武仙遣人將精兵萬五千人屯於黄堯之兩山，與真定為犄角之勢，且欲逼恒。時麥方熟，恒人持此以為食，武兵日芟夷之。公召諸校謂曰：「今恒邑乏食，軍不滿一千。與其坐視民死，當與此寇一决戰。大丈夫成則為侯，不則為禽，亦何恨也！」諸校亦踴躍，期一戰。先是，武兵畏公威名，不敢近。及奄至營中，不知所為，自相蹂踐。比曉，溝壑填溢，腥血蔽野。得畜牧、甲仗、糧糗不可勝數。恒民賴是得活。其年十月，改知中山府事。公剛勁自信，不畏强禦，甫數月，有畏愛之稱。又五年，改行恒州元帥府事。國朝以馬上有天下，故元帥為貴階。又十有四年，詔公以萬户統諸道兵。圍宋師於歸德，取之，遂收睢宿州、光州及蘄、鄧、臨、涣等縣。以功，詔鎮歸德。又十有九年，卒，壽七十三。子浹，以虎符嗣職，今移鎮息州。公平素悍勇，有大志。逢時草昧，與群雄角逐，視殺戮攻掠若衽席然。而能敬恭神明，不靳己財，若殿、若臺，咸出雅志。即今瞻望廟貌，使人有焄蒿悽愴之心者，皆公之所自出也。廟多古銘刻，非公持護，則破裂若井椿者有之矣。僕不佞，辱公平生知待。公今亡矣，他日紀太常、銘神道，當必有任其責者。僕特因故舊，尚因是臺，以道其梗槩，用嗣永久。吾子幸無讓。」初曰：苾苾芬芬，祀事孔明。先成民而後致力于神者，邸侯有焉。人之有技，若己有之；人之彦聖，其心好之，不啻如自其口出，子玉有焉。禮五嶽，視三公，諸侯非境内不得祭。季氏旅泰山，仲尼乃進林放以厲冉有。世變益降，家自作古。風俗因緣，遂通上下而祭焉。當河朔潰裂，綱傾維崩，人心之存，唯有畏神禍、邀福幸而已。然擴是心以往，則猶可以撲虐焰而戢毒螫，是以君子尚有取於斯焉。《書》存《吕刑》，《春秋》紀胥命，皆聖人所以待叔季之義也。古今肇祀禮軌，會當舉廢典、巡朔方，侯甸、男衛、邦伯咸執幣贄駿，奔走以相助柴望，或者未必不以是臺為兹嶽告朔之餼云。公諱順，字從政，世為真定行唐人。

怡然亭記

漢中耆艾西軒王先生有亭於新居之西，字曰「怡然」，蓋其子無疾、無妄為先生偃息徜徉之所築也。亭以茅，峻以土，階户正離，牖隨日出，納北軒，與暑相抗懾，故冬燠夏清。其下植松，植梅、竹，植冬青、櫻桂雜樹。卉有盆，池有石，山有小曲徑，雖近闤闠，脩然闃然，大有山林佳處氣象。其中貯以六經、子、史、及前賢義理性命之論、冠婚喪祭之説，異端詭怪、縱横利禄，一言不得與也。先生本高平人，從父、祖避兵，徙居嵩山之陽。甫志學，又從雁門李公入蜀，回駐興元。一時達官為其子弟築館，請受業，因留家焉。先生早罹兵難，艱險百至。既息肩，益讀書，以究極義理為本根，以踐履躬行為實學，故郡生賢良咸師表之。至元十二年，勅授本路教官。既受命，無幾何時，即以老、疾辭。其年，朝廷以陝西提刑移治南鄭。時先生與無妄如澤，改葬其考妣。明年，初按部自雍還，始得與先生相識。先生巍冠博褐，進止舒徐。其容莊，其辭溫，藹然程、朱家語録中人也。用是，嘗侍几杖十有五年。初至自東川，一日與客登茲亭。客有顧門楣而問者曰：「夫所謂『怡』，有『怡怡』之怡，有『怡聲』之怡，有『怡然理順』之怡。此所謂『怡』，何怡也？」先生未對。初應客曰：「王氏此亭必具此三説，然後為義備。無疾、無妄于于友愛，克敬克弟，『怡怡』之義見之矣。觀其事先生，溫恭是式，游居有常，奉所欲以養之，柔色以溫之，則『怡聲』之義又可見之矣。至於先生自少而壯，自壯而艾，雖遭罹險艱，造次俯仰，無所愧怍。今以其所見者考之，先生薄于世味，不以官達、功名用心，不以子孫、田宅用心，不以矯飾、聲譽用心，方寸平和，無所干求，一順於理。如葬藏，如祭享，如教諸生洒掃、應對、進退，悉有本源。制度表裏，無一毫滯礙處。『怡然』之怡，可不於是槩見之乎？世之昆弟以財産相傾奪、以言語相忿懥，至終身有不相悔悟者。孟子所謂好貨財、私妻子，好男鬥狠，不顧父母之養，其心如劍戟、如陷穽、如豺狼禽犢，豈知夫『怡聲』之聲、之義哉！如韓子所謂足將進而趦趄，口將言而囁嚅，觸刑辟之誅戮，僥倖於萬一者，或茫然若有所失而未得，或赧然若有所觸而未安，或慼然若神有所未定，或枵然若肝膈有所不足。夫如是而能造夫怡然之閫域者，未之見也。此亭之怡，蓋兄兄弟弟、父父子子。分而言之，則由一而三；合而言之，則自三而一者也。」客曰：「誠如君言。」先生笑而作。初亦自謂無愧辭，相與怡然而出。後二年，無妄以府掾有能聲，辟置之司，因徵予説以為記，復告曰：「先生之怡，油然自得於理義涵泳之中，日用體踐之實，故為識者景仰如此。若子昆季之怡既無失德，尚日加勉，不可少有虧歉，以傷先生之怡。其歸語汝兄毋忽。」先生諱得輿，字戴之，西軒，其自號也。

麟齋記

王文慷慨尚氣，讀書以《左傳》為專門之學，因名其名齋曰「麟」，蓋取《春秋》「獲麟」之意也。初謂麟，仁獸，自黃帝、堯、舜以降，歷夏、商而周，麟不屢出也。夫麟，必得天地仁厚雍和之氣以生。在黃帝、堯、舜、禹、湯、文、武之前，其仁厚雍和之氣比屋皆然，雖有麟，不以為麟。平轍東遷，王室實蝨蠹焉。齊、楚、秦、晉、吳、越，熾烈之焰始波蕩風靡，以橫蔽六合。故有為窮奇，為檮杌，為饕餮，為魑魅魍魎，為蜂蠆毒，為蟲雕，為長彘，磨牙垂涎，食肉于血。當是時而麟出焉，則其為麟也固宜；不然，則即之狩、紅之蒐、孟諸之田，必有粲然而鬣者豕，猝然而角者鹿。夫豺狼麈麋之屬而不一也，聖人不書，獨拳拳於麟者，必知其麟之為麟也，與麟之為德也。韓子曰：「麟之所以為麟，以德不以形。」是以麟不出於黃帝、堯、舜、禹、湯、文、武雍和之前，而出於齊、楚、秦、晉、吳、越熾烈之後。是知春秋之麟雖不根於仁政薰養之力，而其自得天地者則固若也。說者又曰：麟為明王出也。無明王亦出，則麟不為當世，其為春秋、為後世麟也必矣。是故學《春秋》者必麟其心其行，然後聖人經世之志與夫天地人事之終始，則有以得之矣。其出也，必有以麟天下；其不出，則所謂麟者固在也。若嚴光之麟於漢，諸葛孔明之麟於蜀，陶淵明之麟於晉，其出處雖不同，而為麟則一也。王文真積力久，其胸中之麟，他日必有一出。不知天將使麟其所謂當世之麟者乎？將麟其所謂後世之麟者乎？麟乎，麟乎，是必有一在也，今其張本耳，故喜為之記。

重修寶鷄祐德觀記

安西王相中奉大夫李公與道人袁志安有一日之雅，因請公主修其住持寶鷄之祐德觀。公報疏云：「不謂羽衣之師德，眡為香火之主人。」又云：「人無兄弟，胡不佽焉？良哀其心之獨苦。我有田疇，永為好也，薄助其力之不周。」用是袁公遣其弟子張志全來謁初曰：「志安木石野拙，學道未成，一椽、一茅，分亦足矣。曩因先師以河山形勝，卜祐德之廢垣，令志安輩披荆棘、拾瓦礫，歲莄月楹。未有成，遂承參知政事中奉君不以山野鄙薄，過為提挈。倚賴屏庇，今得三清、四聖、混元、靈官等殿，暨雲堂、厨庫、方丈、三門之屬，改復舊觀。感戴盛意，不可不為記述，以示永久。敢以文請。」初謂神仙不役於物，而名山洞天非神仙不可居。宰相不遺於物，雖衣褐寬博而宰相在所邮。寶鷄，古名縣也。左秦右蜀，襟山帶河，自姬、嬴以降，故實可考，其為仙人之窟宅蓋無疑。然干戈焚蕩之餘，榛莽悽愴，狐狸所居，豺狼所號，非天誘其衷，假手於賢相君，未易及此。相君，朝廷屏翰，王室柱石，生民之休戚，社稷之安危係焉。乃能不屑於是，則其心耻一物之不獲其所可知已。兹宜書。志安，潼川人。性冲澹，與人欵曲謙謹。其師張守衡，紫微全陽普度真人周公之所自出也。初，周公承教丹陽，居邠州玉峯，徒衆以千數，而守衡為高弟。守衡雲衿霞佩，翛然有塵外之想。住鳳翔之長春凡四十有五年，是用秦隴知名，朝廷賜號曰「崇玄無欲大師」。師知志安可托付以大事，因以祐德俾之。今興建如此，可謂能成其先志者也。志全，本邑人。喜讀書，風骨不凡，經畧雪溪劉公甚愛重之。乃摭其意，作步虚詞七章：

壞垣野粉零枯香，石欄老雨皴秋黄，山川良是成荒凉。仙人駕鶴來翱翔，隴頭耕瓦見羽陽，碧鷄金馬何茫茫。相公經綸無遐忘，偶奇奇偶圓而方，慨然以是為主張。郢斤岷礎呈奇祥，銅龍鐵鳳摇輝光，神仙官府千洞房。山人自分過所當，彌羅丹華誰比將？一心惟有祈穹蒼。相公眉壽天與昌，明年平蜀歸朝堂，盡措民物如成康。渭流西來今湯湯，厚福與之孰短長？厚福與之孰短長？（以上《青崖集》卷三）

止齋銘　至元十七年七月八日

為四川東道宣慰汪公作也。銘曰：

事有萬殊，理一而已。其一謂何？至善而止。君侯名齋，乃克取此。予不能文，槩摭厥旨。報國以忠，事長以弟。慈以逮下，敬以持己。擴而推之，實止之理。顧其力行，果如何耳？吳下阿蒙，刮目有以。萬古一心，毋愧於彼。至元十七年七夕後一日，青崖魏初書於鞏昌副都總帥私第之南軒。

湖山石銘并序

峰巒洞壑之秀，人知萃於千萬仞之高，而不知拳石突兀，呈露天巧，亦自結混茫而軼埃氛者，君子不敢以大小論也。今端甫廉君好文雅而喜古澹，復珍其石而圖寫之。是又伯共父之變風、變雅也。雖然，有幾也。「香林」，向伯共父得此山而名之。名既立，則混沌之竅，吾不知其凡吾知其有所取焉爾，乃作銘曰：

小山屹然，玄雲之根。峰巒洞壑，無斧鑿痕。君子懿之，置諸几席。匪奇是誇，以友静德。

導誨堂銘并序

中統壬戌，初卜居開遠里，以教讀為業。總管韓君通甫及其弟君美以子姪輩見屬，因相與往還。歲時伏臘，嘗升堂拜其先人禹城府君，而間得侍函丈焉。用是，知府君為詳。府君資性儉素，愿而能恭，喜讀邵康節詩，與人言，多賦康節邃理之語以見意。初，貞祐戒嚴，所在發閭左。禹城小而衝，縣官閲户集丁，罔有孑遺。韓氏諸昆季莫不憂怖。府君曰：「是我當行。」即慨然應募，編之矢石之下。及城陷，殺畧殆盡。府君艱關百險，僅能達燕。居未幾，乃嘆曰：「吾父母、昆季兵亂中浮瘗原莽。今不早藏葬，吾死不瞑目矣！」時道路猶梗塞，府君畧不顧慮，竟以其父母、昆季及旁親之未葬者收附先隴。鄉人用是愛重之。府君居燕凡五十年，與人交，懇欵周密如一日。自六十以後，即以家事付妻子，有無一不論焉。日與耆舊數人，但逍遥笑詠而已。嘗召通甫、君美誨曰：「吾平生無他才能，第與人以誠，律己以儉耳。今日見汝輩成立，以終吾年，未必不由此也。吾雖不足學，汝若不能，他日，復不如我矣。孝謹廉儉，天自福之。苟僥倖一時，雖富貴，吾不羡也。」通甫兄弟奉以周旋，不敢失墜。一堂之上，雍雍熙熙。孟氏所謂「父母俱存，兄弟無故」者，獨於是家見之。及禹城君棄養，通甫思所以不忘先君之訓，與所以致其終身之慕者，恐有所未盡，乃以「導誨」名其堂，蓋欲其起居飲食、出入謦欬無一毫而不遵是誨也。用是，士大夫賢之，率有詠歌。初孱知最舊，敢掇拾其實而銘之。其辭曰：

有冽其泉，有茁其芽。源虚踵涸，本固膚華。韓氏載美，世修其家。如泉斯淵，如木斯嘉。隱耀伊遠，慶鍾府君。加以恭慎，克儉克勤。不固而嗇，不侈而文。藹然一堂，葛天氏民。茫茫堪輿，孰愧孰怍？既壽且昌，符厥攸作。誨言諄諄，有子敬若。没而不忘，亦孔之炤。匪堂是銘，乃銘其心。匪堂是誇，乃身是箴。霜露風雨，感愴欷歔。如覿其形，如聽其音。一語不度，厥誨是忽。一行不法，厥誨是咈。魏初銘之，用介遐福。

拔秀峰通甫韓君植之於遵誨堂之右初奇之為作銘

嶷乎其離萃，朴乎其有文。含太古之孤潔，漬秋波之鱗皴。雖處乎堂闈之間，而氣通乎仰嶺黄堝之雲。蓋有似乎主人能急流勇退，遨遊於士君子之門，而風神物表，超然無一毫之塵也。仰嶺黄堝韓氏别墅在其下。

曾祖母真賛

惟曾祖母，高氏系出。子孫禄養，壽八十六。黄嶺之香，亦孔之燭。

祖母夫人真賛并序

惟吾祖母，渾源南山劉公之曾、沂水主簿之子、内翰蓬門先生之妹、神川遯士監察御史之姑氏也。賦性貞順，勤儉孝謹。其事我祖靖肅，如對大賓客。歲時伏臘，供奉祭享。菜菓醯醬，必躬自修薦。誠潔懇到，至老無一毫怠意。經史、文賦，一目成誦，且能通其大義，而停蓄涵蘊，若無所知者。是豈世之淺薄粗識姓字而矜以示人者可同日而語哉！至於奴僕米鹽，恒煦濡温飽，然亦未嘗不謹扃鑰，而聽其自出入也。族中少相違言，處之以當然之義，不以彼此而有傾向也。年七十，以家事付初，怡心引年，以書、以琴而已。至元十二年，初自監察御史蒙恩遷僉陝西提刑司事。祖母時年九十有一。初不孝，不能謝事以終奉祖母年壽，乃妄自謂，吾族自兵亂以來零落如此，欲少自振起；又謂，既仕矣，不敢以一介之微，輒方國命，遂以温凊之責付男必復，流涕西行。其年十一月，至漢中。明年六月二十一日，祖母以疾卒。八月，訃音自京都來，即號哭奔赴。必復已奉柩，合祔於祖父靖肅君之兆矣。嗚呼！初之淺識，可謂篤於近利，而不能勇於大義者也！其得罪天地，百死不償！每展拜遺像，肝膈崩裂。雖痛恨無窮，尚何言哉？贊曰：

肅而寬大，禮而有節。百世而下，惟永之則。

祖父殿試真贊

大父殿選，凡七赴之。三魁太學，不偶於時。恬澹守道，無營無思。

祖母真贊

大母高氏，嚴嚴壼儀。不幸早世，棄諸孤如遺。噫！再世其構此，云胡不悲！

高祖父定遠真贊

高祖定遠，友愛于于。教弟力學，起宗以儒。百世而下，遺澤孔濡。

高祖母真贊

惟高祖母，記失其氏。世業之修，興宗之始。内助實多，子孫仰止。

曾祖父署令真贊

惟曾大父，令甄官署。教子義方，聲聞四著。有來其孫，毋墜厥緒。

西軒王先生真贊并序

西軒王先生蒦，澤人，性安静，以道義自守，以孝弟忠信教諸子。居漢中三十年，郡人咸師表之。其子無疾以寫真來見，為作贊云：

世百僞以争利，公囿義以守也。世丐售以衒名，公自晦以厚也。我薄彼羸，若固有也。義理以誨諸生，自天牖也。温温儀刑，望程、朱，其尚友也。説道則猶鈴，冀有覺於百世之後也。

平章廉公真贊并序

諸葛孔明開誠心、布公道，有其氣也。鄧禹入關，撫慰安集，有其量也。能兼氣量，夷險一心，以天下為己任者，故榮禄大夫、平章政事廉公有焉。至元丁亥，公之子恂按察江西，初實與同事。其年十一月十有九日，得拜公遺像。平昔既辱公知，盡然悲思，有不能自已者。謹作贊曰：

造物厚與公之資，將俾有為今昌時。氣充以大量亦大，始終一節無險夷。憶公持節西入關，大憝無所容其姦。霹靂一發肝膽墮，秦城百二維秦山。明年柱石中書堂，堯舜吾民餘粃糠。姦諛媒孽不一再，安之若命惟元臧。天開混一江南平，俾公卧護江陵城。江陵塗炭亦已久，得公安集如再生。公之孤忠何終窮？公游汗漫騎長風。公乎公乎見遺像，幾何斯年有如公？幾何斯年有如公？

西溪王公真贊并序

初弱冠時，識西溪王公於楊子陽之賓館。公時年未三十，聞望四達，士大夫咸以遠大期之。未幾，與陵川郝君伯常同奉召。逮主上龍飛，即被擢用。由禮部侍郎遷都轉運者二、遷提刑按察使者四，如尚書，如總管，如今中執法，前後幾三十年矣。無曠闕，無怨讟。愷悌樂易，人莫不以寬厚長者許之。彼喜功好事，以表表自勝者豈可同日而語哉！乃作贊曰：

如玉之潤，如春之薰，自得之天也。有神者筆，有奇者文，用力之專也。商功利課，殿最新進，所喜為也。惇薄俗，正士氣，非若孰與歸也？

同知趙公真贊

為政有惠，讀書有方。交從四海，曰徐與王。徐復齋、王鹿菴。子能世業，門閭輝光，公為不亡。

師易馬丈真贊

師易古學，惟微惟精。盈虚消息，與時偕行。處通以義，處塞以亨。行年七十，而神而明。幅巾翛然，鶴臞松貞。若子若孫，惟永之慶。

王隱君真贊

不以紛華累其心，不以貧窘易其守。循循侃侃，無一毫傷人之疵，而能致力以藥己之疢。不以文字侈其言，不以詭異險其迹，溫溫恭恭，無一毫作為之私，而有日用踐履之實。若夫梁先生都運之剛明，吴先生學士之簡古，木庵英上人之清修，我先大父靖肅君之慎所與，皆折官位、輩行，為之延譽於公卿之間，亦足以見吾隱君王公之所處也。

燕居傳道圖贊

聖學心傳，不言之天。申申夭夭，其彷彿於斯焉。

庸齋薛先生畫贊

謝紛華之擾，而逍遥乎山林泉石之間；擴中庸之理，而超越乎雕蟲篆刻之上。才猷可以濟世，而不以不見為悶；文章可以名家，而直以自得為諒。有天地中和之清氣，有湖海沉雄之雅量。人知其品之不凡，莫識丹青之巨狀。然觀其敦龐耆艾之姿，與其立言可考者論之，猶足以激士氣、敦薄俗。是豈趙孟之所貴，而遽有所趨向者耶？

易州太守盧君行狀

曾祖諱均，祖諱永昌，皆隱德之不仕。父諱應皇，任易州太守。公諱德元，世為易之淶陽人。性仁厚，既長，以幹局聞。金貞祐間，先太守以公受易州軍事判官。時河朔諸豪並起，各以力相雄長，生民糜滅幾盡。先太守以天造草昧，禍亂未艾，乃率士民歸之故蔡國張公，用是表為州之太守。歲乙未，以老請。朝廷以公嗣其職。公莅政，即有能名。初，般州寨張坦率衆來寇，公以百卒破之。指揮坐作，大為蔡國公所歎賞。是時，流民未盡安業，率棄土著，以避租賦。知公治不迫，四遠而至者甚衆。朝廷立教條方切，凡經食之所，悉欲以死處之。公曰：「民愚犯禁，固不可不治。然一槩用刑，恐非國家愛養斯民之意。」乃力辯於上官，卒從公議。州民至今道之，猶有以手加額而泣者。州之開元寺僧以事觸蔡國公。蔡附公耳語。公出曰：「坑若輩不難，第罪有重輕耳。我辭必獲罪。」咄咄者久之，乃曰：「吾得之矣！甘泉，名僧也，張侯素重信。我白，必得所以解意。」乃往白曰：「州僧得罪張公，我當縛致以請罪。比至，上人幸寬解之。」數日，以諸僧至。張怒已解，悉得放免。公在州凡九年，懇乞致政。又十有七年，以疾卒，享年五十有六。夫人趙氏。子男二人：長曰琪，嘗被省檄，嗣厥職。未幾，有詔赴闕下。次曰珪，今潞州同知。女一人，適李氏。嗚呼！公之慈祥瑞愛，謨謀有方，詩所謂「愷悌君子，民之父母」者有焉。觀其肅恭父職，孝也；以寡敵衆，勇也；拊循制理，公也；委曲排難，仁也。一有於此，猶當大書、特書，況其四德兼備者乎？是宜敷賛遺烈，章示來裔。必有當代名公能文者，盍請銘焉？謹狀。（以上《青崖集》卷三）

全元文卷二六七

魏初　五

總押七路兵馬邸公神道碑銘

至元二十六年十二月，懷遠大將軍潁州萬户鎮無為軍邸澤遣其子繼隆以書來京師，請銘其先人墓碑。初與澤厚葭莩之戚，不敢辭，乃為論次之。邸氏，在漢有上郡太守杜。北齊有行臺僕射珍，中山曲陽人。隋有吏部主事懷道，諫煬帝幸江都。由是觀之，邸氏亦代有人，第以譜牒散失，無所於考。今按所具狀，公之祖諱亨，世業農，行唐甘泉鄉聖明谷人。金正祐間，河朔兵起，豪强以鄉曲自保者，人或賴之。亨四子：一曰僧。其曰節者有子一人，諱縝常，知中山府事。其曰信者有二子：長順，行曲元帥府事，有子浹，今鎮吉州。次常，於行唐亦置元帥府。其曰義者，即公父也。公諱琮，字叔玉。性剛决勇悍，善射，能舞槊。其從兄常在行唐。武仙來攻，常在城上。公請戰，不許。竊出，隱以射執旗者，中之，躍以斬首。常以兵乘之，仙即敗走。時年二十有一。又與仙戰於黄臺，大破之。札古人都，圍信安。公力戰有功。辛卯冬，與其兄常從天兵取河中。壬辰，又從塔沁取雙門、倚尖二寨。癸巳，布展圖蔡公，與行。及還，衆推以為行唐長官。在縣平獄訟，均賦役，人頗畏愛。甲申，真定史侯以能辟充其府推官。明年，奉御呼圖克奏公有戰功，遂錫金符，俾總押真定、大名、河間、西京、洺磁、懷孟、濱棣七路兵馬，路置千長一人。守隋州，宋人來侵。公與戰，屢捷。戊戌，察罕拔滁州。愛賞公勇健，俾赴闕奏凱。過家，以疾卒，實庚子八月二十八日也，年三十有五。麾下莫不流涕感惜。娶劉氏，靈壽大族也，後公二十二年卒。資性莊麗聰慧，閨門修整。門下吏嚴憚，如公在日。子澤，嗣職，皆其幹畫所自出。疾病，澤奉藥，乃曰：「天將生我，勿藥亦可；將死，藥復何為？」其知命、了决如此。三子：長即澤也。年十一，襲父職。乙巳，創修亳之鹿邑，練士厲兵，一境賴以安。丙午，移鎮潁州。戊辰春，宋兵夜至城下，攻東南面。乃令諸軍守三面，即自當一面。天黑風急，矢注如雨，死傷甚衆。時始三鼓，乃令急鼓五鼓，宋人聞之，果驚。城上乃大呼震天地，宋人自相蹂踐，遁去。黎明，視城下，死者枕藉。至元四年，從阿珠都元帥渡漢江，攻老鴉等寨。十一年，從丞相巴延戰青山磯，獲戰艦、俘馘甚衆。朝廷以功賜白金三百兩。十二年春，改授武德將軍，就帶已降金符，管軍總管。其年秋，攻潭州，爭前登。流矢中左臂，又中左股，神色不變。城陷，論功，加授顯武將軍。十三年冬，攻静江，如攻潭。為飛炮所中，腦血湧仆，數日方蘇。用是，改授虎符，加懷遠大將軍、管軍萬户、郴州路總管府達嚕噶齊。二十三年，受廬州蒙古漢軍萬户就帶虎符、散官如故。居無何，改授今職。次曰浩，曰湜，皆騎射，喜讀《春秋左氏傳》，嘗受學於吴公起。孫男五人：澤之子三，繼隆聯序最長，繼善、繼能亦知學。浩之子繼祖。湜之子繼業。公上世農家，鄉里稱善人。遭時草昧，昆季能自樹拔，以愛護鄉曲，為國家効死力，立戰功，垂不朽，是可書已。銘曰：

邸族本宗，寔孔之肖。世再業農，將大有耀。至總押公，與時際會。以戰則勇，以牧則惠。命不迨心，而遽淪逝。茲不必哀，理亦可詰。如木既茂，有鬱必發。如泉既通，有湮必突。六載混一，罔企今日。厥胤懷遠，必賞以績。知公不亡，發此儁偉。刻銘神表，子孫有煒。

故總管王公神道碑銘

蔡國武康張公自滿城移治于保。時河朔未平，群雄蜂起。蔡用兵以奇以正，有闇與古合者。威稜所至，人莫敢當，然亦喜收養士類。癸巳，河南平。如前狀元王鶚、監察御史樂夔、進士敬鉉皆在其門下，館客則陵川郝經，掌經書記則公也。又嘗遣公赴北，奏陳軍機。公于御幄指陳開示，敵已在于目中。上為聳動，因問曰：「此若語，巴圖語耶？」對曰：「意則巴圖，語則臣也。」上以材以實，益奇之。用是蔡之軍旅之機、屯戍之策，公悉參謀議，士論亦以遠大期。公諱汝明，字宜之，姓王氏，本燕人。身長七尺，美鬚髯，眉目開朗。議論亹亹，凜然戰國魁傑士也。祖某，嘗貸聖安寺錢千緡，遇赦，卒還之。父好問，明經，三赴殿選，試補御史臺掾，有能名。公少穎悟，昆季五人皆克家厚于貲，公獨以遠業自期。讀書，耻無用之學。母趙氏分家貲，資以白金百鎰付公。公曰：「兒不肖，能自給。願以此奉甘旨及諸昆季。」甲午，從蔡南征。蔡以兵千人，俾公屯襄之皇王度而田焉，所以省餽餉遏南寇也。兵苦于田，欲鳩衆以足廪額。公不可，仍督墾闢，頗忤衆意，且忘其有功，遂使酒揚言，幾于駡詈。公若不聞者，卒大開田畝。是歲大熟，囷儲野積，人不乏食。公能忍以濟事，此又不可及者。庚子秋，蔡與尼瑪哈征滁。宋人清野，我軍大饑。是時，公具舟于汝，乃泝以入淮，漕米千斛。三軍之士有勇氣而無菜色，公之力也。甲辰，蔡戍杞，治三岔，公在幕府。以曲陽一軍失治，俾公攝之。庚戌，奏授金符，真領千夫長。癸巳，移戍亳，以舊軍不及萬，奏以新軍足之。仍以公之子儼代治曲陽軍，以公為新軍總管。至元乙丑，從阿朮丞相攻荆南及諸山寨有功。阿珠召與語，公歷陳山川要害、出入之形勢，與夫救民湯火之急、混一之機甚切。阿朮為奏，錫金鞍一、異緞一，比至，公已卒矣。公之卒，在戊辰二月十有八日也，享年六十。娶克石烈氏，順淑有容，中表愛敬，後公二十年卒。男八人：長曰儼，先襲曲陽千長，公没後，復襲順天新軍總管。某年，改襄樊舊軍總管。又某年，山東經畧副使。又某年，佩金虎符、岳州管軍萬户、昭勇大將軍、岳州路達嚕噶齊。魁梧幹敏，有局量。讀書，五行俱下。挽强近六鈞，遇虎，輒斃之。惜其年壽不永，某年月日卒于岳州之公署，時年四十有三。次曰侃，襲儼千户。攻襄樊有功，改管軍總管，又改淮西宣慰副使。某年，佩金符、嘉議大夫、沿海左都副元帥。今除寧國路萬户，鎮高郵。詩筆清峻，有時名。次曰傑，以質子扈從一十九年，特授奉訓大夫、亳州知州、兼管内諸軍鄂囉。次曰某。次曰某，次曰荆山，早卒。次曰某，次曰似，皆讀書有立志，稱其家兒也。女六人：長適千户宋山甫。次適萬户邸澤。次適初。次適總管孚某。次適史某，丞相開府公之孫也。孫男五人：長曰某，就元降虎符，襲其父昭勇之職，今鎮郴州。餘尚幼。女孫六人。二十八年，初奉命行臺江南，過高郵。侃謂初言：「先人于吾子最知愛。先人没二十有五年，墓碑未有銘。於義，吾子亦當為先人大書特書也。」初聞之聳然曰：竊念壬辰北渡後，諸侯各有分邑。開府忠武史公之于真定，魯國武惠嚴公之于東平，蔡國武康張公之于保定，地方二三千里，勝兵合數萬，如異時齊、晉、燕、趙、吴、楚之國，競收納賢俊，以繫民望，以為雄誇。迨中統建元，罷侯置守，諸賢萃於朝及分布内外，迄今餘十年。其生存零落、功名事業，因大小之不齊，考其有子、有孫，終始以享榮位如公家者，蓋不一二數也。初未壯時，曾接公謦欬，觀其沉毅雅重，不見崖岸，如萬頃陂；運籌幙府，料敵制勝，如古宿將；酒酣，歌謡慷慨，則如幽并豪傑。至于治家、教子，種種有法。以今觀之，如公豈易得哉！初不佞，辱公東床之選。今有是命，何敢以不才辭？謹作銘曰：

公資沉默憎囂贏，百冗一過無留形。讀書耻作章句生，胸中隱然十萬兵。武康開國收時英，入幕得公如鯢鯨。上前敷奏誰使令？一語韜賞開皇明。屯田有策人苦耕，不墮不校成豐登。譙之久廢將復城，狐狸叫嘯鴟梟鳴。旃勍伏夜來衝騰，籌畫一倚公支撑。謂公不遂荆南行，相國奏白公能名。謂公胡遽天奪齡，不及拜覲江南平？九泉之下公有靈，兩兒虎節摇光晶。墓頭有石石有銘，可以考之垂日星。

故水軍千户郝公神道碑銘

公諱德昌，姓郝氏。其先太原人，後遷新安之涞城，因占籍焉。父亮，自行伍間從蔡國武康張公取河南，以功升千户。領水軍，屯杞。乙巳，以疾卒。三子，俱幼。公，其季也。公之叔興襲職。公從母氏歸鄉里。母棄家入道。公往依季叔温。及長，婿於張材趙氏，器識已不凡。甲寅，興屯亳。庚申，自鄂還，卒。興子幼。蔡以公奇男可用，中統二年，奏授銀符，嗣厥職。時其母邢氏在中山，尚無恙也。公輂歸亳，朝夕奉侍，人以孝稱。其年十二月，蔡國公之子萬户宏畧帥亳師攻宋。公前鋒得捷，宏畧解衣衣公。三年，李璮以益都叛。宋人乘間取蘄，公從宏畧擊走之。至元元年，與宋人戰於龍岡，又捷。五年夏五月，萬户賈文備奉旨選將校知水戰者，俾營漢江教閲，以兵五百七十人給公，隸信安巴圖張喜麾下。公於風濤洶湧之間，舟楫艘艦，凡所動用無不具。開合進退，緩急響應，鉦鼓旗幟，號令一新。喜用是益奇之。九月，進攻襄樊。明年秋七月，公以舟師斷宋糧道，與宋人戰于宜城南之灰洲，宋人莫敢進。又明年，灌子灘、饑虎崖之戰，皆大捷。八年四月，母邢氏卒，公奔喪于亳。既襄事，始還軍。時漢江暴漲，宋以舟師數萬，沿百丈山遡流而上，以援襄樊。阿珠都元帥遣公審視形勢。公悉具水道淺深，可速一戰。帥府即發諸道兵。公領戰艘十二先入，大軍乘之，宋人敗走。用是，奉授金符。九年，攻樊城。十年，攻襄陽，且益所隸水兵至七百人，仍以楮幣給之。厥後，黄家原之役、沙洋城之役、新城之役，咸有功。其年十二月十四日，沙武口渡江。公方督戰，為流矢所中，以卒，時年三十有四。諸將莫不嗟惜。一子，嵩。十三年，江南平。朝廷以公没于王事，就元降金符，俾嵩襲其職，散官忠勇校尉，鎮江陰。二十三年，征交趾。二十五年，三翼水軍俱没，獨嵩一軍得還，遷中千户，今鎮通州。一日，來廣陵，具公行實之狀，請曰：「先人早世，至元十二年，以先妣趙氏合葬于涞城先塋之次。後十年，繼母王氏卒，亦已合祔矣。先人剛勇有志于功名，為國家効死力。前後數十戰，未嘗敗北。不幸竟没于陣。有此不書，無以垂後世。墓碑當有文。嵩不肖，辱公甥行也。敢再拜，以為請。」初以嵩年少能自樹立，且孝謹可尚，乃按所具狀，為序而銘之。銘曰：

河朔諸豪推興王，武康開府收英良。公之先世班戎行，從攻河南掃秭糠。兄亡弟繼繼復亡，諸孤牙牙孰否臧？蔡公識公能持將，以奇用奇斯所長。天開混一機已張，營江教閲排風檣。宜城之南百丈傍，以少擊衆莫敢當。朝廷賞功金符黄，公益有志匡時昌。沙武督戰如鷹揚，流矢一中乖所望。天假之年逢平康，寧免虎節摇輝煌。公乎公乎無嗟傷，子克嶷兮文且强。千秋萬杞來涞鄉，有碑玉立千丈光！

故征行都元帥五路萬户梁公神道碑銘

梁，嬴姓，非子之後。秦仲有功於周，平王封其少子唐於夏陽梁山，是為梁伯。其子孫以國為氏，如梁益耳、梁嬰父，皆爲晉大夫。汾，晉地，平遥，其屬縣也。公之先家於平遥者，其世蓋久，然自公始大著。祖諱顔。父諱秉彝，好施與，鄉人以長者稱之。娶郝氏。生七子，公，其第三子也。公諱瑛，少有大志，勇力絶人，善騎射。金季，中原受兵，所在郡邑，望風奔潰。戊寅，聖元大師國王領兵南下。公曰：「天也！死填溝壑，何益？」乃率衆詣軍門上謁。即授元帥左監軍，使撫定居民，攻諸城堡之未下者。公屢出奇計，招誘降附凡百餘所。明年，從國王掠霍，踣沁、潞，經太行，大膊懷、孟。又明年，入關，秦隴悉定。用是，錫虎符，升征行都元帥。以縣行汾州事，俾公領之。兵火之餘，户口蕩析。公安集有法，人始有息肩者。戊子四月，武仙陷平陽、太原。州介於其間，卒莫敢犯。國王檄公進兵。仙大敗，即棄城走。己丑，入覲，特授金符，御前千户。明年，扈從南征，至鳳翔俾西和、興元等十數城俱下。壬辰，天兵次唐、鄧。公率前鋒與金兵戰於鈞之三峯山，大破之，河南震恐。時降附軍民日衆，他將以糧絶不給，欲盡殺之。公曰：「殺降不祥。」凡隷麾下者，悉不得死。其父子、兄弟離析而復合，俾籍於民幾三千餘人。乙未，從元帥達海甘布入蜀。宋人守瞿塘，衆不克進。公作皮渾脱以濟。達奇之，奏權征行萬户，留鎮興元。戊戌，又從達公圍資州，踰月始下。達怒，欲悉坑之。公曰：「今始得一城而坑之，他城未易下也。」達善其説。公喜曰：「吾起身鞍馬間，不啻百數十戰，未嘗敗北，所全活者亦不下數萬計。」壬寅，宋人陷成都。公與先鋒圖薩擒其四川制置陳某，成都平。丁未，公年五十有七，告老，不允，詔公充西京、平陽、太原、京兆、延安五路萬户。詔太原，以子翼襲行軍千户。公以太原甫定，民多離散，懇閩于朝，給復三年。於是，四方來歸者三萬餘户。刑簡令信，境内以寧。丙辰三月二十四日，卒於居第之正寢，享年六十有六。越五月，葬于本邑麓臺里先塋之次，禮也。夫人温氏、翟氏、楊氏、劉氏。子男四人：曰羽，太原路管軍千户。曰天翔，朝列大夫、雲南諸路行御史臺侍御史。曰某，早卒。長即翼也，今遷成都轉運使。女四人。平遥李思齊、忻州長官塔齊爾、京兆路兵馬總管馬祐、太原路鎮撫都彈壓李燦，其婿也。孫男一十人：偉，宣武將軍、行軍總管。儀，偊。傑，秦王府侍衛。俌，太原路管軍千户。時佐、時中、時正、時仁、時義，俱有立志。女十人，七適大族，三在室。曾孫男一十四人：長思賢，次思敬，行軍副萬户。餘幼。女一十五人。天翔與初有一日之雅，謂墓碑未刻，請文其貫。乃按所具狀，序而銘之。銘曰：

天地草昧間氣鍾，豪傑乘機騰其中。漢唐之初如囊鋒，聖元乃有平遥公。公之譜系嬴本宗，世稱善人服於農。風之從虎雲從龍，千載一時公實逢。萬夫肝膽誰爭雄？批秦抉晉天為紅。望之而畏羆與熊，其心休休如有容。救降釋俘扶疲癃，并氓至今猶呼翁。天之報施亦已豐，若子若孫咸登庸。麓臺之原汾之東，龜螭有文園有松，千秋萬祀何終窮！

故鎮國將軍太原李公墓誌銘

公諱元佐，字祐之，太原人。粹於律學，有《删注刑統賦》、《刑名歌括》傳於世。金之省部、臺院試補掾者咸出其門。在汴梁，與元遺山遊，稱：「祐之，余鄉曲。為人寬博疏通，精於吏事。」為名輩所推重如此。譜牒散失，其上世不可考。娶馬氏，錦州大族也。一子，斐格，早卒。二女，長適大理評事遥授許州同知祥符劉仲澤德潤。二甥：曰好禮，正議大夫户部尚書。曰好謙，四州同知。次適進士順聖魏思廉庭秀。一甥，曰初，江西湖東道提刑按察使，改授少中大夫、侍御史。癸巳北渡，公偕評事留金臺。明年，公與夫人相繼逝去。評事公權厝之清苑縣竹宅里。後五十七年，好謙將卜葬其父與兄於完州之富樂鄉朝陽村，乃舉公與夫人之柩，葬於劉氏新塋之東。初適赴召來燕，與好謙會，不覺泣下，謂好謙曰：「不肖奔走衰病，不能成此宅相，徒以丘山零落，感發悲嘆而已。今吾弟克辦此，初宜銘。」銘曰：

嗚呼鎮國！初不知其天之所以善者之祀或絶，而惡者之蔓更為之昌熾。抑其偶然邪？蒼蒼者或於是而無意耶？嗚呼鎮國！有子而早世，有甥而即同。秩秩幽宮，公於其中。倏然而來，倏然而往，與造物者將無窮。又何必以芻狗之土苴為污隆？

有元故京兆醫學教授趙公墓誌銘

至元十四年九月二十有八日，京兆醫學教授趙公以疾卒。其年十一月十一日，葬于咸寧縣之洪固鄉。又四年，其子讓與果持鈞臺韓澤之狀，王府典書孟文昌之請初誌諸墓。初謂讀書向道、不失世守，且見稱于當代，生獲榮享、死得安厝，其亦可書已。公諱友，字鵬舉。三世業醫。為人愷悌簡質，不立厓岸。幼事科舉，有聲場屋間。壬辰，崔立以汴降，公為軍士所掠。天成萬户紀侯知其為書生，且善醫，遂加禮敬，與之北歸，館于其家。戊戌，朝廷設科取士，公中賦、義、論三科優選。戊申，西來長安。凡人之病傷於寒、不能汗下、目瞪上視、面黧肌斑、狂走叫呼，陽極似陰，陰極似陽，或陰陽交雜，衆莫之辨，公投劑立效。用是，知名關中。至元丙子，皇子開府于秦，擢公教授京兆醫學。公益讀書設科條，開諭後進，竭情濟物，弗嗇賤貧。及疾且病，召諸子，戒曰：「吾即不諱，勿浼我以俗，葬祭惟禮制為歸。」仍以譜系付之。翼日，卒於正寢，享年七十有一。始，公之六代祖楚世為澤州人。楚生卞，卞生準，準生信。信三子，長諱順，公之祖也。以大定二十年徙居河南之登封。順亦三子，長諱元，公之考也。妣魏氏。皆葬登封。公娶曲河李氏。子男四人：曰讓，通經傳，尤長於《春秋》，以辯治聞，復領教職。曰育，有幹蠱之稱。曰業，早卒。曰果，愿而文，能世其業，今辟侍秦邸。女三人，適望族。孫男一十人。女三人。曾孫女一人。銘曰：

士氣益降處益薄，忮售争誇靡攸作。百年耆艾嗟零星，後生且老孰與作？如吾趙公豈易得？為學為醫俱有得。少時習氣老不衰，日教諸孫課文筆。病傷於寒世所難，況在疑似陰陽間。公能審定濟勇决，昨日危岌今平安。鼓鐘於宫聲四馳，薦譽交口王為知。顓門之學罕所見，俾集生徒傳心幾。始終條理方有説，一病不起夫何為？天之報施亦已厚，若子若孫能孝思。咸寧之原洪之鄉，有趺在龜文在螭。千秋萬古過者式，是為國醫趙公碑。

蒲陰霍君墓碣銘

至元十四年，朝廷以監察御史霍君按覈川陜。初適分司東川，與御史遇於褒城，遂自漢、沔、利、閬抵順慶，相從幾一千三百餘里，用是，得欵接言論。始，御史自東曹掾辟補樞府，自樞又辟省，在京師凡十有一年。交從中，以有風度、有持守見稱。第以冗奪，未暇欵密也。以今觀之，向所得於交從者為益信。明年二月，御史將東歸，乃謂初言：「先人有志量，喜功名。甫四十即退居鄉里，以經史課諸子。百未一施，賫志九泉，蓋有望於天祥輩也。天祥自筮仕以來，戰戰兢兢，不敢有一毫自肆。每感念先人之志意，恨無以詔後世者。敢以銘請。」初不敢以不才辭，謹按所具狀為論次之。霍氏，其先出於周。如光，如去病，未嘗乏其人。惟隱德不仕者，則無譜牒可考。公諱安，字安之。其上世居蒲城之荆山。金泰和間，因避兵於祁，祁帥賈侯愛公倜儻直諒，公亦喜侯之知己，遂占籍焉。嘗佐賈侯攻定城邑，以功俾督税課。凡增羡，一錢不没己，悉輸官。侯以是益賢之，欲更擢用。公懇辭，買田於祁，不復以世務縈其心。有詰其故者曰：「以公才器、志量，取青紫如拾地芥。為爾退處且耕且織，何自苦如此？」公曰：「吾平生喜功名。遭時多艱，志願不遂。今老，且諸子齒長矣，不與之教挈，恐未有以起吾宗者。」聞者稱之。如是十餘年，以疾卒，享年五十有七，葬于蒲陰之白家莊。娶李氏，勤淑有法，能奉承公意，督率諸子甚嚴。今八十，神明不衰如平時。子男二人：長曰天澤，次即御史也。女五人。孫男三人，女四人。先是，公從賈侯破汴，獲生口且衆。北度後，悉縱為民。公卒之日，有號哭自遠而至者，詢之，汴俘也。公賦性果毅，踈財尚氣。吏事，其最長者。今其子立朝，卓卓為才御史。天之報施，概可見矣。乃作銘曰：

肅肅羽翰，既奮復戰。公之有志，貽厥孫子。鐵冠其昂，門閭景光，公不為亡。

先君墓碣銘

先君諱思廉，字廷秀。生於明昌元年之八月五日，壽六十，卒於真定無極縣之寓舍，實己酉正月三日也。後二年，葬於房山羊頭原。桑乾丘壠固在，房山之塋已三世矣，敢敬附焉。先君業進士，文賦有聲。性愷悌，與物無競，而嚴於家範。嘗撰先世遺德曰《家塾記》，其後序曰：「自吾高祖朝列為一原，曾父酒使、季曾參政，派而兩之。或以文章而升，或以門地而進。舍此之外，不由他道。不苟求，不奔競，未嘗有悖理傷道之過者。以政事觀之，不須觀循吏。以耿介觀之，不須觀獨行。以忠義觀之，不須觀顏氏之弟兄。以讜正觀之，不須觀陸贄之諫論。以文章學問觀之，不須觀儒林。以母氏之賢淑觀之，不須觀列女。子孫能講誦以味之，不猶愈于慕他人乎？用是，自天會，歷大定、明昌、真祐、正大，迄于中統、至元之間，雖支派分布，而繼繼承承，知有本統者，蓋於是記有考焉耳。」先君之曾大父諱子貞，用弟參知政事諱子平之蔭，終於兆答酒館使。以長子景元，贈定遠大將軍。始，考妣既喪，主管家事，佩無變世守之訓，循循侃侃，鄉里稱焉。曾大母，不記其氏。大絫，其叔也，奉承如賓。大父諱允元，改德元，定遠之仲子也。承叔父大絫蔭，仕至甄官署令。嘗謂諸子曰：「我家貲可約五萬餘貫。渾有幾，不若供汝輩讀書。泰則登第；不登第，猶足以學自守。」於是館請高公瑞卿、王公冲之，歲不下千餘貫。又與游皆當世名公鉅卿也。壬辰北渡後，襄陰人王革以書抵我靖肅君曰：「令先丈任上林署丞時，或三日五日，會党世傑、趙文孺、魏搏霄、張仲淹、楊敏行諸公，禮極豐腆。徹膳，令諸昆季讀賦。教子嚴重，傾動京邑。」大母，同邑平地人西京轉運同知高公之女也。賦性沉厚，内外無貴賤，莫不敬愛。先是，署令君以事抵燕，夜過黄嶺，聞異香二十餘里。未幾，大母歸於我。壽八十六，封鉅鹿郡君。父諱珪，改諱笏，字君玉。署令府君有子凡七人：曰琉，業進士，弱冠承父蔭，終於耀州庫使、散官懷遠大將軍。曰瑜，業進士，早卒。曰琦，進士登第，户部郎中、行六部侍郎、散官太中大夫，死於河南郟城之難。曰玠，神童及第，終於延安府司獄、散官朝列大夫。曰璠，登進士第，出繼大絫之子，法物庫大使諱叔元之後。正大八年，京師戒嚴，擢授翰林修撰。召恒山公武仙入援，及歸德，城陷，北還鄉里。名聞天朝，庚戌，被徵。是歲，卒，享年七十，皇贈謚曰「靖肅」。曰玉，業進士舉。篤志力學，府，會試屢得上捷。因避地唐州比陽縣，與友人苑德茂者入山，不知所終。先君之父，其最長也。虞夏文不勝質，終煬時年十有八。後補入太學，聲聞藉甚，為流輩所稱。春秋私試，三作監魁。與張巨濟、馬至道、馬柔克並驅争先，無得而優劣之。不幸七赴殿選，終於貞祐三年恩賜而已。用是絶仕進意，養心守道，澹乎其世味也。右丞尹公仲安、尚書曹公仲寬、大司農張公維賢欲薦於朝，不應。母高氏，運使曼卿姪女也。聰慧妙巧，年二十二以卒。先君娶李氏，太原公祐之之仲女也。文雅和厚，巧慧孝謹，中表咸稱之。太原公粹於律學，元遺山書其《刪注刑統賦》有云：「祐之，予鄉曲。在汴梁，與之游從。為人寬博疏通，精於吏事。」其為名輩所推重如此。再娶班氏，本豐州人。其父任至許州録事，有能名。三子：長曰鑑，命繼靖肅公祀，今名初，江西湖廣道提刑按察使，李出也。仲曰鈞，湖廣行省令史。性剛直，能自刻苦，不肯俯仰於人。季曰鉉，早卒。二女：長適孫氏，亦早卒。次適延氏，早寡，不以貧窘累其節。皆班出也。孫四人：嫡曰必復，翰林國史院編修官。庶曰可大、可久、可亨。女孫二人：曰文，曰都。曾孫女二人：百壽、秦娥。初伏讀先君之記，有曰：我魏氏自季曾輔政以來，享禄位者有之，不能盡其實者有之。不知天意將如是而已乎？將有以待於後人乎？於是於先大父、於先君益有所感泣焉。先大父文章、禮法，施為注措，足以建世業於當代。朝廷限以科舉資考，使恢奇磊落之士鬱而不信，其治亂蓋兆於兹矣！先君方刷羽天池而圖南溟，世故已變，且壽不能逮時，可哀已。嗚呼！壬辰之變，世族大家，其子孫不零落者有幾？間得存者，復有杞宋不足徵之歎。初輩雖不能肖似，藉賴先世遺澤，知自守而已。歲時伏臘，過家上冢，鄉人喜松楸之無恙，則知天意良有在也。謹再拜。銘曰：

紀先世之德業，用照後人。雖不偶於時，其澤孔殷。子孫念之，尚毋變吾先君世守之文。

故四路屯田達嚕噶齊王公墓銘

至元二十一年，初自河東提刑副使承命赴臺。將戒車，醫藥教授呂某賚府教官王弘嗣狀，為太原治中王居敬請銘其先人墓。初謂：余來太原未再期月，又按部別郡三之二，於居敬未審其行業，遽叵撰述？某曰：「今風俗中處富貴者例以聲色狗馬為意，其懇於光揚先烈者有幾？君自下車，雖以擊姦慝為職，苟於孝思有良心發見者，抑豈不可勸獎之乎？不然，是絶人於善，使無由以自拔於流俗也。」度不可辭，乃考所具狀。公諱蒙固岱，秀巖人。少習軍旅，事烈祖皇帝，以戰功授西京、太原、真安、延安四路屯田達嚕噶齊。辛卯，治忻州，課農有法。明年，大饑。公言於上，咸逋租，以所屯糧給民，無私焉。時簡車徒頗憂，公抗論得止。又請於朝，發倉粟以賑饑荒。聖天子即位，詔領屯如故。至元五年，告老。十三年正月二十八日，以疾卒，享年七十有七，葬於定襄王村之西北。娶程氏。子男三人：長天澤，以謹愿稱。仲天祐，先公一年卒。季居敬，嘗侍春官，以勞遷今職。七女。八孫。祖，忘其諱，金鎮國將軍，始居東京。父益魯，襲封千夫長。母青氏。銘曰：

於惟王公，此為幽藏。永千萬年，考兹銘章。

張處士墓銘

處士諱謙，字無咎，順州温陽人，居燕凡三十年。我先大父靖肅君嘗被命於朝，薦中州名士六十七人，謂無咎言行孝謹，可正風俗。用是，當路者欲辟之從事。無咎辭不就，讀書學道，以教授為生業，於世味澹如也。未幾，其母卒。居無幾何，其三子繼卒。又無幾何，無咎亦卒，獨其妻裴氏在焉。有兩女孫，並幼，貧不能葬。總管趙彦澤買棺以埋之。友人王惇甫請余銘諸墓。銘曰：

俗紛紛兮莫治，心澹澹兮自怡。讀書兮守道，毫髮兮無違。豈昌衍兮敢冀，天曷為兮不憖？遺風蕭蕭兮樹蓊，山空空兮鳥歸。懷佳人兮不可見，望蒼旻兮涕洟。

代楊德榮祭濟瀆文

德榮自惟菲薄，凡所任荷，或出彼入此，不無愆譴。然所以得康靖寧謐、無大驚懼者，非神降休貺，曷克臻至？所當薰沐蠲潔，奔先致敬，親執祀事於廟廷之下。今以羈役所奪，愧責尤深。而區區之誠，千里一心。薄奠往敷，神其降監！

祭王五宣撫文

惟公事親有道，馭民有方。撫弱有惠，禦强有剛。初佩虎節，再要郡章。及物之澤，浩然莫量。此先相公之德，所以愈久而愈光。嗚呼哀哉！以先相公之德望，繼之以我公之所長。宜其禄不止百世而厚，業不止百世而昌。人期公位，必為望郎。人期公年，必保壽康。理不可恃，倏然隕傷。郡失賢守，宗亡善良。識與不識，莫不涕滂。況在親舊，悲何可忘！矢辭寓哭，侑此一觴。神寧知之？裂我肺腸。嗚呼哀哉，尚饗！

木庵塔疏

方外若人，固豈求名之是篤？生前知己，忍能見義而不為？歲月雖遥，情文猶在。木庵上人，百年耆舊，一代宗師。有承平愷悌之遺風，無蔬筍葛籐之習氣。接迹於趙禮部、李屏山之後，定交於雷御史、元遺山之間。字如東晉而不凡，詩似晚唐而能雅。秋風杖錫，遂駕鶴而不歸；白草岡原，尚勒銘而未了。叢林四海，生死一心。不獨昌黎已摛文於李觀，會如郭伉能買石於施卿。（以上《青崖集》卷五。以上張文澍校點）

全元文卷二六八

劉辰翁　一

劉辰翁（一二三二——一二九七），字會孟，號須溪，廬陵（今江西吉安縣）人。景定三年（一二六二）進士，時賈似道專國，方殺直臣以塞言路，辰翁因對策極論之。以親老請為濂溪書院山長，江萬里、陳宜中薦居史館，又除太學博士，皆固辭。宋亡，託方外以歸，遂不復出。元大德元年卒，年六十六。（據《宋人傳記資料索引》）著作有《須溪集》十卷、《須溪記鈔》八卷、《須溪四景詩集》四卷及《班馬異同評》。（據《須溪集序》）今存有《須溪集》十卷、《須溪記鈔》八卷、《須溪四景詩集》四卷。本書所收劉辰翁文，以民國刊《豫章叢書》本《須溪集》為底本，校以明嘉靖五年王朝用刻本《劉須溪先記鈔》（簡稱「嘉靖本」）、文淵閣四庫本《須溪集》（簡稱文淵閣四庫本）。集外共輯得佚文六篇。

東桂堂賦

中州劉君端伯，扁其教子讀書之堂曰「東桂」。客有過而問曰：「東烏指？」則應之曰：「胚渾發於仁氣之温厚〔一〕，事業方乎青春之磨礱。物所從始，總名曰東，豈以出乎震者，然後顯發生之鴻蒙？」「然桂烏在」？「堂即桂之宫，人即桂之叢。善培植，根莖葉菁葱芽荄，萬實皆一氣之所充。」「敢問秀氣之所鍾」？曰：「吾之桂，不待移栽於八盤之絶頂，亦豈遠躡乎五嶺之遐蹤。其蟠然於清虚之府者，乃密陰之所同。及其一日而來天闕者，乃清芬之所從。詠遊其間，啟明發聰。暮而屬思，膽靈肝通；朝而運筆，活兔生風。其花也豈有不攀而挹，其香也豈有不薰而濃者乎？」言未既，明輝澄徹乎冰壺之内，清影流入乎震杯之中。主人於是指而示客也，人以山河大地者□□婆娑，婆娑其出乎，必由析木駕蒼龍，浴滄海之清潤，沐陽谷之和融。故其延光舒采，鄰滿璇穹。郄生得其一，而為瑞世之詞藻；竇氏得其五，而為毓秀之陰功。兹乎萃東堂之四，而斯所以為機會之逢，是則名之所定也。客乃整襟肅容而謝曰：「君將以主乎生者為東，而以根諸心者為桂耳。欲梯丹霄、乘素魄，以漱其芳於二十八宿之心胸，君之志，誠大已。膏之沃者其光炫，根之溉者其菡濃。君誠益修乎人事，兹乃大契乎天工。然則斯堂也，薰兩間之仁氣，會合璧之光重。夫既已蜚英騰茂於爾嗣，而且流芳垂耀於無窮也。猗與盛哉！」（豫章叢書本《須溪集》卷六）

［一］胚渾發於仁氣之温厚：渾，文淵閣四庫本作「暉」。

重建中興寺巖主殿疏

中興禪寺，古佛舊遊。香火與西峯同，殿宇在東廂下。喧卑近路，敝漏經年。將拓地於祇園，改奉公於方丈。與萬衆瞻仰，於百代因緣。興費不貲，開修共喜。以金剛杵，扣銅鐘鳴。古佛實在山中，嵌巖自可；世尊所住園内，杖錫曾遊。别來幾度菜花開，到處千年豆子熟。塵埃小殿，風雨東偏。白衣紫帽，有時而重逢；畫壁青苔，不知其非舊。迺有長者，遍觀道場。於十笏室邊，得一袈裟地。可以佉界，應於當陽。昔破屋數間，偪側復偪側；今堂方丈，中興又中興。誰為雪山牛？更起法筵象。施無不報，爰以是申。

鷺洲書院修造疏

鷺洲初建，共傳洛水之將興；龍漢一消，又怪孔堂之欲壞。樹苦心而容蟻，瓦墜地而為鴛。倘一木不支，則四維俱廢。浮屠之宫，老氏之宅，無不可為；於謳之子，雒誦之孫，奈胡弗力。此文獻第一，為冠冕中興。梁木其壞其頹，何至發兩楹之歎；宫廟之美之好，尚復還數仞之規。

鷺洲重修書院疏

江臨萬竹，好如滄州之畫圖；葉落滿廊，謂是何人之古殿。不可以當吾世，而忌者畏人修。況古心教思之無窮，而今日上意之所鄉。宜自靖自獻，毋其壞其頹。宗廟衣冠，誰不在弟子之列；室廬風雨，政恐為執事者羞。

胡山長題屋疏

子雲擔石乏盡，尚存一區宅之苟完；元龍湖海歸來，未有百尺樓之可托。如蛛絲屢營而弗就，宜鳩婦見笑於無能。然後庸人皆得而易侮之，是則世尊所謂可憐憫者。吾嘗為爾再三瀆，君亦慨然九百辭。今年無錐也無，未知所得；大人好烏亦好，諒不加疵。豈無一枝，栖此三匝。痛矣瘏矣，念夫小人皆有斶廬；饘斯粥斯，烏乎何時而止此屋？

齊沙永濟渡疏

市渡再溺，有為新船易敝漏者。倘有田贍養，其利無窮，故名之曰永濟渡，而為疏云。

渡來無跛男子，更自誤人；親見如屈大夫，可為流涕。是為長者，易此漏船。宜一人唱千人和，謂前車覆後車戒。有田幾許，即度長生。財者君之所輕，何如命重；川何人而不渡，所得福多。

城南渡疏

老衲一日告我，市心兩渡，歲歲溺人，是將何窮？何人渡此，而不凛凛。願以衆力買田，代渡歲輸。更造大小四船，月贍渡子。使行者援手得濟，免於厚邀重載，輕棄人命。一僧能爾，聞者喟然。

星橋沈鎖，遂成海市之汨羅；春水橫舟，又見慈航之溱洧。憐伊九死，作渡長生。使來者如恒河沙，多誕登之於波羅密。許若一籌一渡，亦多滿計於幾人；間思萬箸萬錢，竟是曾成於何事。徒能言耳，正自愧之。

南鄉渡疏

渡船再敝，今得巨料，改而新之。其賈尚多，更藉衆緣。

一衣帶水，如鉢頭摩；三翼版船，即波羅密。況已具鴟夷之匏落，第欲求鳩集於灰釘。譬海圖拆，短褐成；須棹歌舉，衆工和。此舟渡處，何止深四五尺、受二三人；每數計之，又當積幾萬籌、容數丈室。

嘉禾路疏

嘉禾門大塘路雨餘濘甚，改甃為佳。即日興工，衆賢樂施。是大功德，小約千年。

長安之遠在日邊，有人來；萬里之行自足下，過橋始。是天上路，亦徧諸方。泥滑滑也哥哥，車行行兮苦苦。今自某至某，且可十里；曰小東大東，何啻萬人。從歡喜心，少少許，多多許；嵇康莊道，高高平，低低平。

中華山路疏

友王華甫夢中華山白衣老人立冠束帶，揖且言曰：「子有心願，其忘之乎？」怪而問焉：「君為何神？幸以教我。」乃指洞口以迄路隅：「如此聱牙，哀彼重跰。自某至某，既勤梯高；何斯違斯，不使履坦。」華甫驚悟，以告劉子。劉子從史，為作是言。窮華山之絶徑，半九十里；用茅蹊而成路，甚八百盤。犖确犖确噫吁嚱，委蛇委蛇撻拳跼。有能相率扣懇，而投滄海之尾；亦可平行㪍䣛，而度横山之間。夢固有因，誰其語兩黄鵠；事無不了，君不見三石牛。十人同心，百日千丈。

吳仙路疏

路徑不平，未免令人剗削；擔子稍重，難為獨力承當。始自丹霞觀前，直至三軍廟左。道坦坦，昔者君子所履視；泥滑滑，今則小人多怨咨。幸有石，可以東補西填；庶使人，便於南來北往。騂騮開道路，賴衆人心力向前；鵰鶚在秋天，有萬里雲霄直上。功名無量，錢穀幾何？

修吉水縣學繪禮殿疏

六經方册，如日月之明、四時之行；萬代宫牆，有宗廟之美、百官之富。匪為觀美，示有等威。豈聖人為百世師，而君子以天下儉。爾於夫子肖矣，曷其報罔極之恩；毋使後人加之，而有無能為之笑。

為陳隨隱作其父藏一祠堂疏

乃翁藏老，在琴棋詩酒之間；是子相攸，為歲時伏臘之計。雖有少稟，實無幾求。但助浣溪之十箋，亦為平地之一簣。偶然題作木居士，是在諸君；可以配食水仙王，即成故事。

能仁寺建清涼軒立山谷像疏

寺有清涼軒，山谷留題，是為詩人祖。往年去寺門外立詩人堂，又以詩人堂為會拜所。愈無據老冲，欲清涼軒作詩堂，像山谷，補殘廢，寔宜起吟興，又宜詩友，衆人必遂成之無疑。

金華仙伯，今如百世上人；茅屋幾椽，但有當時一句。苦無頓處，誰記曾來？更以耆英會，而皆詩人云。焉知山谷字之為元祐跡，乃於招提境而作清涼軒。使來者徙倚而沈吟，亦居然交契於冥漠。江西非無半山老，似是别宗；寺門若遇駱賓王，尚能同咏。

普信院建佛殿疏

錦繡名山，鳳凰拱揖；旃檀古刹，龍象莊嚴。幾年安住道場，一旦幻成魔境。無量華樓閣，謂與法身、化身、報身而俱存；推落大火坑，乃至牛車、羊車、鹿車而莫救。（以上豫章叢書本《須溪集》卷七）

王喬山修造疏

王喬山為廬山别館，樓閣天成，龍湫神異，真昭應福地也。建炎屋毁，遊觀盡廢，重興道院，以待陵仙，推芳名之留不朽焉。

康廬山五老人，龍鍾而下；晉尚方一雙舄，梟石猶存。精舍起而道香香，靈淵存而夏雨雨。地欲改闢，宅亦上昇。石鐘殷其餘音，丹竈恍兮出谷。以天地諸山之有名姓，可風雨四方而無室廬。仙人

雖可以等□期，會言近止；吾獨何為在泥滓，遠想慨然。（《稀見中國地方志匯刊》據雍正刻本影印《瑞昌縣志》卷七）

乞致仕牒　代盧摯

當職伏自去歲到任，未幾感觸風寒，宿疾發動，病態叢集，實慮難勝職任。具呈江南諸道行御史臺[一]，及移文貴司，備申憲臺，以求醫歸田為請者，屢矣。亦已疊奉臺檄，不蒙准申。自惟選耎闒茸，重以疾病支離，猥荷睠存，揣己揆分，何以得此？慚悚之餘，徒有策勵疲駑，黽勉朝夕，顧雖涓流塵坌，無益崇深，而庶幾圖報萬分之一者，似亦不可棲遲冥默、寂然遂已也[二]。自爾以來，力疾治事。又經八九箇月，終見大病之後，精力難於平復。飲啖無味，不食自飽，皮膚皴慢，不能充食。兀坐少頃，已復昏睡。今方首夏，尚未炎熱，腠理不密，動輒自汗。南土氣候不常，時或風雨，稍覺凉冷。衆皆絺綌，己獨衣裌；衆皆衣裌，己獨挾纊。但遇陰晦，腿膝注膇，步履蹣跚。目視昏近，兩耳重聽，心思憒憒，事多遺忘。當職年雖未及六十，其衰瘁癃老之狀，雖年踰七十者未必至此。欲望憲臺許准致仕，養疴山藪，別選賢能以代，其處公私之間，俱為便益。雖古者大夫七十致政，却緣《禮經》所載，四十始仕。摯在稚幼時，蒙世祖皇帝天地大造，教育作成，年及弱冠，疵賤姓名已登仕版。今上皇帝嗣登寶位，圖任舊人。以摯遭際先朝，服勤帷幄，多歷年所，擢置侍從。居無幾何，選任方岳，歘歷中外，垂四十年。

儒者之榮，至是極矣。由是而言，較之古四十始仕、七十致仕者，從政之年，已過《禮經》所言者已數年矣。又近代熙、豐間，范蜀公鎮年六十四，遂致仕而歸，援以為例。彼以論事不合而歸，摯以謝病得請而歸，酌古準今，何不可者。雖摯於范鎮，無能為役。欽惟主上，聖神武文，遠追勛華，尚何區區宋氏熙、豐之君所敢擬倫。而豈可使宋獨有六十四致仕之鎮，而吾堂堂聖元獨無五十餘致仕之摯也。又緣御史、肅政，俱為風憲之司。肅清風俗，條格具在，即允所請，其為風俗之助，誠於大體有所關繫。當職陳乞之言，初非好奇矯俗，蓋古有以退為進、飾讓釣名者。當職涉閱載籍，凡有此類，每撫卷嗤笑，以惟可恥。今兹移文，求醫致仕，既無規避，又有故常，欲望憲臺，鑒其悃欵[三]。雖年未及，因病有請，懸車之典，得從摯始，實為榮幸。

[一]具呈江南諸道行御史臺：具，文淵閣四庫本作「其」。[二]似亦不可棲遲冥默寂然遂已也：似，原作「以」，據文淵閣四庫本改。[三]鑒其悃欵：悃，原作「烟」，據文淵閣四庫本改。

答劉英伯書

辱贄書卷卷自清溪陳君來[一]，自是每見清溪，輒抱愧不能報。於是踰年又二月矣。非獨藥冗客冗，顧亦欲致君一來，或勝報書云云耳。而聞諭教興國，恐愈久不復，可望清溪歸，亟草草圖之。英伯高才妙年，又雅致絶俗，嗜好不倦，不惟文古，字又古。蓋得書三過讀，讀罷，急欲識英伯極談，而異邑相望，懷抱如塞，非甚相愛，則不敢言。凡文必成章，自《孟子》、《莊子》，皆成章之文也。故其辨博反覆，必自極其意，不極亦不容釋。然每章千累百而止，而力常有餘，若大遍江河，雜以風波起伏，竭人情之所欲言，窮事勢之所必至。則秦漢與諸名家合辨賦而為一人，又非區區之辭令、應對、叙述間比也。如此而又不達，則不達矣。今人高韓文，亦其自稱道特甚，在唐人衆多中最甚達。若循其意之所欲言，言適盡意，亦不過如時文止耳。間有數字數句，費人講説，及得其用意，槩不得不爾，又非如子雲輩，數數可厭，為遁辭，為蔽意，終亦不得為奇耳。然亦未得如歐、蘇，歐、蘇坦然如肺肝相示，其極無不可誦。回思宋初時用意為古文者，與同時負學問自為家者，欲一篇想象不可得。近耳如葉水心、洪容齋，愈榛塞矣。文猶樂也，若累句换字，讀之如斷絃失譜，或急不暇春容，或緩不得收斂，胸中嘗有咽咽不自宣者，何為聽之哉？柳子厚、黄魯直説文最上，行文最澀，三百篇情性皆得之容易，如「駕言出游，以寫我憂」、「知我如此，不如無生」、「道之云遠，曷云能來」，雖婦人自道亦能此，而不朽亦以此，若皆如「懰兮」、「燎兮」，固所未喻。況首尾聯複不自厭，如《左傳》所謂「艱難其心，而有名章，徹豈不悲」？願英伯從是一掃削去，若百行中，有十行是能自喻處，快讀一過，亦足以不負白日矣。曩在場屋時，欲令考官憒憒中驚發，況千載而下，求其文者知其心，非明白痛快，何以哉？此自英伯所易，直過之耳。尚有一恨，恨英伯好奇字。六經自劉歆傳寫外，無一難字，豈可謂無奇哉？舊見魏鶴山，取篆字施之行書，常笑其自苦無益。近年如楊慈湖畫心字，文本心畫雲字，在邯鄲匍匐中，曲折愈不相似。自𠀤學以來，鍾、王眉目可喜，何嘗顛倒横竪，自不可及。若如彼所自為，于字體則謬，于經傳則乖，不知何所取也。三十前，見文宋瑞取古文集墓誌行狀，當時雖不能讀，心甚異之。後見石經本，方悟何物杜撰，而晁公武輩不知也。必欲字字為異，亦難；必欲字字篆就，亦難。仿篆文作今體，為古𠀤，易不易于汗簡乎[二]？科斗乎？秦隸人無識，不至此者。蓋世有狂道人，喜為左字。彼見篆體一二，如炢如咊[三]，遂欲一施之，使見者駭以為異，甚可笑也。聞北方蒙古寫《通鑑》，儻識之乎，即用此古六經，何不可者。作文作字，皆一種意見，諒好古，甚以為賢于不好者，然不若不好也。豈有英伯，記問洋溢，奇字填胸，顧能彼不能此。每有來者，皆俗子，得清溪，又得英伯，誠所願。以老者故，復出此，欲言豈此而止。短紙行筆，素不喜作小字，牽强殊不傾倒。便舟過我，作數日客，并進所聞，唐突見絶，未可知。惟卷卷如此，不宣備。（以上豫章叢書本《須溪集》卷七）

[一]孱贊書卷卷自清溪陳君來：孱，原作「辰」，據文淵閣四庫本改。　[二]易不易于汗簡：汗，文淵閣四庫本作「竹」。　[三]如炢如咊：炢、咊，原皆作「秋」，據文淵閣四庫本改。

謝有山黄提舉啟

公卿久不下士，可謂輕先[一]；才能不逮中人，顧堪聞上。獨安取此，亦使知之。公求士，甚於士求公；上援下，不以下援上。何汙而為之洗耳，何嫌而至於絕交。彼將不屑以為名，我乃無言而不報。但存交際，亦是風流。如某者枯木朽株，死灰復溺。文好文，景如景，已不如人；公不公，孔不孔，又何有我。同年四海，足下家君。相結淺而相知深，其身死而其言立。父為九州伯，兒為五湖長。光遠有它，上有百尺絲，下有千歲岑[二]；夤緣無路，建臺三四月，薦士第一人。豈曰秦無，特從隗始。棲輪坐角[三]，固知推挽之不前；繫帶還珠，愈覺綢繆之無益。茲蓋伏遇某官，英才妙選，雅望高情。不倒屣于雁門守，而倒屣于王潛夫，激揚甚遠；未下車則荀慈明，既下車則孔文舉，講貫已多。肆先鶚表之翔，又重鶴書之墮。然而近觀所主，稱匪其人。雖大夫薦不聞與之大夫，自無過慮；國士遇則當報以國士，未知所為。

[一]可謂輊先：輊，原作「輕」，據文淵閣四庫本改。　[二]下有千歲岑：岑，文淵閣四庫本作「苓」。
[三]棲輪坐角：坐，文淵閣四庫本作「生」。

回劉守招啟

伏承張燈元夕，領客公堂。民樂遨頭，願聽春冰之鐵馬；坐招續尾，共看大樹之銀花。某夙戴二天，欣陪午夜。豫想妙曲笙歌之外，得聞豐年語笑之親。有懷謝私，尚容稟控。

贈王國鈞歸燕啟

馬周獨酌一斗八升，誰識翹林之貴；孟子不受兼金百鎰，若為旅瑣之供。愛之，能勿勞乎？兆也，足以行矣。憭慄兮登山臨水，胡能無情？富貴者送人以財，請以為贈。

贈滕王霄入京啟

有一男子，長歌于楚澤之中。乘萬里風，自致于燕臺之上。蹇十年不調，逾三月聚糧。何衆口誦佳句，諠而萬言，不一杯直。阮籍駕車窮途，哭而返，豈達者哉？王郎拔劍斫地，歌莫哀，有知我者。方今官無買價，賢有聘書。行而過東、馬、嚴、徐之間，亦不在秦、黄、晁、張之下。騎將軍馬，已看當路之同升；愛丈人烏，更在諸賢之樂與。

贈士人入京養親啟

三釜及親，人生之至願；五十當貴，世俗之美談。聊行黄塵烏帽之間，期遂縢籥繡簾之樂。時哉不可失，聿觀衣錦之榮；敝予又改為，請致黄金之贈。使題椽筆，高揭冰銜。

贈蜀人陳定叟赴學官選啟

風簷卧雪，久如鄭老之冷官；春水濯纓，忽報山公之啟事。自古京塵化衣不得者，一日唐肆建鼓以來之。我後子先，時難機易。鳥有飛而六翮亦在，毳毛骨而買之千金。况其生馬，使冉子與之粟，即祖生着我鞭。善孺子術宰平，久知其器；大丈夫志天下，何愛吾言。

贈劉恭叔問屋啟

南村群兒欺子美，何可復言；東頭一間著士龍，亦云不惡。去女去女莫顧，違之違之何如？居然卜三兩作隣，亦或笑五十步止。剥牀闕足，移具借車。是雖彈鋏而得廬，也須束緼而請火。温公若干省，宣微若干省，少者數千；伯通第幾橋，丁卯第幾橋，存之異日。

贈家古劉教干米啟

擔簦負笈，共知學古之入官；毁瓦畫墁，自愧童蒙之求我。弟子笑妻啼之在列，從者愠糧絶而莫興。長此安窮，薄言往愬。雖三年不志于穀，但當求干禄之書；然一日弗食則飢，殆見索枯魚之肆。乃為《乞米》之帖，以代《采薇》之歌。令壺齟伊，僾亞尚亡恙者；訥籠那鉢，剌薩惟所與之。

贈同舍水俊聚糧啟

蓬居及溺，幾為東海之浮漚；秋至啼飢，又見西江之涸轍。蕭然瓶粟已罄，意者裹糧而來。種荳為萁，何以卒歲；采薇薇亦暮，不如無生。第欲一囊之如侏儒，遂以三餐而適莽蒼。舊時指廪與之，與之辭；今日叩頭嗟來，嗟來食。士而至此，誰不慨然！

賀參贊入新府啟

潭府新成，上公卜宅。黄河帶，泰山礪，一朝柱石之尊安；新甫柏，徂來松，千載棟梁之負荷。樂衆人之同樂，居天下之廣居。履此高華，伏惟慶懌。某叨承一障，政切萬間。祝君子之攸寧，與皇家而有永。祥開朱芾，豈惟占夢于熊羆；恩捲珠簾，更喜棲身于燕雀。

賀遷入山居啟

聒耳市廛，每恨入山之晚；藏身林壑，要為避地之謀。相望無頃步之遥，回視有塵囂之隔。松下不妨喝道，花前自可啜茶。幽興相關，雜聲不到。我輩忝友朋之舊，今朝逢好事之新。倍懷阮杖之錢，大作漢酺之會。

賀造竹亭啟

開洲栽竹，恍如淇澳之風；肆筵刱亭，隱若渭川之勝。蓋有此則門清可款，若無此則人俗可憎。故子猷不可一日無此君，而蔣詡所以三徑待良友。顧我賢主人之氣習，而有古君子之風期。亭已落成，竹增觀美。亟馳草檄，以約良朋。倍懷阮杖之錢，滿置孔樽之酒。春風共往，可人參玉版禪；秋月偕遊，滿地看金鎖碎。

賀造花庵啟

深巖絶洞，曾聞竹徑之通；小圃層坡，近有花庵之刱。何心機之巧運，與智匠以精營。春則桃李覆簷，夏則萱榴映室，秋則芙蕖繞徑，冬則梅竹横窗。其餘百卉之駢羅，未可一名而槩盡。燕遊其下，滿身紅影交加；高卧其中，撲鼻清香旖旎。是為樂事，可乏慶儀？約詩友以携壺，期心朋之覽勝。座間行令，任情摘取以傳枚；月下醉歸，乘興折來而簪帽。時不可失，檄以偕行。

賀造水閣啟

畫棟朱簾，不羡滕王之西捲；翠簷碧瓦，未饒漢相之東開。況此中有緑沼之迴環，更向上接紅樓之縹緲。規模壯麗，輪奂鼎新。信經營不日而成，必富足多財乃就。賢者亦有此樂，君子不可虚拘。是用醵金，少伸賀禮。

賀造船亭啟

昔有隱君，曾造舫齋而燕處；今聞長者，亦為船閣以居遊。蓋以世路險若驚濤，人情激於駭浪。每切臨淵之懼，時興浮海之思[一]。曩逐浮沉，左右若亡維之楫；近方勇退，安閑如不繫之舟。乃搆小亭，深求此義。既畢工而就搆，須澆酒以落成。用斂芳樽，以成樂事。酒鑪茶竈，不妨為鷗侶之盟；釣具漁蓑，可以效魚鄉之思[二]。

[一]時興浮海之思：浮，文淵閣四庫本作「泛。」　[二]可以效魚鄉之思：思，文淵閣四庫本作「態」。

二月請人啟

九十春光，已入半分之景；二三公子，可無半晌之娱。與歡伯以共謀，屈賢人而同集。雖非勝賞，聊可清談。閒日樽前，欲相從于竹葉；春風洞口，莫見笑於桃花。甚愧坐邀，專容侍謝。

答赴啟

坐看斗柄，春移二月之辰；笑捧雲箋，日有群賢之集。方欲長壽千金于此際，乃命抗塵一介于其間。鐘鼓園林，幸得歡娱於暇日；門牆桃李，可慚依倚於春風。畧具稟酬，即容會晤。

花朝請人啟

親朋落落，慨今雨之不來；節序匆匆，撫良辰而孤往。輒修小酌，敬屈大賢。因知治具之荒凉，所願專車之焜燿。春光九十，又看二月之平分；人生幾何，莫惜千金之一笑。引領以俟，原心是祈。

答赴啟

燕語春光，半老東風之景；蟻浮臘味，特開北海之尊。紀樂事於花前，置陳人於席上。相從痛飲，但慚口腹之累人；不醉無歸，幸勿形骸而索我。

社日請人啟

自同田父，日逢五戊之期；乃命麴生，時復一中之意。可無名勝，相與笑談。請篤叙於久要，望過從于半晌。春風花費，與鶯燕以相關；新雨桑麻，話鷄豚而具樂。率然申禀，幸甚丙原。

答赴啟

駒陰過隙，甚嗟浮世之流光；燕子來時，又是去年之風物。吾聾政甚，佳召賁然。感軫念之良勤，敬奔趨而敢後。邀我賞春酒，况當花柳之辰；願為同社人，長共枌榆之樂。

上巳請人啟

光景長虛擲，上巳甫臨；人生能幾何，良辰難再。敢屈羣賢之雲集，共娛三月之春和。鳥羽飛觴，猶記蘭亭之舊；金環壓轡，願為蓬舍之光。

答赴啟

三月三日，清明天氣之新；一咏一觴，少年風流之舊。極知厚意，以及陳人。蘭亭賢咸集之時[一]，賓酬主唱；《金谷》詩不成之罰，吾戴頭來。

[一]蘭亭賢咸集之時：咸，原作「感」，據文淵閣四庫本改。

清明請人啟

清明節物之來，春光欲老；穀雨茶香之嫩，風味方新。欲為款教之圖，敢致屈尊之請。梨花闌外，恐空負此良辰；蓬蓽門前，敬肅迎於明日。仰祈惠顧，容罄謝言。

答赴啟

無花無酒，方嘆興味之蕭然；一咏一觴，遠想幽人之暢叙。忽承雲翰，如對風儀。且過辱乎寵招，敢敬承兹佳惠。杏花村裏，何須更指於牧童；竹葉尊中，行即相從乎歡伯。

遊春請人啟

問柳尋花，又動少年之興；提壺挈榼，擬為明月之遊。可惜歡娱，幸成閒暇。願竊有請，寵為賓席之光；甯適不來，第發春風之笑。

答赴啟

岸花汀草，無限風流；春雨暮雲，有懷故舊。忽拜瑶箋之貺，許從金谷之遊。召命有嚴，會言敢後。每蒙一笑，知與物以為春；如有隱憂，豈微我之無酒。不幾屑屑，更復云云。

遊春請人啟

緑暗紅稀，春色已隨流水去；黄封清酌，風光宜作掃花遊。篤叙蘭金，屈臨葱玉。人生行樂，為仰天拊缶之歌；酒債尋常，盡每日典衣之興。

答赴啟

風雨閉門，想落紅之狼藉；雲烟滿紙，來翰墨之淋漓。且蒙燕集之招，敢後梟趨之至。浮仍臘味，故知緑蟻之相親；作送春詩，但愧吟貂之難續。

初夏請人啟

摘青梅而薦酒，日切懷人；撫緑樹以成帷，春歸如客。公等一笑，人生幾何？野蔌山肴，願無嫌於菲禮；緑陰幽草，更當勝於花時。

答赴啟

午陰嘉樹，政荏苒以驚心；秋月華牋，忽嬋娟而在手。且承寵命，尤及良辰。願偷一日之閒，來共羣賢之集。枇杷初薦，恰當首夏之清和；楊柳新條，更向餘春而擾亂。

端午請人啟

五日甫臨，誰復有獨醒之趣；諸賢咸集，可能無一笑之歡。輒開桑落之尊，少屈葱裾之佩。甚相思之如渴，政重綢繆；共痛飲以讀《騷》，何妨酩酊。

答赴啟

葛含風，羅叠雪，不到閒人；蒲切玉，黍包金，有來雅命。既蒙呼召，敢不共承。試浴蘭湯，況是金蘭之同氣；仰看艾虎，也隨蒿艾以上門。

三伏請人啟

坐甑蒸炊，難消長夏；解衣盤礴，得及閒時。聊為浮瓜沈李之歡，非有烹羊炰羔之具。相與共此，尚望惠然。清風來故人，掃我一涼之地；濁醪有妙理，問渠隔壁之家。

答赴啟

政愁炎熱，撫長日以蒸人；忽有清涼，挹好風而在手。且承河朔之飲，以及山中之遊。擁篲及門，當不嫌於褦襶；脱帽露頂，幸勿責其疎狂。

七夕請人啟

跂睆女牛，又是雙星之遇；灑掃斗室，輒謀一夕之歡。嘉與英標，共談靈匹。亦一年而一會，曾幾見而幾回。固知乞巧之兒癡，未能免俗；將以屬饜于情話，寧適不來。

答赴啟

瓜果盈庭，想見西樓之樂；梧桐落葉，自憐南院之貧。以斗杓七夕之時，乃俎豆諸賢之後。七襄為報，愧無織女之章；一笑相歡，敬佩主人之意。

秋社請人啟

節物匆匆，八月之五戊；朋游落落，一代不數人。聊因分胙之餘香，輒欲屬餍於情話。牽率鄭重，慚愧蕭條。燕去雁來，能幾堪於離别；鷄肥酒熟，且相與以從容。

答赴啟

鴻雁秋風，久疏芳訊；鷄豚社日，忽辱佳招。感主禮之殷勤，念田翁之牢落。即容趨赴，拱侍笑談。孺子無能，不是陳平之意氣；細君可惠，無嫌方朔之滑稽。

中秋請人啟

千里共明月，起故人何處之思；幾日又中秋，動老子南樓之興。有懷數友，還酬一尊。欣賞桂華，撫少年兮不再；庶幾如願，共此夜以相歡。

答赴啟

今夕秋期，正羡十分之明月；可人風度，忽來五朵之祥雲。甚感故情，不忘俗客。南樓之興非淺，既辱相招；北海之尊不空，願同一醉。（以上豫章叢書本《須溪集》卷七）

全元文卷二二六九

劉辰翁 二

送人入燕序

往時吾州去行朝千七百里，長亭短堠如畫，衢信之間，華堂逆旅，高堂蓋道，憩車繫馬，不見晴雨，列肆青樓，倚門成市，行者如織。然場屋之老人、山林之退士，有終身不出邱井，聞東上而笑。今燕臺萬里，而又塵沙暑汗，野無流泉，苦寒裂膚，通薪後爨，謁選者羣千百滿年歲，固有僥倖非常，而流落者尤不少。視往時邸都門僕承受坐而得要津近次者難易相萬，此宜裹足不敢望分寸。顧鄉里小兒起白身徒步，如蠅附驥，如隔牆取果，如維摩臂見異國舉津津焉動其心。諒無一人能安分白髮者，豈昔之能者皆静退，而今之往者皆英妙耶？意者科舉廢而瓦缶鳴，官簿非而狗尾續也。香林張提舉柱在今朝以當路保舉發身〔一〕，賢勞歷任，非鑿空詭遇者比，獨家食有年，欲一動不可得。春半來别，謂將北首，予善其斯行也〔二〕，為言今昔之變以慫恿之，以見夫求者不當求、而處者不當處也，又以見香林時才之選而今否人之風也。然則入都之日，謹毋以吾説示人，謹毋以示同進者。須溪云。

[一]香林張提舉柱在今朝以當路保舉發身：柱，文淵閣四庫本作「桂」。　[二]予善其斯行也：善，文淵閣四庫本作「喜」。

贈周秋陽序

吾評周秋陽，不獨志行落落難合，而文字亦多犯世諱。其講義懸合處，類與所謂禪學相出入，可諱也。詩雖流連景物，他人以為隨世可樂者，未嘗不痛飲大噱，而其極嘗有流涕可憐之色[二]，讀者神傷，可諱也。疊是二諱，可以長嘯而立於獨矣。顧俯仰不能無求，嘗往復千里無一遇，獨皇皇師友間，意得一言自信，塵視宇宙何足，復誰不知「淮陰圯上，霜朝晚步」，意象有過此否？持此四方行已半世，使吾言而有益於飢也，不當更求，求無益而迂未已，殆亦未可解也。凡窮達有命，至使人罪詩，詩又自罪，罪之甚，至自誣，首如坡公，烏臺磊落傾倒，猶恨不竟，豈盡吹求洗索之故哉？十數年前按章月課，言某人背師説，或竄棄不齒，終身如負大僇。吾嘗欲取諸賢高處得之佛老，形聲俱似，骨脈都非者，比而陳之，可以覽觀有省，然且不敢，異哉秋陽將舉世非之而不顧者非邪？吾遊冶城讀晉元帝廟碑，慨然想見清談千載之上，劉後村遂用為詩，本水心意也，皆所謂文章豪傑之士特自有見者也。雖然，學問何用，文章外有事。世道若此，未可以前非為是，以吾説為据，以能此為足也。後山太虚知己，尚願屢瞥。

[一]而極嘗有流涕可憐之色：色，原作「邑」，據文淵閣四庫本改。

贈倪生謀屋序

安成倪方大既見以卜居卜之我。數年間求我者衆矣，或驗，或不驗，故厭薄未有以對也。偶夜坐風雨中，慨然念之，孰有以無廬，望我而不恤？孰有以無廬養母，望我而不恤？追惟往時，屋陋不庇寒暑，洎奉親人，翹館分東府，起江東寓，揮麈連春光，最後都城借全府別廨，皆極華屋，而吾母亦見棄於此，卒未嘗有家，君子舍之樂焉。今雖益宅數間，使吾惘惘如逆旅，以此方大方行四方，吾欲使子卜之，通達之中，如吾舊耶，其亦不可得已，如吾晦者，亦無及已。毋亦蚤謀一枝以饘斯粥斯，不至如吾舊吾晦也。嗚呼！孰有以無廬養母而不恤如吾者乎？如吾者能言之而已，能言吾平生而已。

贈尹方亨入蜀序

往時士大夫入蜀，動稱萬里，吾鄉如劉茂中，以選人罪籍往，其弟又以布衣往，皆不得已，而皆改官以通籍歸。如羅子開，又以納粟取二千石，稱普州使君。其後蜀愈壞，至朱南山開鄉閫求從遊之士，許京削賾萬券，猶有慟哭於江濱，如趙仕可者。又非瘴烟絶域也，其上青天如死地，斯世之所以不可為類此。近年南北混，蜀道通，士又無所為往，乃有出門西笑，如見邛竹杖鑿空而起者。幸無罪戾之逃與格法之拘，獨以布衣徒手捐妻子，棄墳墓，以其身輕百丈，上瞿塘，歷鲊甕，如可喜。而又無萬券京削與改官二千石之望，往往直以成都如錦，青城之上，在在如牡丹坪，可以悦心目、忘鄉井，歸而可詩道於衡門檀轂之下耳。則喪亂以來，比荆湖江浙[一]，又不足道也。吾於是奇尹方亨矣。使異時人人如方亨無以為，又耐辛苦，輕寒暑舟楫，世道亦不至如此。今雖如此，而又有不樂鄉井，不愛京浙名，東書遠館，獨藉手吾一言若輕舉，而初識天地之圓方，如方亨者又亨矣，吾安能使子局局然一室哉？雖自走嶢關，出長安，秣趙刷燕，登黄金臺，騎驌驦馬而歸，可也。

[一]比荆湖江浙：比，原作「北」，據文淵閣四庫本改。

贈采詩生序

古巷歌故俚，采而删之為風，楚非無詩，計其所遺，若《祈招》者衆矣，此騷辨之所不能平也。唐時采詩盛而童謡絶，猿啼鬼泣，里無歌聲。今宋又如唐矣。嘗疑李杜以來所不泯没者，非其自致於人，人豈復有喧衆口誦百寮上者哉？而近年感慨之作又甚矣，雖《新安》、《石壕》、《秦中》諸篇，何足以盡喻其苦，而亦何可以得回思兒時所誦中冓之言、狡童之刺，不知其國其人，何能自克，蓋誅絶之罪也，於是宋詩遠矣。安成故楚，乃有兩生彭丙翁、胡復初者起而收拾之，自喻采詩，將四方巖穴無不有其跡焉，甚盛心也浩然，賨之予以行。余謂采藥名山，可計程必得。今江湖有幾畏塗滿眼，不惟有霜霧之勞，而又有虎虺之患，裹糧逆旅，侍見從容[一]，或未及見，而其人已不可得矣。蜜之於蕊，日課也；海之於珠，歲利也。若無所利而歲為課者，惟采詩乎？然使吾不出户庭而坐得所願者，兩生力也，俱妙年俱作者，故所好獨在此。而自其邑首塗出北[二]，而遇火為之徬徨累日，如有求而不獲，余亦不能却也。蓋些余魂於焦爛之餘，拜而送子，勉哉！詩之窮已若此。

[一]侍見從容：容，原作「客」，據文淵閣四庫本改。　[二]而自其邑首塗出北：北，文淵閣四庫本作「此」。

贈宋司獄序

獄無輕重，絶人命，江南春病癘，秋病暑，高明者或不免，況獄户隘，繫日重，有一宿而斃者，有一人斃延一鄉者，彼以為輕罪而頌繫之無害，而不知其害之至此也。吾聞司獄宋子貞，每三日即取輕繫者上之，催結絶。盛哉，仁人之用心！以余所知，其甚難者，又不一事焉。有仇當路，當路於既往安而執男子之嘗館者，意其計已鞭之甚，夜且斃，付有司焉，子貞受而全之。迨旱慮囚，白以其非罪久繫，請卒脱之不測，使衣冠父子相保者，子貞力也。有捕盗不獲而更失其卷者，既獲盗問焉，盗不勝掠，則謬曰嘗賄吏盗之，集羣案吏使識之，最後執其一曰是已，吏寃痛誣服，然盗亦哀其亡罪，則愬於皋陶鬼曰：「非我也，奈何？」子貞聞之詰盗〔一〕，盗愬於皋陶，子貞載其語白郡，郡不聽，及盗棄市與吏俱，子貞力爭不可，得緩死。久之廉得其案於廢卷千百中，然後上下駭服。當其時非子貞，此吏幾不可贖，然此獨職分宜爾。其所居巷有老人，日不食，食酒酒敗，幾没於酒，子貞起而調護之厚，又適其情，老人得不甚病，其施恩不報，用意於無情，類此。此余所知也，余所不知復不知其幾也，子貞不求余知也。余疾夫譽人者之過其實也，故直以余所知者言之如傳，使勸且戒焉，而亦非求子貞知也。

〔一〕子貞聞之詰盗：詰，原作「語」，據文淵閣四庫本改。

贈李生談星序

頗有言近年樵谷星術者，問誰氏，曰永豐李公卿子也。家故儒，識今古，其來也，因問之曰：「天不變，道亦不變，信然耶？東都莊遵一夕為客星帝座間，暮年黨錮中荀陳相聚，五百里内見，謂真人東行，其一時將相貴人何限，天之於隱者，獨常目在之如此，故吴中高士恐不得死，而戴逵一仰首即知其為我，蓋天地重在此，不在彼也。何代無隱者，陷亦無姓名者，其皆可見耶？其亦有不見耶？九州之外、千年之久，其有不見於星象者，有之耶？無之耶？天不見耶？其隱者變，天亦遂無意隱者耶？」生無以對。因重謂之曰：「固有妄人得至天上，問何地，俾就蜀嚴問之，彼成都卜知天上，則嘗候之矣，乃天下亦如有嚴君平耶？今天上復有何人，其至不至，生未必不知。會有寄聲問生，生奈何隱。」

贈蕭清可序

秋風歲起歲甚，彼沈沈如山者何恙，所欺獨貧士破屋耳。自杜詩以來，類以秋風茅屋藉口，然宇宙千年所遭甯始此？直賴子美狂歌發之。使子美為千萬間不能，而自子美藉口至今，則千萬間在此矣。蕭同舍清可居虎溪，本亦自渠渠足庇寒暑，變衰厲濟，梁壞成墟，皇皇欲求草堂貲於人。予謂當時王錄事於子美已許甯少靳政，似亦擬掛名集賢間，子美易嗔小詰，墮其計，且微此，孰知當時王錄事哉？然又有仰人栖止、徵為名聲者。十一二年前過某郡，有同舍語我，平生無求，值新侯業置屋邀我，俛仰其間，余兩賢之，問故人地主，乃大不然，蓋競也如清可，介然冥無幾求者，非有求，而無託于無求。以賢人之賢己實自賢者，則求者、與者皆其情之不容已矣。嗟乎！吾故人無屋多矣，吾為故人屋多矣，吾故人為人屋亦多矣，復為清可徵子美如新，清可貧，清可貧。

贈周儀之入燕序

中州人士淵藪，比年可兩兩數，雖由坐井固陋、知聞不廣，抑大故有數如麟如鳳，理不在多，獨恨窮居已老，無繇睹所未見。誦蘇子由贄韓魏公語，泰山黄河之外，遠想慨然。周簿儀之，溪園公子耐軒弟，如食前方丈，家庭饜飫何所不有，然尤有庾家兒慕王逸少意，時時見過論，意不屑去，則其美如此，其進亦未易量也。今其遊上都觀國，必將遍參熟候，初見大方，故與之言坡公焉。方坡公兄弟未出蜀，聞人稱韓、富、范、歐陽如天人，及至京師，見諸老務為寬深不測之量，憮然如有不滿，其言富公無間之可入也，美辭也。其如有不滿者，亦在乎此也。而諸老之厚重可見則亦在乎此也。當其時，朝廷尊嚴，雖以坡老之大，未易干説，如戰國策士之遇。今女子小人未得則怨，而上之人接之者亦歉焉，先有所不滿焉。嗟乎！此一時，非中州極盛時乎？吾嘗論故都一代風流文物，造就後進之美，皆始於歐公，過江乾淳不能及也。向微歐公、韓、富之門，不得為多士。儀之是行，得見如歐公者焉，而後知古所謂得士者，得其一已多，不足多屈也。蕭何奇韓信，客有可傳，此後不傳。

贈鄭簡卿序

濮吴中丞曼卿將為其鄉校禮殿祭器，而使江西省掾濮鄭簡卿實來、江西郎中馬德昌徵余考之古以堅其信。余授意範匠，亦再毀而後合，既與晦翁所定毫髮無復異，惟犧象不能使其中虛四立、蹏註如古，亦以為無益於洞酌，故止。然猶有二憾：王肅云「鑿背為尊」，又云「為牛象全形員尊」[一]，即鑿且負是也，未必所見全牛之非負也。而今鴟夷渾脱，非尊意，一憾。古地坐跪酌飲，故器小而足凡高尺幾寸幾分，謂自此而準，非如鐘律，一黍之不容易，故深衣隨人，指中節為寸，而宣和製器亦有依樣減樣之異，最通論也。減之可，即從是而增，增亦可也。而殿像尊高立，三獸其下如伏雛，二憾。吾欲稍充之，使負尊峩峩如肅所云，理無不可，而又力有所未及，姑存是説以開來者萬一，不為無補，而非與古異，非與晦翁異也。凡禮之起，皆由此也，彼分寸者，復何自而制哉？其深如此，即其高且廣，不得不如此也。故曰：由此而準也。若夫稻粱黍稷之器，宜從竹疏，如籩豆，取其氣四達，坫從土築沙土為之從占占，去聲，有不易其所之義，故可以柱爵，可以奠圭，皆不當鑄。爵有柱，為其反地也。他國君，則奠圭于此。簡卿委蛇謹審，亦欲知禮意者，故特為之誦之。卿名居敬，求所居齋名。余謂居敬而行簡以臨其民，獨欠行字耳，使行之而擾，復何足以臨其民？敬者先立乎其内也，尸居如事帝，則出門如見大賓，則使民如承大祭矣。非器之謂也，感與應，一念也。至簡，至簡，而不容吾力行之哉？故命之曰「行齋」，附為説。

[一]為牛象全形員尊：員，文淵閣四庫本作「負」。

贈琴泉陳生序

謂能琴能仙，人豈信之哉？琴亦不得不仙，音之授人以意者，必之乎海中無人之境，使之荒寒絶壁，水鳴空山，四顧蕭然，將不可以一朝居，而後萬累俱捐，而後冰雪滿懷，而琴亦從是近矣。此與送君者自崖而返，蓋同一悟入，非夫人間世之比。余四方聽琴，就其能者，鏗鏘中音節止，雖堂上娱人若不得已，至能使孟嘗為之霑襟欲絶，則曾不如漁歌鄰笛之去人遠而尤悲，非其絃之不合而意不至也。余臨川陳琴泉有魁然抱南風之興，且其江繁浙淡，得之自然，而無弄琴之色，固已默焉出江湖之上。余心疑焉，因與之言曰：「女知廢一絃而鼓宫，宫動復調一絃，而無一絃之不動者乎？未有一言而無其君者也，君道然矣。女知廣陵之所以散者乎？或者其有君而無民也，不知琴意則已，知必審之。」

贈潘景梁序

吾陋巷蠻蝸氏之間，草樹荒凉，國中貴人無為來者。日者二客談詩去未遠，乃有前驅踵門，下馬低徊，如將就老兵，東偏顧還辟，而主人問焉，則今之行御史濟南潘君景梁父也。坐無俗客，惟詩若文，傾聽不可得絶。余為理二客前語，相顧充然，若再晝，上馬去，復求余書語間意。余謂文者皆不得已也，故傳六經、《語》、《孟》，非問答即紀事，無作意者。下至諸子、史，或一事反覆，或一語酧詰，猶未至無謂，無謂者獨建安以來耳。故東漢皆以西都為妄作，班、馬視先秦如古人，凡沛然成章而每舉不厭者，甚不多見也。杜詩、韓文間以俚語直致，而氣始振。然夔、潮以後之論興而惑者，始不可窺較矣。今言詩，類如子美，散文言者喈喈《藍田壁記》為古。異哉，必求其有謂與不得已，庶幾羌村同谷之音、滕王閣後記之體，乃與無作之作合。夫言雖技也，道亦不離於言。楚非無周公、仲尼之道，道亦不待周公、仲尼始。而有陳良北學者，彼殆以日用飲食之外為他有事也。今君之所聞於北方者，未有非吾之所欲言也。所陳乎詩若文者，又未有非君之所欲言也。夫道如是而已，自洒掃應對，以達於禮樂，則自周孔始耳。道不得已為言，言不得已亦道，繇此雖北宗可也。

贈三同乳子序

丙寅丁卯間，余謝郡坐客次民，有以三同乳子見者，倪侯普撫之如媪，既月稟附學，待其長，又賜帛割俸華其歸，曡曡有恩義，四座環屬目焉，蓋藍氏子也，頎然鼎來，年既二十八，神質各楚楚，語有佳致，念初見童子教且養至此，倪侯力也。三百年忠厚與天地生意長久，士大夫學問識政體，德愛流風聲，甯獨三子慰人意？因骨節，記年歲，傷老大，懷舊俗也。阡陌小人，夜遽求火，常在草不起，子厭丁累，及夫知保抱，亦有弟而兄啼，況駢連二三，更哺迭乳，置猶弗子，濕不可推，天旲紫鳳顛倒不給，其不弱个難也。生兒如虎，墮地或不武，大家嫡庶，弓冶世習，蓬麻兼長，尤不相如。二桃恨而成邱，諸葛降為狗，此獨何師友修飾臻此，其一時競爽，又難也。抑野人獲麟，君子泣之。三子以景、定、元為名次，而各綴之以瑞，因記是年有以一稃三米獻諸朝者，乃改建陽嘉禾，使吾州有諂者如建陽，則斯子為嘉禾，何名三瑞？何再見之為祥？歐公賦蘇梅有云：「二物非能致太平，須時太平然後生。」吾於是，蓋再嘆矣。

贈韓道録序

士患不入官，入官邂逅惡弱，殘州冷邑如因寄枯懸，俸入不足以塞號啼之憂，回思士貴，至欲復為屠羊不可得，士官廢興如此，近年道官比士官則又甚矣。廬陵韓道録自臨川來客天慶。天慶異時置司，兼司持，尚不之羶為甲乙，而來者定巢託食殊窘，免於削伐僦賃則幸耳。吾州寺十百，道宮十不當一，若與僧頭會百處一，税緡計千處一。歐公謂老子數千年才一遇，遇必出於時君世主，然猶不勝，況今世稱道官於不可為之時與寺至多、僧至富之處，破窗暗雨，落葉蕭蕭，師方行吟向壁掃地而坐，聞隔院飯鐘，悟日已晚，飲泉自潔，惟北闕候貴人驛騎即公事。予嘗哀其窮，欲使有力者稍助薪水，顧師無求人之色，故當雅全之。然聞其師自燕歸，則慨然故山之興，若不可留者，獨復捆屨宿舂，又逾月不能往。予笑曰：「猶待蜩翼耶？」師浩然徑去。古云天上多至尊，相奉更若人間耳，是山中勝天上也。人能知山中勝天上，即天仙不與易也，况道官，况吾州道官，其歸去來耶？其又勝來耶？

贈徐心易易數序

豐城雷宜叔初赴殿之日，卜於鄉人胡易鑑，遇臀無膚，其行次且意殊惡，易鑑賀曰：「魁兆也。臀從肉，無膚無肉，獨殿巍然，其上非殿頭何，惜其次且在二三間。」既唱第，果然。他日又卜，發丑魁，得咸之上六，曰：「是在下經第一，又上爻也，無所與讓。」二兆，人皆能言，皆占道所不傳，殆意會俄合，不可為軌，則實變易之妙也。其外孫徐心易，乃獨得之，聽其言，有出於先儒之外、爻象之表，無復魁人魁地，故常事而驗，驗亦常事耳。然可與言《易》天地間無非易也。或得之聲音，或求之時日，或見於字義。故有隨曲射匿云：「吾嘗葬古心公，不克。」卜之市邱生，其卦《革》，邱曰「克」。予未信也。明日而左丞弔焉，復克葬。予問邱，革改也，而不改，何也？曰：「是在武侯《易》革，喪車象也。」視之信，因悟古今字説未盡。倉頡制字而鬼哭，夔無所遁乎？其情也，鼎無足也，而乘舟生焉，雷太虚也，而為盈為實。以之一離日也，推十日而知其子其名牛，推兩日而知其二夫其名昌，神矣！深者心易之變化，意者其出於此乎？謂余身卦小過之恒，昔有筮頤之益，以示郭璞曰：「震銜風，仙卦也，雷山雷風，顛倒適近。」然余常以仙為妄想殆過。

贈廉監司序

踐官不墜，常事若代，有言實高，其前聞人，如臧孫達諫鼎出棠魚上遠甚，君子以為必有後，蓋三世而至文仲，言猶立。盛哉！如臧孫有幾，而泯焉者多矣。古之人，古之人尤難之，吾乃今得之京兆廉氏。廉氏以官賜姓，故至平章尤著，凡司徒、司空，下至倉庾，皆氏於其間，獨氏廉，難也。受是姓，任是官，又難也。吾不能知世道何如前時，獨聞乃翁古遺直如不可復得，吾江西迺得廉監司如瑞，雖使各有職，每懷靡及，而清亦稱已，吾江西公論隱然在之，殆半古而倍，不半古而足也。今其為行臺選表，身愈高，望愈重，其寄國與家愈大，祖道諸賢，櫂風南浦之上，倚去舟如登仙。廬陵劉某聞其行也，喜曰：「我識范君，其持身處已將有為也，將有言也。」固廉氏之遺風不衰，其大將軍介胄之士，蒙矢石，扼蛟虎，雖州縣小吏，米鹽錢穀，馳驅寒暑，排斡山海，豈比乘使者車坐行臺察屬部高簡貴盛哉！而視世事浮沉利害，若無與痦，相顧憔悴，妄發為戒，居常疑陽城七年事，不知此七年間，夙興夜寐，何能自處？人生幾十年，官旦暮不保，少年不自愛，快朝飽、忽失聲已矣何限，獨兢兢顧畏名節不可為，甯負當年、羞萬世，尚論解衣赴蹈急病，況仁聖在上天度如天，吾嘗苦口諭親友、教兒子，雖亡杵亡益，獨聞數年間，吐哺某事某事，趣銷印如不及，歎曰：真英主也。勉之哉！語布衣難，人臣又難，諫人主易，諫英主尤易。

送段郁文序

郁文段君以東平書生爲吾州知事，數相過，論文説詩，氣相同，甚善。然北來馬上，君獨守文飾吏，視書如律，得不迂滯疎廢。吾南士，政坐此。他日聞某事某事强人意，必郁文。郁文乃甚剛毅，難事之長，蒙茸枘鑿，鮮不決裂敗意，君從容其間，能使曲就條理，感移變化而人不知，亦由其審細不倦，而又平心以觀理，微言以達意，故侃然獨立而不忤。使專政得民，不愆于素所爲講畫，詎止此乎？吾平生觸事感憤，或急欲語不自達，雖消磨至盡，終覺激至梗塞，故知爲郁文者難也。吾州事紛糾百它郡，語言成市，吾閒居絶物，猶有議其傲，病其貞者，罪不可諒，故知爲郁文者難也。惜也，君去我，使我無益友以攻過，使吾民不得豈弟以愬，獨有一於此，推此心事上長，位宜得輔，推此心事君，無遂事而諫。物之蒙利者當益廣，而予獨不得闕者，然郁文不當獨厚我也。嗟乎！復有虚心好問如郁文者乎？蓋顛倒羅列之餘，而皆君此自有也。

贈胡聖則序

子美平生流落，拔足鄜塵，丐拾爲資，起浣花草堂。三年而後成，成數月，爲秋風所破。不知嘗復完葺與否？而飄飄江上，避地愈遠，從瀼西，徙浣花，各三宿桑下而去否？今過客耳，身生太平恨晚，生亂離又恨早，居今憐子美，亦羨子美。

贈星度郭大觀序

故友張居中，言泉人某善命。視其弟，命五星，既四正又順服。駭曰：「故都待從命也！然不得科第。」問何故，曰：「喪亂主四餘，不主五星也。」予聳然志其説。於是當國有羅孛者，哀哉地遷運改，將五星廢久，憤而復求用於人間耶？抑其裂有甚於四餘耶？果五星耶？今不喪亂耶？吾儒有郭大觀，得五年前臺歷，盡歷之妙。以是游諸公，曰：「觀人盛哉！」郭，少年之用心也。吾聞大德得禄位名壽。蓋有有禄、有位、有壽者矣，名終不與也。龍逢斬，比干剖，萇宏碧，子胥浮，伯夷、叔齊餓，靈均沈，皆古之無福人也。子識之耶？識之取之耶？不鄙棄耶？而他可取者，則多矣。

松聲詩序

故嘗笑夫莊子之言聲也，之翏翏則翏翏而止耳，之調調之刁刁則調調刁刁而止耳，而何足以傾於耳、瘠於意？所謂琴瑟之壹，吾何為聽之？聲皆出於自然，為籟而有小有大，若近若遠，或離或合，高下變態。磅礴恣肆者未有若夫松之為聲也，夫其為聲也，疎疎密密多多，少亦若多，其徐徐而來也，如解亦如襲，大如驚，沛如決，勃如變色，洶乎如浙江之潮，而未嘗絶也，混乎其昆陽之戰，追奔偪北而不知其所止也，隱乎其天飄之既吸，而阿香之已遠也，其負重而休也耶？其再解再合，而勝者敗者，皆不可知耶？宛兮而似嘯，頽兮其欲醉，微而語，振而舞，有匽者、軋者、沓者、騫者、柔且縵者、如笙鏞者、裂萬鼓而餘烏烏者。蓋泉也得之山石之間，有其雄，有其悲，有其頓挫，而無其韻。若竹之為物，則非無其韻也。則亦如優孟學孫叔敖，俯仰談笑皆似，而疎髯不類，則乍聽皆合，察之而愈遠也。使天地間人才似此，則老成峻茂、文武威風，皆當充塞宇宙。詩而似此，則天矣。豫章熊氏詩號松聲，吾為發聲義，此非世間長簫短笛、一絲一曲比也。欲知其詩者，求之松聲，欲知松聲者求之風，風天也，非松非風，故又發天義。

長沙李氏詩序

陸放翁詩萬首，今日入關，明日出塞，渡河踐華，皆如昔人想見狼居胥伊吾北，有志無時，載馳載驅，寱語出狂，徒以資今人馬上之一笑。然今人馬上萬里，復少此，此曹氏父子所以英雄冠絶，傲睨風塵之表。如長沙梅溪李君庶幾登高能賦，使人謂江南才子，亦不負山川奇氣者。計其所涉歷戰争興廢，不論高臺壯觀、荒邱古冢，史傳歌行，有不盡記，盡記不盡見者，如河出崑崙，窮所未睹。蓋踟躕往返，湛冥濟勝而又有得於父老所聞，證異同，合新舊，或長吟，或浩歌，音節悲慨，不待考其時其傳，寫諸懷抱。鞭鐙所收，無非囊錦，盛時混一，若獨為行卷開闢，書生不出閭巷，按圖拊髀，豈不可羞沮靡徒哉？嘗笑辛稼軒，比來志氣如虹，獨鍾情數曲止。君楚人楚聲，又留連燕趙，解裝下榻，收拾評論少年壯事，直託之流離欸乃，第周旋筆墨間，意亦使人興已老無能為役之恨。吾聞慶卿之飲於其市，歌罷而繼以哭，覽此亦然。

趙仲仁詩序

劉後村倣《初學記》，駢儷為書，左旋右抽，用之不盡，至五七言名對亦出於此，然終身不敢離尺寸，遂欲古詩少許自獻如不可得，故知唐宋大家數未易兼善也。每賦詩，入手必先得一事，伏而後起，最是一病。近年文最少，詩最盛，計何人不作，何日不有。趙仲仁自盱來，出鉅編商畧，迺古詩十四五可取，至五言十可二三，七言視五言又難得，絶句又難得，第其格價，故當獨以古勝。非其才不足兼，家數異也。相過彌月，時時與之上下前人律絶務進於古，然未嘗及建安以來得失，以為佳處已欲無上，不足復贊也。雖然，尚有遺論。後村謂文人之詩與詩人之詩不同，味其言外似多有所不滿，而不知其所乏適在此也。吾嘗謂詩至建安五七言始生，而長篇反復，終有所未達，則政以其不足於為文耳。文人兼詩，詩不兼文也。杜雖詩翁，散語可見，惟韓、蘇傾竭變化，如雷霆河漢，可驚可快，必無復可憾者，蓋以其文人之詩也。詩猶文也，盡如口語，豈不更勝彼一偏一曲？自擅詩人詩，局局焉靡靡焉無所用其四體，而其施於文也，亦復恐泥，則亦可以瞠然而憫哉。（以上豫章叢書本《須溪集》卷六）

全元文卷二七〇

劉辰翁　三

不平鳴詩序

亘古今之不平者，無如天。人者，有所不平，則求直於人，則求直於有位者，則求直於造物，能言故也。若天之視下也，其不平有甚於我，有甚於我而不能自言，故其極為烈風、為迅雷、為孛、為彗、為虹、為山崩石裂水涌川竭，意皆其鬱積憤怒，亡所發泄，以至此也。退之謂四時之推奪為不平者，皆人事之激也。大決所犯，傷人必多，不如小決使道。人之不平所不至於如天者，其小決者道也，小決之道其惟詩乎？故凡歌行曲引，大篇小章，皆所以自鳴其不平也。而其險哀，有甚於雷風星變、山海潮汐者矣。豫章楊氏所為詩是也，其自謂不平鳴，甚善。庸詎知其不平者何故？夫余亦天之不能平者也，不能言故也，故又欲託之楊以鳴。

趙信之詩序

越王之孫，有賢公子，宅於不土之里，而詠無言之詩。此非亡是、憑虛比也。賦秋陽問對，可不須此，坡公直欲以筆墨俎豆杓之千載，非其用意奇崛，孰克知此為時字哉？德麟平生文字則可考已，嘗笑大年小景為元祐脚，自然遠輩畫手宗室，故易得名，生其時，得公重，難矣哉！羅壽可示予趙信之詩，予讚之，歎曰：「此自足矣，豈待附致藉重？使人讀而問，又因而想見，往往以為可人者，顧猶待吾言耶？附翼耶？」本朝有宗袞而無賀白，一恨。然自南塘兄弟，下逮汝芫類，以少許勝多多，近年崇滋、崇澤輩平平，爾汝亦欲與紫芝相望惜也。代衰道墜，誰知其人？信之獨能後四靈酬倡，播為月課，雖吾老矣，望故都鷗社，有欣慨焉，使在二十年前少年若此，豈獨為吾等說項侍奉選也[一]。嘗記古心說趙忠惠兄弟成就番陽湯料理鳥山方，皆極用情，此二三君子，皆以文名天下，在其門或未見。信之好學，意度開美，其於李鶴田也如其祖，於壽可以其祖於田，有之似之云乎光遠而又它有耀者也。天未有懷，塵昏路斷，吾愛公子，豈獨如當日德麟，而止恨無筆力為賦冬陽，信之由礽也。

[一]豈獨為吾等說項侍奉選也：侍，文淵閣四庫本作「供」。

歐氏甥植詩序

詩無改法，生於其心，出於其口，如童謡，如天籟，歌哭一耳。雖極疎戇朴野，至理礙詞褻，而識者常有以得其情焉。上帝板板，下民卒癉，其言俚，不屬於毛，不離於裏，其義乖。小東大東，匪且有且，昔育恐育，鞫其音，鄙其文拙，方言如嚭，猥言如嚏，不雅甚，如殿屎，删後猶有如此者，當自喻也。荆軻、項羽臨岐決絶之辭，出於不擇，《大風》之歌一發，有英氣，比秋風視草遠矣。彼旬煅月煉，豈復有當日興趣萬一哉？因歐氏甥喜改詩，往往不如前為言，吾私未可以，改罷長吟，語害意也。植初讀選詩，間一二語有古意，亦其資近耳，賜也，宜何歌也，古人自量願學如此。唐詩雖不難學，若下橋失步便可置是，然選體復有宜戒，如漢火德稱朱光，魏稱黄暉，或黄祚，月不曰月，曰朏魄，雷雨不曰雷雨，曰解作，以解作對升長為草木，以二鳳為二離，譬以鷄鳴為括揭，凡初仕謂之牽絲手，三十謂之既立，長夜謂之廣宵。又如：雖抱中孚爻，偶與張邴合，莊念昔曾存，案無蕭氏牘，庭有貢公綦，至今亦不知其所指某爻、某張、某莊、某貢、某蕭也。坡公愛歐公教子姪，取古詩中時作對，以為與家人語盡情。吾為歐氏甥竭言之，非好譏評也。使巽翁有孫能味吾言，吾不負巽翁矣。植也未有字，字曰性直。木雖曲，直曲亦必直遂也，從大枝視小枝，未有不直也，是其性也。

連伯正詩序

古之窮詩人，稱子美、郊、島，郊、島以其命，而子美以其時。或曰時與命不同耶？曰不同也。使郊、島生開元、天寶間，計亦豈能鳴國家之盛？而寒酸寂寞，顧尤工以老，則縣其賦，分言之，亦不為不幸也。若子美在開元，則及見麗人，友八仙。在乾元，則扈從還京，歸鞭左掖。其間惟陷鄜數月，後來流落，田園花柳，亦與杜曲無異。若《石壕》、《新安》之睹記，《彭衙》、《桔柏》之崎嶇，則意者造物託之子美，以此人間之不免，而又適有能言者載而傳之萬年，是豈不亦有數哉？不然，生開元、天寶間有是作否？故曰時也，非命也。世變又衰，求如子美當時不可得而厄窮過之，如故人連伯正，乃未嘗與于一命之士，而長吟坐嘯，淒其千百，其詩其命如此，殆合古今窮者而為一人，因為言，古之窮者不必如今之甚，以寓吾懷，傷不可極之思，而其詩之苦則伯正自能喻之於言。雖覽者未嘗不同其時，同其命，直不能如其詩之一二，則得之口者在彼猶我，故雖嗚咽流涕之至，亦無不快然稱好云。

程楚翁詩序

王者之迹熄而詩亡，詩未嘗亡也，而所以為詩者亡矣。方其甚也，顯譏默刺，無往而非怨。人見其怨也以為甚也，不知所以為厚也，猶有望也。蓋至於奄奄延延，其可譏也，以為不足譏，其可刺也，以為無足刺，則昔之怨者曰遠曰忘，雖欲求其復甚焉而不可得，而所以為詩者亡矣。所以為詩者亡，則其熄久矣。讀「匪風下泉」之亂，至於「誰能亨魚，溉之釜鬵」，四國有王，郇伯勞之」，為之喟然歎曰：「詩至此亡矣。」夫其顧瞻周道也，猶有思也，誰能亨魚，則苟有食其從之矣。洌彼下泉猶以為冷也，感無王而待郇伯，則道傍凡木之陰或俯而息焉，而亦不知其非矣。詩未嘗亡也，而至此無可為者矣，雖謂之亡可也。科舉廢，士無一人不為詩，於是廢科舉十二年矣，而詩愈昌。前之亡，後之昌也，士無不為詩矣，所以為詩亦有同者乎？程楚翁歙人也。自歙至閩千里，自歙至江西又千數百里，而去年入閩訪老謝，今年來江西訪予，風霜歲晚，貂裘道敝，再遇却不振，獨皇皇如有求而不悔，自親黨諸人未有出此，況於未識。誦其詩，悴然而思深，佚然而志長，非其中有以自處，孰能反復三千里若無所為者乎？負飯宿舂，行不百里，不得意而返，懲不復出，迂而不可回也，尼而不能止也，其所求於詩者如此，則所以為詩者豈不甚厚矣乎？東漢之季，飄飄遼海者，大抵以求師取友為事。異乎！戰國之客，之秦、之楚，亂人家國者，此則孔孟之澤也。嗚呼！詩未戰國而已亡，戰國復至今而未亡，未亡也而愈昌，王者之迹其有以為未熄也歟？哀哉！

辛稼軒詞序

詞至東坡，傾蕩磊落，如詩，如文，如天地奇觀，豈與羣兒稚聲學語較工拙？然猶未至用經、用史，牽《雅》《頌》入《鄭》《衛》也。自辛稼軒前用一語如此者必且掩口，及稼軒橫豎爛熳，乃知禪宗棒喝頭頭皆是。又如悲笳萬鼓，平生不平事并巵酒[一]，但覺賓主酣暢，談不暇顧，詞至此亦足矣。然陳同父效之，則與左太冲入羣媪相似，亦無面而返。嗟乎！以稼軒為坡公少子，豈不痛快靈傑可愛哉？而愁髻齲齒作折腰步者，閹然笑之，敕勒之歌拙矣，「風吹草低」之句與「大風起」語高下相應，知音者少顧。稼軒胸中今古止用資為詞，非不能詩，不事此耳。斯人北來，喑嗚鷙悍，欲何為者，而讒擯銷沮，白髮橫生，亦如劉越石陷絶失望，花時中酒，託之陶寫，淋漓慷慨，此意何可復道？而或者以流連光景，志業之終恨之，豈可向癡人説夢哉？為我楚舞，吾為若楚歌，英雄感愴，有在常情之外，其難言者未必區區婦人孺子間也。世儒不知哀樂，善刺人，及其自為，乃與陳若山等。嗟哉偉然二大夫無異。吾懷此久矣，因宜春張清則取稼軒詞刻之，復用吾請。清則少遊杭浙，有奇志逸氣，必能彷彿為此詞者。

[一]平生不平事并巵酒：文淵閣四庫本作「平生不平事并盡巵酒」。

郭兼山冲晦中庸説序

吾黨纖悉物理，欲如白黑多寡而後能喻，至言天人性命之際，往往愈析愈離，而真實愈不可得，此《中庸》所以有伐柯睨視之歎也。舊愛先儒釋中，以為一家則堂為中，一廳則堂非中，而廳自有中矣，物理不可謂不極也。然嘗小年觀月，見其若步相隨，人而不知其體之未嘗動也。長而遊四方，觀於星垣斗極，雖極南極北萬里之遠，而目前者猶是也。由是，悟所謂中無不在者，又非一處自有一中也。是理也，嘗言於人，而未嘗言於人。嘗言於人者，無隱乎爾。未嘗言於人者，日用而不知也。新淦尹真定何君示予以郭兼山父子《中庸説》，將刊布之，求序。予開卷即得其大者，了與人意無異，其言曰：「天地之數起於中合，中合之變起於自然，而不可推移，故民受天地之中以生，所謂命也。」又曰：「孟子言，不失赤子之心，此得天命之性者。」又曰：「必有事焉，則上天之載可以馴致，或萌於心，或感於事，隱而未見，眹而未發，皆可謂謹獨。然則謹獨之道何為哉？先儒謂謹其閒居之所為，非必此也，君子豈以耳目聞見為意哉？即十目所視、十手所指，而有不睹不聞者多矣。嗟乎！此非執柯伐柯者之所能喻也。」吾雖欲自以為得耶，則兼山父子已先得之矣。吾言之而有合者何也？彼其學於程氏，得於面命也，非諸生讀語録比也。吾嘗疑程録自有精意，如「鳶飛魚躍」章語云，「與『必有事焉而勿正』之意相同。會得時，活潑潑地；不會得，只是弄精神。」未必或者不以其禪也畧之，非郭氏學於伊川，則必亦以為禪矣。雖然，非取節而言之，又表而出之，則子雲復生未可知也。象山嘗疑《太極圖》絶於吟風弄月之後，以此觀之，又未必然。（以上豫章叢書本《須溪集》卷六）

王氏族譜序

生物一本，今言陳、胡者，曰「舜後」，未有曰「吾瞽出也」。言司馬、歐陽者本禹，未有曰「吾自鯀也」。故譜之所傳、世之所及，必有可稱者耳，計其間絶續轉徙、陵夷湮没何可勝數，而居然十世百世不亂。姑即吾身而論，爲士者有幾，士而不失業而遷者有幾，推而上之，其無名若字如阿大、第五者豈其少哉？而阿大、第五至今云者，亦獨以其仕耳。吾鄉金地王氏北來季稚以十八世孫，譜宋而上，又譜金地而上，則推極其本自黄帝而下。盛哉！雖槐陰與馬糞何别已，皋陶庭堅忽諸多矣。又南又北，得不失姓難；士大夫數世忘祖，閩遥遥以掩口，獨先河後海，跋涉不墜，又難。按王氏爲嬀姓，有姬姓二，有外國姓四，至晉始分琅琊、晉陽不同譜，然濟稱恬從兄，則二譜又似未嘗不同也，季稚一本之帝王似矣。禮，諸侯不敢祖天子，大夫不敢祖諸侯，毋亦以黄帝而上，有未始無始也者，而金地稱長者曰始祖亦非也，非其有田若祠以存，至此後世豈知有長者哉？是其存也，又不以譜也。嘗記賈丞相初牒昌試，賈於族微有憾，揚言曰「天下士夫無它賈」，求即與牒，館中共贊我公廣大、得張子西銘意，是日適客倡賈都都參有孫秘書者素狎，起驚曰：「將無求牒試耶。」四座笑不能忍，似道亦笑而沮。試言生物一本安處此？

北韻序

字出於聲，聲制於氣，皆物之自然者，所謂天命，非意之也。蘇老泉以物之懸於空中，首高而尾下，於是權衡生焉。夫物之初也，何莫不然，道生於一，而縱横離合長短左右生焉，是爲字。獨嘗疑草書之作起於漢省，然狡獪髟髳誰能家至户曉而揣摹習之。雖蒼頡之初，苟非出於形聲情性之所近，將如琱戈泉貨，國異世異，雖今莫能盡識，故方言傴亞常有聲分之字。而無其字者直本制耳。譬之日用，十三卦之後隨時制器何限，而皆有已成之字，極猥陋而無不具，其物陳之吾前，亦無不可識，故曰自然者天也。及至孫亮為之，武氏創之，則不旋踵而廢，無他意之也。凡釋之而倫類不通者，皆意之也。世道反古，横行倒置，蹏迒亥午，乃有北韻南來，簡便同文，又勝昔之韻。畧函三於一，事省文備，夫文者不以律次，則亦何不可者。東平朱簿刻而布之，如睹爰歷，復滂喜為言，其初漢文帝病，士大夫應對多不實，故對字去口，千餘年於此而士口甚願從此省，别約三章。

孝經集注序

東陽厲同舍直之來江西，留臨川，優游俎豆間有年，諸生愛之，未嘗有所求於人，獨時手寫《古孝經集注》，是正次第，如蟲鏤蠶績，久之刻成編纂，轉授以售，則無不售。比來死喪之威，至無復解官持服，有踰年不訃，訃已不奔，稻錦樂，樂無恙；有身為學官，風欒棘不去，賦茅鴟又不去。若此者，豈復可以紙上流涕道之哉？仁哉！君子用心，其使予悲矣。親喪固所自盡也，哭死而哀，非為生者也。喪三年以為制，亦不能不為生者也。今周公以來，防範禮教胥淪喪，哀哉！《詩》云：「孝子不匱，永錫爾類。」直之於是，不匱矣。直之居泗溪上，方求予書泗東書院，將歸而聚習於斯焉。夫亦何以甚精義為即，身體髮膚受之父母，不敢毀傷，其誰不喻？喻即三語，足以為經矣。不敢毀傷者，天地生物之心也。心不桀亡，豈無為子臯衰者？吾言誠過。

甘定庵文集序

去此二十年，臨川胡幼謙嘗校文廬陵，余為京庠時，豐城甘公以幼謙屬我，故知幼謙，公壻也。問公集，幼謙以銘請曰：「方狀公行，未就。」又十六年，而行狀不來，則幼謙亦已矣。乃幼謙之子安詩以公集來求序，序有幼謙之作矣。余何言？念他時再見如夢，夢非他人所知，他人知不能言，乃言之。公壬辰徐榜，余是年甫生，而公以戊午來校文廬陵，衆謂去場屋爾久，豈復能課士，而余尤見迂不入時者，公得余論策，驚賓首選，殆兩窮自相得也。時有省賦魁項教汝明者，别持一卷曰：「余主斯文也，宜魁。」公争不能勝，既相見輒罵叱曰：「牛項屈子。」項不能堪甚，則取公所發策，與余對獻之。其鄉人戴正言慶炣媚賈相，戴得余策，讀之感動曰：「有如此策耶？吾不忍攘其舉。」獨取公，削籍置江州，於是公三削矣。乙丑紹陵登極，古心在政府，余為京教，白公冤榜朝天門，甘某三罪三雪，衆讙歎奇事，已而古心薦擬得京局，余為公擇上日，公驚曰：「見次耶？」是日謝古心為朝士言，余處二人皆以識會孟故，其一人夏司門禹錫，前吉教也。明年，余劾去公代，公去夏代，夏改官日白堂曰：「予諱禹錫，願去禹，諱錫。」賈相怒曰：「有自諱諱耶？亦汰士窮達命也。」而余獨著其連蹇者，傷吾文之難遇與知己之同時，而其與余善者，命又特相似，非牽連不朽，後世復知有吾等哉？幼謙贛尉，名以遜，戊辰第，待次，丁外艱。其校廬陵之二年，國亡。又十三年，幼謙死。平生骯髒，至為文皆似公文，似公復自勝，若公文則有幼謙之評在，善矣哉，余不與易也。公名茂榮，字榮可，其鄉稱之曰「定庵先生」。

劉次莊考樂府序

余嘗與祭太學，見太常樂工，類市井倩人，被以朱衣，及其歌也，前者呼，後者哦，羣雁而起，竟亦莫識何語，而音節又極俚，有何律度？而俗儒按之以為曲，曰樂章。姜堯章至取編鐘、朱瑟，鐵較而字定之[二]，然語言無味，曾不及其自度《香》、《影》諸曲之妙，乃知柳子厚《鐃歌》、尹師魯《皇雅》，皆蔽於聲、質於貌。嗚呼！吾讀文王《清廟》，何其往來反覆，愈簡而愈有餘地，雖不能知其聲，而洋洋者如倡而復歎之不足也，故可歌也。故知依聲鑄字，出於述者之過，中無所見，則如市人濫吹，鬨而從之者也。劉次莊考古樂府，如生其時，又與之上下，至某代，為某歌，往往推見次第彷彿大畧，不失節奏。然謂樂府起漢，非也。古詩皆弦誦，如今巷歌，樂之始也，三侯之章出於烏烏沛中，兒童和習之，豈必被弦歌而後為樂府哉？解題外集古今作，或題樂府而詩近律用，見賦詩者不必本古題古意，而意之所到，亦不必求之四聲響切，而暢此於解題，又最有助。吾嘗謂次莊如鐘鼎，博古無不可考，至其文字，與《東觀餘論》米元章《書史》，兄弟也。

［一］鐵較而字定之：鐵，文淵閣四庫本作「帙」。

曾季章家集序

《詩》自小夫賤隸興寄深厚，後來作者必不能及。《左傳》、《史》、《漢》間記人語言，亦不特公卿世家為有典型，雖何物老人，至鄙俗不可口者，倉卒問對，可誦而舉。科舉興，士能時文而止，而時文亦復猥陋不達，第尺牘何等塗抹絶倒，或繇前名合選大官要職，至斲窗丐買金籠摯致，又不能得能言本色，此雖前輩亦且不免。故楊體文以道士代言，陳仁玉、林光世輩皆以雜儒流修史，所謂偽定一時，後世誰知。予定吾文者，豈可一二縷指而道哉？予既為曾同舍季章埋銘，而其子麟也，舉歐公於聖俞、子美、江鄰幾卷例，俾復序其家集。余謂諸生時文不能如季章，故他作不能如時文，時文外大有事，然亦豈能事事而學？政在時文理到而無不通耳。使季章而在，何所不可為，然使季章至今，抑何所可為，是能使人嗟悼，適復在此，政恐時有可為，亦不過當日為人落落草創，而命遭世盡，闔焉不自見者，所蓄發如是而止，徒吾文如已以為身死言立之遇。然思諸公貴人不能得如季章而用之者，今其人先安在？而季章蕃涸筆墨驚見之如新。幸矣，其今日哉！季章名應璋，墓誌次第可互考。

泰和胡氏族譜序

先王有小史以奠系世，其歸在厚人倫，後世反崇華冑，自損其實，而他冒其名，雖華非其所當，於其人奚益？假如言劉者宗漢，不知婁敬之劉得為漢乎？言李者宗唐，不知徐勣之李得為唐乎？胡之受姓以來，貴且華者，莫踰漢太傅廣，譜胡者孰不詑廣為冠冕。惟泰和胡叔俊獨知廣黄姓，而遡其自出之派，則本於河東以及於金陵，叔俊固知辨名實者。其交子名文可者，叔俊族子也。其人狷狹多奇，尤喜賦新句，觀其志要，有所樹立，不欲苟附借於人。予嘗問其世，文可告以叔俊自叙如此。予因詰之曰：「自宋以來，貴且華者又莫如忠簡公，爾不祖太傅，然則忠簡公後乎？」曰：「吾非其後，固其族也已。五季時有諱贇者，字文美，官金陵，子三人，辟地來吉，伯公霸居廬陵，仲公真、季公陽皆居泰和。公真之後，有曰衍，擢進士，為朝奉大夫。公陽之後，有曰箋，為南城縣丞。叔俊出衍後，而吾出箋派。諸禮簪紱炳如也，印以陽文節公所為《榮福堂記》，井然不可誣妄，雖不忠簡其族〔一〕，固不辱有胡，豈可概言隴西，而混稱瑯琊者哉？」予聞其言，而益壯泰和胡之世有其人也。又復之曰：「剛簡登第，人問忠簡，言非其祖，卒能以直聲振當世，為廬陵異日忠簡。况胡本舜之遠冑也，希舜之人即舜之徒，摳衣於鄒魯門牆者，奚必以剛簡、忠簡為泰山哉？」後二年，文可續叔俊《垂絲圖》為流慶，圖成，偕叔俊子景純過予求弁一語，遂書前言以加諸首。

[一]雖不忠簡其族：其，原作「具」，據文淵閣四庫本改。

吴氏族譜序

吾州盛世大族相望，屋高下如畫圖，花木成陰，羔豚合樂，老者顧少者而歎，猶有生不及見承平之恨。其偪隘喬遷者，又別為宗，綿瓜蔓葛，至不相聞，知類以為己業所致八邑，惟永新大夫數姓。固然，一日襄城之慘，儒坑鬼餒，方知天涵地育，未必皆祖有功，而宗有德也。杵漂焉留遜綿者吴氏，吴氏有譜，楊東山所為引，邑爐譜亡[一]，宰邑者故紙得之，不知何等物也，以與蒙庵吴仁叟如棄[二]，蒙庵寶之與俱，於是亦屢破屢劫，復不知僵前仆後間何能自保。每相過，求予敘斯譜不置，屬予屢病，相愛不敢强。又數年，蒙庵死，死猶筆之舉扶間以為請，其子若壻屢道之，忍辭，則披示舊載而告之曰：予所稱遜綿惟吴氏，非獨為邑言之也，蓋其所存者匹夫之業，而國不與焉。故千百國之會朝，不足以易荆蠻之至德。而延州來之歸，喜見書策，雖黄池之霸，猶一吷焉。曰公第一者，不必其名也，載之令甲而稱君者，不必其爵也。此非譜之所得而譜也。此邑上中浣派來自廬山，其歸廬山者，為咸淳尚書，為德祐宗尹，下者猶監司、太守滿門。然一名第一，辛苦不可望。今為庶此譜，有科目者[三]，表而出之班班。自南唐至近年，愈甚惜也，觀止此，使科目不廢、學不墜，皆將有列於上，陳如蒙庵者，尤吾望焉，此則事之可感者也。吾故論其綿綿於譜之外、邑之外者，使其萬子孫永永其遜焉，則繼此譜者其不益又盛於此也。勉之。

［一］邑爐譜亡：原作「邑邑爐譜亡」，衍「邑」，據文淵閣四庫本删。［二］吳仁叟如棄：吳，原作「吾」，據文淵閣四庫本改。

［三］有科目者：科，原作「斜」，據文淵閣四庫本改。

蕭禹道詩序

嘗過友人，坐間有杜詩一部，試開卷，第一句云「一縣蒲萄熟」，余問此有意否？其人大笑曰：「一縣蒲萄熟，即一縣蒲萄熟耳。」余曰：「題為寓目，下言苜蓿，政謂此二物皆北地所生，今滿眼見矣。」未喻，信手復閱一卷，指第一句「生平鶡冠子」，舊解曰：「鶡冠子，隱人也。」其人即不復問，揖余坐，余因自念此顏駟之歎也。故其下云「眼復幾時暗，耳從前月聾」，其厭世自悼如此。肯疊「鶡冠子」對「鹿皮翁」，徒道一隱字者，今人未必知古人，而有輕古人之色，漫謂尋常語，即尋常得，試使宿留思之，未有不自見而色已如此。

胡仁叔詩序

舊常評某人詩清嫩，其人不滿，以示羅澗谷。澗谷曰：「過矣。審然當唐詩，何人共可幾語，為足以稱此？」凡諱嫩，欲稱老，不知清嫩與淺嫩異，政未可少也。如輕風淡日，時花美女，小兒畹晥初語，別能令人賞愛。有味亦不在多，固未可與彼老者同年而語也。杜子美「轉添愁伴客，更覺老隨人」，儻無起語十字，坐盡情事曲折，更接以「紅入」、「青歸」、「桃柳」之句，豈不誠媿其嫩耶？

劉孚齋詩序

作詩如作字，凡一齋、第一類，欲以少許對多多許，然氣骨適稱，識者蓋深許之。「桑麻深雨露，燕雀半生成」，以「生成」對「雨露」，字意政等，怨而不傷。使皆如「青歸柳葉，紅入桃花」，上下語脈無，甚慘黯，即與村學堂對屬何異。後山識此，故云：「功名不朽聊通袖，海道無違具一舟。」幾無一字偶切。簡齋識此，故云：「一凉恩到骨，四壁事多違。」此今人所謂偏枯失對者，安知妙意政阿堵中。作詩如作字，橫眉竪鼻，所差幾何？而清俗相去遠甚。嘗與客言老杜「親朋盡一哭，鞍馬去孤城」。客言，近世戴式之亦云：「此行堪一哭，何日見諸君？」余曰：「俗矣。」因人舉誠齋《高安賦》云：「江西个是奇絶處，天下幾多虚得名。」中對「著此横絶，氣蓋宇宙。」客言，即某人云：「天下有樓無此高。」余笑曰：「又俗矣。即同言同意，愈近愈不近，詩至是，難言耳。」

陳生詩序

「詩在灞橋風雪中驢子上」，非也。鳥啼花落，籬根小落，斜陽牛笛，鷄聲茅店，時時處處，妙意皆可拾得。然此猶涉假借，若平生父子、兄弟、家人、鄰里間，意愈近而愈不近，著力政難。有能率意自道，出於孤臣怨女之所不能者，隨事紀實，足稱名家。即名家尤不可得，或一二語而止。如孟東野「慈母手中線」，「歸書但云安」極羈旅難言之情。如李太白「昨夜梨園雪，弟寒兄不知」，小夫賤隸，誰不能道，而學士大夫或媿之矣。如陳後山「歸近不可忍」，以為精透亦可，以為鄙褻亦可。如杜子美「問事競挽鬚，誰能即嗔喝，欲起屢見肘，仍嗔問升斗」，乃并與聲音笑貌彷彿盡之矣。又如古人，於奴婢猥下，寫至孤客親僮僕，凄然甚矣。又云「僮僕生新敬」，則出處世態隱約可見。又云「犬因無主善」，則俯仰尤有不忍言者。如陳簡齋「平生老赤脚，每見生怒嗔。揮汗煑我藥，見此媿其勤」，更自風致清真，而豈今人不能道哉？屣豨者每况愈下，賦車者載獫歇驕。吾評古今甚深密，義得之淺易[二]，他人不能識，乃反笑予。

[一]義得之淺易：得，原作「我」，據文淵閣四庫本改。

陳宏叟詩序

小隱陳君以九日過我，因為誦老杜「舊摘人頻異」，徒一「頻」字，而上下二三十年存歿離合之際，無不具見。但覺去年明年之感，未極平生。又如「衣冠却扈從」，為還京之喜，與先時不及扈從，而今扈從，道旁觀者之歎，班行回首之悲，盡在一「却」字中。然此尤以虚字見意。如「遠愧梁江總，還家尚黑頭」，纔一「梁」字耳，舉梁而入陳，入隋，不勝其媿。人知江令之為隋臣而已，三誦此語，復何必深切著明、攘臂而起、正色而議哉？往往讀者又以實字忽之。今人詩，五字或贅二字，不可以不知也。

秋風圖序

子美草堂四，其一在西枝村，未成。其一在浣花，則所謂「斷手寶應年」者是也。其一在瀼西，則所謂「乾坤一草亭」者是也。其一在東屯，則所謂「兼茅屋」者是也。予知浣花茅屋，一為秋風所破，不知瀼西、東屯，與萬里橋西風何似，不更卷否？風年年同，則夫托於通達之中者，彼猶此也。其堂也，裴中丞、嚴中丞、高使君為之主。既堂也，徐卿、蕭何、韋三明府為之圃。其破也，王録事、王十五、司馬弟為之修。「平生憩息地，營葺但茅屋」，而大官遣騎，鄰里親朋，相交如此。則拔之者之力，不能勝樹之者之衆。（以上豫章叢書本《須溪集》卷六）

全元文卷二一七一

劉辰翁 四

周易象義序 至元三十一年

易者未定之辭也，其雜物取象尚可知也。故三百八十四爻者，其例有深有淺，間而出於人事焉，以明物象者皆人事也。而實則主象也，象无數也。竊意其元吉、永貞、无咎者，其最下之占辭耳，未成象也。乃其象之云云，猶有物也，凡占道皆如是也。充類有出於其辭之外者，必可見之象也。謂三百八十四爻為三百八十四事，而三百八十四事為易止此，足以盡天下後世之變者，愚儒之論也。又有擬易，而并擬其名，擬其辭，如重言、重義者，尤愚儒之論也。後有知來者，其為物必非前世之所有，則其占其辭，亦未必今世之所有也。故易者常易也。惟易為無窮易，故無窮也。自伊川談理，而象之不可通者通。康節衍數，而物之不能言者言。不可通者通，經義也；不能言者言，聲韻也。不言理、不言數，而一出於占筮，占筮是已。然使執本義者坐簾肆日，閲人而不知變，其占必窮。何則？未得其所以易也。吾今日之易，易昨日矣，奈何株而守之？易者神明之道也，隨所感而生焉，有若啟之者焉。而象外有其象，辭外有其辭矣，庶幾哉！漢上為識其辭之所由生，象之所自出，《易》故至是始極矣。雖然，以互、變、飛、伏求之，不得於互，必得於變，不得於互變，必得於飛伏。類多方遷就以求其已成之辭使必通，而不知當日之可取象者尚多也，何以不為彼而為此？又何以變而又變而各為其道？而或出於飛伏，而復返乎其初，何其舞法亡法而無定操以至此也，豈作者意也？此則漢上之功，而漢上之過也。武陵丁石潭君為象義，覈漢上而博諸家。其潔靜也不雜，得易之體；其互變也不泥，得易之通。疏而明，漸而近，其不可為典要也，未嘗不出於典常，而可以為訓，雖先儒復起，其辯不與易矣，而又未嘗有意於辯也。自吾見近世成書若此者少。至《大衍索隱》，橫豎離合，無不可考，則自得深矣。《易》肇於氣，成於數，象與辭雖其子，而胎息遠矣。君能得之於大衍之先，又能衍之於大衍之後，則聲韻律吕將無不合，而經世之所以知來者，具是象與辭如響矣。君成書如屋，年如加，我尚旦暮見之。甲午春二十二日廬陵劉辰翁序。（文淵閣四庫本《周易象義》卷首）

尚書纂傳序

至元二十九年二月

聞若稽古說三萬言，又聞《書》解近年至四百家，使人茫然孰何不識其所謂。得王君纂傳，如入武庫，號萬色色具，如遠游，半天下首路以歸，如觀樂，請止不願更有。雖增多伏生吃吃三五十倍，然比三萬若四百者而既少矣。而又無不明與不逮也，是可嘉也。每憶咸淳初諸老薦徐幾經筵第一義，論人心道心以為人心惡幾也。余歎曰：「有是哉，以其在理慾之間也，故危。槩以為惡，則過矣。亦何所附麗以為道心哉？」侍御史陳千峰聞吾言是之，幾以是論去。又後數年過金陵，入明道書院，讀真西山所為記，記首二語，則亦幾説也，蓋駭然為之愧悔自失，是幾，亦有所本也。懼哉！以此明民，猶有出於金口木舌之外者。故知食不厭精，而膾不厭細。君纂傳多西山氏已得，彼復遺此邪。或謂君有功於纂擇政在此。横艾執徐之二月，廬陵劉辰翁書。（康熙十九年通志堂刻本《尚書纂傳》卷首）

古今韻會舉要序

氣者，天地母也。聲與氣同時而生，有聲即有字，字又聲之子也。人生不至乎孩而始誰，亦不能不誰也，誰而爸，誰而嬭，方言各不相通，而為父母一也。繇是而協於律者，方次第生焉，猶弟兄不可知，所可知者其初必出於一也，故謂一大為天。可謂天為天，天不知也，謂天為七年切，愈不知也。其誰為之耶？又推天以至於星某某，以至於山某某，呼而若吾應焉者，或者其猶孩也，雖謂人字之可也，而非人字之也。十三卦未畫而有名，豈惟有名，而舟車杵臼莫不皆有其物，其先有是字而後有物乎？其物從字乎？今人以指事會意為差，而不知形聲之皆意，惟聲者自然而然，然且有無字之聲，而未有無聲之字。及其字也，猶一舉首而得其為天，而意常後之，故制字之初，未必人為之也，天也。今人知字而不能知聲，故意之，意之而聽於東冬清青也，惘然而不敢易，猶聾耳，而信目連璧也，而不相往來，不知韻者生於律，律之生也，有合故律。娶妻清濁易知也，半未易知也，半又半如雙生，必有所從，變不可紊也。故文家尚意，蘉知律之子母，則得之韻者猶未生。前吾嘗欲譜以著邵氏《皇極經世》之所由生，而病未能，非不能譜，不能切也。坡公得穎濱《老子解》，以為不意暮年見此奇特，彼解老不至是，吾於在軒黄公紹《韻會》三叫奇特云。其書有律呂次第，有幹枝損益，而又會萬理歸一，拾經史如傳，以至字談筆談，遠之為天地變化，近之為人物情性，又近之為文章樂府，無不合。恨獨得其一韻，韻不勝舉，竟類至消息盈虚，將與易相表裏，與鳳角鳥虫為胥易枝，吾豈慮世運運世之不可知哉？惜也江閩相絶，望全書如不得見，不知刻成能寄之何日，徒閩端以極作述之意如此。然有一恨，鄭夾漈謂梵音行於中國，而吾夫子之經不能過跋提何一步者，以字不以聲也。今車同軌，行同倫，獨書未同文耳，得《韻會》而聲同，聲同字有不可同者乎？胡僧紐韻与佛經字母極天下之不能言者言，使其得吾字而習之，有不能乎？天下聲同書同，其必自《韻會》始，此萬世功也。勉成之。壬辰十月望日，廬陵劉辰翁序。（明嘉靖六年刻本《古今韻會舉要》卷首）

曆世真仙體道通鑑序　至元三十一年

傳聞異辭所傳聞異辭，況神仙狡獪，或亡氏名、變氏名不可知，如《張子房傳》，黄石公即赤松子，赤松子即圯上老人，圯上老人即四皓，四皓即東海君，東海君即力士。人自不悟，當時若非此一老人變化，豈有平沙曠野能自蔽并蔽力士？又豈有路傍兵革間有四老同處為上所知而人無聞焉？從是而推，八公能老能少，眇道士遽如許，遽如許，皆意生身，一一不足怪。又從是而推，《真誥》所稱聖賢忠孝、文人才士，古今一氣，有隨化而無誠死，蓋天地一人之身也，吾天地之身也。嘗欲效班孟堅人名表譜軒轅以來得道之士，雖有精有麤有真有偽，然此為天仙，此為地仙，此為栖隱，如此而修煉成，如此而服食效，如此而無成與不幸，可師、可慕、可警、可懼，不得於其萃，則得於其類，如趙文子冠而受教，如諸菩薩一時對佛説法，至言滿跟，諸門洞開，要為有益於無窮無量，非特記姓名事迹而已。古瑞趙全陽高士乃能會聚劉子政、葛稚川，至近年諸書，罷精竭力，朱窠細字，如蟲蝕葉，不可為萬計，雖傳聞所傳聞異，而大畧具是矣。予因是又見北方所謂作者，皆不為詭怪方伎與不可知，而自不可及，殆真教也。有蠹魚者不可謂知，然得仙字，食之如髮，人者得其髮食之亦仙，全陽寤寐是間，食仙也多矣，非直蟬比也，儻得其一髮，足與老仙共傳敬哉。吾題是集，為顧將軍人物點眼，凡質已飛，復欲疑武陵人云，我則不暇。甲午五月，廬陵劉辰翁書。（中華書局影印本《正統藏》卷五）

宋貞士羅滄洲先生詩序

當吾從水心翁周旋，時翁髻亂舉梨栗行酒，姿玉雪，意儒雅，雖眉間英睿已不可遏，而豈敢望其即科第為當世用哉？盛時不載，家國全陷，時翁起孤童，變服馳，逆旅塞外，犯大寒暑，復故物如内府乃歸，吾閧莫能事，雖甚可喜，頹然當廢學已久矣。別十三四年再見，冠帶長身，風度儼若，出詩袖間，如編書，大篇汗漫，小語條達，豈亦如一日千里可以馬上幾得？讀之未終卷，篇篇逼人，有非書生窮研筆力所能及者。蓋其天性離明，左旋右抽，有非區區學步所能者比，使後死，所見事事若此，亦復奚憾於此，而不用吾情？烏乎！用吾情，詩非難事。前此所以極力而不得其要者，由其性情或近或不近。趨晚唐者乏氣骨，附江西者少意思。必待其發語通明、不用一事，而亦無一字無來處，就之不可即，望之不可尋，是在能化。時翁棄其所長，勉其所不及，則吾將自以斯言為過，好為之，好為之。水心翁前宜春教，吾同舍也，死丙子之六月。廬陵遜民須溪劉辰翁序。（康熙五十九年《西江志》卷一七八）

題劉玉田選杜詩

天下能讀杜詩者幾人，而玉笥道人劉玉孫集妙句，多悟解，如此甚未易得也。予評唐宋諸家類，反覆作者深意，跋涉何限。吾兒獨取其間或一二句可舉者，録為《興觀集》。然概得其散碎簡逕選語，若上下極論長篇大意，與諸作互見，不止此。蓋此編，與吾所選多出入，凡大人語，不拘一義，亦其通脱透活自然。舊見初寮王履道跋坡帖，頗病學蘇者横肆逼人，因舉「不復知天上，空餘見佛尊」二語。乍見極若有省，及尋上句本意，則不過樹密天少耳。「見」字亦宜作現音，猶言現。在佛即見，讀如字，則「空餘見」，殆何等語矣。觀詩各隨所得，別自有用。因記往年，福州登九日山俯城中，培塿不復辨，倚欄微諷杜句「泰山忽破碎，涇渭不可求」。時彗見，求言，楊平舟棟以為蚩尤旗見，謂邪論，罷機政。偶與古心歎惜我輩如此，古翁云：「適所誦兩言者，得之矣。用是此語本無交涉，而見聞各異，但覺聞者會意更佳。用此可見杜詩之妙，亦可為讀杜詩之法。從古斷章而賦皆然，又未可訾為錯會也。」

題宋同野編杜詩

杜子美年四十五，自鄜陷賊半年。明年，自拔取拾遺，扈從還京。又明年，始外補。又明年，始棄官入秦。自是流落輾轉，凡三遷。所遇識不識，相勞苦，所居間得故人為地主。起家贊戎事，斧斤多助，種藝果樹，廣者四十畝，東屯又有稻可收。當時朝廷雖亂，道路無壅。雄藩賓客之盛，自若公以三朝遺老，負海内詩名，游三川，如錦城，下洞庭，意氣浩然。江湖勝境，樓臺高會，長歌短賦，傾晤賓主。避地如此，實亦與縱觀何異。子美，古今窮人，而倉卒患難，所遇猶若此。予非以其窮為可願、所遇為可羨也。以子美為可願、可羨，則所遭又可知也。同野宋君避逃兵間，手鈔杜詩離亂者百七十餘首為一編。古今詩愁，亦未有其比。然四十五年所作，亦豈無開口而笑者？晚生後死，瞻望慨然。

題王生學詩

詩之妙，後世由之，而不知老杜「衣冠却扈從」，徒一「却」字，而昔之宜扈從而不扈從，與後之欣喜復辟、初得見漢官者，舍其枯而集其菀者，具是有焉。文章之髓，豈在險艱？援据終日，吶吶而又不能道，豈不亦可笑哉！

題劉景信詩

近年江湖，復少就其傳者，亦何能一語如「二儀清濁分高下」氣槩境致？此語在杜集，尋常以為至朴者，而亦不可及。

跋白廷玉詩

杜子美大篇江河，轉怪不測，雖太白、退之，天才罕及。至五言七言律，微有拙處。然時時得風雨鬼神之助，不在可解。若七言宕麗，或更入於古野，而不為俚，亦惟作者自知，雖大家數，不能評也。此筆絶於世久，紛紛一花一葉，飾姿弄鬢，徒亂人意。

經説

佛氏之説，始於戰國堅白、異同之辨。其窮極變眩，即儒者自為之。夷狄之人，語言不通，安得文義輾轉、若合符節如此？儒者但見其超然偏袒[一]，不惜身命，遂疑六合之外，有與人異者。竭其心思，如夢想化人，何所不至？後之儒者，不能知其所自出，乃望而尊之。雖攻之者，亦以其書為似畫鬼神者，有造化所不言之巧。（以上豫章叢書本《須溪集》卷六）

[一]儒者但見其超然偏袒：袒，原作「祖」，據文淵閣四庫本改。

臨江軍新喻縣學重修大成殿記

喻學丙戌之修，禮殿為大。教官吴鳳孫以丁學喻敬直來請曰：「老生無能為於鄉黨，視前楹碑，吾宋紹定戊子李侯仁任所修也，於今六十年矣，柱崩梁壞，風雨𡸣然。乃乙酉十月廉部真定趙公秉政，既定先聖弟子籍百又二十人，復其終身，常調不征，縣旌别有加命脩學於是，令丞簿尉各以其力為倡，士之經營勸相者奔走來會，月三望而功畢。廣闢丈餘，靈星翼張，越軼舊貫，夐焉出於震蕩殘缺之後，蓋勞於創造而大於興繼。鳳孫則承乏視成而已。此部使者奉宣之實意，而諸大夫邑人受學之大誼也。余念茲敢請。」余惟是邑名公多士，非猥遠凡陋者之所敢及，既辭不獲讓，則受言，載之於篇。道猶天也，凡干戈潰亂之出於宇宙，如雷霆風雨危不可處。而天體霽然，不待明日，光復其舊，必歸於禮樂情性、道德風俗。如使古聖人之所以為天下國家者不用，而一出於兵與刑，則民之類滅久矣，孰非命也。繇周公而上千有餘歲，命世而為君，繇孔子至今亦千有餘歲，命世而為儒，君道未嘗非儒，儒者實輔是君以明其道。故誦堯之言，行堯之行，是堯而已矣。誦夫子之言，行夫子之行，是亦夫子而已矣。居敬行簡以臨其民，南面之夫子也。敬事而信，節用愛人，千乘之夫子也。一日無是道〔一〕，則國非其國矣。而儒者猶歉然曰不用。道未嘗不用於世，而世有無用之儒，代之所以絶續存亡，民之所以死生疾病〔二〕，特繫於理之是非，而不在其人之用舍。得乎道而為天，得乎天而為命，道命一物也，古今一日也。道在是則夫子在是，夫子在是則君道在是，故事道如夫子，事夫子如事君。《記》曰「能為師而後能為長，能為長而後能為君」，夫子教為君者也。律有煩有省，令有遷有改，惟經之為訓毋敢畔是，故《春秋》者撥亂反正、萬世太平之書也。利欲之横流也，甚於洪水，然平成之後不聞復有洪水也。由今之俗，望春秋猶治世，非春秋之世治也，所以為春秋者治也。刑之而有不懲也，兵之而有不遏也。君君臣臣、父父子子，受之天為中國，受之王為嘉師，必有推明人極之立與天地並，其效常得於世教之所不及，而後知今之致隆者容有未盡〔三〕，昔之蹔廢者本未嘗亡也。夫視學告朔，豈直觀美哉？諸生低回習禮、具瞻冕服，其亦思夫東家之匹夫，陳蔡之環轍，時君遺之、鄉國違之而所以至此者，亦其遯世無悶，不怨不尤，屈於一時者，為教大也。故必以迂晦為世守，阨窮為家法，而況上之人優重之，作成之，當路簡擢之，著定之，闔邑茂異之。顧其踽踽涼涼，一或不能專志於道而終安於命，則所以為天下國家者，又未見其有可望而天下國家亦卒若外之者，未必皆世之咎也。余既言三代餘民受罔極之恩於夫子者，又欲陋巷時賢以身之貧賤學其為夫子者，蓋進取之事，不在科舉，而在學術與人品，此世道之古也。

[一]一日無是道：日，原作「月」，據嘉靖本改。　[二]民之所以死生疾病：疾，嘉靖本作「利」。　[三]而後知今之致隆者容有未盡：致，原作「郅」，據嘉靖本改。

吉水縣修學記

曲阜遺履千餘年，自漢高過魯祠始盛，開元詔通祀則又盛，慶曆置州縣學則又盛。余嘗執俎豆於辟雍祭酒，攝三公以衮衣北面，庭燎煌煌，佩玉鏘鏘，工奏樂章，搏拊笙簧，其行事視先代帝王社稷宗廟上。近年黜陟配饗，復增曾子、子思，下逮先儒與一時游從追謚在列東偏，立書院、建官御、書禮殿，不特校庠序塾，皆古所未嘗有也。此一時也，奎運飇回而講堂興，董學之嗟玄圃，懷敬容之感，鷹揚馬上，儒緩披離，慨城闕之園蔬，傷綿蕝之何日。吉又郡邑之一，在多士為最，在賦籍為小。江岸漂搖，壬午稽天，學存亡不計。水後三年，邑有仁侯曰平陽劉焕。至之日，即有意教養。簿朱憲魯人，材足達志。每春秋上丁與紱麟之日，有事於先聖如魯，而他廟上元之燈、民間江南之樂，所以崇祀淫威者，易彼於此，觀聽異焉。莪莪而會者，巖穴常數百，拔奉充庖，勸侑禮飲，閱歲且滿，大議脩學，由長暨尉捐竭裨畫。自殿而門，自堂而序，精廬臚分，別祠興秩，開徑旁來，星明戟幽，規制聿新[一]，乃像闕里，初見睟容，作會悶嚴，馮負致美。又以社壇接壤，脩復種樹，風雲遊息，與學為家。或曰靡矣非制也，將無與燈樂似。余曰：異教土木窮妖極麗，賢侯不以正徇邪，不以儉廢隆，尊教父，息巫俗，脩廢官作，恭乎光郡，他邑有乎？不彼疾而此議焉，黨慝也。杜子美於《衡山孔廟》詩以為十年掃地，倡恢大義，壓戎馬氣，况多文大邑動容遠慢，以中州之盛，復百姓之富，此豈衡山小邑屋加塗塈而已。三年之間，士不見役，所以存獎吾道甚備，此又王褒負擔攜持步送門生而僅免於安邱之役者也。吾亦有門生故人，不待送而免。方願負耒之滕之不暇，而教諭蕭惟清實來請記，因為之言教。嗟乎！此一時也，又三百年所未有也。樂始於蕢桴土鼓，祭起於埽地燔兔，豈不求諸野哉？因三百年之盛而又盛焉，非過也，而後有三歎於此者矣。魯雖周禮，然弦歌不輟，亦繇武城餘風，邑何可無賢宰之澤哉？事君者不敢忘其君，亦不敢忘其祖。古之得天下者，必問其所以失。猝有問得失於士大夫者，亦知之乎其何以言之三代之得天下也以仁，其失天下也以不仁，又非其所以失也。學與政不相待也，文與行不相應也，其排擊也强，而負荷也怯[二]，則諸君子不得不任其責矣。我有先正身為盛時，慶曆歐公，中興忠襄，淯熙以來，二楊端平剛簡，間者闒焉，而遂至於此，人人自愧自悔之無及，而紛紛者方肆於平世，則亦樂其所以亡矣。夫余也豈敢以往事咎諸君子哉？均是學也，顛也或以為非一繩所維，興也亦以為非一木之力，一與一同而興讓分進退決强弱異也。聞之夫子，慈與愛者宜歌商，明乎斷者宜歌齊。今之興於禮者齊矣，然而諸君子宜何歌也？教者勉焉。

[一]規制聿新：聿，嘉靖本作「弘」。　[二]而負荷也怯：荷，嘉靖本作「任」。

南劍龜山書院記

建炎中寇毁將樂，獨題楊文清公之門曰[一]：「此龜山先生屋不可焚」，由是宅故在為祠。復齋陳公宓守劍，又即祠為書院。至元三十年春，蜀某府判以郡督至縣，求先生之廬拜焉，則燬矣，燬又五年矣，傍徨得故基草間，捐俸鋤偹，邑士慨然，適溪漲木，刊來中梁柱，不半月堂成，乃白總府臺省為書院如舊，殿門祭器踵就，以記請。或疑先生當不可為之時為世麟止，而胡文定公謂其時能用，猶半可救，安在其為半也？余曰：噫！士以處為高，不知聖賢之皇皇也。豈以一身重於天下[二]，當其際會[三]，亦豈謂家國之事直由一書生反手為哉[四]？任有大小，大任可為也。求之吾君，而非其任焉，求之吾相，而非其任焉。如知其不可而為之，何也？畏天命也。吾能為其半而已，古所謂以身為時者未有非其半也。自非險傾戰國之士，安能使盡變其素而惟吾所欲為哉？春秋者天道之半也，譬猶寒也，以暑易之，幾何其不為異物也。夫所謂綏來動和者，類非後人力量之所能也。惟立乎人之本，朝而歌者之田止，不幸而與小人比，染鼎者如有所憚而不敢發，放麑者亦往往有其意焉，而世道之可為者從是兆矣。此則先生之所能為也，所謂半也，非耶？且先生常議六館矣，獨請擇祭酒德望以靖諸生而已。甚哉！文定公之論為自有見也。黨錮之諸賢欲以一日為平生，乃不能半；元祐之經筵又欲以一身為千古，而過其半。龜山遠矣，後人尊之，其必有以信文定之論龜山，龜山之道為不廢也。抑吾因是而重有感焉。自古德行之士，朝廷不知也，州里不知也，而盜賊小人嘗知之。物論不齊久矣，此不齊而彼齊，何也？鼎也，追蠡也，亦魑魅者畏之耳，人乃以為玩也。異哉！斯文之絕續則有命矣，河界洛成[五]，而書院復起，此世道之盛也。雖然，微今之役則君子之澤如可已也，豈不悲哉？凡循舊易，繼絕難，是間雖小其有功於杞宋，文獻蓋盛大，又非如塗塗附者也。

[一]獨題楊文清公之門曰：清，文淵閣四庫本作「靖」。　[二]豈以一身重於天下：原闕，據文淵閣四庫本補。　[三]當其際會：原闕，據文淵閣四庫本補。　[四]亦豈謂家國之事直由一書生反手為哉：亦豈謂，原闕，據文淵閣四庫本補。　[五]河界洛成：成，文淵閣四庫本作「陳」。

雙溪書院記

古心江公之門人鄱陽趙倅界如，以書介廬陵之為雙溪長者曹質抵余曰：「界如之事先生也後而亦老矣，為雙溪者再矣，雙溪故未有書院也。自察使希魯公之來此[一]，余以貢莊請建雙溪，經營十年，屋成而邑燬，惟孔顔像在。明年廉使姚公燉以分司至，改為之。余有別業於北湖，胥卜之合遷焉。明年二月中賦工，十月中舍菜燕居，晬容皆公手所是正，如孔林舊左講堂、右齋序，堂後為仰高祠，祠先賢，回翔高下如鑑湖曲折，為沂上亭，春風中種柳為隄，衣冠浩然，於是聚而謀曰：『芝山之上，同門後死，我無他人，其屬之廬陵乎？』吾子有意於鄱也，則願以壬辰之記為請。」余蓋矯焉念之，而未有以復也。或曰：有其舉之，廢興之，故未有若此其遽也，敢問邑無學乎？余曰：不然，無行不與二三子者，燕居之謂也。故曰：夫何言哉！千年學校敝而入於科舉，以處前名備州縣，朔望而已。洒掃進退之不講而應對疏，容貌辭氣之不親而籩豆遠。以至入門為臣一躋一否而長幼之節廢，學政不可為也。庶幾者其書院乎？自古心公為鷺洲而吾鄉之友達於理，每公退，深衣行水竹間，撫諸生兒子優游自得，不知氣至而質化。其後余至滄州，規制宛然如鷺洲初，而闕里三重，外勝内矣。夫嚴威儼恪，非所以事親也，故書院之道，事夫子如事生。愚嘗謂燕居之次，一顔子而足，聖門鑄人，博約淺深，惟顔子為可考，四非四勿，是舉心思耳目[二]，納之鑪錘之中，使人恍然而失，其為已變鄭為韶。又并會古帝王於尊俎之頃，使人粲然確然，而識其為用，退省其私，見其未正，則候之者，復甚於步趨者。不遷不貳，顏子不自知也；若無若虛，顏子不自知也，亦候之者知之耳。仰高鑽堅，前日之顏子猶有所用其力也；瞻前忽後，今日之夫子吾無所容吾力也。未嘗違也，而亦以違為累，從是而識其如愚者，焉樂矣。夫子不可學，惟學顏子，謂顏子未嘗言者非也，顏子之學，正在於不言，顏子之學，夫子蓋時時言之，諸生過堂下，其亦思夫聖人之所稱可者，多於其所自言者，則其用心與力之次第，豈不可證可信而亦有可希者乎？抑顏子聖門之禹稷也，簞瓢屢空者也。簞瓢屢空，非足以為顏子，乃其為禹稷者志常在此而不在彼也。斯堂美輪奐、繼粟肉，其又愚夫。昔之陋巷者終其身而不可得，則諸公大人所為皇皇汲汲一仆一起者，豈不可以興懷而屢嘆者乎？其亦以為學校之故常者乎？幾道，典刑壽俊，其同列皆江東人望，余所敬者意者，亦非學校之所能致也。余也承幾道之命，獨復以所關於先王者為復之顏子誦之耳，若夫諸老則非禮也敢。

［一］自察使希魯公之來此：文淵閣四庫本作「自察使鄂呑公希魯來」。　［二］是舉心思耳目：舉，文淵閣四庫本作「并」。

西昌重修快閣記

西昌快閣在黄太史前二百年間，又復以太史重致愈新，此人心也，人心之好德宜如此也。兵後不廢亦頹，比年乃徙他廄。今夏郡治中公行邑，至閣上，屬久旱禱雨，乃慨然於斯閣之志，喜以己俸倡邑民脩之。陵圮復元，墁治如初，神觀遂還。吾州蘇黄之跡多矣，廢臺荒草，斷碑殘礎，至其上者徒躊躇靡徙，誦二公之語而悲。吾嘗欲復清都不能，復清凉軒不果，豈惟余不能與不果，自郡邑地主過使客且千百，訟牒筐筥之外[一]，有適動其心、為興壞補敝、傳遠地者乎？無也。治中於此一過而倡，再過而新，通薪蕪穢之餘，乃有風流談笑。寵光昔賢，藻繢江山，取高分表，如此者，雖欲不記，不可得也。名者實之賓也，有其實而名歸之。人以是為公名，乃歌曰：風月之千年兮，太史過之。井坙之不可飲兮，使君可之。更千百年毋廄我兮，鼓我歌我風月分我。

［一］訟牒筐筥之外：筥，文淵閣四庫本作「篋」。

大梵寺記

異時游豫章者必問秋屏列岫，意其廣大觀也。然出新城道衢巷，如城中又四五里而倦，而後得三門敞然於民居鱗鱗間者大梵寺也，乃周遭殿廊，不見所謂秋屏列岫者。已而入於僧房，則秋屏黯然，小窗欄楯，容數客止，而西山在焉，忽焉如登邱，出於屋極，又如幻維摩臂取諸江外，何其蒼然，几案間也。於是徘徊徙倚，轉而得列岫於天寧鐵普賢之側，誦山谷二甥、四靈紫芝之作者，未嘗不喜而賦也。承平内地，湖山千里，鐘鳴鼓應，刹刹如如，豈知世有清野哉？一日戎衣起，登城樓，治礮石、渠答，城下環萬數千鱗鱗者，必不使遺一甓，而屏岫與焉。蓋自盛唐以來，四百餘年之跡滅，向之鐵者收其流金，人亦何所不至，然開闢之日，兵如合符，晏不易肆，斯人仰棟俯寢，左江右湖如昨，而大梵邱墟，不可復識矣。寺僧飄颻，客棲久之東湖謝墅者何？寶祐相君濆山惠國之手築也。規制邃嚴，高下横斜，倣昭文第，而麗都一城勝處，望環瀛藐仙集焉，何塵埃踽踽之所敢望。至是無人乎其間，馬㢦荒凉，病者居之，其名為「安樂堂」，匏落大方，草樹寒烟，林燕淒然。法印大師則大梵之一僧也，在謝公姻婭間，如高屐道人，泛而言於公孫曰：「前欽翹，後馬廄，可化馬廄為梵宫可乎？」府判某曰：「噫！吾志也。」總管某曰：「噫！吾志也，猶半山公志也。」厥既得請，則白之執政當塗，下至吏胥徒可者半。又白之軍司馬，走馬則誰曰不可。蓋茫如垂橐，而歸者累月。一夕，印夢神人納之，旦而告李公如夢，曰：「果然，妙聖壽山也，奈何其敢弗力。」如是又數月，病者去，餘者徙。歲丁丑月正元日，新大梵揭焉，皇皇日於其垣墉之不給。明年脩法堂，又明年扶樓閣僧官間之毁焉。又一二年遡而得武寧周府於廬陵，為之起殿，若門如制，是為耐軒。公自是莊嚴諸好，集施少多，而其徒亦各自竭，唯印最盛哉。金碧輝輝，如第新成，又為諸方最。既告成，己丑求文為記。嗟乎！世道亦多態已，東湖者吾不知其初，由開闢以來，章亥之所步，神禹之所經營，孰非夫佛之所謂清净法身。是湖也，曾不當疊孔之一，其鞠為民蔬，不知幾何年，而化為高明，閉為窈窕，東湖不與知也。書生辛勤建立，傳子又孫，而反乎復者，飄茵墮溷，至使人指公塾而嘆，而公塾不與知也，佛之為道至是有可言矣。今其頹垣斷礎，歲脩歲異，復如王侯邸第，以此易彼，更比於昔之秋屏者而勝，回視同時，故家陳跡，有願為如此而不可得，人以為遊觀春服之始，而不知太空變幻乃且從壞得之，方其纇駒瘴卒，呻吟滿目，嘔泄污穢，有肯顧而有之者乎？物莫垢於此矣，人亦何用存垢净於心。今之所成未有非壞也，使其不寂，是壞者猶在也。夫必壞而後歸於寂，寂亦壞也，而自是無壞矣。吾以壞觀色，以色觀世，而知佛身之所以存，彼弔其所亡，而又幸其不終廢者，未必非達道者之所憫然笑，而騷人羈客猶區區過是而不釋也。嗚呼！其真以為理亂有關於天地與！印號可山，能賦，地大心勞，出於其力者十七八，吾儒能事，有不及[一]，顧睠焉謙焉，託於言語文字以久。雖然，數世之後，賦東湖者蒼苔夕照得吾文讀之，猶如西山笑墮淚，方悟昔之秋屏者徒以綺語習業係人心，如此亦不得不憮然失也。（以上豫章叢書本《須溪集》卷一）

[一]有不及：文淵閣四庫本作「有不能及」。

全元文卷二七二

劉辰翁　五

建昌軍普潤寺記

普潤廢，普潤興，君子以為天道，而佛之説從是勝焉，是豈不亦有人事哉？寺創五代時，在江南為小，在盱為盛，在其鄉為尤盛。當其盛時，非有彌天釋嗣祖印傳四方也[一]，直據上腴席美蔭，撞鐘而食，利死孝生，怖信耳。昌黎氏廬居之直道未試，乃有富民邇封狘焉，藉是日闢而有之，擴如也。由五季歷治平，由治平錫普潤，至嘉定而廢。當其廢時，雖欲為其守冢，不可得也。詎謂七八十年老僧猶存，拄錫而起，向之主人墳荒而鬼飢，乃其頹梁壞礎猶寺故物，去宅為田亦無慮數姓，俯拾如初，平疇蒼莽之間，一日萬瓦煙霏雲合，隨取隨足，四野遺民聞鼓聲而嘆，微物力不至是[二]。嗟乎！吾儕小人營闔廬以避寒暑，長數年，積材木，治基址，大畧具矣，獨謹時日，審面向人，獻其良，洎欲就而身不待。二千石之居、百里之國，稽赤籍，避請議。或坐視棟橈，避堂而去，以遺後人，甚至無忌憚者埽焉飾焉，塗未乾而植壞。此寺一隅，又山水深處，有大比邱曰燈雪壁，住鳳山城中有年，為諸方所仰，故法施衆而受業廣。由燈得大，大白無外[三]，見謂魁梧，有演儼風，故能力復其舊。由大得闡，闡固吾鄉之人也，遇燈撫憐，超悟頓異。由闡得智，智者闡弟，自是子子孫孫為鳳山別出，此則今之普潤非昔之普潤也。所謂人事也，其為之易也，成之美也。燈故也，佛何有焉。或曰：佛力吾不論，且其荒草野田建大宮室，復為荒草野田，在太虛亦一息耳。風輪變壞，文獻皆空，悟塵影之何緣，撫人間者如彼，而能從力所及，轉為盛麗，將未忘情者，亦如太虛，不能不有物乎？此其為持幻之幻，則誠有礙然者矣。雖然，礙者何也？去礙為通，通亦礙也。竺深道人遊於朱門，或問之曰：「君自見其朱門，我自如遊蓬户。」人能以蓬户之見視之，則是寺也猶如未有物時，而亦何礙之有。雖然，亦屬覺礙。謂夫以朱門為蓬户，則朱門者猶在也。若生長朱門，則美者自不知其美已，又朱門視朱門則無之非我，亦無入而不自得已。故高屐忘形，未忘乎屐也；鳥窠離患，未離乎窠也。舜居深山之中，與木石居，與鹿豕遊，其所以異於深山之野人者幾希，及為天子，被袗衣鼓琴二女，果舜未嘗異也，使當為天子之時而必易地而為野人之事，則亦與其心著物其人改操者無異。今夫普潤之當復也，則復普潤者其所也，亦所謂佛法也。燈固通乎儒者，故以儒者喻之。

[一]非有彌天釋嗣祖印傳四方也：嗣，原作「時」，據文淵閣四庫本改。　[二]物力不至是：物，文淵閣四庫本作「佛」。　[三]大白無外：白，文淵閣四庫本作「日」。

龍須禪寺記

未至龍須，蒼翠逼人。至其下，獺逕如縈，並山委蛇，長亭四三，又屢憩而後能至。入山門，匾碣横縱，無非李梁谿者，使人徘徊遠想如見同時，此則過江以來封殖位置之舊也。自龍須重脩，改步旁通，促數武蹴為亭，廢徑荒蕪甚密深，游者及門而盡，而亦無所得矣。壑翁之來，夢僧數百繞牀如林，三夢三轉。一日登山植杖見遷塔焉，井塌草生，喟然曰：「六百七十年於此矣，播之新塘，斯慘。」亟構故基，復為普通，歸僧骨焉，自是為普濟，修白雲為山門。古路栽松道，迎甃如修鱗，復停山光，望招雲，立參柏榜，龍須佳處，迤邐可畫。已而及祖師伽藍大小山門，復梁谿諸匾。已而及行堂浴院、山前會所。最後徹大殿新之，罄空買田為燈長明，則住山之九年己丑十有二月也。壑翁之言曰：「吾所至如以身為常住，徧廬山間間、華亭上上，住且十山，大者如能仁起廢羅漢莊嚴、玉澗之橋，大林、華光之閣，靈湯鐘樓藏殿，南禪昭慶法堂佛堂，雖辛勤建立無數，而未嘗留一字其處，兹山之脩復淺矣，記復何為？不記，古人之跡滅，凡余之所為皆古也，不記又將遷。」余曰：「吾鄉也〔一〕，非為師記也，亦不能不為師記也。士大夫建一祠修一塾，類以為先賢不世之業，傳圖經著碑，些少年經營州縣，豈無遺愛如桐鄉、名聲如潁川者？稍易他處，則不可復勉强。此老出即為人，鴻冥雪印，皆如撞千石鐘、樹五丈旗，事大心勞，既成去之。江還浙倦，晚棲須山，復何如香爐一峯、湖邊一小寺而睠焉，用之如棲賢萬杉，南禪北禪，吾行諸方，窮龜昂然，負石如山，就而讀之，意有師希於平生，稱不立片石，豈獨賢於求名者而已。作所無作，作亦非礙也。宇宙之道惟因為無窮，昔之門焉捷徑者，豈不欲便且利後人哉？古今成敗若此多矣。大空大巧莫非理勢之自然，雖吾為記，豈能增益於師之所無？言語文字之在天地，猶天地之在目前，隨其心量，滿足常新，即羅漢見身，則不知有靈湯矣。及至華亭，又不知有廬山矣。須溪雖小，華亭廬山一時俱失，凡吾所作亦復如是。惟泉石之光、草木之香，去之千里，摩挲蘇刻，甘潤頤舌，蓋穆如清風者，世未嘗絶。所謂法事也，是諸法事全提，千古不知誰為，而於其間仁仁知知，不屬一法，是亦名為無所得法，知此則為靈湯以來無記，有記何待龍須。而記始出，問記如何，亦無一字，何以故？無作意故，不知所記故。雖然，不可以莫之戒也。」自吾行須山，千章如雲，藤蘿蔽天，再過呀然，三過襟見時矣。今鋆翁興葺大備，種植方新，來者豈不可以已乎？木之存者如古人，小者不百年，又未得為材也。謹毋曰來者笑人無能，而旦旦焉夢之且診。

［一］吾鄉也：文淵閣四庫本作「須吾鄉也」。

空相院記

佛以一麻一麥興，而為其徒者皆安受人施，至撞鐘伐鼓、列食萬鉢，號稱禪林。其下者猶說緣說果，致俗傾信，如食租衣稅，又不耕食，又不幸水旱然猶不失業，未有受田於人而空奪於官府。凡廢寺不贍日求，於無何有以待還定者二十有七年，如吾廬陵曲瀨之空相院者，至其克復舊物，則又難於天雨，而苦於日鬭矣。蓋彼失而我復之，為戒後人，雖欲不記不可得也。院不知起何年，而賜額治平又不知何年何許。蕭氏捨田百石，人世長短不可知，以三十年為一世計，僧幾臘，蕭幾世絶續，又未可知。會有他楊攘袂起曰，吾祖嘗施是，敢以上學官而增貢士莊籍，由是没入如卷地，盡院於此時所有，獨治平額耳。有僧紹隆得大法，忍甘受其苦，爰貸爰粥，慨然曰「吾屋不脩且廢」，衆謂無田不廢亦廢，歲敝歲脩，萬緣難備，僧佛共依，指廩何俟。起戊午歷丙子而貢士莊亦廢，廢且十年。隆冒霜露，敝衣縷，頂天而額地，曰「士復安取此郡」，以例如其請歸之，甫前年乙酉事也，壁則故壁，而隆亦老且病矣。懲曰：「是田也壞於寺兄弟之不協，而後問者託焉，非施奪異也。」迺合雲散，收雁序，戒尚臘白，傳次燈葉，混然大同，業習一空，又以其銖積衆施者為田可八十石，合於前如干，不私其更事，老人顧而嘆曰：「施易得也，耕易穫也，孰能飢腹以待人之餘飽，孰能取之其懷而不墮甑，棄以及此。」須溪居士問之，笑曰：「然然非也，衆生壽者必起於人，我我故彼彼，非我不争，故我為患。若平其心，以平不平之物，似矣。平者其誰與？非我之我與。今夫得田以遺子孫，惟恐其不多也，是衆生相也。又惟恐其不久也，是壽者相也。當其得時，貪認已有，展轉必至，諸將並生，如爾所争，復從余起。今復誰舍斛百幾何？代閲廢興，指冢為薪，芳臭同盡，長荒凉之絶，而不困者獨此心耳。而此心亦我也，夫知物之空矣，而我猶在也。是由也，非我則不復，未復我責，既復我忘，蕭然付之，無町無畦，見争者之非我。」既又慊然曰：「由我而復，則亦未忘之我也，夫如我之空矣[一]，而空空者猶在也。」於是老隆失然而起曰[二]：「院名空相，非空空相。法法皆盡，惟記獨存，是空空已，空相不空。」居士點頭：如是如是。

[一]夫如我之空矣：如，文淵閣四庫本作「知」。

[二]於是老隆失然而起曰：失，原作「夫」，據文淵閣四庫本改。

多寶院記

業識貪為第一，而佛號多寶莊嚴身，色非大貪何，云何化誨，能使衆生見寶不貪，即佛即貪，是大方便，當知不貪不在貪外。譬如濁水，少飲愈渴，置諸河邊恣得盡，否則彼飲量有盡還已。又如少年，羅求美色，不知厭足，佛見是人無可諫救，即為女子，從彼願欲，世間絶世，得未曾有，罷精竭富，不念更求。一旦病弊，色衰鬢變而可惡，穢甚如濃血，逃避影絶，畏見鬼疰，生計困乏，追尤積怨，身病耗憊，展轉自憐，念佛求救，聞是女死不能復，顧以其纏染焚之野外，但見火蓮中擁妙質飛烟而去，萬口贊嘆，於是，少年悼痛悔悟，方知色空。色空即佛，而此悟性即在迷處，若使如來如出山時，形體枯瘁，是同貧子，人見嘔噦，誰肯高屋奉如兜率。諸言寶者皆屬地上，如其天上一物應無，佛幻世人，示紫金光，備諸異相，瓔珞華髮，山河棟宇，類是世間難得之寶，遂使國王太子回視已有，歉然自喪，雖空國捨施[一]，不見有益一世，安庸瞻捨相羡慕，顛倒夢想，忽然反悟，佛亦是空，如意大珠，只在衣内身，是寶中無物非寶。欣喜滿足方便第一，一切衆生未識即貪，識已如常，如大富人，不數府庫，多故如常，當其如常，即貪即佛。廬陵白沙，有寺濱江，古額曰「再興」，在唐曰「多寶」，當為灰埃，無復有佛僧可度者。忠簡公族求吾先師歐陽巽翁作疏，重興精邃勝前，崇遠增脩，高當廣倍，凡十八年辛勤願力，求記歲月。夫鎮圭九鼎，神禹之所不能藏，帝王之所不能守也。彼以位為寶耳，失其寶者未聞復得寶也。佛以無位之尊，兼衆人之富，長曠大劫，不見乏絶，由其蕭然，得之無用，是以常有之也。何必佛僧者出於其家，嘗芘蓬蓽而床闕足，安知三門廣厦不見寒暑。一日居之禪林，高明萬間，出有鐘鼓，入有泉石，披廣衲，浴香霧，然視其色，求其心，遇其四方，常如有所不足，貪故也。嗚呼！孰知其如有不足者即不貪之本耶？何則彼視其所居猶過客，雖飛來絶境，猶以為非我有也。以其非我有而遊世間，世間猶足戀耶？今之多寶者，為金為碧矣，來者羡之，以為美居者，不知也[二]，不知至矣。彼見其為寶者固礙，以為不足寶者亦礙，其惟不居而亦不去，物雖寶，寶雖多，不礙也。海在天地間，大者龍珠夜光，小者珊瑚成林，古今無窮。佛法海也[三]，而求者不之此而之彼，及其居於此者又有所不居，則其心之所欲有大於海矣，而亦不知其誰之寶也。蓋宇宙以來若此者多矣。

[一]雖空國捨施：捨，原脱，據明嘉靖本補。　[二]不知也：原作「不好知也」，衍「好」，據明嘉靖本删。

［三］佛法海也：原作「佛海法也」，據明嘉靖本改。

紫芝道院記

襄日，余方道廬山之上，林紅澗碧，高下橫斜，曳行竹間，漸秀而野，疏籬映路，得一精廬，時聞風香。直上二百餘步，即山半，為紫芝道院。又上，為九子亭其顛。余問主人，其紫芝何？主人呼童以其芝視余曰：「箕山斵松，得之松根，其葉重暈而堅澤，其幹交植而騰拏，高餘二寸，通明扶輿，色如鼎砂。按石芝髓、土芝瓜、肉芝嬰兒。惟木芝出於茯苓者，為威喜芝。生枝節間，龍形為飛節芝。又五芝五色，惟得之中氣而火成之紫，為燕胎芝。由芝有道院，由道院有人物。東海而一異人生，南海而一異人生，其來遊，其偕隱，皆不可知，而蟄焉者已知之矣，子亦知之乎？此英雄氣志之所不能有，國朝圖瑞之所不能無也。而以為非耶，則已見貴於昔人矣。將以其小為不足，則將必有過此者焉，王氏之珊瑚猶是也。惟其出於應感，漠乎自然，達乎際會，則赤水之元珠猶是也。」是道院獨不當吾記也，抑是芝也，以為寶不如玉，以為用不如穀，顧得而食之不飢。其始許由服之，不以天下易一芝之大。其後四老人服之，以其身為四百年宇宙之身。芝者不常有於人間，未有此人，已有此芝。及其為天下也，又若以此為此人有者，然子雲以為世無許由，吾亦當以為漢無四老，何則？子房在焉，東海君亦在焉，其為四老者此人也，其為黃石亦此人也。不然，商於之野、劉項之際，豈其近於人，而不聞於人，而其君臣者獨知之也？子房每以世外用，高祖千載之下，惟杜子美如見其志，曰「時清猶茹芝」，謂必如是，而後足以寤人主也。歲三秀而芝無窮，時閉隱而身有待，夷齊採於山而不得故餓，故太史公於傳首無故而嘆曰：「余登箕山，其上有許由塚，云説者謂箕山多芝，許由不飢，蓋傷夷齊不遇，不得如許由也，於是世道人物出處係之矣。」吾嘗與主人登高而望九子玉笥[一]，其西梅子真是其選，自子真而下之八子者，猶子真也。仙道往來，一屈伸肘，如春木之芚，五百歲而猶存，又千歲而一成純，後人想見眉宇，如聞歌聲，在此猶彼，因相視而笑曰，與子為二老亦足願也。

[一]吾嘗與主人登高而望九子玉笥：九，原作「孔」，據文淵閣四庫本改。

南岡寺藏記

欲離諸相而求空相，猶蜕衣而後悟四體之本然，屏塵而後識明鏡之不染。空雖非鏡，實不離鏡。苟知空之即我，即我即佛，非我無佛。自飛潛動植，皆纖然我我，而作佛事，亦猶莊嚴諸好無不可愛，又焉有礙我。游南岡見古大藏，匏落如海，想見盛時，滉蕩華光，殿柱二龍，委蛇廣博，頹崩岌嶫，轉動豪縱，自在空濶，方還目怒視。南岡語我，是嘗有異相，傳夜光去復來者後亦前厥，或如疑問有是事否？余曰：「顧虎頭以癡入神，當其得意反覆，畫雖未點睛，猶欲飛去，况殫精刻削，憑虚示現，亦與女媧摶土范人之形，以至神明聖智。彼華藏諸佛，如是如是，有差別否？」或又問曰：「是何不去？」余謂女非龍安知龍，彼其天飛雲騰，變化不測，而謂是形體之區區者為之乎？九淵之沉潛，不知何時起而不動且不躁也，此其藏神精妙，視微六合，乃亦與土木無異。喑嗚欠噫，志動氣隨，蓋神遊九天之上，而九淵之塊然者固自若也。龍耶非耶？我夢彼夢，無諸揑怪，今人語神異則如龍極矣。不知龍之為物有甚不得志者，雷風之驅馳、江湖之跼蹙，為鱗為介，豈可與吾等逍遥人間世同日語哉？吾意其願為此龍長守藏而不可得，而子顧欲其去耶？雖然，自其光怪變異以來，已入諸趣，惟其能超是以不去，而或病其不去也。吾請有以喻，子嘗試以宇宙而觀之，昔之蜕者飛者，王封而廟食者，其猶有存焉者乎？毋亦與人類同盡也，使其不盡，則其年壽卵育亦且動於滿盈而不可為數。是龍也，在鐘鼓之間，不變不去，無往無來，謂為無所得亦可，謂為得法實無所得亦可。南岡喟然曰：「吾安能有法以及此龍哉？吾昔者欲縮而小之，賴公之言，此龍得展布其體，至今有餘地也，而吾力亦從是憊矣。吾亦欲為此龍之癡而不可得也，此龍在我法中難逃一劫[一]。」余嘆曰：「壞固劫也，脩亦劫也。古人於一藏地，復著四藏地，故地大於水，旁足迴旋。脩不能不壞，壞不容不脩，復有吝於力而狹於材，未可知，而此龍無轉身處矣。能曰奈何，吾為爾記之，則為脩第二藏[二]，以至於無龍[三]，如是如是。前年過仰山不留藏，問何故，欽為吾言，龍畏地動，吾笑謂欽是龍猶轉此境不過耶。遂持此轉，作南岡藏記，亦如説法，能謝曰點睛。」

[一]此龍在我法中難逃一劫：難，文淵閣四庫本作「復。」　[二]則為脩第二藏：藏，原作「歲」，據文淵閣四庫本改。　[三]以至於無龍：龍，文淵閣四庫本作「窮」。

臨江軍閤阜山玉像閣記

江西葛仙跡為多，閤山最著，閤山玉像閣最大，像最小。按熙寧雙漸記，隋開皇中，基靈山館，得玉像三尊，遂建臺殿，隋亂，以鐵鐘覆而埋之，至唐貞觀復出。而吾鄉周益公記，謂玉石像尺餘，憑几而坐，二人跣足侍，咸通大火，像僅存，視鐵鐘則咸通鑄也，與漸記已不合。余遊屬德祐火後再創，問三尊已無有，獨小像可古尺半，鬚眉宛然，憑几欲言，玉色通明，琢製精絶，而又與益公記不合。此穆陵所書玉像閣者，因問道人，尚方之所錫耶？鑿地之所得耶？蓋老宿莫能言。然棟炎楣絶，天墜地墳，鐘銷柏熏，無一物之覆以及此，此於吹萬劫燼末矣，難哉。今臨江道録李穎孫堂構舊基[二]，其高六丈，廣七間，霄極加隆，繚繞雄深。或謂閣至高，像至尊也，藐山中之玉人，纔髣髴乎冠裾，不似人中之有瞳子耶？安用神明通天而樓居若是？嗟乎！為是説者，復何足以知至細之倪與至大之域哉？道生於一，一者微塵之為體，而毫末之為倫，以至一身一國一天下亦一耳。而以蒼蒼之色為有物於其間，亦如世有大人在乎中洲者耶。則雖鼓金銅以軒，若士之臂却龍伯，以布巨人之跡，自達者觀之，乃亦與牽絲摶土同戲，而何以相劣。大莫大於元氣，而人間為小；廣莫廣於人心，而天為小。由元氣為人，由人為天，得其精為赤子，得其道為嬰兒者，之為賢為聖為不可知之神，無不以此。是故，玉女以黄英為黍米，元始又以黍米為元珠。自其大者而大之，則雖崇高效天下建五丈之旗，而不為侈；自其小者退藏於密，則雖華蓋之下，北辰尊居，仰而視之，猶如一星子焉。惟肖不待大，愈大似不肖，而況混沌之與形、太素之與樸，亦猶蚌隱泥沙而孕補陀之相，石含委核而獻龜蛇之符。真復有物，在帝之先，而非人力所能就者，而自咸通火、熙寧火、德祐火，宫觀無遺，而晬容儼然。穎孫以道力負荷翼為千載傑麗無前，則近世老聃之後，莫大於此矣。通達之中有魏，魏之中有梁，梁之中有王，近故小也。王何與於虚空之數，虚空亦豈知有梁魏哉？如葛翁者，飄然六合，猶其壺中在在而見之矣。重來偃腹，毋拂梁塵。

[一]今臨江道録李穎孫堂構舊基：穎，文淵閣四庫本作「穎」。

善寂大城記

雪巖老禪與鐵船瘿師繙經之次，指其中善寂大城者示之曰：「是宜名歸藏之墟。」鐵船欣然歸志其處，而求文為記曰：「記即銘我城，就瘿且滅，吾如鳩摩什不自醫也。」余謝曰：「奚病，病而病病，乃益病也。大塊者虚空之疣贅也，人又疣贅大塊者也。故衆濁聚為瘿，雖惡是，焉得而去諸？一日潰然瓜爛齲裂，還與大塊者，同於虛空。昔吾有患，今有何患？幻身報盡，得大法身，此則懸瓠之所不能怒，宿瘤之所不能瘥也。彼畏景而求去，猶奉惘而圖存，雖非學佛之為感[二]，況其學佛，夫行者欲休，負重者欲釋，懷甕盎之大戚，而墮甑去之，似矣。乃復為城以處之，為記以銘之。其來也，有是耶？無是耶？不可得而知也。有名耶？有姓耶？不可知而知也。逝將去矣，睠焉回顧，猶剖之以為尊，而封之以為雨。我以城雉為害，女胡不以城甓為礙？彼不可去，此獨不當去耶？」船曰：「不然，吾之生也中土，中土此城也。自吾行於世，三里城，七里郭，而不為限，則夫遊於大荒，大荒猶是也；出乎壙埌，壙埌猶是也。吾形軀之不校，而地上者顧區區吾目中耶，城誠陋矣。中五之一、小九之一，得何以異此。方其未為此也，自某至某且不知其為何，無城無我，世無天地，我可不生。由天地有安成，由安成有濾溪王氏，而我為之族。自族出家而王於是絕，絕而復瘿，則吾屬於瘿，蓋不復不我，而入於物，物一病也。吾醫四方，有可為者，有不可為者。忘可為也，潰不可為也。潰而保猶城而守，吾不城彼而城此，猶不為漚而為幻，孰非幻也？天者地之城也，人者天之城也。我以實際語空，而夫子以空際語實。」余笑曰：「以為不可為而必為於此，猶未滅求滅，未滅求滅亦妄也。吾聞汝人多瘿，未嘗以為病也。見有延鶴頸而高結喉者焉，則必以為怪矣。是不求滅也，苟至於不求滅，則滅矣。瘿且不能為之害，城者亦不能為之礙矣。萬古一寂也，為寂即萬古也。寂滅為樂，不在乎滅不滅，是謂善寂。師名復濟，吾號瘿師，瘿不常有，有之常無，聞生予之名，則不必死，辭其累然亦離乎彼而立於獨矣。彼無此累，亦無此名。或曰：「濟師連於頰也，贅也非瘿也。」余笑曰：「瘿亦贅耳，贅小瘿也，瘿大瘿也。楓有瘿，藤有瘿，菜亦有瘿，豈皆繫於頸耶？凡長髭、白足、赤眼、矮師，亦以異得名耳，贅非所以名也。鐵船瘿蓋奇。」

[一]雖非學佛之為惑：文淵閣四庫本作「雖非學佛同以為惑」。

永慶寺記

謂佛以離日用為道，著虛空為性，則佛亦將笑之，故千餘年稍知道識性者，必以禪為晚合，非其涉閱究竟有出於吾心之所同然者，則雖父兄師友莫能强也。若蕭氏之子從則，年甚少，趣甚高，獨以其餘力起廢寺，如館幽客，既成過之，亦若觀他人而勸主張是[一]。吾以世外悟風契[二]，得之本然，不然，孰無事而勸主張是。吾以世外觀出世，聞是言也，隱几而笑，亦為欣然。是為永慶禪寺，在永新城中縣西南，唐名新興，有銅佛金光，應直感夢，藏輪自轉[三]。圖經云，迺至元丁丑之燬，邑無靈光，綦路草青。又十三四年而僧遠來插竹，遠無求於則，則亦無求於佛，彼實不知其何緣，然披榛而起，明日而呼吸，合荒度改圖，既除數尺，乃與古基四履不失尺寸，類非人力勉强如此。由是樹法座樓，方丈與華光之堂、羅漢之閣崛然，不三月而就。雖續成宿搆，待歲而舉，亦未易至此。使俟他日，由逕及門，見者矯然盛哉，亦舊所未睹也。余謂是間有邑以來，未嘗有陵谷之變如此其極者，而諸方建立歲異，亦未見有掃地勃興如此其易者，此二人之力也，而非一人之力也。如以為一人之力，則吾與有焉。蓋昔者井田之世，吾與子並耕乎百畝，令其入於千百千萬且不可知，此則禄之所不能均，物之所不能齊也。世壞佛興，損此益彼，我則何事於施，而施亦等矣，庸詎知吾之有力不勝於子之無心者乎？抑語稍闊，當斯邑盛時，高者擬封君，下者擅鄉井，使推此心以及舉火之士，則超在此敢煩他人，必不至食有魚而出無車也。使推此心以舒其國之難，則牧也，輸財助邊，乃出於人情之靄然不自已者，亦何至舍其金玉而窖其粟也。吾以世法閱世間，而有以識斯人之不可及矣。悲夫！難卒者業也，有終身而不能成一日之事者，有數世而不能繼前人之志者，許玄度以終身緋衣補浮圖，是兩身浮圖半也。夫得用一世衆人所不及之力，以為其當身之美且完，雖前古猶難之。吾又以佛法撫世間，而有以知其福之過人也遠矣。雖然，盡大地如協利兜率，皆人天小果，向非此語一掃而空，則其所修，崇者崢嶸，皆在胸次，亦可謂塞乎天地之間矣。彼梁武區區，賴是而後悟。今從則蕭然不由聞見，舍所嘗舍，不惟財粟塵也，刹亦塵也，即有功業大於天地，天地亦塵也。兹非儒者之所謂過化者乎？人能知塵之為量大於天地，則知空之為性亦不能離於日用矣。吾以言語文字為施，故竭所見以告從則。猶如從則於永慶之為，蓋鳶飛魚躍，在在見之矣。或曰從則嘗見子乎？曰不識，曷求記。曰識，未悟不識者識[四]。

（以上豫章叢書本《須溪集》卷一）

[一]亦若觀他人而勸主張是：文淵閣四庫本作「亦若觀他人有而已」。 [二]吾以世外悟風契：文淵閣四庫

本作「無與者此由禪悟風契」。〔三〕藏輪自轉：原作「藏藏輪自轉」，衍一「藏」字，據文淵閣四庫本刪。

〔四〕「皆人天小果」至「未悟不識者識」：原文「皆人天」後，爲「廣陵二州間」至「而非必荒幻之謂也」一段文，據文淵閣四庫本，此爲《五顯華光樓記》文，據以刪補。

五顯華光樓記

谿南粤通贛右而下，谿蜀江轉重湖而上，左衡右廬，舟車百貨之會，惟樟鎮。華光樓者，樟鎮之鉅觀也。五王居之五王祠，新安婺臺最盛。而赫然清江之上者，則以風波厚載，數路跋涉，赴利之夫、臨深之子，操心危而望走近也。然大兵大劫與世同燼，乙亥六月華光火，斯人憔悴之餘，萬無復舊理，矧勝奢樓，故依寺。寺僧師茂往來廬陵二州間，不知其幾，卒起故基，高前樓數尺，壓江西，夸婺臺，復道旁，聯麗似華蕚。爲琴棋書畫閣四，爲鐘鼓閣二，入市而市子來，叩遠而遠響集。寧惟靈場翕張所致，亦此僧堅苦求者不多而信者衆也。僧以予言語音聲爲倡，至此請復記其成。予欲求五王之興而不可得也，乃且通宇宙而言之，而不見夫陸終氏之同乳六者乎而非也。神者，陰陽之不測者也。物莫大于五行，天而星，地而嶽，如指于掌，孰非自然？雖星與嶽之有名，未有非人爲之也。故謂此五者，其初一人之身，亦可。其存神合變者，遂以爲五人五姓，亦可。達者古今六合爲同氣，不達則五藏冰炭，其形其色，且皆不可得而知也。吾不能知五王之爲人，而知其所以神。所以神者，未嘗不與人同也，遂以其神也，為靈于人，靈于我耶？則吾見夫神之為靈，有不通者矣。故有以幽陰血食神者，有以淫威禍福神者，王者異于是，其車馬衣服雍容文雅，宜與南面王者同其崇高富貴。然西州之灌口、江東之昭明，人貌而天，非不與王同，而王猶出入光塵，遊戲人物，幾無所不同其憂，亦無所不同其慶，則其神也，非獨神于彼也，宜乎仙矣。吾以其仙也，豈非備帝王之福，出乎世而未離乎世者歟？則報盡重來，雖古之列仙，有通乎命而不通乎性者矣。其仙猶未得為至也，仙之與佛如隔一塵，而獨王之所在必依于佛。其在佛也，亦命之為五通仙人[一]，意者王之超然，又有非仙之所得第其高下也。是合陰陽五行，古今侯王帝子、神仙諸佛，一視而無間然者也。其于性命福智不幾于全矣乎？雖然，吾不能知王之仙耶？佛耶？其猶未得為佛耶？而嘗見其復出于人矣，在昔道君得之在宥惟肖，而紹陵之夢、丕顯大神之字，其靈爽又近而可證也，是何其往來變化之不可測，如此其神而明之，亦存乎其人耶？老茂不逾中人，而所建立勞費萬計，在人天小果耳，何足陳于其前，獨王之通行千載[二]，未有深著，其何以通者，蓋理有自然，而非必荒幻之謂也。（文淵閣四庫本《須溪集》卷一）

[一]亦命之為五通仙人：通，豫章叢書本作「道」。

[二]獨王之通行千載：通，豫章叢書本作「道」。

吉水洞巖朱陵觀玉華壇記

因泰山升中，於天近也。地載神氣而產五行，其尤高且大者，風雨之所交、雲龍之所興、仙聖之所往還，故柴望通請雩切登封，極陟配隆，况第為洞天三百六十之一。古之真人嘗修煉於此，後之學者又冲舉於此，則壇為飾焉，植圭璧焉。其增高據勝，如東方明，如四郊合，豈直佳時遠集，俯落帽以興懷，暹暮同游，顧沉碑而横涕也。洞巖在吾州東南、吉水西，自貞元六年閻使君寀棄吉州，錫名遺榮，隱兹山。《唐會要》云，今巖石有若扉半闔，霤飛瀑者，相傳入巖中石合，繇使君前有謝仙，後有彭、劉，又後有此山道童，曾俱無名、俱得道。而南唐徐鍇《開寶初記》，稱浮邱王郭嘗遊此。道家紫玄《實録》遂稱王郭洞為小華蓋，指此古洞巖名寶壽觀，治平改朱陵。澗水出東西兩洞，入東洞道古華蓋閣至瀑下，未至瀑數步，逕絶頂，迂迴騰拏，出瀑上，今為玉華壇，壇在曾仙童昇處，夜有光。按江西惟撫州華蓋山巢三仙，而吾州稍高山輒稱華，如瑞華、佑華、南華者不一，惟中華盛然，稽其實，如上所記，無一有，而洞巖自閻使君外不見稱。數方民之求福，草野勃興，亦猶履巨跡而疑雨星，聞雊音而希陳寶，雖鴻濛之與語，而汗漫之與期，要皆不可致詰。然仙驥未歸，隱然下記其處，虹光上燭，夜中猶際於天，則兹山之為玉華，又近也，其不可誣也。凡人間世質左契彼，鑿空望走，此隱佚沉淪，則亦居其所者之有能不能也，而人物顯晦猶是矣。使衆真雜遝者，非浮邱翁與其丹猶在是歟？吾嘗挾二三子與父老争道，指山而問，在鄰城五峰，忠簡胡公在其下居，永和清都，東坡、山谷遊焉。佛塔其陰釣臺，涓涓之所自出，前望快閣，章貢横陳，想見安期老人，自此而入海，周王南征蟲沙猿鶴之後先也，仙好樓居，樓莫高於此矣。既下，道人請記。余笑曰：「宇宙兹山謂自今日始，可乎？」道人曰：「兹山宇宙，自今日耳。」余謂二三子具筆墨，余為《玉華記》。今日自閣使君至今日，四百九十二年。自寶壽觀至今日，三百三十一年。自朱陵至今日，二百二十五年。自為玉華至今日乙丙丁，二十有三月凡六百三十有三日。歲諏訾月旅蕤賓丙丁統日庚子御辰，余遊山并記。（豫章叢書本《須溪集》卷一）

長沙廉訪司題名記

春正月而歲新，人情改，飾脩潔，必無肯復仍其舊者，重天道也。故湖南肅政廉訪司之題名始此。肅政廉訪司者，至元二十有八年以按察司玩廢更其名，首選當世人望有風力者為之。觀聽竦然，雷霆行空，必將有所滌蕩震厲。至之日，列城肅然。湖南帶嶺嶠、隔江漢，地大，去天遠。地大故難治，去天遠故不盡。聞今其民安俗便，不待愬而救，貪夫遠利知耻，雖欲假一二以徇，而厥罪無繇。又如秋之為令，行於草木，已而惟見天高而氣清，潦霧俱盡，自亦不知其所以然者。於是廉司之建逾年矣，伻來文於廬陵以為之記[一]，重新制也。按《春秋》未筆削前，楚有《檮杌》，專記人之惡，夫子以《春秋》易之義主於《春秋》。湖南故楚，貪吏之昔也如杌，而諸君子之肅也亦如夫子之為《春秋》，惟聖天子之命則有辭矣。且按察猶廉訪也，而必易之，寧惟易之，而肇揆之曰肅，知加冠彌尊，豈貴名哉？顧諟之矣。按察者日求人之過，而肅政者先正己而已矣。漢萬石君家不言而令行，小不釋意，子弟至無所容措，況乎立百官庶民之上，不見其形，視其影，所謂不怒而民威於鈇鉞者，豈可以旦暮致哉？意必有出於擊斷斬伐之外矣。方諸君子之來也，湖南之人相與閧而喜曰：「是常為某官者。」在事之諸賢，又必有閧而興者曰：「是嘗以玉雪稱者。」則亦不待褰帷正色，攬轡揚聲，而不仁者遠矣，此其想見風采隱然在題名之先者也。他日之奏事而歸也，都人士聚而觀者，不又曰：「是嘗為湖南廉訪者。」夫使天下移氣易俗、回心而嚮道者，其在斯人乎！其在斯人乎！此其屬餍厚望藹然在題名之後者也。吾江西人也，昔者得之徐公子方焉，曰：「是嘗為湖南按察者，是嘗為湖南按察而肅者。」是碑之立，鏘然與子方前後聯裾疊佩、鳴玉相應，不知其亦萬一有能為江西來者乎？獨後我乎？蓋願言不獲，如見其人。

[一]伻來文於廬陵以為之記：來，文淵閣四庫本作「求」。

節齋記

節，蓋論其大者，則天地四時，豈謂一事之信、一物之啬、一小忍之頃哉？人生亦如四時，有三大節。少之時，學問事親，既壯則欲忠孝著於事業，老則全歸以見地下，終令譽以遺子孫安。大都不過百年，每以三十年為一節，而及百者少，其不及百者多，則壯者之歲月，有不自知其侵尋已入於日昃，而猶以方中為可恃，未闇為可待也。多行可悔，常過憚改，不知來日之不足而悔且改無及矣，可不哀哉？吾夫子大聖人，猶不敢以生知廢學，於其間兢兢焉，每十年必一自省。吾果可以有進於前十年與否，而十五以前之日已不復得矣，七十而後之遠者又未可知也，計其逍遥退老周公不夢，則環轍者直三四十年也，以三四十年之仕而司寇者數月止。後之學者何如聖人，而十年間世路際會俯仰赫然者為不可及，車馬輕裘有不足道，而昔之人為無能矣，其用於今日如此，則其傳於後世者當何如也？是可喜也。固無論其遠者，試以十年自省，由初至此，血氣智慮其有異於少之所為者幾？吾今之體力尚得為壯乎？其猶未得為壯乎？其過矣乎？用此思之，而六七十如不遠矣。人能常以既老為心，則日用飲食亦可以寡過也矣。節無大小，方一介之不當取也，則一介為大，他時繫千駟受天下，猶一介也。當洒掃應對，則洒掃應對為大，他時雖使四方、臨戰陳、守宗廟社稷，與今日洒掃應對，一也。視小節猶大，則視大節猶細，彼謂觀大節必於其細者，觀人者之見也。節無大小，以能守為大。江西省掾保慶李元剛號節齋，求記。余謂言大者而小者無不具焉。或曰，節之為象，取於《易》，曷不言《易》。余拱手曰未學。（以上豫章叢書本《須溪集》卷二）

全元文卷二七三

劉辰翁 六

愚齋記

龍眠李公圖其山莊，又自為賦，句字清麗，殆安仁《閒居》之本色，摩詰《輞川》之別幅也。再傳而家廬陵，襲紫聯纓，羣從清華，高下朱門，連城映圃，望如亭池盛時平園公往還就觀其家帖厨畫。比年零落亂喪，割為牆東，平翁居之，客主容膝，而車轍巷隘。有益公嘉泰龍鬚碣數尺，至無所處，則壁之突隅，上規天光，下矗盆卉森然，亦不啻足。平翁起階庭，易短後，劍書史，鞭塵埃，混於吽牙，託於娵隅，先日而出，後日而歸，間休浴輒會親友閭里，觴詠歌呼，不知天地間何者為美，何者為惡，何者為貴，何者為賤。或愚之，曰固當如是。愚之者疑之，以問劉子，劉子曰：「於魚得計，於羊棄意，蓋物莫不自得，而為人之愚，為平翁者得矣。東家西里愁其身以虞明日，常忽焉不免則暮為窶人，而降臣皂，身腊漆而無聲，墓鬼飢而靡徙，欲如平翁得乎？蓋屋如是華有餘，世如是樂亦足矣。」於是又有以其人為智者，而吾亦不能辯也。

太秀洞天買田記

太秀江西洞天，而山田不滿三百，其為宮觀不知幾何年，簪盍第增，環山十里，古以至今無人焉居之。比年遊山者、檮祠者、暮投宿者，日常數人食而田不加多，世亂恭奉幣者益少。余紹禹之為道司也，獨寸寸而節，歲收歲廣，復市田七百餘石，附舊籍於山間，耆老共祈乎一言以為記。凡方外以噓吸為喬松，而世亦以餐花絕粒者望之，故其業視給孤乞食為寡合，雖有飢色，必將忍之焉。千年空山，甫及千斛，將來者笑人無能，則昔之居此者為已多矣。謂非才且賢者不及此也。當庚桑子之來，草根木實澹然至足，徒遺後人以其處[一]，而代興賜焉，望走施焉。雖然，有隱有顯，是山以杜真顯，而又有法樂天王為鬼神司命，幽明證信，人物歸往，而上不及閤皁，中不及承天，比於隱者徒以貧無求、素無欲。今其辛勤積累，視他山能幾，然井田之世，上農夫數百人之食、百金之費，中人十家之產，此蓽門圭竇之士所為廬舍而竊嘆，而金堂石室之地，顧猶以蜀葍為未足也。繼自今，其儉、其勤、其益思、其始計、其終，於諸仙之過化為不享，於叔季之所蒙為僥倖，毋以給足傲蘋薦，毋以積實廢飯芻，由百致千難，由千取百易。繼自今，其儉、其勤、其一百乎其初，則吾言為陋矣，夫吾言且過矣，夫陋且過不論，吾又自有感也。士大夫無儋石負米而起，熙熙然家如嬰兒，一日而置二頃，則身後有爭焉者矣。政煩賦重，阡陌儗封，君念子若孫有願為窶焉而不可得者矣。而惟世外之人皆宛然閱世而無患，非其能足以致此，所以致此者，其道蓋是也。嗚呼！大道之行與三代之英，吾黨未之見也。見素抱樸，少私寡欲，道其道者尚亦毋悔乎其言。

[一]徒遺後人以其處：遺，原作「道」，據文淵閣四庫本改。

南劍雙峰書院記

將孫客授南劍，而順昌之諸生以雙峰書院介吾兒以請曰：「邑之有廖氏，猶楚申戴也。自紹興中丞公剛以諫顯，至慶元間運使公義剛為朱文公高弟，又百有餘年，而其孫邦傑持鄉節過之，乃以運使公配中丞公祀，為雙峰書院，養生徒於是，兩公皆得謚為文靖矣。於是龜山楊文靖公、豫章羅文靖公、延平李文靖公，五公矣。代變風移，有北來寄公書院舊基而家有之，迺郡屋府判某過，為睠而贖之，以吾倅不可會，廉使汴梁李公果力主某請歸贖，今而後乃得復為雙峰書院。屋雖舊，禮殿新，諸君子之業勤矣，願有記。」將孫又言，劍南之重新[二]，延平之修理。龜山雙峰之克復，皆府判也力。余聞而悦之，為雙峰言曰：「師友之際難言也，夫子於堯舜祖述之師也，顏子於夫子父事之師也，子貢於顏子兄事之師也。若文公之所祖述，之所嚴事，之所陶鑄，如服衰緦心所自盡也，豈後人可擬而議哉？文章之於性，天道末矣，而或謂其參天地之運，關盛衰之數，有諸賢不可得而與者。若生同鄉、學同門，倡明斯道，上接河洛，為世之大宗，其後討論從祀，後先揆一，則自周公以來，未覩有若此郡三先生文靖之為謚者也。其於天地之運，不知磅礴幾千百年而後一合乎此。夏商以前，飂叔安之後，廖以國氏，又數千年，其間生才名世，豈皆魁奇迷溺，如衡山師而必待中丞公而後顯，又必待運使公而後合。二剛節惠，儼然與三先生壹，則微文公之澤不及此。建為東南洙泗，及門之士星連吳蜀，孰非語録？而躋為先賢，疏為封公，翼為書院，墜而復振，而又有臺若府，共光復之，以有寧宇，遡觀前代，其不謂之盛耶？不謂之數耶？劒視建為小，然道統之傳發于延平，則延平為大，順昌在延平小，雙峰尤小，然一姓兩公最稱世嫡，則雙峰為順昌大。嗚呼！予論師友祖孫之際，不勝其慨然也，太史公言林之先，豈有天禄哉？何廖氏之文歷異代而尤盛也。

［一］劒南之重新：南，文淵閣四庫本作「學」。

竹坡記

自歐公記相錦以來，鄉郡雖宰執侍從罕至，而開慶已來，吾鄉平林蕭公以王人起家兼江閫，豈惟一時家國異數，兹亦宇宙不多見也。於是飛渡迫矣，環城清野，合村墟鎮市生聚可數十萬，悍將之烽火一起，惟公以家口保之。今蜂房蟻邱，四望烟綿，孰非公之遺愛？而公之孫元永復以至元貳卿輿，歷師海瓊，是家喬木將葉葉焉其如初。繇是南北之人稱公之孫竹坡如平林，迺竹坡自叙慊然曰：「斯竹也，吾祖之林之一也，不殖且落，何以示子孫。」予曰：「物之為林者衆矣，雖受命如松柏，亦當身而止，惟竹也乃以孫特聞，非以遠且多耶。是坡坦迤，三徑蒼然，試遊目乎區中，其西則金谷之園，盛時花木連隄接壤，避車蓋者無路，今荒苔斷礎容有存焉者乎？稍東為烏衣，又東緑野，青陰華屋，塵空燕徙，不論幸而存者，館墟而廢飾，幽遷蓬集，入污出奴，過者奈何也。蓋夫昔之為林也，芳者、葩者、蔓者、條者、翠而葱者，風霜一旦凄兮搖落，亦其遺後者早已。就植物而論，東南之美惟此。君獨高而況是坡是竹，愈厚德以培之，勤學問以溉之，中虛外直，確然當以其節，顯庇其宇者，猶慨然如有立，灑然如執熱而濯也，兹非淇澳之猗猗者耶？何其閱世暑寒，復其初，過其祖，以及其子也，則夫竹之為孫也，有不為當世用者耶？而又可勝慨耶？且吾黨笑夫晉人之高興也[二]，子猷、子敬皆以愛竹款門，而或為人所閉，或不為人所禮，孰如家有清風，逍遥其下，披襟永日、嘯歌命客，而俗物亦莫能至焉樂哉。歲寒市而隱以此，雖然，又有去而為相，而憂其竹之不平安者，竹豈有不平安者哉？毋亦饞者甘其萌，削者剿其根，子孫不賢者則又引山王以為重，植千户以自封。又不然者為郫同滑之，肆大嚼恩之，雖非戕賊，而有一於此，則愀然日有不安者矣。君起家用世，其疏濶恐不免，予為記此，以是傳之子子孫孫，即或出或處，雖千萬里外，其平安如一日。」君起而謝曰：「噫！子孫之幸也，先祖有焉。」

［一］吾黨笑夫晉人之高興也：黨，文淵閣四庫本作「嘗」。

小斜川記

新昌羅思敬為我言，所居山水之勝，翰苑臺、折桂峰，皆邑望。而洪覺範吾鄰也，溪流一葉，洪以其類斜川也，釣游樂之。予為亭其處以詔子孫，待賓客庶幾有能賦者焉，願夫子大書而名之，以存洪拊洪賁洪。余既名為小斜川，又繫之曰覺範者，豫章公之無木鉢［一］，孟後之王何也，今亦豈易得哉？使吾及此老與之夜話，證寂音，續僧史，豈非山間世外之一快？而俗子隨聲取自標重，其於名謗皆若此，使人秉塞世方，招邀高尚，祈望八百，彼為釋氏，傳之其徒，則佛之可也，派之祖之亦可也。爾乃能索之西家，爾乃能納之畏壘，爾迺能遯。蓋公以招其與鶩高慕外，跡其人不相接之遠，與躬為後學圖示四方者，用意豈不蹇陋疏甚。而人棄我取，雅近自然，鄰好新矣。為此亭賦者，其亦思一僧出處，詩詞末技，存江山以不朽，則夫大之為文章、學問、功名、節義，所以樹當年而風百世者，而獨可以已哉。

［一］豫章公之無木鉢：木，文淵閣四庫本作「本」。

秀野堂記

昔者坡公之賦獨樂也，曰花竹秀而野，妙語天然，豈無名園盛麗於此者，而不足以當之矣。長沙趙公以二十年間居建地烏衣，麄疎種植，計今晝錦之堂，豈能如前時湖南第一羣山囿之甲乙，乃取温公《獨樂園》詩語，名堂秀野，而移書廬陵記之。余得書而嘆曰：憂樂時也，將謂温公之樂樂耶，孰知其憂。以慶曆、嘉祐之民，為青苗、保役之世，安土之流移，永樂之耗敗，當其居洛，孰非幽憂憔悴之日，深衣而起，曠然與天下為元祐，而一馬二童之不返是，斯園五畝，未嘗識公一日太平之樂也。意其花竹，猶有遺憾也。若公之秀野，豈非真所謂獨樂者哉？公之新第幾時矣，楊柳菀其茂陰，蕙蘭芳而如水，四時變態，嗚呼。朝暮紛唱酬以盈卷，撫童稚則已長，然而兵出塞吾不知，朝燕坐吾弗與。每曉露觀花，晚風迎月，回思往時，鞭塵汗血，烽堠夜驚，蹈海之危蹤，過河之枯淚，顧疎籬寒碧、道傍老樹，無不可愛，欲憩焉息焉而不可得。今北窗晝倦，雪深起晚，時時氈騎過門，羽書如雹，世之事吾不得為吾之事，非世所慕不知鄉社之耆英、山林之仙隱，其風流興寄何如也。則今秀野其不樂於昔之秀野者耶，而又欲為彼耶。雖先代大賢，理無相勝，吾獨悲温公之時之志，而又以慶此堂此日，遂初之不可及者，以其生無事之世，而當無用之時也，即公之父祖可知也。彼宅成秉燭，日驛平安，雖賢愚相遠，然以憂患之長途，易功名之不朽，後之君子有閔焉於此者。吾聞此堂日用修香譜、理琴事，如不及。區區栖遲相望，約公遊嶽且十年而不往，則以逆旅之不如昔也。遠承授簡，誦兒童君實語，為花竹憂，幸公筮遯與世相望。余雖衰晚倦遊，會當乘興，清時登堂，聽琴得句，長歌歌，獨樂樂。

大隱堂記

人隱天，天隱道，天與人如魚水，人日處其中而不自知。或曰人處天中則聞之矣，天何處？曰天亦處人中耳。莫大於天，而莫知此大之所隱，止在目前。是為道，道故隱。凡大隱倣此鐵柱黄石厓隱。鐵柱堂名大隱，石厓自朝至暮引接士大夫不倦，人物之至其室也，如肆與市俱興，入夜而後息，見者皆以其擾擾若此豈隱者乎？余謂此其所以為石厓也。余聞百里數百里間有木食澗飲如猿鹿者，則跂然而喜，或徒步往從之，亦必無不得者，今吾日與之處，豈惟彼忘我，我亦忘吾，而誰何者遠矣。謂大隱必於朝市亦非也。吾生於是，長於是耳，豈必變氏名哉？或曰彼庸也，或曰吾東家也，而索我於方之外者，亦有所不及索矣。雖然，為石厓易，欲不為石厓難。勞其身以為人而人安之，故曰為石厓易。一曰關門静坐，而人有窺之者矣，故不為石厓難。昔魏鄭公、李鄴侯輩，皆逃儒而入於老，故混若以老為老，已不得謂之隱矣。介子曰：身將隱，焉用文？今名堂曰隱，已不得謂之隱矣。惟不為木鶴，不為鵩客，不為金門待詔，不為五將軍佩印，斯堂斯日必無是事，而是事亦必不以及我，即所謂大隱者如是而隱矣。凡市門隱，非庸人，非方外，故能識某屠某傭，甚至知其國兵符所在與美人意中事，如指師材，不辯狡獪，此事亦姑置。獨有一事為大隱過計，遇祈孔賓呼勿去，耖道士來勿失，回道人共住勿怪。

朝陽書堂記

同年資中張君壽父尉吾州永豐，攝永豐，最後攝永新，用之隱然，如當路甚，乃以此得奇禍不悔。其後又官武昌，城破，為諸生灌園，而諸生起從之遊，與之言性命道德至久，而南北共杓之，為之植屋數間於黄鵠山中，學宫之後，東面日出，君壽於是榜之曰朝陽書堂，而馳書於廬陵求記。朝陽者天地之仁氣也，自或者以鳳為名陽，而詩人之意失，彼其鳴也高岡也，非有取乎朝陽也。若梧者感仁氣而生而亦興耳，今之名堂者又非取於梧也。非鳳非梧，吾且指朝陽而言之。子以為今之扶桑者，即昨日之西山者乎？非也。日雖久照，若其淪於倒景也，則亦魄耳。故有聲如雷，既夜半而陽生焉，其得諸陽也如鼎，蓋五合六聚，而後出於人間世為升，其升也至再三焉而如春。孰知天地之為此也，有甚於為人者乎？而觀海於東南者，足以識之矣。彼以地下如人間晝者非也。陽之為盛，未有盛於人間者也，故其道文明。人初生若初日出，今吾與子蓬蓬然而日入於槁，其又有補於東隅者乎，其亦頹焉竢焉，而歸少休乎彼也，則人之所為其不能與天相似也，亦在乎此矣。凡人之不能忘者，在宿念生道，日進而日新，其昨日者予忘之矣。雖豐功盛德大有造於其時者，亦忘之矣。士方少年，起書生、涉州縣，歷閱當國人物，事之成敗，懷惘惘而如夢，其可為悔悼，可為噫笑，亦復何限。今夫日之照也徧天下，歷萬古，偶爾塵霧晻靄、光景薄蝕，寧能復以為意，及其興於平旦之氣也，曒然赫然其如初，則其求日於昨日不知其非矣。是謂常清常明，是謂性體，彼其洗我也如此，使吾八九十則已老，使吾鷄鳴為舜不更少乎。而齊咨，而涕洟，而鼓缶，而歌曰日昃之離，嘆吾老而悲吾衰，則其對朝陽也如愧之矣。朝陽者日日之春而日日之古也，凡過而不能改者吝也，而不能忘者亦吝也，予今之日非昨之日矣。故湯之《盤銘》曰：「苟日新，日日新。」又曰：「新予也。」城巷之幽居人也，晏而起，大如車輪，非東方既明者耶？而已不得謂之朝陽也。斯堂左鳳凰山，右鸚鵡洲，蜀江浩然，推峰而上，雖視吾所見不丈五而早，而已不得謂之朝陽矣。欲觀日也觀於山，欲觀日之生也觀於海。海者地之至下者也，而少陽生焉，諸陽聚焉，人人有是海而不知朝陽者，日之可愛者也，過是則杲杲矣。以陽事陽也，朝為近，抑放勳曰寅賓，出口日之賓也，我為主必有事也曰敬，敬己而已矣，是則朝陽也，未嘗不曰在乎此，而不必待乎彼也。

茶陵陳公俊汲古堂記

茶陵陳公俊之曾祖商霖為書堂於所居快閣之後，其鄉人段左藏名之曰「汲古」記之，他日艮齋謝公又記之[一]。繇淳熙至紹定，築茶陵堂廢後五十年庚辰，而公俊始改居城西，復汲古堂，存二記，慨然曰：「吾恨欲裹糧挾册一至於廬陵不能也，有長沙之介曹氏，儻得一言如淳熙二記者，子孫如有聞也，敢請。」予笑曰：「若稽古，若稽古，則遠矣，請以今喻。予居鄉望焉，有意乎後進之士也，每屨二及門，無問識不識，得其風神小異，間或悉其氏名所業，欣然客之，其必有以啟我。然寒温時事而退，甚乃不及時事，既出門初意失然。予又懲前客病予訥，為之津津然，援往昔聞見，雜以近事，已作萬一其郢質我，横從我，然强者唯唯，强者語他。謂初見然爾，後相見復然，至甚相得，謬稱門人復然。問猶汲也。常言曰：『學問，學之道問為急。』雖有洌泉，非誠心渴，則其洞也如棄，棄非泉病也，渴者病矣。渴有至，有不至，不至可忍，至不可忍也，愈知味則愈至。子貢於兵食，樊遲於仁知，陳亢於詩禮，問則至，不問不至也。汲之為道也，愈足而愈不足，汲有不足，道無遠。陳良北學中國邴根矩舍東家。至安邱，歷陳留、潁川、汝南、涿郡，起景真，起孺子，遜二親，為嵇叔夜走山陽，古之人，古之人，其渴名士也如此，吾可以望之閭巷之諸君也哉。近年，每過使客，聘予講。予謂講者非自陳已也，使諸生各以其疑問，必有疑也，反復從予得之，不得不措也，是謂講。然而問者嗇矣，何以待問者渴而問者嗇也？有得少而自謂已多者，以時文談經，經者給時文止飲河者，驕若不可復進也。又有求之之過者，惑道聽而哀晉都，守成書而信燕説，浚恒者必求深，彼恒也本不深也。苟不知其汨陳，則汲亦病，不汲亦病，故吾之於古，有不然，不然於衆之所然，而衆亦謂予不然。至淺者記問也，有泥且食，以為不易者焉，典故是也。至深者義理也，有穿穴旁通，而當道塞焉，傳注是也。夫子亦何自言之非夫遠者之為汲，則予狂不至於此。凡古事，無所不有，得其情者或寡，陸羽知水，無味有味，無味者味，味乃知也，今人不知水自羽發之，勉之哉，古者腐也，汲生泉。

［一］他日艮齋謝公又記之：艮，原作「良」，據文淵閣四庫本改。

善堂記

自韋弦易佩以來，有志於改塗易轍者，即美言尊行無不用；其取於他山之石者，則又驚世絕俗至乃使人不敢稱。楊侯克恭獨以善名其堂，初若無所謂者，然槩乎其無所不包，語焉其不勝既[一]，豈不廣大矣，易直矣，純乎精粹矣。侯以予粗知字義，謂予一言。予蓋敬之愛之，為之言曰：天地之道可一言而盡，繼之者必善也。苟於其繼之者不深識其所以然，則必漠然而無所可守矣。始為仁義禮智者，誰歟？求之性初，性初無是也，善而已。求之盡前，盡前無是也，善而已。善者念之動也，雖天地之分，亦念之動也。方其動也，我且不自知其為誰，亦猶未動之先，天且不自知其為道。天即道也，道所以為天也，而吾為道之子。所為繼也，繼猶春也，春之於物其何所不至，而豈有不善哉？人見其無所不生也，不能無善，不善而不知，其不得不生者皆善也，而豈獨私於人哉？而豈獨私厚於我哉？吾於此見天地之量，於此見命之流行自然如不得已，於此見性之於人本皆如此，而橫論為惡、調停為混者，皆未嘗返諸其初也。泉初出，猶雲初興，豈下流之謂哉？必有察夫動之惟微，而後知其為中也。雖不離乎喜怒哀樂，亦未至於喜怒哀樂，故仁義禮智皆不足以形容之，此則善之為善也。善者道之所生也[二]，吾赤子之心也，亦猶人生未有名字，所知者其父母而已，則其去父母特未遠也，字之又字之，其號名殊，而所生不可知矣。今之言性者皆字也，心言仁，仁言愛，愛言覺，覺言公，德言常，常言端，端言幾，幾又轉而元而通而復，則字之字也。向之員者，稱有以為方也，而清者不可以為和矣。父止慈，交止信，非不足以為善之所止，而謂善之為善止於此，則不可，蓋有止於此而不足以為善者矣。故家有嚴君，而大人者不必信。嗚呼！不明乎善，則雖執中猶執一，而況愈支愈辯，愈辯愈惑。今世之所稱者，以并包為善，而又以巽懦為為善之人，則殆於認惡以為善。不知舜之善也，有若決江河之勇，樂正子之善也，優於天下，則善之氣象為何如也。侯於學問既得於念動之初，有以達性命之蘊，而又有服膺固執之力，不得志，獨行其道，屢空而不悶。昔者荀息之言曰：「人之為善，誰不如我。」范孟博謂其子曰：「吾欲使汝為善，則我不為惡。」後之君子無不有感於斯焉。楊氏自四世三公為蜀聞家，侯青神人。

［一］語焉其不勝既：文淵閣四庫本作「語焉而不可勝既」。［二］善者道之所生也：生，原作「善」，據文淵閣四庫本改。

中和堂記

河東李士弘，剛果好義人也。其來東南，徧參歷試，充然如有所得，然余有所不能知也。其來語我中和之堂曰：堂，吾家也所在而揭焉，有一言而可以變氣質之偏者不敢忘也，惟吾子之留意焉。抑中和之義弘父何不知也，余豈敢以諸賢之衍義復出之乎？然自讀《中庸》以來，有疑於朱子，曰：致中和於一身，則天下雖亂，而吾身之天地萬物，不害為泰。身者天地之一物，豈復有天地萬物在所謂天地之外，而獨寄於匹夫一人之身者哉？蓋勉而學道，學而有得，而後悟天地非吾身外物也。天地之物，備於吾身，而心之經綸，又有天地所不能為者，就其所不能為者，則亦猶一物耳。不知吾之所以物天地者安在？而自淪於一物，則不知性之罪也。今夫陰陽寒暑、雷霆風雨，以致於沸騰壓溺之變，何所不有，而不足以易吾性之所存，是謂彼亂而我治，由其治，則雖天地待我而正，萬物待我而生，故在舜為璣衡，在夫子為《春秋》，璣衡在我，《春秋》亦在我，非外物也。民受天地之中不知，天地亦行乎此中而不自知。一陰一陽之謂道，道即中也。天地何所依，依於中，彼非中不立，吾以此身為天地中[一]，是其所謂道者，亦依於我耳。莫妙於陰陽動靜，莫神於陰陽動靜之間，動靜之間，其間無物，猶五常之信，四時之中。土中者，天地之土也，寂然不動者也，動而無動者也[二]，猶怒哀樂喜，家國天下也。其未發也，正心誠意而已。吾能正心誠意耳，而家自齊，國自治，天下自平。知此，則喜怒哀樂亦非吾之所能為也，順此而已。今人知喜與樂之為和，而不知當怒而怒，怒亦和也。非怒之為和，而和者未嘗不在也。猶當哀而哀，必哀盡，而後無餘憾也。此豈動心與忍性之謂哉？矩其未嘗動，則亦有所不必忍也。故夫大寒大暑、烈風雷雨，人知其過，不知其和。彼其宣導湮鬱、開闢變化，不若是，不足以有為。故在當日為過，在一歲言之，亦適和耳。凡吾所言，非傳與疏也。道不可須臾離也，而亦未嘗離也。吾嘗言之云爾，復為弘也誦之，彼忖無過不及以為中，又以其勉强不妄發者為和，不惟不知性，亦不知道。

［一］吾以此身為天地中：地，原作「道」，據文淵閣四庫本改。 ［二］動而無動者也：原作「而無動者也」，動，原脱，據文淵閣四庫本補。

德熟堂記

俗儒泥古敗誤，事容可救，若俗醫不通變，存者立斃，然不悟，吾豈敢勸人服聖散子哉？亦身所嘗試而驗，自不能不為。故萏誦之云爾，余苶然受峻劑苦滋補無甚效，殆弱甚，非藥罪。去冬，偶失血，賴三建旋愈。自是雜茸附以為常，顧愈弱。惟蕭堯則、戴兼濟脈之健，疑熱，乃少用寒苦耳，根痛微腫，忽痒掉寒甚，亦風熱常證耳。然意視聽憒憒中，兼濟進凉藥，屢以盌，初不謂其大黄與芒硝也[一]，既屢下，熱退而體愈健，問補藥，雖參朮不用，直健飯而已。吾平生燥脾而食不進，復少睡眠，至是甫進食知睡味耳。兼濟辨證，審不盡言，堯則兼言其理，以為抱補藥非治也。坐積去，而營衛昌[二]，不補猶補也。古法惟汗、吐、下三安，有不吐不下、奉恫錮滯而以為中，此固瘧痢痞膈蠱瘵之媒也，彼初病有此哉。今人輕用巴毒，而一不知調胃與承氣之何說。余因其言，證之經論，良是。由是，復間御凉劑以為常。而日者，又足膝冷且疼甚，幾悔，豈不弱證明甚？兼濟乃復曰[三]：敢不凛之，僥倖不可再也，然少，少不即寬，一下一寬而諸證失。余前病熱，或雜補所致，今病，豈補罪哉？往往南北混而地氣遷，復有病如予者，復有病甚如予者，無不以下故蘇，而兼濟益損，復自有理，此余所身試而目睹者也，非身試與目睹，亦不敢為他人道也。於是，戴氏之為德熟矣，德戴氏者幾人矣，德熟者，予取坡詩名其堂者也。凡試人病如愈，如德色非德色也，亦自喜也，試愈多及愈衆，則向之德者愈忘之矣，殆不勝其德矣。此如輕車舊路，入手如絲，又如合久知心，不問已悉其識矣，斷可識矣。雖然，亦必有未盡識者，日謹一日，如初不害，其精熟愈精也，熟而忽焉也，非也。熟猶果也，始種而有欲果之心不可，果成矣必遲之。遲之何也？熟故有味也。熟矣而不盡取，不盡取何也？多故也。己不取而人取之，則亦喜，何喜也？喜其傳也。有東方生者，三竊之而樹不知，多故也。吾為子記，使得其説，而通變用之者，人人如東方生焉，要亦子之果也。

[一]初不謂其大黄與芒硝也：芒，原作「老」，據文淵閣四庫本改。　[二]而瞀衛昌：瞀，文淵閣四庫本作「棨」。　[三]兼濟乃復曰：兼，原脱，據文淵閣四庫本補。

致樂堂記

致樂堂者，濟南潘氏事親之堂也。景梁之言曰：「昔者吾父之依依膝下也，先生長者喜而名之。

迄今吾兄弟四人委質南北，雖歲時望親舍，即相聚拜家慶愈遠，獨斯堂也，常在予目，願夫子道吾志，且開後人。」余曰：「是樂也，人常有之，而莫能致也。其致此，天也。孰能得此於天，天固予之，天固予之，而恃此以為常，忽之以為常。人人有可致之樂，而莫能致也，則亦未有深長反復言之者也。今夫人生有不及見父母者，有見其老而不及養，養而無救於其衰且病；幸而無病，有貧不能仕，仕而不能待者；又幸而能待，則有身為親憂或中夭，而遂棄之以陷於不孝，皆物理之常。然情痛之必至，天命之所不可知，而人事之無可奈何也。人其有不知此者哉，知故樂也，抑是樂也，人能知之，人能知之而亦莫能致也。有愁苦澹薄而莫能致者，人亦孰不欲儉，非儉親也，以曾元家學降而徹，不請與，彼身為君子，至終身不忘挾纊，後之聞者傷心焉，雖其志誠，不得已而可憾同也。有憂患隔絶而不能致者，幸不幸天也，而亦有人事焉。長沙之望長安也，徒願焉一見其土，柳子厚於劉播州至矣，復不知誰念子厚者，則所樹立使然也。有愛憎相倚而不能致者，弟兄孺子之愛，豈人所能知哉？思李令伯願為人兄之語，復有不得已而屬之其弟，如范孟博、周伯仁者，此其可言者也，而亦有不可言者焉。余為人子言，務極其所不能致，使登堂者，不惟有無涯之懼，而亦隱然有不盡之懼。夫余也凄凉天地之間也者，蓋子路之悲、皋魚之恨、潁封人之感，誠喟然不釋乎吾心，而一以微詞發之，則幸其未至於此者，其欣喜滿足當何如也。昔者孟子之言，以為雖王天下之樂不與。考古人倫誼至家國，猶可憾，意亦外物之為累也。夫致，自致也。自致者，內盡於心，而力無不足。今人所以奉其身，自宮室妻妾，慮無不極分願，豈父母之樂不及此，樂則樂矣，獨言致則未也。故詩人諷道，又必至於兄弟室家之際，而夫子復因而𠎝切之曰：『父母其順矣乎，夫欲其樂樂者，亦必家人父子交盡其愛也。』致者推極之謂也，無不可以思焉。」

彭希吕亦樂堂記

客之出於安成者，曰彭希吕。好客，何其聲之藉也。希吕復為堂曰「亦樂」，余曰：「豈非樂遠方來者乎？」希吕曰：「余安能有餘以及客哉？顧途窮僕痛，何有何亡，連牀聽雨，行吾素履，干戈息跡，來者斷雁，吾呻吟窗下，周旋故我，又未嘗不及古人而屬明月也。吾何客之有？亦欲狂歌痛飲，芳時暇日，而北阮貧，南杜絶，蕭然滿目。余亦競競保鄉閭，奉遺體之不釋，蓋無食邑於槐宫，無征西於墓上。而驃騎者莫余加，醉尉者莫余呵，則又未嘗不自以為樂也。」余聞而壯之曰：「樂哉斯人！若然者，獨亦樂，窮亦樂，憂亦樂，今人亦安能知客之樂哉？故有辭左元放出者，有逐王令去者，不樂有客，則必樂其為獨矣，而未見其樂也。蓋觀書無味而欲睡，則棄書睡耳。若夫窮乃憂也，未有不憂其窮者，又未有能自憂其憂者，如顔氏之子，衆之所憂，乃其所自樂也。有石季倫者，見其書猶惡其窮也，曰『士當身名俱泰』，不知金谷滿盈，俄而為虚，聲名謂何，亦悔焉而知愧否？千載之下，有書季倫者否？貧果憂耶。必以衆之所樂，為吾所不樂，亦非也。衆之所樂，吾亦樂之。顧其道亡繇耳，則古人之餘樂也。古人之所自樂者，既終其身矣。我乃得古人之樂樂之，是亦古人也，非歟？凡有待於外而樂，有不樂者焉，意亦非今人之所能知也。雖然，窮者無余如也，本余樂也，君亦樂是，使余何樂也。或曰君嘗教萍鄉，今又掌表諸生，蓋達者非窮者。」

後隆堂記

後隆堂者，永興劉氏丞相楚公之大父所興也。方叛據從横，中立保境，曰：「吾免二國交兵，活人多矣。子孫當有隆者。」蓋一再世而楚公生，後二百餘年，而永新有負芻之禍，衣冠殲焉，井邑墟焉。又十有餘年，而丞相之遠孫振奇，復建其堂於故基，曰「後隆」。有老人者感而嘆之曰：「未可知也，其相門常生相乎？後之為隆者，未有復隆於為相者也。雖然，何必相隆者，非必人爵之貴也。使公如卿，卿如長，亦足矣。不然，武子之施已没，而巫臣之美始生。」於是，振奇瞿然曰：「吾何德以及此，亦惟是前人之名堂者不可失，且詔後人。今吾匹夫，何能有一介之積如度浮蟻，而可必吾後之更隆哉？」老人曰：「又不然也，處今之世，公相可能也，長不可能也。人亦何必為人長，即窮居内省，不設一念，一念度衆生，度其福，德乃亦與活千人等。彼所謂公相，日所為事，無非取於人者，取於人者，是養人者害人也。夫如是，故禄盡道窮，未有興者。而詩書白屋，如歲方春，如日方升，彼豈常有意於為善哉？能無過而已。且夫人常有幸人之心，不妬則望，使吾日活一人，不能，而幸夫人之不活者，每如是。未有每不自知也，亦未為不損物也，是寡過亦未易能也。曹大家有言，天命祐善，災惡非有差也。

然其道廣大，雖父子百葉猶若一體也。今子生於晝行錦綉之鄉，而立乎兵役荆棘之野，然獨饘於斯粥於斯，身為遺民，代守墳墓，固非昔所謂隆者也。而亦豈有絶哉？子亦思之乎？全范陽者，范陽百姓也，救外黄者，外黄小兒也。彼百姓小兒猶若此，而豈有不能者哉？徐秦皆祖柏翳，而遜者特綿，則後之更事者言之，有不願於隆者矣。」余聞老人言，始而驚，中而悲且懼，因盤桓反覆，自國初至此，重為振奇也記之。（以上豫章叢書本《須溪集》卷二）

全元文卷二一七四

劉辰翁 七

玉笥山清音堂記

余初入玉磵，見其山泉曲折、草樹依微[一]，嘆曰：「使此泉生閩浙石壁間，皆當琮琤洗人耳矣。」既至承天，如萬石公家，高明廬分，門巷周迴，乃若與山不相接者，使人曳行所至，如見叔夜水邊柳下而去，往往未離人間意也。未至清音堂門，木魚道人已出，廖南山在焉，觀其樹立顯敞，蘇塊丙舍，稍涉屏後，則山石蒼寒，竹樹層陰，有天竺呼猿雪後之趣。時主人理茶事，獨二客從於坐久，悄無餘聲。客曰：「宜琴，恨不令壁間琴語也。」余熟觀壁間，耳目蕭然，方悟無絃之妙，以不聞聞，殆又勝於聞也。此日此堂，初見此山，後二年，木魚以其師請記曰：「堂後書堂峯，梁昭明誦左太冲詩處也。」余笑曰：「山水不如是也，即『山水有清音』五字，亦世間常有，此語直託之太冲能道耳[二]，是雖可誦，何必聞乎其聲？凡音之起，由人心生也。惟得之天然者，可以意會，而不可以言傳。醉翁之聽泉聲也如操，而沈遵之譜琴操也如泉，政使高下一如泉聲，而醉翁之醉遠矣。又不知翁之於是操也，如當時所閚否？山間石上，盡日無人，鳥啼花落之外，屬有泉聲泠然若衆音會，其斷其續，猶之無可奈何，而山之為助也多矣。不知者以為湘靈之環珮也，抑點爾之鼓而希鏗而舍也。一人手耳，神情洒然，但覺餘音之皆贅，復有雍門悲彈、華亭清唳，亦不願聽之矣。此豈可以尋聲而譜、累句而作哉？吾嘗謂陶弘景卧聽松風，此於浩然之氣為有悟入。松風往矣，而曲肱者猶從之也，此其在覺夢之間也[三]，蓋若浮若游，而不知其誰我。松耶？風耶？其亦出其山水之間耶？」於是，木魚躍然而起曰：「未嘗聞，未嘗不可聞也。」歸而刻之堂上。

[一]草樹依微：依，原作「木」，據文淵閣四庫本改。　[二]此語直託之太冲能道耳：託，原作「記」，據文淵閣四庫本改。　[三]此其在覺夢之間也，夢，原脱，據文淵閣四庫本補。

静逸堂記

逸者自遺於人間，而人亦遺之。如子房學禮於滄海君，得力士；扁鵲受蘗於長桑君，飲以上池之水；夷門隱者能知魏王兵符所在與如姬所甚恨、不言之志。此人皆察於世變，達於情僞，勉强成就，出於偶然，不為險巇變化，高尚奇節，而人謀鬼謀賢於蓍蔡遠甚。彼其初，皆有以自喜其身，不知老之將至，平生倏忽，困窮邂逅，不知其所從來，既疑前此未必有此人，又疑今者未必無此人也。吾嘗謂虞翻解印去官，鴟夷身泛西子，其感慨憂患與人同，而長往輕舉與人異。以其人為必不死者，豪傑之見，而亦莫知其所終也。然猶未入於方伎也，不知何許，老父哭龔生八十歲而夭。自是隱者如有術，而術者亦隱，至聞山林龍德，皆如燕齊海上怪迂之士，使有道者噫笑而不平，好奇者想望而不及。故樊英見列於高藝，焦先得附於耆英。呼祁孔賓者，如神人事陶弘景者焉，別館來者，亦歆焉，俯焉，若無足稱焉。嗟乎！此中庸所以不可能也。胡氏稱靜逸者如其字，其言靜逸，劾鬼神，致雷雨，前言某事某事，籍何甚也，及與之遇，澹如常人，正平平耳。問其所以能，無能也，靜而已。法亦無法也，靜而已。視其貌如其心，夷然塵芥物我，出入光景為樂。使在十年前見之兵間，可以合好解紛，亦若無意於人事者。然皇皇求丹學道，或疑靜逸未見其逸。余笑曰：「此其所以逸也，古有行山如夢人，至聞其鼾睡聲者，晉人有言，是中難得睡處，放懷宇内，故悟則皆道。此所謂顛沛造次者。今人學靜，更覺靜之為煩。因其伎，進於道，樂以所自得者記之。夫靜逸則自遺於人矣，未必人亦遺之也，以其有無用之用也，其亦必不免於用也。」

二樂齋記

趙氏自常庵來，言行為諸君子所知。其子孟儕取孟子二樂名其齋，志意復如常庵，蓋望而知其人也。或曰：「為爾亦有何樂？敝衣曳履，泊如旅人，慮而後語，不自得一笑，終身行乎憂患，凛焉窘拘，而不知免之何曰，藉是可以為樂乎？則區區者不樂於此矣。」余笑曰：「是樂也，非人所能知也。猶其愧其怍亦非人所能知之，直自知之耳。惟不知愧怍，則自以為不愧不怍，及欲其愧怍，亦且不可得耳。立乎衣狐貉者之側，敝緼袍而不自覺者，必其所自得者有在緼袍之外也。吾何幸斯人之不愧怍，吾惟懼斯人之不得樂其樂也。樂莫樂於無愧怍，而王天下不與焉。故人悦之好色富貴，無足以解憂，而行一不義，殺一不辜，雖得之猶憾。今人可欲心動，見便則奪，遊乎扼亢之塗，而立於射羿之府，自以為能者之所必取，十百之所不如，然痞驚神泣，芒負形移，逮其運衰智失，鬼責人誅，衈然如大澤之天亡，江東之不可復渡也。其於樂不樂何如哉？雖然，待悔而知者，夫人也。必天知人知，而後俯仰無所容者，亦夫人也。天猶人也，人猶己也，則不俯仰而知吾事吾心而已。天與人且安在哉？人能知不愧怍之為樂，則視世之所樂乃皆愧怍耳。奈何以愧怍為樂，復以吾為不樂哉？昔有王獻之禱者，欲以其自陳，獻之云，不覺有餘事。管幼安過海，幾覆舟，獨以為一朝科頭、三晨晏起之報。吾嘗謂此二人者，庶幾為寡過耳。此非人所能知也。嗟乎！人之所樂，吾亦樂之。退而有不能堪者焉，故不樂也。吾視近年有傳稱長樂，自以為天獨厚之者，有車騎誇人，侈然而謂門户方興者，其不羞不惡極矣。而由君子視之，跡其所以云爾者，不能不自飾也。其良心也，未有無愧怍者也。人能知其所樂之自不能無愧與怍，則吾之不樂者樂矣。夫欲為吾之無愧怍矣，而又欲為彼之樂，可兼得耶？」

節庵記

不言而躬行者，死節其至也。當是時也，無蓍龜可决，無婦子可謀，無身後榮謚可願，無君父簡書可畏，無子孫後望可想，直仰天俯地自行吾意而已。萬世而下，而猶屑屑焉議之然不然、盡未盡，蓋寥廓藪澤之間可以一笑，亦不足辯也。昔者，吾嘗恨川洛諸賢之嶺海也。其後老奸豎孽，託夢天人，享有太平之福者，終其身。其後播遷絶漠，自李侍郎外，無一人死者，以此羞當年而輕中國。使黨錮猶存，理不在此。若近年蹈海之禍，則名士大夫無數，如金堂賈純孝闔門陷歿，乃與其祖西和府君死節相望，於是可以張吾軍矣。其視全軀保妻子者，非夫不言而躬行者也。豈惟賈氏芳？抑東都光。按，賈氏祖承議公當紹定辛卯倅西和，西和陷，朝服與家人死者十二口。事定，慰其父京秩而録其孤，贊有忠孝之褒。故二賈以昌忠、純孝名，俱第而孝，以麻鞋見海上，填崖山，是年己卯，上距辛卯四十有九年。使坡公復起賦賈粱道，當不恨於無孫矣。悲夫盛哉！昌忠為吾州教，號節庵，出諸公所為記述，初得見其弟名，此在他時宜有榮謚後望者，顧吾黨不得不公道傳之，而北方之能言者尤極嘆，仰比之趙池州卯發、李長沙芾，三數公焉，此則公論在晉乘之外者。嗚呼！吾著君單閼之歲，曰：西州忠孝賈氏亦以雪西頭亡國之恥，其自狐射姑以下實寵嘉之。節庵勉焉。

意樂記

歐陽經叔自英英場屋，已學葬書，嗜山水如舉業，嘗應擇地科，累舉如志。當其時，學步者欲得其還盼不可。科廢度無足用吾學。繇是，登臨縱觀，傍午歷試，凡親若友有往助後罷者，必經經叔而後無餘憾焉。間持一扇，求予書意樂記，且問何意。曰：「吾家醉翁山水意也。」余逃空谷，久聞足音如墜，倦且厭甚矣，聞君言落落，特未喻。經叔曰：「不然，山之在天地，一高一下，如馳如伏，非無為者，而未有知其所為者何在。而吾能知之。玩其成形，如規輪得鎵，或穴不得處，如敗基取勝，更妙，一樂也。吾無所用於世則已矣，獨環視國中，富者如傾，而莫之止；存者如阬，而莫之救，誠悲傷憤嘆，幸吾術見信不謬，而能使朽者植，絶者續，敗者興。寧惟吾世而止，將五世十世無窮之思，亦無窮之潤，二樂也。夫行吟澤畔而無益也，登華傷生而無聞也，孰與放懷壙埌，游乎趙文子之所觀，與黃帝之所休？蓋得吾波者為龍，得吾佩者為仙。」吾聞其言，亦洋洋然動心焉，遂欲布韈青纏其間，日從之以忘年，而濟勝之具不進，復且焉止。君長余一歲，已具老態，屬行田間，見其履榛莽，遺寒暑，如獵得雋，夫非意樂不至此，余於是得所以為君記矣。抑吾黨相與言，必有益於遠者。吾嘗使人視天台賈氏墓，見其葬蛇形，溢田中者黑如霧，其族無散拜，拜輒禍，殆政得其毒處也。而吾鄉永新擘劉之祖，適似之。甚哉！或以毒天下、毒其邑。今君之用心，誠溥矣。其事，誠足樂矣。若此者，亦願之耳。深山大澤，何世無之，竅混沌者如有悔矣。舊過武夷所謂仁智堂者，得山水佳處，吾欲全君樂以附於其所謂仁智者，故竭亹亹焉。吾言如若，非經叔莫能喻，非經叔亦莫能用吾言也。

西山雲壑記

道録歐陽士鼎言，祖師淳熙左右街道録太乙宫主皇甫居中，以道行升聞，入内主醮事，對揚太平護國天尊聖號，聲振簾幃，大見寵遇，御書「雲壑」二字，又賜以詩，今百有餘年，墨色如新，宣押奏紙尚幅十餘，故在藏閣，昭回西山夜光而未有記，敢請。蓋諾矣，而未及作。有問者曰：「此皇甫亦有何異，徒以音聲動寤，而天聽沛然如有得於此，何也？」某對曰：「此大聖人之所以異，非可以聞而識也。李鄴侯讀書衡山中，聞高處懶殘誦經聲，前悽愴，而後快樂。驚曰：『此必謫墮人也，將去矣。』亟就之，得爐中半芋。人天哀樂何與於經卷而察之至此，此豈師曠六律五音之審、子期高山流水之知而已哉？惟鄴侯知此僧，惟此僧知鄴侯，而非蘄乎知也。孝宗天人也，其必有所感矣。明衣濫竽，前喁後于，空中遺音，何足回首，深宫蠖濩龍見，雷聲其徹重雲，而摇閶闔耶。帝亦俯然而聽之矣，而謂聖人不知耶，則是師之精神氣志有出於聲前者矣。魯君之呼，而門者知之，彼微者之知君，況君之知微者乎，此固不足深論。獨前代英君有愚於求神仙而荒於頌公德者，其究則甚於聲色，而國命隨之。天豈離於人而欲昇，山何求於人而欲禪，下不可以語童子，而高可以感帝王。惟我孝宗與諸老為師友，其於道心執中，知其一貫，故時時接於方外，足證自然。而所遇所求亦不過如所聞而止，其不蔽不淫，不彼不此，可以貫徹宇宙，為萬世法。若從是而合儒者，知耳人心通之妙，則物無不該。仙者知盡性知命之同，則理無不在。以此想見乾淳之際，知孔、老、孟、莊同時，雖深山之中道家者流，猶有皇甫高士，而人不知，觀其正大所感，豈肯如化人幻世，以亡國之音為月宮之樂，欺天輔亂，雖其事至微，而意亦可識，無不足以為鑒。」於是問者稱人天師而退，退命士鼎書之。（以上豫章叢書本《須溪集》卷二）

社倉記

巽翁先生無位而一食三歎，無食而急人朝飢。他日懷編書示予，獨欣然如有飽色，曰：「此渝邑西溪劉氏社倉約也[二]。人人有此心，亦人人能之而不為，蓋吾與子之所共媿也。」彼將蘄予記其倉，予欲傳其約予鄉。自是常慨然為來客誦之，而未及記，而先生卒。然其邑彭君幼遠猶望焉，為是記來也，義哉！彭君來廬陵蓋三數，既恨不可得，則委先生諾責於予，予潸然受之，曰：「此先生志也。」前年吾鄉旱既甚，大家逆勸分閉餘粟，冬春無所得糴，鄉人之携持扣關者，纍纍不能歸，則徘徊浮橋間，中江赴焉。市而奪餅餌、盤飧以飽者，起責之金，則含哺而走橋，亦中江赴焉。蓋橋者告予曰：「夜夫婦相泣，既而水聲如投石者不絕，常數人。及旦，來者乃已，殆不可數也。」彼特中人無策，羞見閭巷，故出此。而官以道殣告者，一朝而百餘，不與也。於時巽翁流涕解衣易米，更相為粥以食餓者，游手四望取饜，而頹簷曲巷，衣冠困敝。陰雨連月不能出者又未有省焉。其後，上捐義倉，和糴數萬石，深山長谷幸忍須臾食新矣。暨鄉都轉致，强者乾没僞占，弱者擇輕受少，獨區區藉虚聲出藏粟耳。此無他，無社倉之故也。使廬陵所在有社倉者，何得後時展轉望於天上，亦或及或不及，乃知政術不存，倉卒補救，雖仁心仁問，無益今世。旹無能為者必曰士，士亦妄自菲薄，如西溪劉氏才二三十人，人貸穀二三十石，或百石、二百石止，然既得千七百餘石，貸之三歲〔二〕，歲收息，視鄉人殺其一，再歲殺其二，三歲則穀本可償矣，息自為本矣。穀則君穀，而鄉人之舉子者當能言矣。又三歲十歲以至於無窮，子子孫孫與是倉終始，而穀亦不可勝用矣。此社倉法也。夫數石之穀，節於口腹，豈人所不能哉？士皆若此，何事不可為？渝西無富家〔三〕，劉固士族僅足爾，聞社倉者不暇自量，沛然各修其可願，而里中窮士如彭君者，又為人奔走後先，控拯為助，夔之憐物，不知誰憐夔者，亦甚盛心矣。吾廬陵其獨無西溪劉哉？顧其力有十西溪者，乃亦與吾等無異，可歎耳。天下之重，未必一人所能任也。人為其所可能，而不可能者從是舉矣。宇宙一心也，人類以來所不至於生意中絶者，政自相依耳。聖賢之於斯民也，同在畎畝之中，而懷己飢之思，極推内之恥，彼不自累人，固不得而累之，何為皇皇焉起匹夫之志，勤身死力，經營天下之大憂，及萬世，其遺後人以耕且食者，皆其業也，寧使自有餘而已。緒前業，救民命，則陋巷之心勞於平世之心。今吾百畝於此，不待胼手胝足，躬耕播種，直推而與之共食，其視古人用心與力之勞，亦無幾耳。而猶以為難也。以吾廬陵之所難，故知西溪之風為不可及也。人以善小不足為誕，曰濡呴而已，孰知斗升之水有大於西江者哉？以吾廬陵之所睹，故知西溪活者衆也。

嗟乎！人命亦大矣。向之死者，非盡鰥寡孤獨也。自鳥獸之羣猶知愛其死，聞其悲鳴者，猶為之傷心焉，況同類並生之民，父母妻子臨流忍訣[四]，則亦見斯世之無足懷，而斯人之無足告耳，其不大可哀歟？西溪有社倉，西溪之人未病也。拯道亦貴豫耳。今吾痛定思痛[五]，而亡具猶前日，吾廬陵，豈獨愧西溪氏哉？抑吾愧彭君矣，吾愧彭君矣。或曰：「劉族固多賢君子，倉不修且弊，來者未可知，安知劉氏之子孫不德色於指廩乎？其又有能扶植而擴充之者乎？」予曰：「噫！過矣。天地能生，而不能使其無飢。父母能生，而不能使其無困。於天地之不能而能之者，是倉也。壺飧二士，人報也。孝子慈孫，天報也。吾見西溪之門，駟馬高蓋，鐘鳴鼎食，潤及九里，則有之矣。世俗之所慮，信天道者所不慮也。」是倉名堂曰「集義」，翼以六廊六倉[六]，其積可萬石。為是倉者，奉新監酒劉夢麟少游甫，而少游曰：非我也，伊吾族之力。彭君名程，其父子屢貢其鄉，亦佳士。

[一]此渝邑西溪劉氏社倉約也：渝，原作「喻」，據明嘉靖本改。　[二]貸之三歲：歲，原作「穀」，據明嘉靖本改。　[三]渝西無富家：渝，原作「喻」，據明嘉靖本改。　[四]父母妻子臨流忍訣：訣，原作「决」，據明嘉靖本改。　[五]今吾痛定思痛：原作「今吾病定思痛」，據明嘉靖本改。　[六]翼以六廊六倉：六廊，嘉靖本作「兩廊」。

蘭玉書院記

世稱佳子弟如芝蘭玉樹，本謝家語也。想見封胡羯末輩，固當風流可愛，往往不可攖以世務。然倉卒敵百萬騎臨淮，聲震都下，名臣宿將安在？丞相獨遣堦庭三少年禦之，上流老桓至有左衽之嘆，亦疑其不更事甚。使在今人書生語三日不能定，既定，臨事失措。三子乃冒然而起，談笑麾之，無成謀亦無懼色，如干將出匣，遇物必割，如豪鷹起乎秋風，天馬發於西極，未必芝蘭玉樹、浮脆美觀比也。古人家庭間[一]，絶然與紙上傳習形似者不同，其浩然有養，出乎志，行乎素，慷慨自任，視利害如白黑。春秋戰國名卿大夫，非公族，則世家，其從容應對、出入戰陣以為常事。後來君臣多亡命共事，崛起粗俗，無復禮樂。儒者又寒儉狷狹、才疎膽薄，受任輙敗，他時曹魏父子稍稍賦詩横槊間，則共相怪其文采將畧，天分不可及，蓋氏衰族混之餘，草間無英物久矣。科目興，類起徒步致富貴，然再世則不可復賤。衣冠文雅，化及羣從，高者矜持自喜，下者輕俠不逞，其家世何如昔人，而區區求如江左風流亦不可得矣。異哉！欲觀世道視故家，欲觀故家驗學術。三百年間，中原如韓、吕典型，議論為鉅人長者，過江如五峰、致堂、南軒諸賢，又磨礲精密，希顔而肖孔，彼功名之士乃當羞愧，俯首不復敢望，政未知諸賢當事變所就何似，而學術遠矣。嗟夫，子弟固難得佳，父兄亦復未易。今為父兄者，皆願其為此，勿為彼。至近年，又惟以科第不失舊物為難[二]，雖中朝盛事，不過如此耳。此世道之嘆也。

吾劉氏出安成，未知龍雲先世同異，如龍雲劉氏之詩書文物，不其難歟？盛哉！雖四忠之孫，予曷京焉。自著作公第元豐中詞科，號龍雲先生。先生以來，仕至二千石與為奉常弟子貢鄉漕者世不絶，今為盛，或時兄弟數人，比肩立[三]，非號稱甲乙[四]，則名位適相似，以是長上玩之如芝蘭玉樹焉，其名家塾曰「蘭玉」，父兄意也。某與蘭玉諸少游，見其辛苦為名儒，篤實有世用，因為言古家族人物之高下，蓋屢嘆之不足，尚庶幾有所感發。擇而勉為[五]，不至為晉人之清談而止，抑晉人非清談不直晉也。安石在山東時，亦子弟爾。觀其徧詣諸將，自託與幼度，勤履幾間小物，家法政爾。人言王謝子弟自別者，尚未知王謝子弟，惡識古人。

[一]古人家庭間：嘉靖本作「古人家庭聞見」。　[二]又惟以科第不失舊物為難：惟，原作「為」，據嘉靖本改。　[三]比肩立：比，原脱，據嘉靖本補。　[四]非號稱甲乙：原作「排號號稱甲乙」，據嘉靖本改。
[五]擇而勉為：為，嘉靖本作「焉」。

蹊隱堂記

龍泉康氏為其子讀書之齋種桃李焉，周遭可里所，霞蒸雪積，入境疑仙，春流浮遠，想見千樹，青陰繞屋。時聞誦絃芳，時過客不能賦，即已能賦，未有不眷然問誰氏也。於是，有大人先生取司馬子長李將軍贊語命之曰「蹊隱」。或疑之：蹊者山間之迹，昔未有者也。崎嶇犖确，不用而又將塞也，何康之蹊亦若是乎？予曰：「不然，彼披榛莽，排藜藋，入而與猿狖爭，出而與鹿豕羣，忽焉草合，不見前轍，由行者少也。若桃李，則無不好也。雖深山長谷、溪回路斷，苟有目者，慮無不極，其處往復，袂相屬，如通道焉。繇世之好者衆也。」曰：「然則客之得其蹊者千百，而隱何居？」予笑曰：「子以為隱者之隱，必孤山之梅、小山之桂、竹林之密密、蘭畹之幽幽乎？必去人愈遠於人所不好而後隱，則丹崖之渾沌，絕磵之沉淪，雖今無聞可也。蓋富春之臺，草堂之墟，吾嘗褰裳過之，歎曰：『介推母子之言，誰則聞之，而又安知其綿上也。』昔者是山也，樵斧之所攀援，長鑱之所失徑，自諸君子擇於是，息於是，而蹊生焉。故凡隱者皆蹊也，亦不能不蹊也。蹊而桃李焉，桃李而邂逅焉，未嘗不與人混，未嘗求與人異，未嘗不與人同樂。顧物之紛華盛麗，舉無足以易此，而吾老是鄉矣。彼山人者[一]，則不可知，若古有道之士種花食菜，實未離乎人間，而亦不可榮以禄，殆真隱矣。桃李何負於隱哉？方時豔陽華如桃李，能不顧省，而窮山枯槁者睨而遠焉，彼誠有樂乎彼，而名之所歸，政復不能不累乎彼也。人之情性，隱者詎相遠哉？」或又曰：「康氏之子，功名方興，而豈有意於隱耶？而獨為此名也。」予曰：「然康氏之教其子則有意矣。今夫靜對軒窗，行吟花下，生意自然，一舉目而足，不待遊嬉遠想，而光陰華悴，感發無窮，則學之所得或在是矣。園林如此，他時子孫仕宦，倦而思歸，乃與松菊留情，居然無異，則亦茲花之為助也，何傷於出，而何憾於隱。凡卉盛衰，未嘗不與桃李同。近世以名品相高，謂晚歲為長年，風霜為清苦，春葩浩蕩，黯然羞沮，誰與領此，而我獨取之，則我希矣。彼以桃李為俗，吾亦不能不以彼為俗。」問者喜曰：「異哉！夫子之言之也，為蹊記，可乎？」予曰：「雖然，蹊有幾，世方險艱，入者為捷徑，出者為畏途。今之隱者，其非後之赫赫者耶？桃李不言，予不得不言。」

［一］彼山人者：山，嘉靖本作「仙」。

梅軒記

古貴梅，未有以其華者。至近世，華特貴，而其質乃少見用。此古今之異也。然其盛也，亦不過吟咏者之口耳，未有以德也。數年來，梅之德徧天下。予嘗經年不見梅，而或坡、或谷、或蹊、或屋者，每其人無日而不相遇也。往往字不見德，而號稱著焉某梅也，即其人可知也。如安成彭梅軒與予遊，每見之，如見梅焉，是其德也。其軒，求吾記。嗟乎！予曰：為梅役未已也。予昨也為分寧鄭賦梅軒詩，今日又為子之梅軒記也。何梅之於予密也？予何以記諸？記梅乎？記君乎？夫梅，舉相似也，君梅似也。君起於素封之地，而呻吟乎冰雪之窗，癯然如不自勝，澹然欲逃名。而人不我舍，不知斯芳之藉我乎？其山空澗落，無人乎歲晏，彼不我即，則我往即之乎？吾嘗謂梅者使其生於暄淑之景，而立乎桃李之蹊，雖翛然欲以其潔獨，而争妍者有其色，好懿者無其人焉，是其獨也，時也，好之者亦時也。若二三月之間，則莫之好矣。物莫盛於東南，而其盛於冬者，以其鍾南方之氣也。故梅尤盛於南，而號之者皆南人也。是其盛也，地也。號之者，亦地也。若出於關隴也，而亦號之，則異矣。雖然，吾嘗觀梅於當塗之野，老枝如龍，到地復起，高花照日者每枝而如蓋焉。相傳昔年蜀人載之雪山之下，泛瞿塘而東望孤山，近矣，而不能進而留之此也，是其地也[一]，又特以其蜀也。又聞武陵官梅一株，如屋環其下，可百客。武陵人劉海蟾，嘗煉丹於此，樹與海蟾俱不死者，是其獨也。又有在受形草木之外也。嗟乎！君之梅，能如當塗之大且疎，又能如武陵之高之壽，則是軒也，其亦庶乎有以異乎彼矣。

[一]是其地也：原脱，據嘉靖本補。

存厚堂記

顏士元宗大名其堂曰「存厚」，而問記於予。予曰：君非能自爲厚也，厚生於所積，人未有無所積也。雖吾與君不遇，然不耕穫，不泯絶，以有今日者，皆前人之餘也。自行四方，所見朱門賓客，或憐我而食我，今蕭條零落，問故人子，至無存者。而韋氏之藏經，長卿之售賦，新豐之授草，乃由寂寂見收傳家，其敢謂吾能哉？抑吾祖宗三世於此，天念之矣。太虛百年爲一息，視人間再三世猶屈伸肘耳。化機不相待而待者，常遲之，此天道之所以茫茫，而人事之所以尤可恨也。吾與君中立於過化之蹊，而饋漿於寄食之旅，安知子孫來者不笑人無過而騁其所大欲乎？而盛衰之多態，亦在是矣。吾且為君往復言之。君所為厚者，其能賑人之飢，急人之病，如陶朱公再散千金乎？無也。其能有尺寸之柄，指麾反掌，如古人全一城、辨一獄、活千人者乎？無也。人胡能有德於天，而况士之善也，不過庸言行寡過而已，又安得有餘與不足？而望其所甚奢，責其所不報，無亦惟是。犯而不校，貧而無怨，遯而無悶，為庸人孺子之所易侮意者，造物之所尤憐者乎。而君之所為厚者，從是積矣。夫難平者，何必其平哉？政使為善，朝種暮穫，若左券相付，然即其取於天者，無餘矣。而何子孫他日之望，小大不同，未有無所積也。禹稷躬稼，太王去邠，晉重乞塊伯諸侯，孝公見擯取河外，楚三户，趙遺孤，物之興也皆若此。雖君之顔氏，孰非陋巷之先師，晚食之處士，留以遺後之人乎？天之於魯公，蓋惓惓矣。今吾以宗大為食厚報耶，則君窮特類我。抑君他日駟馬高蓋、連阡陌、儗封君，未可知。能使君孫子晦其文采氣燄，如宗大之循循如中人者乎。能毋忘疎貧、植遺弱，如宗大之於鄉黨朋友親戚者乎。吾見世人憑陵夸奪、躪藉豪縱者，類以為所自能致，往往竭其强弩之力，機張而不弛，未有歆然如其初者也。而昔人之所存，亦從是無餘矣。士之賤也，易為下也。而人情有甚難者焉，賤且貴其為下也，始難矣，而其勢則甚易也。夫厚豈有涯哉？吾今雖自以為厚耶，然已媿於昔人矣。厚，不自知也。將由彼薄，故我厚也。一念之所積，人不能知，而天則知之。吾何以知顔氏之積哉？顔氏有宗大，可知已存至于宗大愈厚矣。宗大之子孫，未可知也，未可知也。吾為宗大記之。

泉山記

許嗣翁家四壁容闔扉，右候門，左賈區，陋如連棲，隙居附隅，而求余大書「泉山」揭焉，曰：「吾泉人也，不可以不識也，願記之示吾子孫。」按許氏祖子春者，事晦翁，從益公，徙廬陵。晦翁派新安，生延平，徙建陽，而號精舍紫陽者，記鄉關也。今人每每以異鄉名其居者，學晦翁也。苟有血氣心知，依風首丘，豈能忘本？抑祖孫三世百年於此，淒其追遠，跂予望之，不一見其處，政使子厚得歸，善和宅無恙，而兒童之嘵嘵者，皆楚語矣。渡桑乾者，得不復思并州乎？宇宙雖大，唯思無窮，凡思之不能自已者，惟始念耳。燕人弱喪，過晉而疑於燕，流涕泫然，及真見先人之廬冢，悲心更微。君思泉，未見泉也，未見如將見焉，既見不思矣。其子孫來者之不知，雖未見亦不思矣。人生逆旅，前境皆幻，謂是居泉也，泉猶目前也。夫孰非父母之邦，雖然，泉富州也，幸君未識泉，為君燕說。吾聞泉人言，泉多颶風，風起少年狂者，據圓箕，空中繫長繩縱之，乘扶搖而上，如飛蓬，如紙鳶，意其極滄海之觀，而不知其所底止也。君未嘗知泉，聞吾言也，得不啞然而笑。及其至泉也，又能不笑吾以未見疑所見乎？夫逍遥之遊、秋水之觀，鈞天化人之想，得失皆若此矣。君毋謂予不實，近年蜀士僑東南，雖僧廬寓蜀，扁金陵諸橋名坊巷，大抵東京舊也。士於故鄉不忘本，以一室推天下，固當慨然，然而念者鮮矣。吾嘗賦匪風，匪風之不可見，驟而歌甫田。噫！孰知甫田之悲，有甚於周道之徘徊者乎？記君泉山，念我遠者，君廬七尺，掃寬三尺，著吾記。室雖陋，毋自隘。充是心也，其自泉而上，益有當念者焉，夫許大岳之胤也。

安齋記

客有言安齋之為人也，被服仁義，疆勉學問，如癯儒陋巷兢兢寡過歉然，嚴師保之在其側，不窘於此矣。而謂之安齋，何居？竊惑之。予於是聞而聳然曰：「子言胡君之為人也，予幸乃得胡君之為人也。予未識胡君，胡君安矣。今夫垂紳佩玉、準繩規矩左右斯須不敢失墜，聖與賢之所以不愧不怍，而有餘樂，使小夫躁人易地而處，猶猿狙，而周公服之，乃其所大戚也。而况惡衣服，菲飲食，辭尊而居卑，辭富而居貧，久幽不改其操，見危則致其命，彼將颦蹙而視之，何自苦乃爾？而由君子即之吾心，揆之義理，有寧死而後得所安者，將為彼小人之所為耶。又不能一朝居也，而彼未嘗不自以為安也。華居美食，妖聲麗色，用物多而使令足，其悖入厚積，猶足以遺其子孫也。其羞原憲而抽首陽也，宜矣。然而無是理也，體之所安者，未必心之所安也，君子之所安，必小人之所不安也，未聞君子而又安小人之所安也。雖然，猶有君子而安終小人之所不敢安者。蓋昔者宰予之問短喪也，子曰：『食夫稻，衣夫錦，於女安乎？』曰：『安。』予也身游聖門，在言語之科，汙不至薄其所厚，試使三尺之童，少知義理，率然而請，必不敢復以曰安對，而予也安之，豈獨無人心哉？此小人之所不敢安也。然吾視世之君子，未嘗不為宰予之所安也。彼予也，乃獨以其言為萬世笑。嗟夫！此古人之所不隱也。其使後人無疑乎三年之喪，則自予始也，此予意也，此其在言語之科也，後之為言語者，則異於是矣。悲夫！」客曰：「吾聞君言，於吾心亦有如不安者。」他日為胡君誦之，胡君曰：「某聞，病有難知、有不能自言者，吾子受人之微言以惠貺我，是使我得復起為人也。請書之，以毋忘藥石之自。」（以上豫章叢書本《須溪集》卷三）

全元文卷二七五

劉辰翁　八

本空堂記[一]

予年七八，與西家二三兒共受書屬對於鄉城曾深甫，深甫垂鬍暎墨黑，盡日樹筆鬍間，俯首抄六經，他解附注旁，每葉字如蟻，計平生若此何啻百餘萬字。今年七十餘，皓然秃翁，不知此本束在何處，後來新義何限，舊注豈復更容入耳？忽忘展巷班班，茫然隔今世，昨夢空山歲晚，歌不成章，而問童子，然老無受簡之兒，吟有白頭之妻，喟然嘆曰：「五十年場屋，富貴不早來，功名事去矣。蕭然四壁，讀更萬卷無字用，髣髴記西方偈言不多，與我意合，遂名所居曰『本空』。」一日杖出城，舉手裂指無他求，求予記，刻壁間，死，即埋以為銘。予笑曰：噫！晚矣。然士方少時，志科舉，辛勤過古人，徒欲以記問工時輩，不知心血之耗。及其得也，或陸沉州縣，或流落嶺塞，坐念場屋，何心至此。就使奇遇如磻叟，晚達如齊人，壽駭如杜下，相君其罣如宰如，亦無異土偶之復於土，而其人苦不自已，以此方彼，不猶早乎？百年未得盡，為善亦不足，初心誰負，晚背其師，方泊然依彼氏以老，寧不冀來日之有聞？而手循餘髮，故將倒行，樂嬰兒之無知也，則先生之志，其不使予悲乎？蓋死而可悲者，未有若無成之士，而士之可悲者，又未有若記問之為誤也。是庵之設方求釋此悲者，然以吾記記於斯，得無猶有文字之習。吾為此記，猶如食蟹，動人風氣，抑使讀吾記者，憮然長吁，慘然四顧，一雪其心之所甚痛，而後俯焉謝去，浩然無復意者，而樂亦不可言也。予年未四十，執筆數十萬言，為人役未休，政坐童時屬對，始悟彼本空，求吾不朽，豈儒墨相用固爾耶？先生妻莊氏，貧而樂，壽各未有艾，其歸先後不可知。作山曰「小孤之山」，屬予記其處焉，且志曰同穴。夫知性之空矣，而未有以易身之為患也，則儒者之道其終不能無情矣乎。先生名子淵，莊氏同邑永和人。

〔一〕本空堂記：嘉靖本作「本空菴記」。

心田記

新安章貴安，與予同年生，同年第，尉吾州萬安，氣概偉然，其文浩蕩奇崛，詩又深古多興託，有苦外之味，而又能琴、能騎、能射，能發擿，不畏勢，急義不量力，皆吾所不敢望。獨一事羞不吾及，蓋吾雖不能而能不為，而貴安乃不能不為，是可恨耳。然遂有議是公不少審細、喜犯難者。予笑曰：

「為貴安謀，則欲其毋犯難；為任事謀，則又患其却審重耳。今夫平居議文法，不合不過罪去，然且人人首鼠無害自營，卒有兵革免胄，一往之士將以誰望？諸君言持重，持重蓋將遏，抑吾所自能，若不擇利，不顧死，為天下先，非輕何以哉？今人尚多責古人，古人不自言已矣，臨事乃見。予嘗以此對客浩歎拊髀，政亦恨貴安經事挫折，或不免改作。今別矣，他時何地復見，復如今日否？吾豈謂今能有益吾事，顧反覆之而不置者，千載而下，亦有識予之何心。」貴安號心田，徵予言且一年於此，予亦不問是田者名心乎？抑心以為田乎？獨嘗恨近年士大夫以口舌為名節，亦復不競間，獨能數語自喜，不啻出萬死。其望報也，如施其終身，如驕將自愛，不肯復望。發天地以來，聖賢所為經營出力、死不敢倦者，適一酬酢而倦。雖其初本無所為者，而其究或甚於好利矣。昔者，吾嘗行田間，見田者俯而耕、仰而避吾路也，為之怵然止，曰：「粒我者夫子也，孰如夫子勤其身以食人，而無食人之色。」蓋吾知愧是人者矣，而是人猶有愧也。夫地不與吾争勢，而鋤耰及焉；夫地不與吾吝力，而黍稷生焉。夫下於人而能大受者，此田是也，而此田猶有愧也。使田而不春，則田為無用；使天而不雨，則田為無成。與此田終始，晝與夜，而不知止者，其天乎？而天猶有愧也。嘗見一月之間油然而不為雨者有矣，一歲之間沛然而不為秋者有矣。若人，則油然者未有不自力也，沛然者未有不成物也。以人救人者，心為近。心不止於如田也，田者有水旱之災焉，有春冬之隙焉，有爾我之畔焉。而心之生意，則求之而無不得也，充之而無不遠也。意者，天為可幾也，而猶有愧也，則吾心不既大矣乎？人能知天地終歲之功，不足以易吾心俄傾之用，則所以自任者，不得不重矣。而又反覆思之，吾心之用則大矣，抑吾力能至矣乎？其又有能較毫末於天地者乎？而天地猶無功也，則是心也，豈不愈歉而愈有餘豈，愈用而愈有餘力乎？夫千萬言而一言盡之，吾言之，不給於口，類此若千萬人而一人望之，吾豈敢以薄待夫人哉？固謂貴安之心，有同然者也。彼閔其田之不熟，而欲其不輟耕，憂其田之或荒，而勉其寸寸而芸。則世之言心學者，與勸農無異。貴安，名應予。

虚舟記

蓋予與方外言《莊子》虚舟，則善矣，而未免於觸也。士俊羅君，號虚舟，予欲與君言《莊子》乎，則君我徒也，非無所為者也。江湖之舟為貪夫牛馬走，晝與夜而不知止，其建旗鳴鼓、役千夫而從之者，亦且與商賈無異，而世安有虚舟也？人人以其舟游，而未有知無用之用。忠臣志士臨流願濟，與百戰無成，僅以身免者，獨患無舟耳。空江渺然，濩落横楫，其於世事亦何情者，惠而載我，適相值，而甚不偶然也。古之經營天下，反覆萬里，羈旅漂泊，若此者何限？今茫然遠想，求其渡處不可得，或史不盡載，問其為舟，則如漁者往矣。子胥之逃吴，陳平之亡楚，以此脱其生而成千載，以至烏江之流涕、滹沱之倉卒，至今誦其語，猶悲之。此韓退之所以重有感於一壺千金者也。今人美前人成事，孰知當日之役有元功焉？夫任大勞，濟大險，而不以為德者，舟也。是舟也，不為利役，隱然與天意合，天欲有所為，其必自是舟始。顧予願君藏之，藏之而未嘗藏者，虚舟是也，君必待之。抑予四方招涉，有二戒焉，為刻舟，嘗募載，視其外，完物也。既載，百罅生焉，蓋從者帶索，殫於袽苴，虛則整、實則陋也[一]。今吾與若，皆虛舟也。又嘗赴急彷徨，絶岸終朝而不能濟，為之仰天太息，非無舟也，而未有能操之者也。是又以虛為恨也。君盛年力學，出語英妙，有奇氣，當能為世緩急，姑為其所以任重載物者，而用是舟者，則他有人焉。

[一]實則陋也：陋，原作「漏」，據嘉靖本改。

玉牕記

徑畈仙人徐景説嘗呼吾鄉吟士劉芳潤曰玉牕，玉牕求吾先師巽齋歐陽公記之，記未成，而巽翁又僊[二]，玉牕悵然中道四望而嘆曰：「已矣，惟會孟也能知二先生意，且二先生有知也，其亦必以予請為然也。」予逡巡靡徙久之，曰：「予何敢記玉牕，徑畈精神筆墨浮動星緯，欻林壑如天人，獨玉牕，玉牕夫君，此猶霞子、烟子見稱於謫仙也，予何敢記玉牕。巽翁暮年，絶麟謝穎，顧悠然寘玉牕懷抱如欠，今神遊超遠，寧能知其所欲記者何説？此海內共恨，以為不可復得者也，如之何？其使予獲罪於西河也，予何敢記玉牕。」玉牕曰：「過矣，有徑畈之詩與巽翁之帖在，子姑澄予契左耳。」予亦惟是淺陋，不能知玉牕者安在。亟取徑畈詩而讀之，則玉者竹也。玉言竹，竹言德也。嗟乎！君華門之為居，甓牖之為業，瑶臺瓊樓，想象何許？而玲瓏虛白，不琢而天，四時雪月，光徹夜旦，得之披褐環堵之間[二]，玩其高明，政亦與玉何異？獨古未有玉竹者，雖詩人比物無常，然聞是牕之名，誰能不怪哉？知之矣，温其如玉，在其板屋，人自人、屋自屋也。生芻一束，其人如玉，芻自芻、人自人也。是牕有竹，畋僊玉之言主人，則竹無與也，言竹而已，則今之居者，又竹之賓也。以竹名牕，意者君不可見，以玉君從之矣。君翛然苦吟，立萬竹間，風環鏘然，青入編簡，視牕外皆玉也。而繇牕外者，視之則頎然玉也，頹然者亦玉也。以君視竹，則竹可見；以玉視君，則君亦不可見矣。不知竹之為玉耶，抑君之在此牕也。是其可親而貴，又有在寒林勁節之外者，而非夫玉不足以況之矣。畋語奇甚，奇君甚。君灑然若驚，悚然如不堪，拱手言曰：「芳潤何足以知先生意，未必先生之意云爾也。」予曰：「未也，彼植物也，君子比之玉焉。夫玉亦何貴於斯，其塊然者，得是氣之精[三]，沉淪宇宙，鬱為土石，幾千百年而一出於中國，幸而見佩執於古之君子，而其賈焉無傳以至今日，則吾黨之士有終身而不識玉者矣。竹則無不識也，使竹如玉，則玉不必識也。使君如竹，則識君猶識玉也。玉乎？竹乎？」為之賦《淇澳》，君避而起，起而賦《鶴鳴》之二章焉。予笑曰：「君為玉，僕亦不得不落落為石。」

[一]而巽翁又僊：僊，原作「倦」，據嘉靖本改。　[二]得之披褐環堵之間：間，嘉靖本作「門」。　[三]得是氣之精：得，原作「則」，據嘉靖本改。

印洲記

安成之劉稱龍雲，龍雲之後有集者，遊湖南，攝新學教授。新學者，羣山溪酋豪之子弟而教之。君為之數年，歸而息焉，為予言所居上下數洲田間，其一面而正圓，可二畝强，而名之曰「印洲」。求一言為印洲記。予筆墨稍暇，不能為是洲記也。君棲旅踵門日急，如争地待券證，顧客之來者，所急不在此，寧獨取此，因客去，慨然就殘燭記之。吾嘗謂洪水以來，山之頹陊滅没者何限，其存而堵塿亦必地之有氣力者耳。洲之為物，又其細也。數千年間，不散為飛埃，犂為荒田，而士者居之，則貴而名印，使後世聞有印洲。予記非兹丘之遭也耶？物之得名也，皆若此矣。孰大孰小，何貴何賤，士方未仕，視造物區區若刓吝我，安得一旦築壇受之，而孰知其不足貴耶？吾嘗悲夫為此者之不仁不祥，欲銷之而不可得也。彼其閲人也多矣，其假人也甚矣。人於何擇，泛然持方數寸，好惡津於人[二]，上以擊斷破壞，其為利益者不一二，而殘賊可哀，未有已也，自一命之微，上曰「視印」，而不得不多事矣。是也。固非印也，使其為印，亦何常之有意者，非予之所得玩也，子之為新學也，其知之矣。隱几而觀，洲也，塊然頑然，僻陋蓬顆，幸猶隱者之無名氏不見争取，子欲持此用之人間耶，則吾將前賀而後吊悠然如懷之而匿其綬，其尚有不足耶，則吾請有以喻子，雖天子之相，不與易也。印，至相極矣。季子徒以無二頃，失其本心，今吾苟有頃，即相印，亦不足貴也。况其下者，世道不同，人益異見，有以與人而涕泣不肯受者，有利其斗大殺人以求之者，有緊之肘後至死而不悟者。今子之專是丘也，無官事，無天刑，忮者勿奪，姦者勿竊，操之不慄，喪之不憂，貴為儒者，而傳之子孫，印之謂矣。其尚有不足，方盛年志科舉，聽吾言類不入。為彼者恐不免，姑為是洲也記之。於此洲乎，吾懼爾之用於世也。

［一］好惡津於人：津，嘉靖本作「肆」。

同元亭記

周嗣翁為亭池上，池蓮花葉萬柄，嗣翁倚風亭欄，零露忘歸，慨然曰：「吾家濂溪公見性體於此矣。」求予書「愛蓮」二字亭上，予為改曰「同元之亭」。他日寄聲為我記之，予謝曰：「君之樂，不能知也，而以予心知之。予欲以予之樂，言君之樂，則君之樂，予之樂也，非君樂也。且予言之而有合於君者何哉？凡天地之間，樂者皆生意也。生意日新，未知古人當日所見何似，而君之樂，顧從古人記之矣，何必予記。雖謂濂溪公為君記可也。抑吾有少恨，恨公鄙我，其言曰：『菊之愛，陶後鮮有聞，蓮之愛，同予者何人？』是公喟然為此蓮絕望於我也。嗚呼！孰知予今之愛有甚於公者乎？吾今雖欲自以為獨耶，則又以見笑於嗣翁矣。夫予亦不自知，借風流文獻有之似之，故屈嗜芰，平製衣，羽嗜茶，龜蒙績傳，君祖孫相望於是蓮也而既專之矣，我不敢復愛於此蓮，我不敢復愛於此蓮，婉兮孌兮，懷之遠矣。昔爾先公得謚於先王，曰「元公」。予豈敢謂公之愛同予之愛乎？毋亦相與有不能無情者，竊獨與公同此元也。且公嘗為草言曰：「此與我同意。」蓮猶草也，草猶生意與我同，則公之愛蓮有在常情之外者，其謂是元也，其知之矣。圖書本君家物，君左圖右書者，玩矣。君他日坐亭上，悠然默然，有會於天地生物之理，則蓮之粲乎吾前者皆此圖也。元之揭乎吾亭者，皆書意也。光風霽月，則併圖與書而失之，而君之道從是進矣。」嗣翁書來曰：「大哉元乎！吾名愛蓮，安得此意并為我書之。」

永新賀氏梯雲樓記

予前年衢信道間遇一士，頎然超然，徒步入京，有家僮荷笥輿自隨，天雨塗泥，盡數日見其行，不見其登車，予於是嘆曰：「彼舍車自苦，殆以筋力著志，陶士行之運甓，司馬長卿之題橋，此其亦各有恨哉！」問其名居，吾鄉人永新賀沂叟也。吾以是識之矣。後二年，沂叟携其子過予，出《梯雲》諸詩曰：「吾父子盡讀書是樓也〔一〕，賦詩者識予苦心。」予笑曰：「豈惟人哉？蒼蒼者其識之矣。夫雲也，起於山川，其盤桓而上者天半。能至此者，不息故也。然吾嘗登高山，雲之出吾杖屨之下者，猶如土灰焉。仰而視之，如土灰者，復不知其有幾，則夫梯是雲者，非强志健武，亦孰能至焉？叟必勉之。昔者是雲也，與吾子同在草野之中，其去人不遠，及其得於太空也，其崔巍結構，奇詭萬狀，自以為極矣。抑今之所睹，有昨之所嘗記者乎？太空無是已外之為雲者衆矣。而科第為下，叟必勉之。抑子厚云，若登梯足愈多，身愈高，人愈抑之，是在科第之外者也，然未離乎人間也。造不極，詣不止，復有高於是雲者焉，而峻極於天矣。傳曰：『雲從龍。』從我者也，其何若登天之有？」

［一］吾父子盡讀書是樓也：盡，嘉靖本作「晝」。

朝仙觀記

以香城山為南華，以南華為朝仙觀，則自前吉州守天台葉丞相始。華蓋者，北辰之宇也，山之穹然者象之，故為望。今言華蓋山者，何其甚哉？初臨川郡有三峰雲間，號江西高絕處，相傳隱者浮邱公控鶴而上，顧嘗約其弟曰王若郭，後見於此。是為華蓋山三仙翁。而所至高山，必有二弟子之跡何，蓋昔者之皇皇其師也，於彼乎？於此乎？未可知，故所在而見之也。繇臨川遡永豐，有西華山。又西至吉水東山，為中華。繇中華山五十里得盧陵香城山，又高為南華，皆二弟子徘徊白雲之地。而南華三峯略與華蓋山相似，其下有忠簡公胡氏居之，又廬陵望也，故南華最盛。予為記仙姓名，不求人知，而知之者曰：「浮邱公足矣。」又求公之弟子而不可得，則曰：「是嘗授詩申公，不乃與王子同耶？」或曰：「控鶴在老子前，與太子晉同時，其授詩亦猶老子二百餘歲見秦獻公也。」或曰：「授詩後有王褒、王喬，皆列仙傳，殆是已，殆是已。」而郭又未見聞也，則曰：「王之郭也，變姓也，蓋從兄弟也。」先後時代且不可知，而知其同姓從兄弟，變荒哉乎方之外而不得，而方内敗之也。某邱與地氏，氏浮邱者不一世，安在其為授詩翁，且授詩翁，荀卿門人，彼知授詩之為人師，而不知荀卿之於浮邱，又其師也。仙籍多王氏，古今王喬六聾俗，膚引舛錯無足證，而華蓋山托為顏魯公記，如麻姑者尤俚。華蓋山北辰之宇也，山如華蓋，可以出雲致雨，斯望之矣。浮邱先生古之隱者也，隱如浮邱則仙矣。自其弟子求之不可得，則隱矣。與之隱者不可知，為浮邱之徒，則浮邱矣。王與郭且不必問，而為喬，為褒，為子晉，譬千載之後吾知香城之為南華耶？南華之為香城耶？於此有雲，其下為雨，吾不知誰為之雨，則歸之天，而天又誰為之也？意者其帝也，反而取諸裳衣衮冕焉，圭璧焉，耳目具而高明者，區區猶夫人焉，猶夫人焉，今吾一舉首，而凛然臨之，其明威，其明畏，其比人間南面，巍巍乎宮室之鉅麗哉！羲皇堯舜氏而天無稱，雖有巫陽，莫之敢尸，而心之精神，極其遠想寥陽、金闕、紫微、玉皇，崇高富貴，備物典策，神而明之也。若此陋矣。天無情，地無形，仙無名，以帝為主宰，則人之也。無物者有物也。以仙為某某，則神之也。有物者猶無物也。仰而兹山兹仙也，猶仰而為天為帝也，其不可知也，則亦至矣。太山之上有巨人跡焉，曰昔黄帝戰於此，聞者隱然笑之。及至山之有昆崙也，星之有牛女也，昭然指其過客，紀其時日，辯其處所，如所嘗覩，如家人語古。以至今山不崩，天不墜，厥亦若有持之者焉，而皆意之也。憂其崩且墜者，為愚，為誕，而知其所不可知者，為智。窮無窮，極無極，吾將證之南華，而南華老仙復隱然笑之。悲夫！吾聞韓子之論山也，曰最遠而獨為宗，其神必靈。予避亂方山之下，天大雪，望香城雪倚天照日如峩嵋，而其中峰高大，人指之曰：「朝仙觀也。」王玄洞其左，郭公巖其右。蝗旱禱焉，天燈出焉，道士鍾允升掌觀事，與其師張次良焚修，祝曰：「惟宋萬萬年，子子孫孫惟王永作。」神主自有天地不知何年，此山為香城，香城生忠簡，以匹夫捍城郭，以編修官按宰執，吾所知者，其靈以此，其最盛以此。星淪嶽踣，南北壅隔，近年始宗華蓋，福華者無不在，則如忠簡者尚有人也。是為德祐元年，吉州南華山朝仙觀記。

虎溪蓮社堂記

方山在青原，山東山西瀧江出其左右，材江出其右，方山之泉出山下，山東為峽，委蛇循峽，左右赴二江，是為虎溪。元年冬十二月，予避地虎溪，主蕭氏諸君幸哀我，館且穀我。予惟世方亂，蓬累而行，蝸牛以居，揭揭焉載其木主而無所可祭。一日，步行田間得精廬，曰「蓮社」，欣然蹶然，就而臘焉。社友十餘，中堂高潔，佛祖咸在，道人覺就可晤語，請記。予謂道人，蓮社本遠公廬山，廬山前則亦虎溪也。遠送客，未嘗過虎溪，謝靈運求入社，不納，而往來淵明山水，隱暎醉醒兩相得，非以其徜徉方外，世味薄耶。淵明為參軍六載、縣八十日，予塵居寡諧，非無意斯世，名穆陵進士十有五年，獨嘗教授中都百六十日罷。又三年，起從廬山公江東，七閱月從江東，得掌故，入修門四十五日以憂歸。歸又七年，而當德祐初元五月[二]，召入館，辭，未行。十月除博士，道已阻，歲晚，自永新江轉入虎溪，留虎溪三月矣。十年之間，仕已如此。去年，廬山公以節死，謚文忠，惟予與同年蕭獻可，皆公客，相對感念離合出處流落，惟師友之故。而予尤以貧似淵明，獨誦其詩辭，百世下彷彿求一語不可得，以此愧恨。天其以子畸於彼，而合於此，牽帥山水至此遁播邪？何虎溪同蓮社同道人相得又同志，為此堂記甲子，則予與淵明命也，亦本無高處，正自不得不爾。八表同昏，平路伊阻，誦《停雲》此語，淚下霑土，何能無情。此堂起咸淳二年，静觀居士蕭公某創為之，獻可其弟，是年為德祐二年二月戊午社。

［一］而當德祐初元五月：月，原作「年」，據嘉靖本改。

鷺洲書院江文忠公祠堂記

故大丞相贈太師益國江文忠公古心先生祠鷺洲，侑歐公，己卯曹山長奇所作也，於是謚文忠四三年矣。廢廪荒凉，矧暇俎豆，至曹君始有意教事，以及乎此祠成，聞者垂泪。先生慶元戊午遭偽禁之世，父師竊竊傳習朱氏，處白鹿，游東湖，所交多考亭門人，出入端平諸老，其為吾州，年四十有三，聲名德業高邁前聞，故能創鷺州如白鹿，深衣入林，媚瞑前後，無不心醉名理。然所聘不過十數名士，而縉紳德之，吏民憐之，悍卒化之。去之四十年，賢侯健吏其何不有？同時父老化為異物，而識與不識，曰古心古心如昨，曰江檢詳者亦如昨，豈惟吾州士論勝而民俗厚？亦先生之流風繫人心，能使其没世不忘如此也。蓋嘗痛名賢之在天地間如風雨，其變化及物關繫晦明也。極其所至，曾何足以當俄頃之運，而鼓之動之，沛然如出乎六合之外者，聲也。雖復身數朝、家累世、壽考且百年之久，而又能不殄厥愠，不隕厥問，以有成也，要亦如風雨過之爾。而讒者敗之，忌者離之，不肖者塞之。當先生之盛年，則有不見釋於鄉人者矣。藉第令其人亡恙，亦誰復此數，而先生之所存，每抑而愈彰，已遠而彌長者，聲也。計其三四起家，直出於讒者之疏，忌者之遠，不肖者之隙，復何能遂其志，行其道，展其四體，而闘其名者，願其有所成，諒其猶有餘蘊，雖善，不足以相及，而猶欣然樂之者，聲也。凡大人之行，其聲宜如此也。先生閑居，其志念在國家，其精神在廬陵。往從班時，嘗問葉西澗，廬陵曾得士否？因為言布衣數士環堵水竹間意，西澗退而嘆曰：「吾至廬陵夢耳。」咸淳初，發德音，欲求諸儒之後，時宰以先生自建來主朱氏，先生奏曰：「臣在建安，牧奬朱氏備至，今世所少惟節義，有以死易節，而子孫僅得一澤，后遂不振，絶望者。以臣所知，近年廬陵胡夢昱，可念也。」繇是廷評，後得擢用，又議謚廷評忠公不果，其用意類爾。即增貢額，減歲糴，薦進除目，或用或不用，常事，無足論，迺其經世，則有大願矣。再相，再不合。嘗歎平生志氣之樂，惟鷺洲一事，過江百年，仁山字水，人自為士，然學校科舉絶，有愧於道，孰能學校科舉外而求志？又孰能用學校科舉而成之？自鷺洲興而後斯人宿於義理，自鷺洲興而後言義理者暢，又不惟文字而已。而後學者知矯其質習，存其氣象，又不惟氣象而已，而後立身名節，壹以先生臺諫為風采，推論人才長育之。自斯文一變而至歐公，再變而至先生，而先生又以身狥宇宙，與之終始，雖康之山，番之水，同光而共潔，而其道隱然增鷺洲之重，與歐公而并。其好士似歐公，論諫似歐公，變文體似歐公，而又得謚似歐公，受鄉人毀似歐公，歐公老潁，而先生祀吉。老穎者，有所避，而祀吉者以其思。嗚呼！豈偶然哉？方其為鷺洲，四方書院未有萌，其後徧諸賢論建實始此。顧獨嘗有遺恨，欲修鷺洲，仆前碑為續記，雖未能知其何意，然昔者吾見其考亭書院記矣，曰如以名而已，窮山空谷，袂屬肩隨，人以為此學之盛，而由更事者旁觀而竊嘆，乃不如昔者。退學於偽禁之時，信之之深，而得之之實也。則吾亦為世道隱之於心久矣。然則續記雖不作可知也，意者其在斯乎？某事先生十有五年，日所見之猶史，獨為廬陵言，則言之。先生玉立如山，和氣在眉睫間，如柳聲含弘，如鐘登斯堂。望二公者，不知山川之氣何時而復生，而又安知其不共天風而下也？

南康軍昭忠禪寺記

往予從廬山公於緑野，門徑蕭然，望春流數百步外，樓殿峩峩，舊祇園寺也。時公罷政府，國朝恩例，厚臣子寵靈其先，則即近寺賜功德院，改寺額，而公之先太師墓距今第三里而近，故祇園至是為昭忠。昭忠云者，景定元二間也。予往還日涉，獨未嘗過溪一至，所謂昭忠者，謂當崇麗大刹也。後十有八年，以負士之役，再至緑野，裴徊且久，步昭忠落日，及門門廢，升堂堂壞，風廊雨立，僧飢佛黧，旁無寸垣，光際湖外，蓋戎馬劫灰累年於此，必盡廢乃止。會公之子鎬説衰入燕，有蜀僧文舉從之，杖錫北來，望昭忠住焉，予勞苦之，曰：「自上都過河涉淮，渡浙江，歷重湖，可無超絶勝處過此耶？」舉笑曰：「吾惟慕文忠名賢，以至此也，且北方隆震旦以此。」他日鎬以書來，求記於予，曰：「甚念昭忠，蓋名為功德之窅，而不敢忘，既舍田若干，又助財粟若干，重修。某某願有記。」予以所見荒凉衆異歡喜，即為之記，不待考爾時祇園且安在，徧大地佛身，則祇園在彼猶在此，祇園在此，即雙樹亦在此。然是園也，昔者無一椽一瓦、一草一木，不知何人辛苦自營，乃能積日幾年，重樓複殿，撞鐘建鼓，長廊高座，千燈分譜，萬法雲會，遂為都昌禪林，彼此比於山南山北，愈小見尊，則浮屠之葉極此矣。孰知數代之遠、百年之後，鍾為英人[一]，起為名家，貴為元宰，壽為耆英，死為姱節，乃在東家之近、培塿之旁。方其退然與樵夫野叟，樂阡陌，守墳墓，過長門而不入，豈嘗睥睨及此？而昔之為此者，乃若與國家中興氣數名節合而有待，又何其盛也。嗚呼！吾欲以前日為盛耶，則盛者若此矣。吾見馬蹄獸迹，梁空木壞，龍象淒然，雖昭文地宅，林殘磵絕，升其堂者，俯今仰古，人亡迹熄，而流涕繼之矣。夫其盛也若此，則今之修者，其於木石之間、山川之外，猶足久存耶？是雖世外之人無與於得喪，而悲傷感慨終已不能無情者，以此况彼，得不謂之愈衰耶？夫其衰也，雖欲復為祇園，不可得也。以吾之盛者托於彼，以子孫絕續為不足恃，以君臣會遇得於丕顯休命為不世，又以大文之可得者為不朽[二]，萬一其出於荒田野草，猶可以有考於此也。悲夫法，法有壞，昭忠之忠也不磨，不磨則不係於祇園之廢興，必將與文忠為終始。凡天地之間，忠臣孝子，人心天理，其或者有考於此，而有所不忍廢也，則斯文也其亦不可以已矣。

〔一〕鍾為英人：英，嘉靖本作「異」。　〔二〕又以大文之可得者為不朽：大，嘉靖本作「夫」。

歸來庵記

至元十七年十二月

歸來者，古心先生石山庵也。先生生於林塘，老於同野，死於芝山之下。死而不死者在宇宙，不死而死者人心是也。嗟乎！歸來乎！歸來乎！四方上下其何歸乎！昔者聞之大禹曰「死歸」也，歸有幾？有戰敗而歸者，有去家愈遠、喪其所挾而歸者，有呻吟中路、流離悔恨而不得歸者，有赴蹈不顧毁傷其面目者，有優游卒歲全名於牖下者，歸有幾？嗚呼！人謂之不死，奚益？東坡謂延州來季子庶幾不死，然終春秋之世，餘皇姑蔑之不返，甬東泰伯之不祀，復能蕭然人間，若無意於去來者，則吾亦不知其何心。蓋不死而死者，人心是也。悲哉！是庵為先生之所手築，意其魂魄，猶不忘是間，皋復之道於此乎？於彼乎？未可知，乃作《山中歸來》之歌。作歌者誰？先生之門人宋玉也。歌曰：

皋歸來兮，山之陽。高冠青雲兮，擁白露以為裳。遇子卿於盛漢兮，十九年而牧羊。天荒荒兮，日星無光。地茫茫兮，兩乳雷琅。箜篌哀兮湘瑟御，過平昔兮玉堂。皋歸來兮，山之陰。而為閣兮，宮沉沉。清風時至兮，芳草滿林。山空無人兮，猨啾啾而夜吟。父前而弟後兮，熙春載臨。忽相顧以流涕兮，又痛哭而不可禁。彼紫芝之垂絶兮，遺我哀音。

庵成於某年月日，記成於庚辰十二月。

靈應廟記

凡方社數姓之祠，甚明著，尤異。有功於當世，羣望不偶。然天高也而難攀，人近也故易求，其理一也。舊見杭叟，言賈平章故狎游，嘗深夜密期，竊負出巷口，遇鄰老人止之曰：「公年少貴極，未可量，何玷累至此？」賈愧悟，返之肆。及明，視其地，里廟也。因自喜。及武昌圍城中拜右相，呵道巡城曲，見小廟礙車，止曰：「夢是矣城隅，夢其自道若平康巷肆。」則予猶及見其既相後，所飾新廟，廟淺甚。人之未達，亦何所不至，神不能與人所無，而急人之病、導人之善，為人所歸往，尤近尤信，不必有封爵氏號，泊然出於盛心，感動本無求與無功，而物之為報，自有不能忘者。里將興，神必靈，陳寶之鳴，大横之兆，竟亦不知其何神而存之後世。異哉！此圖志之所不敢遺，岳瀆之所不能效也。吾巷曲以西為靈應王廟，直三巷口，廟丈餘，甚古。崇之者，香炬嘗接晝，比年前亭後館，敞於鱗迹之所不容斥，又盛圖相顧求記。或曰「淩王姓」。或曰「歲夢某某應」。或曰「廟褊矣」。予惟混濁隱約之中、數步之近，如夷門生，市南僚，鄭弦商，陶朱公友類，耳目所忽，不意而解紛救難如神明者，人事常有之，況名為神，建為廟。而求記是者，非婣友，則里人也，復何辭何擇之有？（以上豫章叢書本《須溪集》卷三）

全元文卷二二七六

劉辰翁　九

汲古堂記

汲古堂者，宋公子諸生國學之堂名也，嘗有井，故云。德祐鼎遷，堂廢，又七年，學燬。而鉛山前釋褐進士趙嗣德以其重修大義橋之寺、之井、之堂，亦名之曰「汲古」。汲古者，又過江初邯鄲賈逸祖所自號也。先生則嗣德之祖之友，南來依於趙，於寺學焉賦焉，死而葬焉。章泉趙蕃表之曰「宋詩人賈元放」者是也，至是祖而配焉，又取諸章泉配焉。登斯堂酌斯泉者，低徊喬木之下，如過周墟，觀魯廟，無不仰止其名〔一〕，而憐傷其意。復求文於余以記之。余為之長太息，曰：莫古於天，天者，不平之積也。由今言之，亦孰非古也？第論前日峩峩堂下，安知其至此？其至此無極也。南渡百年，姦臣擅者五六久矣。夫福威之不惟辟，姑為君宗衮而言之。毁金縢，被霜露，閒居闖問之黨遍天下，當其時，非聖主意也。凡咈天意、負人事，寧獨此？其平世所謂敵國者，直彈擊文致口語而已。流恣於近年，班朝緑野，愚寡冲和，黔首冤怒[二]，激極震雹，橫彗誕取，前史所謂宦官外戚、藩鎮權臣以為是。反復迭起，不可解之宇宙者，一反手而勝無遺，而古有不足為矣。吾嘗歎夫日所見之猶史，或言與事悖、事與情異，頗疑文字以來欺世也，皆若此。其為蒼蒼冥冥者，忿而欲塞，務使能言之類亦如其不能言，而古有不足信矣[三]。今子之讀書是堂也，其能得夫世外者而志之邪？其亦不免於傳聞所傳聞也。悲夫！子亦知之乎？古之所存者，今不必有。今之所有，又古之所無也。古猶汲也，其陳乎吾前者，或廢或絶，則或地下者有之耳。故冢之書、泗之鼎、峴山之石，參差零落，出於千載陵谷之有待，然而汲者希矣。古猶汲也，必竭而後新，今吾雷同諸老之後，常一經而百傳，復欲舍是而圖之，則必借先賢而背師説，雖童子亦且以為不可，然而汲者新矣。直心盛年，高尚甫得一第，即唾棄，歸而養志，此其中有大過人者。斯堂何許？宛其麟止，儻能得夫元放、章泉之為友，攬古所謂不平之恨，肆而評之，當有出於衆人之所不講，是為汲。恨吾不能贊其志，徒想見斯泉於重湖之上、萬山之外，寓焉言之，發其微而止，抑惠山如海，發於夢寐。有寺僧者謬之曰：「在是則在是矣，是得之華池者，猶惠山也，亦所謂汲也。」則吾與子得不已相見於此堂與？直心，悳字也。友元放者，其曾祖贈金紫，彦孟也。友章泉者，祖龍圖，充人也。　橋縣北，寺橋北，橋寺一新，橋最鉅。

[一]無不仰止其名：仰止，原作「求正」，據嘉靖本改。

[二]黔首冤怒：黔，原作「黠」，據嘉靖本改。

[三]而古有不足信矣：古，原脱，據嘉靖本補。

生意堂記

士不願為相，願為醫。自吾所見異時賢相，或薦士不達，相與歎息，憔悴而止，盡日坐政事堂署吏牘，無一如志，然不得退。下至州縣獄事，或衒奇取勝，或偏闇遂非，屢争而氣塞，頃嘗建議分畫，數道報聞，既事壞，思吾言欲行之，已無及，世事大謬類此。遂使人思里巷，倉卒投一藥，治一病，奪命頃刻之間，獨行其意，無求於人，受托專而成效速，惟醫道最善，亦最樂。而少不習此。數年間，坐見陳元吉醫名起，活人衆，家世興，而吾等腐儒從昔無用，愈至是決矣。余亦欲為元吉而不可得也。日婦病甚，賴元吉有瘳。元吉間出諸公生意堂説相示，復有以觸余心焉，因從上記之。醫書言，手足痿痺為不仁。今之不仁者非手足痿痺之謂也，而心死矣。其人康彊，飲食、富貴、壽考，而若存若亡，若宇宙無與我事，則其形雖具，而心死矣。幸而沉昏廢錮之中，有一二焉，若穎之有泚，而其歸亦泚穎而止，是其存者雖異於衆人而少焉忘之亦衆人而已矣。吾前所以落落難合於世者，以其無生意者，心死故也。天下未遽有不治之疾也，若此者不治矣。故夫子曰：「殷有三仁焉。」悲夫！天下之無生意也，久矣。三百年間，周茂叔之不除草、張子厚之聞驢鳴，概以為觀生意於此。孰知神農之所嘗、千金之所授、樵夫野人之所挾，其於紓疾痛、延時命，有大於陰陽寒暑，而儒者以方技略之。昔者吾嘗志斯業也，以事親濟人已矣。惟節飲食、審藥物以自救，晚得元吉精意，善治如此，實資以安老，而又甚恨於不如。盛哉！元吉之用心也，蓋彼失而此得之。皇皇乎其三吐三握之盛也，僂僂乎其一貴一賤之交也。儼乎若屬之神明，其無私德怍乎？若飲之有量，輔欹器而早正之也。方卧者憊於牀，狂者渴於井，號呼靡及水火互至，骨肉圜視欲絶，起人者，固非能使死者起也。然及其倒垂仰飲，俄而顛眩失，壅泄通，躁擾平，不震不徐，舉目意會於凡情之表、古方法之外，蓋病家以為更生，而吾術以為常事。每誦當今人物眇然蔡公委篤之語，此人事之所不能齊，造物之所不能及也，非夫生意之尤大者乎？而元吉足以領此。且其事親孝、兄弟睦，有本如是，鷄鳴而出，暮而歸，雖其勞，不啻而思所以及人者無憾，則其樂亦不可言也。夫余亦欲如元吉之一日，而不可得也。獨喜談而樂道之，且以信於鄉人士大夫云爾。

濟庵記

自易簡方行，而四大方廢，下至三因百一諸藏方廢，亦猶《中庸》、《大學》顯，而諸傳義廢，至《詩》、《書》、《易》、《春秋》俱廢，故易簡方者近世名醫之藪也。四書者，吾儒之易簡方也。安成謝清叔，療病能出入諸方，而加以巧思，常試之奇驗。他日以濟庵記為請，余亦喜言之，因謂謝曰：「子知濟之為義乎？醫不止於如濟也。山窮路斷，江空日暮，雖人情所甚急，亦必有不盡急者，固未離乎岸也。瞰焉而不得濟則已爾，少須待之，終亦必濟，未禍也。若夫中流失船，浮沉托命，而邂逅漁者，亂渡援手，則天意也，其更生之日也。陰陽之薄人也，害於溺，而人情之怨死也，甚於浮。皇皇而拯之，猶懼不及。而貪夫耆利，暮夜不忘，或珍而後市，或亂而後捄，懷鍼厲石，存變留行，此曹氏所以撫牀而呼，韓醫所以望商而敗也。故善舟者無不濟，而濟有遲有速，則必有不濟者焉，謂人命之不足以有待也。悲夫！蓋嘗疑孫思邈之捄髯病也，彼龍也，而求我急，靳而返諸其室焉，曰此有秘方，吾欲得之，返而獲，獲而見捄，其亦甚矣。龍之為病也不死，人則有不堪者焉，賴其利也，利其方也，其方之足以利人也，則其待也，乃所以為濟也。龍者有方，不自捄而靳於孫。則孫之治是病也，必有出於是方之外者矣。彼亦自以為秘矣，而孫實知之，則龍之智不智於孫。吾惟懼夫後之急者無龍之藏，有龍之病，而求龍之所不能求，則濟者寡矣。」於是清叔笑曰：「幾見夫舟之濟也倦於人？又幾見夫舟之濟於人也德於色？」余對曰：「君進於技矣，他日得夫龍者而捄之，是龍也，能濟於天下，是亦子之濟也。」清叔曰：「吾能吾濟而已，安知其濟天下也？使吾望是人也而濟之，是有擇。」余曰：「然博施濟衆，豈能博且衆哉？無心而已，無心博矣。濟其一，濟者衆矣。子乃能濟衆，我不能病諸善夫。」

本泉堂記

觀於水，曰「觀海極矣」。其善論六合之内者，曰：「末之海也，非江河雜流、百川灌輸，不至此。而為雜流灌輸者亦末也，故三王之祭也，先河而後海，謂之知本。」雖然，近之矣，其猶未得為本也。嘗觀於瀑焉，歕而忽者，不知其幾千百尺，若有馮怒憤絶，其涸可立而待。而自天地以來，震蕩傾動已若此矣，是必有為之本者也。循流而上，聲勢漸遠，俯而視之，汩汩行未數里，如有而無，仰而得之，涓涓其泠然投谷，如相爾汝，向之霆驚魄悸者，非爾也耶？而亦不可得而進矣。因悟天地之初，人物之理，其綿綿若存者類此。達之為灩澦，捍之為龍門，鬧之為汴、為灘，奔流萬怪，不可注視。凡涓涓者其祖，人能不菲薄暴棄，則身之宇宙亦豈小哉？吾言本者如此。或曰：是本也，又孰為之本也？則吾前所謂綿綿者是已。陰陽之浩然也無窮，而山水之行世也如往，人見其往也，而不知其浩然者常在是也，夫是泉之本也。江也，海也，本於泉。是泉也，本於氣。或曰：泉之下也為江海，其不為雨乎？其必江海而後能雨，雨復為泉乎？則夫泉之本也在是矣。曰「近之矣」，其猶未得為本也。夫氣之感也，未有不本於人心，天地之間者心也，悲而鼻為之酸，痛而目為之泣，兩者天地間之惻然者也。一勺之水，或藏蛟龍，非藏蛟龍也，惻然者為之也。故能往能來，而皆出於天，其變為旱，而常也為潮。昔者孟子謂雨無本。雨無本，本於泉，泉之為雨，本於心。吾廬陵遡贛江而上，富川出，值夏，為忠簡公鄉。又夷道三十里，得富川，為文山。文山之友鄒氏次清，鄉人稱鄒長者，其曾祖長者厚益公，既為平園，嘗以其餘返，鄒氏不受，則植莊鄒氏橋示報道。橋與莊一不朽，士兩賢之。同時往來，誠齋父子、番洪景廬學士。近年曾無疑隱者代為銘詩，顯其世。次清又甃，夷道者振孫其孫，好義如次清，為堂曰「本泉」，求余記。余字振孫，曰慶元，前陳者皆其本矣。尚無忘慶元，少年清修，意趣非凡，充而川流，感而天雨，將淵然由此堂起。是能味吾言者，吾言亦復未盡，舌根有泉。

休巖耐隱記

羅君伯雨起童科貢鄉漕，當景定盛年，諸老先生喜其才，賓館閣不果，退居竹村，號竹村，世亂更名所居，扁曰「休巖」，曰「耐隱」。或曰：休者其誰歟？隱者其誰歟？而何此君之不一也？余曰然，是或一説也，且不耐非休也，亦休故耐耳。農圃代耕，再易所獲，當不與旦旦分尺寸者等，雖天地冬春之故，生物熾然，日新日化而不知其休久矣，雖一旦之間，東西代起，行三十七萬八千里，而所休亦稱是矣。人身天地之元氣於其間，一日一時積而不可勝用，雖建功立事之日月人人有蹉跎之歎，而優游與蹉跎異。正自不得不優游者，由潛至躍，一飛一踣，蓋重耳十九年，子胥六年，勾踐二十年，其間雲雷之屯，風雨之變，可悲，可哀，可生，可死，回視俯仰之間，而成敗得失居然相遠。安期生與居巢老人同時干項羽，老人中道憤疽發背死，而安期以不合去而長存，是又在九州之外，功名之表，可以掀髯而笑矣。彼夸父渴，張毅熱，臭而死，何足道，就其高者計之，人生百年，有早休者，中休者，晚休者。晚休少耐，中休又耐，早休又甚耐，人亦何能自知其為中為早，如陶淵明、杜子美、陶弘景、賀知章，槩中年知止，而自其初終計之，則亦晚耳。嗚呼！龔生遂夭天年，之數人者皆老於世故，恬於世味，早休後死，所得不既多乎！其不又耐乎！或又問曰：「如子之言，是自古至今無一人早休者，皆暮矣，奈何？」余曰：「不然。太公年八十，居東海之濱，是早休八十年者。」或人笑曰：「七十九而釣，不可不謂休矣。八十矣，舍釣而從之，亦不足休乎。膺揚展轉，迨夜行秉火趨齊，則九十餘矣，而不休，亦未可以休乎，其休猶後此乎！我以其老而不休，而子且以為早休。」余曰：「不然，子能八十不求用乎？自其少年以至八十而不求用，得不謂早休乎？此其所以耐也。子徒知其夜而赴國之行暮，而不知其疇昔磻溪之日長也，休乎，彼不休乎此，非不休也，耐也。耐耶？非耶？」或者喻曰：「子之況，彼也，遠矣，然則以為竹村壽可乎？」曰：「可。」

廬陵縣學立心堂記

余年十三以童子試縣學堂上，後十年而進士第一者亦於此，噫，其如夢耶！當其時，堂跂跂集不可一布武，講於斯，食於斯。後倡縣丞簿廨，鄰囂嬖其左階，分寸不得入，每霖溢溝浸無可泄，亦百年於此。盛時美宰圜顧無策，僅疏為樓窗數尺，飛雨霑屨。比年邑改是贅旒者尚不廢墜，而教諭鼎來，廪空而客去，况有能議改拓。迨蕭渙可至，獨慊然陋己，起而圖之，則向之丞簿廨，莽焉已久，屢請僦回，復歲餘而後，下溝埒餘五丈，厥既荒度，而老居居之，僦之，不可棲之左，已而廢寺熾然，有禪居僧儕契齒而脅新安學田將奪，渙可指學碑辨危而後定，而工役亦少間矣。興造未易為也，難又若此，吏且接踵，而向之役既而不休，斯堂比進士第一高深倍廣稱，蓋鑿而築之三尺，翼以兩窗，然後席函丈餘，然後池雨四集，然後取樓窗西之為藏書，易米廪為小學，觀者環迴，不獨欞星之新其外也。渙可曰：「吾為鄉校，不可以累後人。」一以己力任其費。惟是櫺星小學等成終而會渙可復以其奉廩不足，諸生感曰：「此悃悃復為誰事，請各效供奉餘足焉。」由是不毫髮掛簿責，有贊有歎，無敢間起。丙申冬終，求堂名，予命之「立心」。是日也，揖諸生而進之，曰：學何為也，政爾不為，抑復誰能彊此。自有天地，而斯人立焉。斯人，天地心也。其心天地者，學也。伏羲堯舜氏作，而後人得其所以為人者。伏羲堯舜氏不作而立焉者，私淑於曲阜之匹夫。自曲阜千年而天下為學校之天下，以至今日邑無小，曲阜是也，學無小，伏羲堯舜氏是也。洪水汨陳，三光五嶽之不得其寧，禹以胼胝為平成功。當是時也，天地託之禹，師尚父之所經營，父師微，啟之所歸往，而獨首陽之子戚然其間，為綱，為常。當是時也，天地託之夷齊，春秋者，山林誅討為尤難，於一聖二賢而接乎。伏羲堯舜氏以垂萬世，然微言絶，而邪説塞，孟軻氏以聞知闢之廓如也。當是時也，天地託之孔孟，俎豆之，絃歌之，雖存乎寥廓，而天下以學不學為治亂，人亦未嘗不以不學為其恥。向非隱然者檢而律之，則遊梁而困者皆為儀、秦，讀城旦書者皆為鞅、斯，封君侯王皆為五霸，而功利與刑名交騖於世，民之黔赭，其不鬼魅幾希。黨錮清流，雖無益於存亡之數，然此風不競，將宦寺小人皆迭執其柄，斯人者雖不幸，乃其心則布之天下國家矣！故嘗謂韓、歐當平世崇辨拒邪，又在關、洛之先，楊、墨之外，為學校功宗，皆所謂天地立心者也。夫庸人者不足以為天地心矣，異氏者不足以謂天地心矣。千載一時，科舉廢而學校興，學校興而人材出，故學校又為天地心之心也。予也，若昔堂下之童子也。豐碑在刊，忠節如前，蓋荏苒衰遲而有道德初心之愧，故於斯堂也，始之喟然，終之喟然。渙可名渙，時同官趙時第、前職周適道、朱介賓

相成之。（以上豫章叢書本《須溪集》卷三）

吉州龍泉縣新學記

天下未嘗一日廢學，自孝弟日用、君臣上下、曆象祭祀、官寺曲直、使客應對、軍師名義、市井然信、器服度數，事事物物皆道，事事物物皆學，道何嘗一日不行於天下。夫婦之愚，由之而不知學者，習焉，察焉。是故以校庠序學，不以無校庠序而不學，而校庠序亦不絶於世者，則長育人才之事自不得不由此其選耳。混一以來，文獻次第舉，或者遂謂儒生出吏胥、異教下，俎豆不復設，設亦戲。會二三廉吏典刑，相望閔焉，於禮樂之缺失，布德音，厲名教，於是收綺席於園蔬，扶壞壁於馬廐，然周爰所不及者，其縣懸遠也，龍泉又遠也。迺五星聚南斗之明年乙酉三月，龍泉改夫子廟，廟新學，遂濱之誦曰：「我有夫子，魯人祀之。我有弦歌，嘉賓啟之。誰能紀成，千載竢之。」則相率具吉水朱簿請孫氏没官宅為夫子廟狀伻來，願記其始。簿名憲，東平人也。以檄至龍泉，謁殿圜，視門扉齋廬無一有，負城濠、迫江岸，水歲至歲陷，慨然曰：「吾魯人也，吾不可以不力於夫子，吾嘗製諸曁事夫子如魯屬。」邑簿亦有意素定，是日相攸，得孫氏故居金山之麓，夷曠高敞，極四面中，僉曰：「邑何不燬，存是如有待。」朱簿以是馳白郡，如邑請[二]，邑令佐學宮，多士興起如湧，奉城外遷城中。庚寅舍菜。予披圖諗狀，為諸生歎曰：「學官廢學有矣，有以遂事興者乎，何所為而為之。不可當吾世而廢吾邑學，吾邑也，吾興之可也。異邑之大夫何所為而為之，二三子亦知之乎！此夫子所不能得於晚周者也。今人惟見衮衣赤舄萬世通祀，以為賢於堯舜之世，不知從其祀者，非畏匡之士，則陳蔡之役也，蓋聖人之業勤矣。今吾兵革之後，得與周餘幸民間，居無事，詠歌先王之道，又邂逅往來賢人君子，拾遺補闕，不惟有綿蕝之觀，而又有爽鳩之樂，大哉！居乎此一邑之士所不能得於其盛時也，簾垂白日，世短年長，豈無老恤傷懷而抱不用之恨者乎？毋亦惟是，聖人復起，斯文未喪，身為顏閔，抑何為於此道，未嘗不見用也。以吾道為不用，則佛氏獨得而用之乎？彼無君臣上下者也。以吾道為無用，則老氏獨得而用之乎？彼垂以身為天下者也。今夫敬忠以臨其民，孰非夫子之教？是吾道敻然獨立於天地之間，萬法之表，道用於時，豈必其我，四時行矣，百物生矣，復欲為於四時百物之外，天厭之矣。人亦有言，用舍行藏，在舍能藏，惟有道者能之，故曰：惟我與爾有是，傷夫吾黨之無人也。是鄉俗厚氣淳，前修未遠，忠信多而甚好學。為士此時，惟當灌園以給公上，謹身以訓閭巷。他年過是邑者，聞有處士之廬，能却城圍於三十里，幽居谷口者，又隱然名重於京師。素位而行，其必自平時不由徑始。不然道未嘗廢也，人廢之，人未嘗廢之，士廢之，學固未嘗不盛也。嗚呼！吾於父兄師友至卷卷也！」

［一］如邑請：請，原作「諸」，據嘉靖本改。

吉州重修大中祥符禪寺記

佛滅度後二千二百六十年為大曠劫來未曾有曠劫。上自羲農堯舜，聖賢文獻，神明帝胄，王侯列國，仙真海嶽，三宮九廟，玉堂金門，臺省館學，上林邸第，州縣亭驛，庠塾禮殿，園池故家，田廬邱壠，斷烟廢址，荒墟殘照，以至無有，區宇情識，沉淪跡絶，雖如天竺、靈隱、净慈、徑山諸大寶刹，漂摇慘愴，晝無遊者。祥符此時在吾城中號第一禪，又自往年圮壞欲盡，齊厨綱堂，當序囂塵，頹廊蕭然，不待兵興，無復起理。有大比丘寶龍居會自嶽來歸，推重教席，入門而歎鄉閭古寺凋敝至此。又於其間樓船駕海，斬伐南北縱横，歲儉人饑，豪右衰落，施者猶丐，工價騰湧，官無闔廬，敗不遑救。會當干戈百祀，六合為爐，鐵牡欲飛，祥符此時乃能新成，晃如湖山，起自衡簷，以棲過笠，中建雲林，開合萬衆，道人高坐，風幡堂堂，梵僧來禮，初見儀矩，鐘樓藏殿，壞無不舉，金晶碧映，塔崇故本，侵者歸疆，壁湧諸天，燈徹内外，用意久遠，積銖纍息，傳之千燈，丙子庚辰，工費萬億，不知昔者祥符盛時亦如是否？於是觀者贊歎疑怪，會雖宏願，以何化力時絀舉嬴，舍舊圖新於滅劫末，鬱為莊嚴，是大希有，求記於予。予曰：「盛衰反覆之變，天也。蓋故老嘗言，過江前城内外，惟開元併圓通塔院、藏院為一，而祥符直慈恩之羅漢一院耳，計嘉初基，牆垣繚繞，鼓鐘鏗鍧，高下相應，縈城帶圃，鱗襲霧合，何其壯也。衣冠僑寓以來，蝸争蟻附，侵為世業，横列萬間，佛且餘幾，甚者寺田千石，擅入一姓，蒼頭盧兒，犴吠高閣，零丁食鉢，仰哺而蹴，與薄貸而厚責。當其時，雖把茅蓋佛不可得，於是，亦幾年矣。佛者下於凡民之間，以不争為業，而儒代斥之為名高，官淫用之如贅附，孰知好還之故。其事烈，其言長。吾以世外觀人間意，天之厭是人也，亦既久矣。朋黨也而清流，清談也而横議，忿消世短，事快國亡。吾以一寺之區區言之，而讀吾記者可以三太息而垂涕矣。天何分於彼此，佛何與於榮衰，雖世界起滅，因緣受報，皆繇一念相續，幻空空盡，彼其不壞者不在此，而狂争倒見從斷執常，則亦達者之所隱笑耳。世之變也，有過其舊者，有不如舊者，舊有因有改，若大中祥符之寺，則莫之改也，而物有改之者矣。蘇明允記其鄉圓覺院，慨然有感於楚漢之際曰：「季布之忠於楚也，雖不如陳韓之先覺，而比丁公之貳則為愈。」夫其記圓覺也而及此為不切，吾取以記大中祥符，大中祥符則然。

吉州能仁寺重修記

往時春遊，出半蘇堤，過鳳山能仁止觀道場，在二園間，古木蕭然，前塵自消。予時過詩人堂下，曳倦入寺，尋山谷留題，徘徊受禪師井塔久之，聞塔下泉聲泠然乃能去。後數年過之，則荒苔路斷，種為墓林，山門晝扃，鐘鼓弗考，僧散莫居。又二十餘年而德祐初，元融堂冲師拾於衆人之所不取，蓬累處焉，予乃避亂禱張祠，識之頹簷之下，衣弊履穿，賓主不備，然空空有意興，復首以記請。余甚嘉而狂之，為舉荆公《龍興寺記》語為笑。出寺門，見斷經幢草間，摩挲髣髴認唐咸通字，歎興廢之去來，託浮沉於俯仰，茫然知復來者之何如，而睠焉圖余以不朽也。然自是，有城西來者言能仁再造，棟宇日盛，衣冠時至，贊歎佳勝，篇詠不絶。惟余想見舊處，凄其如初。會去年採菊至林下，師坐堂上，汲止觀泉，煮羅漢手植雨供余，迴廊蜿蜒，重簷静深，龍象從容，樓閣飛動，憑闌草竹，猶有佳色，念往時徵記，以為戲論。今而余諾之，有宿責，蓋為之周遭徙倚，舉目蒼然，彼汪堤與會園復安知其至此。因問師以何佛力建此勝事，師曰：「吾空鉢入山，視諸山藏薄寺，又日蹙。昔在景祐本公則有若應真堂，堂化供，吾何佛力之有？雖是，先疇之不腆以誨瀋汁，一二居士，剖田勸相，地靈悔禍，侵疆來歸，人持華嚴，選入吾社，陵遷谷滿，粥熟魚清，祠山其頹，復創金碧。吾能勤能儉，而不能者時時自當爾，如雪地麥，如山頂泉。」善哉乎沖！往時士大夫為縣，或始至一郡，必曰不可為，即小腆如出己力，厚秩以邀之，峻遷以答之，猶有赴北門而怨南山者。而釋氏之徒，以攻苦出願力，撥亂起廢，孝俛焉，若有迫而為之，雖歲增千柱，日食萬指，亦衹為吾道，蓋是無能名、無實功、無盡分也，則凡能言者媿是矣。驛傳傾，田賦陷，貨來積，府藏虚，徒飛書倚牘，攜上聽市衆援死之日，墓有諛，史有謚，蓋知者以為民賊，而論者以為人才。吾非厚自毁而尊異彼也，言之何及，將以泄吾心之所甚憤，而激來世以所可羞，庶幾虚偽省而真實見。如沖才使冠巾與人間事，吾豈憂殘敝與凋乏哉？一廢一興，必有痛懷千古者，而後識吾言之悲也。盡天地皆佛心，則皆能仁也。而儒者以仁為公、為覺、為愛、為當理，而無私心之謂講焉而未已，而皆其似也。若未有文字之先，即有天地之後，豈可以一言盡哉？既有天地，無一物而非仁；未有文字，無一事而非仁。不知全體，則質之手足，證之一果一核，自以為似，而其實愈遠。惟佛以不能爲能，而吾以無不能爲能，以無不能爲能，則雖堯舜有所不能矣。前所陳者皆能也，而未至於無能也。無能者不在是，無能者無不能也。」師於是勞勸七年矣，山前後，應復者無不復，應有者無不有。又種松毬竹坪古路，蟠青翳密，位置亭次，映帶八泉，將復爲禪林勝處，而退然不以爲能事，方卷卷焉理詩人堂，表山谷祠。余問師，修復至此備矣，止觀塔安在？師從坐起立，目光炯然。

南岡禪寺記

山起於空虚，微塵不息，一下一高，其奮爲東山也，勢至已不可遏。然猶坡陁蜿蜒平田廣澤之間，憩焉爲南岡，岡隆隆爲寺，寺於治平間爲禪，山田百餘，視吉文諸禪尤下。余遊玉笥，西歸宿焉。寺創如新，完且弗飾，門徑荒唐，松竹手植，戢戢老能，披霍説法，殘僧數鉢，視如叢林，方規隱然。余周回太息，國無喬木久矣。高陵下谷，望而蒼然者必寺，而兹寺亦翦無幾。舊惟一藏，龍光出焉，想見盛時[二]，參差曲折，暉映宏稱，然循其初，則皆幻也。繇山有木，繇寺有鐘，鐘鳴法食，窗列葱翠，比於萬石之家、千室之邑，種種贍足，祖孫不替，孰知一麻一麥建立次第哉？世教滅亡，而山間林下以西笑興慮亡，不增益成麗，獨此莽蒼，初見成立，而能力亦少極矣。鄉非此僧用意於衆人之所不視，豈復有寺哉？而能方慼然，惟一大藏未了，不爲能事。余笑曰：「人苦不自足，方其爲荒邱敗窟也，欲求佛不漏不可得，今横膝敷坐，長廊轉日見在，豈不十七八，何不安意慰願如是如是可矣。」尚皇皇南岡曰：

「吾法以不住相布施故爾。」余曰：「不然，譬如馳求，徑行萬里，無有住處，以為不住，已改住法，以住為利，況住亦礙，不住亦礙，礙在不住，吾不住者，不離於住，吾住常住，住即不住，如江行船，身在船中，隨住即住，而此船者實未嘗住於是。」長老從坐起曰：「信如君言，即今南岡為有佛處，為無佛處，彼露柱者，實代余對。」余指曰：「住住師。」能，吾城中龍氏，號明知大師，說佛法甚辨。余故喜言之云爾。寺修於五星聚前，記成於五星聚後三月，又六月為中元乙酉並書。

［一］想見盛時：盛，原作「成」，據嘉靖本改。

紫極宮寫韻軒記

余舊過洪，遊紫極宮，徘徊寫韻軒上，雖江山明麗，而棟宇凋殘，加以俗書滿壁，類鮮不媿文、吳二才子者。後十六年，當閏辛巳之正月，余自廬山還，滯留過之，則殿角如飛，高出廊右，前闌俯月，澄景內徹，中分為三官之祀，謂吳氏故司江湖，水官附焉。亦安知水官之久不復為天官耶？皆未可知也，於是祀三官，猶二仙。按仙籍吳彩鸞者，以女子遊許仙之會，行歌之次，文簫過之，感其詞，亦知有己，跡其縹緲，與俱陟焉。坐頃幾何，而文書狎至，問而知其主舟楫覆溺也。又頃，帝怒謫向人間，則言語漏泄是罪，緣是，下至紫極棲焉。文本書生，不自業，賴鸞書《唐韻》，每得數千錢，且書且罄，後各仙去。是軒其寫韻處也。韻者，人間書也。鸞也，舍其仙都，而降從於人士，其塵勞濁辱，可勝道哉！今人知吳仙之遊之為謫，而未有知文簫之生，亦謫也。其幽明遇合，天也。不然，彼男子女也，何自知之。仙者知之可也，匹夫踽踽，何自從之。邂逅從之可也，皇皇上帝何自成之。今人有愛女，且不肯以與凡子，矧是玷言而淫從，其欲墮而復召，且其謫不至是，非仙風道骨，冥數玄契，孌彼玉女，宜不可以一朝堪睠焉卑棲，静言出涕，而謂人間之遊樂乎，則其感亦不至是〔一〕。此常道，非常道，以非常求道，故自不見其常耳。其為仙者常也。其謫亦常也，庸詎知吾之非常，又焉知仙之在人間世，不至令混混如常人哉？吾且指是軒言之。韻之有字也，誰為之乎？天為之乎？則吾未知天之於字也，識之乎？不識之乎？以其初制字者人也，則吾又未知聲之為道，其先有聲，而後有字乎？抑因字以為聲乎，其又誰告之？皆知聲音文字之皆天，則我亦天也，其為我者天也，則我為之亦天也。必仙也，而異於人道，則仙者非人為之乎？而又誰為之乎？自韓退之作彌明狡獪語，而謂天上為別有書；自侯道華謂天上無愚懵仙人，而仙者遂又當徧讀人間所謂書。而由達者視之，皆非也。吾與造物者為人，則書之出乎吾後者，猶日閱人而成世，當亦何不識？凡吳氏《唐韻》，皆反復作葉子書，朱墨分部，精楷宛麗，開玩如新，近年猶數本尚存，世人不能效也，彼女豈常習為此字哉？古所謂不死者，復為人也。二仙故在，携手來遊。

按彩鸞本晉將軍吳猛女，父女俱登仙籍，距唐踏歌遇文簫時，乃四百餘年，其為並謫，無疑在仙籍，吳、文應其故偶也。或曰何四百年之久，而猶美少故態耶？曰天上一晝夜，動經人間幾歲月，未久也。或曰仙矣如淫何？曰未離欲界，故應爾爾。或曰天上自有文字，何必故作人間書？曰人間那識天上書，書之亦不售，且晉人多善書法，其精楷宛麗，亦有餘習故。然其不寫他書，而寫《唐韻》，亦故留此韻事韻話，以作人間一段風流話頭耳。此神仙遊戲狡獪處也，非韵本存世，鮮不以為子虛矣。（以上豫章叢書本《須溪集》卷四）

[一]則其感亦不至是：感，嘉靖本作「惑」。

全元文卷二七七

劉辰翁　一〇

玉真觀記

自伯陽以來，大丹大法，又玄衆妙，千門萬户，單傳密授，巖居澗飲，清修練要，雜以聰明人主，化人接引，常中道而墜，葬於不暝之鄉，而慟於多岐之野。蓋一離一坎，而不能使之純陽，亦無不以為恨也。而東家之寒女，西屋之深閨，耳無聞，目無見，浩然塵欲之表。捐親戚，棄人事，早自信而獨行，若良知而縣解，起玉真觀，為黄冠師，此華山女之所不座講所宫觀，而奉玄帝前三間東偏，於是禱者復之東偏，日又日盛，希静求余記之。按《天官書》，北方玄武虚危，朱文公熹謂真武為女真神，非也。今為真武者，又像如道君皇帝，亦非也。虚危居方壬癸，天一生焉，為是一者，青龍、白虎、朱雀交會其所，是為龜蛇，與三物獨異，而名玄武，有不物之道焉。玄者天也，天乃道也，此豈女真後人名號之雜？又豈夫人福想像之比邪？北極以為天，一陰一陽之不測也，南而以為君，二氣五行之妙合也。黄帝以來，得之以立民極；伯陽而降，得之以善其身。求之形體愈遠，求之禍福則又遠。水中有火，先天地生，道家以為龍虎，而法家以為龐劉，吾日用欲食真跡，而心踐之，顧恍耶惚耶，是為官者物邪？龜于圖于卦，戴負而北首，南方鳥火飛舞來并，雀化蛇，汞見砂，天地由此合，而萬物從此出。故在太虛為關軸，其大無所不至，而靈亦可知。第言符咒，執效淺矣。斗為江湖，去虛危最近，觀劍氣者常在焉，豐城者未嘗失，延平者未嘗在也。仙聖往還一氣，遇物成形，西山之下有劍焉，曰旌陽，東湖之上有劍焉，曰真武，其地合，其宿近，故其神最靈，豫章吳楚之間，又江湖也，斯堂也，應之矣。希静經營二觀，以其時，以其地，比於創造，而天師者遥屬之，靈應若昇，殆有相焉。觀成某年月日。

江村記

胡叔端風雨步相過，語余曰：「余友過相厚，曰端齋、端齋云者，予不樂也。世亂得江村寓焉，因自號江村，余非號江村也。昔者余居俯是江也，今如得吾江焉，蓋吾祖靖康之來安成北門也。於是百餘年而予去之，去之而江村，江在是而吾居亡矣。此吾桑梓纏綿之感也，願一言以慰吾思，何如？」余曰：「噫！舊國舊都望之慨然，昔有弱喪而歸，而為人所謬者，遠故也。今君之寓所，距故居五里，而臨流太息，睠焉出涕。夫余亦屢遷者，為君感發。遷有幾，有暫而歸者，有久而不歸者，有久遠而後歸者，有不得歸者。是江遠矣，其出於瀘水不能百里，而至於君之鄉，跂予望之，在此猶彼，何所無芳草兮，竊獨懷此故宇，則夫馮河而思禹績，有不忍言者矣。念哉爾祖，其自清江以來，自以為不幸，棄其田廬傭隟而處，孰知三世長子又孫，大其門閎，而鄉人望焉，學子塾焉，則其徙也，乃其所以興也。夫又安知江村之瑣尾，不為北門之名居乎？則雖謂今日如靖康可也，謂今日勝靖康亦可也。凡遷之為道，江為近，譬彼茫茫，未知所届，則後之託吾居者，不有遠於今之望故居乎？未可知也。」於是，君重傷而不能語曰：「余蘄君自解，曷至此。」余謝曰：「余以身譬耳。行吟澤畔，忽自感其志也。若待清之日，則蹲會稽者，猶磻石也。夫又安往而不自得也？惠山之泉，鑿地而得之，未必真是，猶居然謬以自誑，況乎遡江而飲，厥既得本而甘，其尚何求？」君求會予戒歸匆匆，燭盡而語，君問余歸志，予笑曰：「亦君志也。」遂解手而別。

東樂記

不知仙之樂於人間似否？意者人間之樂亦不能不樂也。觀其言，沈東老可羡可敬，尤賢於人者，不過釀酒留客、賣金收書二事而已。果然，吾亦樂之人。人有此樂而不有，然亦有所苦耳。嘗行千里，中路遇親，知問鄉信，外望店酤村釀，渴相就而囊無留資，索然以別。又嘗都城閱書肆，名帖已價，闕十千錢不能居，數日貸就，則它主取之矣。自是每過肆往來於懷以為恨。而使其時得之，當何如也？然人情事後之恨無涯，而當身之樂常不足。凡吾所言，又昔所嘗苦也，而亦嘗以為樂者。今人見東家貧，西家富，然後乃知其樂未見亦不樂也。嘗猶江行，視大商厚載，高檣列艦，歌童舞女、百工備豫，所至邑井盛麗，留連風月，若不可及。漁舟醉卧，夜起蕭然，顧富商燭下持籌而嘆，如有所負，明日，視其主人猶有墨色不堪甚之意。祭流問卜，豈大得亦大喪？或未嘗喪，直計以為未得耳，哀哉為漁父笑，然此猶可笑者，若比年東西家勞逸憂苦之不齊，雖復秦越不相為，有可垂涕。吾友歐陽餘慶，居去城十里，茅齋立壁，風雨不掩，取回道人榴皮字語揭之曰「東樂」。予笑曰：「子則樂矣，奈之何西家？」餘慶曰：「不然，孰非吾兄弟親戚朋友鄉黨？當其叫號，僕痡馬瘏之役，無不與也。柁舟入海之故，無不鬧也。長湖江上下轉數百里，赴頃刻之諾，今雖夢寐，猶涉畏景，而暮夜不敢辭也。以是僕僕無寧時，而心常休焉。」余曰：「子之樂復在此耳。官徵竹木，吾所居惟青草；官募水夫，吾所居惟溪鷗。環顧慘然，皂隸故家，山邱華屋。昔者人不我知，今者人不我舍。及其無事日閒，隻鷄斗酒，念平生故人緩急有以相及者，必餘慶，餘慶為餘慶者樂也。」餘慶曰：「雖然，何心樂此。」余曰：「貧何樂之有，今而後知貧之余樂也，而亦孰非余者矣？異者今之西也，其又有愈於昔之東者乎？始吾以昔為不樂，今西亦樂也。」夫余記東樂耳，而西與焉，何哉？

極高明樓記

贛平川李氏，舊有讀書樓面奇峰，閩州里吾鄉諸老多賦詩詠嘆傳道之。近年，南北之交以兵燬，宋輔併而與諸父起鳳修復焉，匾曰「極高明」，而請記於廬陵。余曰：「高明者，非方策之所得玩也。一室之間，嘯歌俯仰，四方尚友無不足者，豈必其樓為哉？雖然，不讀書則已，讀書外大有事。古人為學自孝弟日用、賓客應對，以至山川離合、戰攻次第、古今勝敗、風雲變態、日星度數、閭里興廢，燦然如在其目。其閒居廣覽，必求高山曠野，舒懷發憤，至或求異代陳跡、戰場故壘、荒邱亡國，如太史公過大梁，阮嗣宗登廣武，昌黎祭田横，弔望諸君墓，其躊躇彷彿收拾形勢，想其胸次，如劍千星奕布陣，往往藉是以騁，非必真有是境也。不者腐儒俗士，佔畢不出邱里，生醢死蠹，滅没誰紀，然亦有可哀者，貧者不能遊，遊者不能遠也。今子之讀書是樓也，不待過都歷險，登高遠想，探幽考異，而興亡出於夢覺，勝敗等於目擊。歲時賓客淋漓徙倚，撫今道舊，有悲有樂。歐公太平出守，而欲求暉鳳就禽之處；東坡所至登臺，有長楊五柞之感，淮陽不終之恨，無非取諸人者。謂其所見略同可，謂其不病而呻吟亦可。若子之於是樓也，南望而蒼梧陰，東顧而子胥没，其晦明風雨，烟埃起滅，南宫北里，頹垣廢井，亦有得於語言圖畫之所不盡者乎？此則學之所以為有用，樓之所以為助也。」於是李氏子慊然謝曰：「吾樓何足以當此。」余為之頹然而起曰：「嗟乎！此亦非他時之所能得也。蓋愴然宛然，如見其處。」宋輔之叔景儀，課子姪依於道，嘗五上觀光，世季學不廢。元祐間有名朴，事伊川者，其族。

讀易堂記

大秀洞天監宫道人曰：「魯雲窠年七十五，聚山中童子挾書各異，而名堂「讀易」，求讀易之一言。」余問《易》如何讀？讀安用？道人不對。余笑曰：「具是矣，凡讀《易》與誦經等，不知諸天魔王神通變態與金𠑹玉字説經功德。誦之又誦，何當於神明？何益於人理？而稽首空中，如有德色。今言《易》九六利不利，象某像某人，开剝鬼、車載、鼓罷、歌咷、眇跛、無膚、噬胏、刲羊、牛革、狐尾，字不字，涉不涉，一見已決，厭再見，尚須讀耶？徒元亨利貞，近身遠物不得其用，則亦與道經咒語無異。」或遂問如何用？余謝曰：「何用《易》？至邵康節初有用耳。康節四不出，出遇人云，日有未佳即返，顧不知數邪，此其所以知數也。今人語《易》，神異而日用之，不知古人開口必於《易》，故王子廖知莊子，子太叔皆曰是在《易》也，某之某尚須卜邪，通身皆《易》，通天地皆《易》，通古今皆《易》，而不知，知讀而已，讀何用？又未有知無用之用也。」余去年過大秀，魯道人聞余至，穿林取疾延客坐堂上，拾炭煮泉，焚香供茗，語小渴，復供閱春雨數品。明日，從余郁木，欲攀蘿逕。或曰：「雪未消，且住此兩日半，共一卦氣，至今再卜，其勝，亦不可得。」日異庵道人至，問魯叟何如，曰：「日健飯喜茗如昨。」予曰：「是真能讀《易》者。」坐久，復聽泉聲琅然。

吾廬記

陶淵明人品自高，其率然而出，率然而歸，賴其詩文興寄，足自道本志，使人想見公解裝登舟，望烟村柳色曈曨東作之外，而其廬近矣。嗟乎！樂哉！誰無此廬，而誰能言之？蕭廷直兄弟呻吟其鄉，拮据數椽，取儒科頡頏，為宦族子姓客焉，中分第甲，相過爾汝，欣然孺樂，來者莫辨誰適。於是廷直以其兄所謂邠廬者共之，曰吾廬，本陶語也。余笑曰：「儉也志於斯，隘也色於斯，畫地而處，尺寸不相讓，曰吾廬也，或蓬蒿環堵，俛焉自足，曰吾廬也。斯二者何居？」吾廬曰：「不然，不然，自吾所見少時南宮北里，長千步之街、一姓之宅，代衰系絶，行者環顧，今其有存焉者乎？又且倚廬而言之，層城上林，人間世外，不論大都富郡，封君甲第，下至賣漿洗削，高樓列肆，陵夷草莽，今其有存焉者乎？破窗辨白，屨二踵來，掃地班荆，比於巴人之橘、韓氏之楸，苟焉愈於他日，每鞭塵蔽野，揭竿望屋，棄焉而走，道旁寄食，轉目為飛烟。吾籬疎垣薄，然跂者不求，睨者不毁，尚念承平諸老驅馳浪泊，顛頓九折，或過新居一覽，或念故書三易，運遭百六，而屠羊不返，瓜牛託處。今吾與伯氏喘息也而相聞，容膝也而待客，邠風未改，周餘故吾，其不有餘於古，而猶有不足于今耶？」余聞其言嘆曰：「茅三間如此，雖周公不與易已。世之化也，起耕夫自大，羞前人無能，徙寬鄉市大宅者，皆是也。而吾廬少矣。元次山於其所居，壹命之曰：『吾政復不吾，亦復誰争？』子所宇宙以來，此山此水，是不一姓，愚哉吾也，然不元之山、元之水，而寄之吾，則亦廣矣，大矣，安知子之非吾，吾之非子也？雖吾之可也，謂之公言可也，客之主之亦可也。吾儕小人知闔廬避寒暑而已。大官大邑，身之所庇而不知。昔者吾有上棟下宇，在通達之中、曠垠之野，自陳仲舉、徐孺子輩，或不事事，或不復相維持，年深事去，風雨敗之，今落然無復遺跡，徒行歌俯仰，望蒼蒼如樹下，危坐愈恭，歲晏凄然，曝我冬日，亦自以為寓焉而已矣。厥或告我，子寓亦將去，為之茫然，尋杞天之憂，而問綘人之故。其愛我者曰：子何以彼為哉？子有室廬，其中空虚，吾將補子以不漏，而扶子於東隅，是頽然者，豈不益可念耶？」言未既，吾廬主人悟曰：「吾則自以為足矣，亦自以為陶矣，乃不知吾之外，復有吾也。天地一廬也，廬一吾也。彼非吾不立身者，天地廬也，吾一廬也，此非吾不生人，人有此廬，吾者吾之，孰能得此於子，吾也由子知之耳，未必淵明亦知之也。子能為吾吾廬記乎。」以此。

山囿記

里有同氏善畫山水，求所以自鳴於人者，余取昌黎《南山》詩目之曰「山囿」，復為記曰：孰非囿也？子之為山也，亦嘗縱觀日涉，而得之乎，其亦心往而昔至也。夫眷眷然廛市之為居，曠而立於莽蒼之野，浩然而歸，周流不出百里。而西起岷山，東天台、雁蕩，南至於羅浮，其間如巫峰之雲，廬阜之瀑，洞庭九疑之縹緲，西湖靈鷲之清麗，桂林衡岳之奇古，騷人志士之所遊，與遊而不能造，造而未及徧，或牽於同行，或困於無侶，或數步有公事不得往與中道迫於私，故徑歸者莫不猶有餘恨。幸而得至其處，而敗於風雨，怵於蛇虎，隔於梯梁，僕痡馬瘏，猿斷鳥呼，即平地入望，而濟勝之具不進，亦且彷彿而止。子於是間，若堂奥，若莊產，若庵羅果百里鏡現維摩臂，而取以來也，其何能如是？想予之胸中，嶄嶄乎筍石造天，幽幽乎藤蘿逼人，浩乎其出於平川，渺乎其入於纖妍，恍乎其不知所以為之也，則吾於登臨也愧之矣。蓋人而不能賦也，而入於斯子之手如睹。昔者，吾嘗笑相如之《上林》也，彼則自以為鉅麗矣，不知郊關之内草木禽獸若此，又何足以喻於海島之一洲、泰山之一石，而喙殫力竭，若人間世所未有。不知建六合之家，環萬山之勝，則左秦右楚皆吾囿也。蓋精神宇宙一俯仰而得之几席，不似子之囿於畫乎，而何區區烏有之有。吾四方倦遊，歷歷在目，念情少想，多輕車而不遠[一]。《南史》：宗少文能以一室自畫平生所到山水，置之壁間，曠懷卧遊，鼓琴而谷應。恨吾手不能畫，欲託之子以寄吾想。然吾有大恨，吾昔者所見臺池亭館，山明水麗，人物草木，舟車管絃，殆不止於畫也。今已矣，將象其丘墟，弔其遺迹，要亦何可勝道，毋亦存其舊，日記其大略，時時某丘某水依稀指畫為後生輩言之，則畫之有本，幸其藏於子者無恙，或足為吾遠想之一助。而神傷獨往，終有不能無情者，賴子未嘗親見，親見殆不能畫，亦不忍畫，如優施學故人談笑，意象豈可復睹哉？今吾行田里間，無不惻惻可感，况其見畫。或曰孰非囿也？吾與若遊於其間，有賞之而已，而安用自苦如此？斯言亦甚達，併記。

[一]多輕車而不遠：車，嘉靖本作「舉」。

武岡軍沅溪書舍記

道莫迂於天，小之為生成次第，大之為晦明消長，又大之為升降變化，常五合六聚，積數世百年之久，東海而生一人焉，西海而生一人焉，及其得志當世，如跂而待[一]，岐而遇[二]，不間遠近，隔今古，分彼此，吾道猶是已。夫子存不大信於天下，朝出而門焉譏，暮歸而荷蕢笑，蓋悵然四方之野，莫知所從適，甚或削伐見異極矣。然易世而門人尊，異代而遠孫相，更千萬古而南面與天地並。今為其徒者，曾何足以望游夏，而儼然為人師，用家國，道小不合為進退榮公，論大不幸為貶斥，比死節，輒迹所至，遂為後來所追慕愛惜、附著不衰，而其生也已若此矣。此則夫子之所未嘗遇也。如過江前陳簡齋，近年魏鶴山，皆以逐客道沅溪，祠沅溪，祠而不自已，又因為書舍教人[三]。士教益廣，則書舍亦益廣。今為書舍高下相望，奉夫子俎豆終焉。此吾所以聞風而感為之極，晦明升降，道盛衰之故壹，不敢以書生之好德者賢於古人，而必以古人之當日者適為書生地，嗚呼！不苟然也。吾道之植於生民以來，其漸如此。武岡本騷楚之國，有向氏自芷沅徙居沅溪，沅溪之老人曰林下翁，遇濂溪，垂髫學焉，晚猶及見靖康之亂。簡齋過之，相與言濂溪舊事，日相得，因愛其山水，卜翁鄰，屢賦詩去。去又百年，而鶴山來。翁之孫曰大雅翁者，事之如簡齋，而鶴山亦願留簡齋處，鄉人為之合二先生姓，稱其圃，今為祠。若學古今，名謗相長，在宇宙如丹青，失之彼，得之此，當時以為罪，而後世以為榮，是非之在人心如天何言，非《春秋》揭焉褒貶揚抑，則其聲慕或不至若此，而亂賊之懼者亦鮮。山林過客名字不足以相及，而禍敗常相尋，故有破家而同傳，亦有以戈逐為知幾。況過江盜起，人自救不暇，顧從容流落，主賓嘯咏，各不忍舍，代有隱德。又避堂下榻，講學論道，如大父談詩時，氣象愈佳，政復名節何與人事，而卷卷如好好色，來者猶喜談也。楚芳不競，近年無過客，亦無向氏，卒泯泯至此，上下風流風雅、典刑志操，安得不登臨遠想，俯弔仰嘆？斯文比古先愈降，名士至後來愈高。宋三百年，更三四黨禍，本無嚴刑峻法，然猶所過在亡，親友路斷，更名他師，因致名位，今其所保安在？乃與子孫氏族棄之掩鼻，而遠方識面託為新交，有耀無窮。不善人者善人之資，未必非昔之君子不容於世者，有以感發而懲創之也，則客之出於塗者，不尤愈於昔邪？然向氏之嗣有人，而鶴山之後無客，此固咸淳書舍所為作者文章已矣，名節無所用矣。獨學問私淑正人心，承先聖孟子所謂豪傑之士者尚其在此。王通氏有無不可知，他時鬪有贊王業興禮樂，又如春陵見稱道統，推論師友，漸摩所自，比于生賢之意，成物之功，由之而不知，利之而不庸，蓋小莫破而大莫能載矣。向氏敏衡者求予記，歲晏風霜，獨行千數百里，歸而刻諸石。何向氏之多文物歟？而迂亦未有已也。

[一]如跂而待：跂，原作「跋」，據嘉靖本改。　[二]岐而遇：岐，原作「跋」，據嘉靖本改。　[三]又因為書舍教人：又，原作「人」，據嘉靖本改。

吉水義惠社倉記

邑舊有存愛莊，莊田六百石耳，歲乏困，興發有常，官弛其租，重民食也。粵自丙子併為官田，而民始絕望矣。於是邑之士聚而慼曰：「我饑矣，猶有饑於我者也。」乃口分不腆之田，為衆倡，衆亦黽勉，唯力沛然，後之得地一千八百七十二石有奇，是為戊寅以來平濟之莊。每歲輸，視民田，春夏糶踴，減損市直過半，收其直積買田又三百石有奇，然通可官斛九百餘耳，民饑猶不足。而莊籍為户右，日海船之造後誅，物役之不勝，而指賡噬臍甚矣。厥亦惟按察分司馬公，布音澤，識政體，而內省行省郎中二劉公貰來，慨相語曰：「莊名平濟，衆積也，奈何與并植？」户計等壹蠲之，然後老稚懽呼，釋然如得，後望餘命無復患。迺諸君子又聚而慼曰：「莊之累大矣，歲寸寸積，買田固善，田益廣，賦益盛，不愈累乎？其自今惠民以其直勿收，田止此。且自癸未三月易其莊曰『義惠社倉』。雖柁舟不歲造，尚徼福於馬公，諸有徵斂必繼，是以免貰永賴，勿壞益勸，在此記也。」予嘆曰：「古人念窮困，嘉惠鮮，必曰敬修其可願，願未有已也，而事異心違，其中有得其所不願者矣。」是莊之建，始於夔蚿相卹，忘其家之不足，絶斗升儋石以望人腹，雖復如茨、如粱，其於萬家之邑、六七月之食，比於成季之飱、貞惠文子之粥，其與幾何？試使歛散得人，益以不倦，遲十年之後，斯人子孫生者無數，而吾亦給之為無數，抑初念誰不願此？積貿生怨，固非為己積也，然吏睨之為外府，官索之如監河，一貸之不遂，再則怒，三則有受其禍者矣。里巷之事，人情之所不能廢也。善之為懼也，陷而多責，何必任衆人之所不舉，而後憊且悔哉？幸遭仁賢，是莊得不敗壞，而亦不敢充羡，獨懲創為儉斥，而為施何也？其誼以為我損以予人，則彼亦絶望也。吾聞贖人不受金，則其後亦且不贖人。今之積者，非盡民食也。有輸有費，有不可會者焉，幸而稔十可六七存耳。不幸水旱十一二未可知，而又修田萊、備水患、築陂塘、貸穀種、僦車運、葺莊屋、走阡陌、待催吏、饗田祖，以歲之不易，事之不虞，即十日雨三日雪，環千里而水如去年，雖廢棠垂之，亦所收一二，而止帶其徧矣，幾何不絶？義猶井也，深者甘汲。古所謂社倉者，亦二分之息，以此為術，其後猶有官侵用而不補、私貸食而不繼者，況施之為道，徒以慰窮乏、塞觀望，一志於散，而民散矣。春山之木，樵者不竭，舉以與樵者，則頓首辭焉，惜其本也。悲夫！吾欲其營是莊也如私。私不可為，復求一説以易之而當[一]，當而可久，則施之德之，義又未為不當也，以其極也。而吾猶有所不滿，毋亦是區區者有可以充之，又充之實，而繇是正焉也，此固物之所無奈何，而理之所不能無憾者也。夫義惠之與平濟，名實遠矣。記其名，不記其實，則是莊繇存愛之而平濟，繇平濟而義惠，雖為之盛德而有加焉可也。蓋歲旱不收，有幸種而穫者，或美其田之盛，而由耕者計之，盛則盛矣，不如薄收而再藝，謂夫生意之止此也，若諸君子之生意，則未有已也。

[一]復求一説以易之而當：復，原脱，據嘉靖本補。

萬安縣舜祠買田記

大洲僻邑，深山卜寺，而一日揭焉以舜祠興，雖邈乎徧矣，然能使周旋博雅之士為之矯首而遐思，汎濫遊騖之人為之褰裳而忘倦，以其所立有在常情之表者，則寶祐景定間僧了敬之為也。方祠未成，記先具鄉，綉衣持節至其處問焉，見其畫堵基山為讀書堂，雖嘉其有志若寓言者，又久之堂成祠成，祠成而敬去主龍須，其徒慈意者自仰山歸祠敬祠，敬之十五年而買田既百餘石，合是二百。敬來求田記，刻寺俾有考。余笑曰：「時節世間，安得不使來者笑人無能？何昔之舜祠者成之難，而今之寺田者獲之易也？則亦有閙舜祠之風者也。如將為爾并舜祠記之邪，則或者以為無謂也；不并爾舜祠記之，又未有知夫無謂之謂也。」寺在韶山，山之下為韶江，江韶口里韶濩，雖俚訛志謬，自儒者言之無一可，若彼教中古帝王亦猶幻耳。悟則舜在床琴，不悟則必陟方乃死。吾以韶山見舜事，舜如吾師，然鄉人士之為我來者如鄴侯，書堂如李氏山房，士大夫之過其下者，如望蒼梧，登九成，要亦何以大相過荒濱絶逕，詭為異閙，隱為奇觀。游者如有所慕，因徘徊之久，而又有感焉。向之田者始由是而積矣。人有常言曰：「知自，孰知田之自舜，又孰知日用飲食、父子兄弟，無一之非舜哉。」斯民異端，無重華故至此。今夫山田二百，井田之世不足當上農夫二人之食，然亦有甚難者。今夫耕者，或不得食，販夫夜作，旦而市，或不售，則不食。彼深山大衆不耕不售而不缺食，不惟不缺，復有餘，而田者積焉。今夫望施示人難矣，有得有不得焉，再而竭，三而倦，或不得謝則怨，而施之佛者即甚厚，如梁蕭氏以其國則小果〔一〕，然施者常不悔也。不惟不悔，益腆而田者積焉，彼豈皆能一生死、齊得喪，道隆行纇，且佛實有力至此哉？乃其迂闊，則又若舜祠者焉。豈非心胸眉目〔二〕，福有在福田之外〔三〕，莫之致而至，而好德者遠矣。山無窮，田無窮，百年千年連阡陌始此。夫舜祠者，理之所不當有，而佛之所無用也，固有有之，而不事事之而猶無益，而二僧以此為無窮，且以此不朽。嗟乎！昔者萬安永福，何至此。後舜祠二十三年七月，須溪記。

［一］如梁蕭氏以其國則小果：果，原作「梁」，據嘉靖本改。　［二］豈非心胸眉目：眉目，原作「中日」，據嘉靖本改。　［三］福有在福田之外：兩「福」字，嘉靖本作「復」。

武功寺記

佛入中國以其勤苦無聊之説，本非人情所嘗習而堪之者，又儒者講師縱横演譯凡數十百萬言[一]，雖才智辨士猶有不能盡通其意，然依稀料想，若有若亡，至二千年不晦，則亦不可謂無其理也。乃有聖惠西來，不立文字，庶幾一返之性，而分宗異解，類為不可測知，斷句半句，光怪隱纈，教意不傳，而其傳復有甚於教，其難知難言，遠而至於不知不言、無可授受，此宜曠劫不一遇，而頓超代起，又未嘗無其人也。亦猶吾儒起六經，傳疏專門之後，遇大人先生獨取四書深極性命而記問，疏於六經語録，多於傳疏。今言性者人可以為聖，而聖者亦不過如其人而止，若由聖至神，猶從有入無，直當置於不道，此其為實踐之學。其未嘗學者亦能呰輕前聞，上清談而次科舉，故為六經者少[二]，而為四書者皆其徒，文武並墜，訟止奪銷。於是老山林、困時命者，始嗒然有意於廣閩，見合經史，乃異乎曩昔，鋪答問而拾攟略者，其或者世道之將盛歟，未可知也。惟是七八年來，釋業彌天，建為官師，禪衣而夾駝。又有北來高僧，兜離旁行，一字萬言，諉曰扶教，而陵世狎俗，舞經斥戒，蕩然遊人間，意非復凡律所可係縻，雖其寵光辟易，方興甚盛，而不能不與其教異，則雖其徒病之，亦莫得而拚也。比是而觀，則此一時也，儒者之廢，固未嘗不進，彼一時也，禪與教之失，豈不猶可以為得與？然吾聞長沙王聖與言：環吉、袁、潭三州八百里有武功山，山深絶無人之境有僧志與，禽獸之與居，枯木之與徒，創為道場，一作一息，視如叢林，雖開創甚不暇給，不廢是事。嗟乎！禪之不禪其已久矣。北非無宗也，其渡蘆君子之國、九州之外，萬一有其人焉，而亦不可見矣。是佛最盛時，而禪學往往而絶也。江湖閩浙之間，寺以千數，吾豈敢復望大乘氣哉？而況崇酒肉以為常，混色空以為達，一興一壞，過習惡薰於此。有人焉，為是寺，存是道，豈獨今日之所少而北方之所無也，而欲為禪林之科舉乎？雖大如徑山，高如雪峰，吾猶以為隘也。將為禪林之四書乎？雖辨如維摩，論如大慧，吾必謂之儒矣。寺在葛仙峰下，左飛瀑，右石江，匯為三潭，龍居之沿流，隱見獅子、香爐、乳香諸峯在水口。經始於己卯春，為雨華堂，其為藏、為殿、為門也，不日成，是獨法堂數間耳，先為記可乎？余應曰「可」。或人曰：「見諸如之何未見如見？」余不應，舉手而畫，曰：「二。」又曰[三]：「一乎？師乎？抑別有指乎？」余不應且不畫，非不畫也。乃不知畫之所起。於是，或人悟，悟而稽首，以是傳。

[一]又儒者講師縱横演譯凡數十百萬言：譯，原作「易」，據嘉靖本改。　[二]故為六經者少：故，原作「古」，據嘉靖本改。　[三]又曰：又，原作「人」，據嘉靖本改。

玉笥山承天宫雲堂記

玉笥承天之雲堂成，五星聚斗之歲也。先是，余遊洞天宿山房，見其成而去，為書廬陵劉某過第一山，山中人求余記之，未暇也。其明年乙酉九日，登高把菊，望數峰如笥，意欣然記之。雲者出於山如玉，及其得於天也，如芝，如笥，如鸞，如龍，如浙江潮、崑崙樓，又或堂堂也，而如人飛空騁轡以遊。昔者，山中之人共卧木石之間，安知其至是？至是望焉，欲即之而不可得也，亦可以一悵然矣。山九真皆秦人。方其避秦也，披蓁藋而入，巖棲而澗飲，草衣而木食，欲是堂也得乎？雖後來為蕭、為孔，為壇、為宅，不可知，即子真九江棄官變服，亦必飄然為樵夫野人，混混乎其中，其霜露槁乾，豈比茅簷俛仰之適哉？而數世之後，仙宫化城，金堂玉室，披華星，拂紫霞，鳴鐘列食，波及來者，巖巖如別館，不知前八九天人者猶彷彿過之邪？其高才靈氣，第欲如王羲之、陶弘景之流，暫游忽别，亦不可得也。何昔之鶉居者望焉而為其所難，而今之舍蓋者儼然而不就其易也，亦可以為之悵然矣。然吾聞古仙人記云，去後千五百年，五陵之間成仙者八百，其時可，其數可，廬陵鍾陵不合者，如礪斯堂雲海，日閲人而如指，安知不有隱君子變姓名而處？豈皆如吾等淺之為信，信又淺之？為留題者，咨爾來者，候氣審之，舊堂御書樓下如寄。提點江西道教知宫事李允一既修殿餘廊西客焉，高樓廣倍，於是，副宫許景容分琴書其間。允一、景容皆吾州人。記成，明日甲子書。

靈威廟記

陰陽之氣行乎山川，與日月合其變化，詭特起伏盤礴必有所為者，非通乎六合之故，遊於萬物之表，則不足以識其奇，而以為怪。儻所謂人物亦猶是也，况於神哉？山起西南，如青城、太白者，凡為五嶺，其趾而高入雲，今吾自章貢仰闚視瀧瀧，懸絙如在山上，不知其流至此已入地萬丈。凡出乎地中者為泉，皆竅而湧，其精達於海[一]，勃如也。吾測地於天，以泉知海，故於記靈威，河口也如見，不敢忽也。人見其下流而已通大地，而論則涓涓者江之祖，然其泉必出於僻遠，往往忽之。靈威廟，吉安永昌鄉鳳凰山下，義昌水橫陳河口，西會瀧瀧，至此四十里，如瞬弭焉。蓋天山之飛下，溪谷之上浮，氣勢融合如絪緼中，其傍為靈巖，巖有寺，寺宋碑記，廟在建隆以前，石神像也，故曰石頭王廟。初贛大水，石乘桴卓篙止焉，江為却流，民不墊泱。自石之來，旱禱輒雨，已而逐捕捕獲，戰盜戰勝，護其鄉如家室，官大其宇，郡異其功，歷三百年尤信，故在淳祐為靈威丕顯，哉賜詎止。此廟自水而遷[二]，遷者孫氏克順。今其孫瓌，又與何仁叔、劉宏規率其鄉人為石郎殿，其左廊七人，第七未可知，比尤顯，蓋王名「雲」，或曰：「石言邪，自立邪，而何從而知之也？」余曰：「不然，人之得於太虛也，息耳。而為聖、為靈、為不可朽，則亦一天地也。彼其託於形，受於氣，得於雷霆風雨、日星霜露者萬變，乃與隤然確然同體而尤璞，故其感者或為月、為星、為龍、為大士，幸而不出於金玉而為人所戕，則貞剛之至，必將有所激烈，亦猶區區者，化為石，誠之為物，必有至此者耳。而子以為怪，又安知今之南面者非穀城之老人與金華之仙子邪？昌黎韓公謂清淑之窮而高且遠者，其神必靈，其為石英丹砂不能擅當其奇。吾以是山川考之，抑高且遠而尤奇，神之憑依其間者，猶鍾英於宇宙，自與南來踴躍而觱沸者為一，都會天道，莫神為陰陽，而不自為。非是石也，不能為其幽，非是山也，不能為其明。未有非五合六聚而成者也，亦未有百年千年之久而無所為者也。暮夜病若產，聘醫問媪，不出邱里之間，而生者每生，則衆有司之者矣，非邪？是廟也，恨其出於幽遠而無名，而亦幸猶伏於巖穴而與人相似，故其俗厚而民愨，其物產力作尤多且裕，而自見於功名亦三百年矣。」有項氏士龍登甲戌第，其明年為德祐。（以上豫章叢書本《須溪集》卷四）

［一］其精達於海：達，原作「神」，據嘉靖本改。

［二］自水而遷：而，嘉靖本作「西」。

全元文卷二一七八

劉辰翁 一一

吉州靈護廟新宫碑記

東南諸郡城隍封建王為大，或謂潁陰懿侯未嘗至廬陵定江南者，堂邑名同，非也，天之所命，必其福力不盡用於當年，而英爽猶足以有為於後世者，雖無江南之跡猶可。故泰山之下得古名將，而北地通祀關長生。陰陽之塞宇宙如一身，但言介君者景絶，誦弘公者病已，况漢初將相餘烈，豈後來名字草木之區區者乎？余欲效太史公，最王蹟石有盡，斷自淳祐戊申。淳祐戊申，瘴踰嶺入江西，南安之檡，奪門以出，野死以村斷，已而贛，而萬安，而龍泉，草船柳車，訛動城外，有謂神戰於境上者，其地其日如截，雖怪不可語，而風至輒蘇。寶祐乙卯夏，禁卒康成叛，夜縱火掠，有告者，守王侑命黄淮將卒捕，天大雨黑，惟電中見城闕之處，逆黨登屋，得於電爍如已縛。黄淮云，開慶之變，東臨瑞，西起袁，環馬足所不至者二百里，卜於王曰：「毋恐，其驅之之術，吾民不知也，而敵之人能言之。」於是為景定議王功，封靈應忠惠顯佑廣烈王，王子以下列侯五。乙亥入衛者萬夫。軷於廟，出廟門，晴雲倏陰，蔽舟而下岸者，畏日他反，風致雨拯，旱災疾疫，歲常事，尤異，而亦吾所見，吾郡所見，且二三十年間所見耳。民生實難，比年出於水火，又難也。相道不言，而千萬人奔走如市，當其危難，請禱不自吝，稍紓旦夕，顧念力不復給，冥報尚或可緩，蓋公私交痛若此，而猶廟宇增飾，日新月盛，則報者衆也。財者民之命脈，非其求而獲，不可為救，而何至絶筋力、窮無涯、事不急哉？廟有寢制也，溢而後宮數十詭麗，則自寶祐乙卯始。宮之成也，吾嘗過之，曼廡雕牆，離為六六，金珠黛緑，彩繢千態，凉臺俯池，舞殿連閣，網疏朱户，鏤牀鈿柱，帷帳甲乙，層軒叠甃，佳花怪石，壺奕琴瑟，前堂列壽，孫曾位置，高下相屬，雖蜂房蟻垤，要亦備矣。彼閭巷所為若此，孰知金門玉堂，清凉宣温，上林鉅麗，如忉利兜率，或者猶以為此工力所成，非神人所居，雖以莖臺井幹，中天迎年，其於凉風之山、縣疏之圃、明月之宮、寒露之府，下視之猶如積蘇累塊，況是宮曲折，不類飛塵之集蟁睫邪？然昔者諸老常為我言，累朝宮室之儉，與少長所見都城邸第，人間南面王乃不至此，政如尺堵之制當何為，世宮廟之作，像其居處，意豈知王平生哉？則自漢以來至今日，又盛矣。每嶽降之朝，張燈之夕，傾靡曼衍，游娭獵凱，香炬數里，計千五百年，用物之宏，積成之衆，凡出為侯牧，去為公相，與數萬場屋高科，膴仕諸貴人，慮無不徼福請命待罪祠下，此邦之人無小無大，若忖其意而後從事，福智通天，閱人成世，豈比憩棠樹栗變衰而代盛。計南康、九江、豫章、臨江、宜春、章貢、建昌之祠皆然，而廬陵又盛矣。人神相依，精意蕩激，其諸福之物，實稱其事，而回視窮閻悽愴，可為永慨。嗚呼！念哉民之無告，余以前史氏，為父老所屬筆，乃為歌以侑王。歌曰：

芒芒芒碭興龍雲，萬騎力疾昌文君。重瞳一落垓下軍，漢金購我頭千斤。赤帝繇此紘朝薰，雉晨不怡興擁文。潁陰相懟甯酬勳，帝命封食西江濆。靈威喑嗚樹惔焚[一]，遏亂勘暴如斬棼。震收電止梁擢筋，左麾駱甲癘走麏。新宮沉沉笙鏞轟，菱杼紾掩疏鱗紋。曲闈綺闥飄氤氳，娭光增頰盛翳紛。燗如芙蓉星佩䰀，芝蘭參差鸞鳳羣。蓁博歌譔容沄沄，王毅以武還顏忻。蒲萄涷清雜且醺，駝峰醇駱羶且葷。鴻門落日哀榆枌，萬歲嚮此沉烟芬。兵曹醢脯鮭蟄獖，俾我孺子懷訢訢。容我黧老安富殷，無復魈魃瘴疫氛。扇回樂闋寢廟分，盧黑叩齒王知聞。

[一]靈威喑嗚樹惔焚：惔，原作「埮」，據嘉靖本改。

清縝堂記

君尉吾城中時，魁相持節章貢，君以書自通，章貢公復書，有聞君清修又甚縝栗語，往往還贈。浮俗概常常者云爾，猶未足數數稱也。一日，章貢分建帥旗，部分萬衆，啟行道鄉邦，檄軍諮從事，首舉君，舉君詞曰：「廬陵尉楊如圭，清修温潤，縝栗强明。」衆謂人詞實稱。然幕啟版授，類潁侯輩，意未可知，及君出章貢書，伏軍門謝前，得公獎目，且年歲於此，豈偶合？抑素論定，何其言之襲也，不敢忘，不敢當。公欣然啟齒，復大書清修縝栗之堂以遺之。於是知公出一言而溢於胸次，著于筆墨，非雄黄反覈，蘭闍徧贊，前戲後忘，造次得之亦造次失之者。君子謂公與人之一如此。然自是各轉徙淪落，身世存亡，俛仰何限，惟平生告身與六大字仆起必俱，已乃併失，慨然曰：「知己之言從是絶矣。」流離出嶺，栖泊吾里，晚從故吏故牘中得章貢書故在，雖已寖欲朽，寶之如新，僕僕袖相過曰：「見公所執贄見者亦公也，請復書六大字并記可乎？」余曰：「可。」清冰縝玉，義蓋兼之矣。為作清縝堂記。清縝曰：嗚呼！古之人，古之人其不可作矣。諸葛公用敗無成，而死之日仇民孺子，猶憐傷感歎之者，以其成都子弟無餘財粟，無妻妾之傷心，平生觀書大略，及臨事十反手，教嚴悉罰二十以上，身親不煩，忠臣志士所為悲歌流涕，終其身自以為不及，雖誠有恨，而不敢妄議之者以此。彼賣薪榷水，貪夫小人不足論，晉殷生、唐房刺史，皆以迂疎致誤，見笑後來，名賢達勝，苦心用世，安知其至此？是以山東沛公之業，為噲等而慨然，江左夷吾之風，見士行而自失，是二者，古今功名之所不備，林品高下之所欲兼，而豈易言哉？顧雍得蔡邕一嘆於塗而字元嘆，桓温辱太真一盼於襁褓而名温。雖人物不同，自薰自猶，而風流眉目皆成故事，當世想見，况經公手所論定，表表如此，而其植立死忠死節，足以附麗而難忘，宜君之圖之也。雖然，猶有快周伯仁者，猶有以滂禍為未塞者，猶有晚而不視而諱相門人者〔二〕，則君之汲汲也，其不使余悲乎？嗚呼！客乎孰有清縝如君，而猶存者乎？數世之後，不知何人而談清縝者，從是見矣。君蜀人，大雅堂楊氏矩湖子，好修隱處愈勵如文山言，後文帥之九年十月望，須溪劉某記。

[一]猶有晚而不視而諱相門人者：晚，嘉靖本作「睨」。

山窗記

袁氏山窗，古心先生益國江文忠公之所書也。吾行廬山，意公筆墨在在暉映，然山南北無一字，非居者之不求，求不與也。而南林之外，慈山之下，夜光出屋，飛動洋溢，念與公游從，非無意者，而故居陋甚，不足以容，於今何及，蓋徘徊瞻忽之餘，如見廬山高於此。少時讀《凌虚臺記》，以為在終南之下，而不見山，故築臺焉，如使見山者必待築臺而後得之，則亦多事矣。是間面壁斲之為窗，而天生焉，不知蒼蒼者之欵我耶，抑予力能致於此也。蓋悠然與之日夕，曈然與之俱曉，不惟山在吾目中，而天亦在吾山中矣。豈小之為量納岑樓于碧而已邪？彼以為一隙之明，從是漸悟者，不知心體之陋見，心即天也。天高九萬，一舉目而天全露，豈有破碎隱顯昏澄之隔，大小之間，若癡蠅之觸，飛伏之眯，棲螟之竊邪？不知心體，則雖四方上下，無往而不礙。自未有此窗言之，塞固塞也，轉而為窗矣，而窗亦塞也。自窗之外言之，則山之未見者見矣，而山亦塞也，山則在此矣。不知是山與他山復何如？平生所見又慊然如有不足，而為之遠想，為之圖畫，往往喜聞而厭見，不知一丘一壑即千巖競秀，政自何異？復亦何以易此。每山行歷落，窮崖深穴，愈盡而愈不盡，然奇峯翠靄，曾不如遐觀，而倚杖及僧房野店，得之燕坐，如閲如即，尤使人依依而不能去，勝於當然，無不得其全體，此亦觀之至也，尚何求樂哉？恭父既玩之此窗矣，嘗試以吾言隱几，則見山如我，見我如公，要亦未嘗不日相接也。

樂丘記

科舉前傑然有文采，志慮可喜者，惟安成劉翼父兄弟。日翼父請曰：「余兄弟為家君求樂丘於馬淦陽，既書之，而家君望子願子記是丘也。」則出其云云如畫。余蓋難言之而辭之，辭之又難。人子以此娱親，而親之樂適在是有餘矣。達哉此叟，復何求於世，而何惡於此丘。且為足下家君言，有子而文，而高科，而名世，即八九十亡恙，其不高車晝錦，銀青金紫擁左右，甯能一日舍此，而盛時早計，若翩翩塵埃之外，去復來者，叟亦知之乎？此漢高豐沛新豐間意，豪舉蓋世，類如此而卒，不知千秋與萬歲魂魄猶有知否也，不者其亦負此丘也。雍門之嘆，伶玄之感，言未終而飲餘淚，是問獨何樂乎？雖然，吾亦厭乎吾生久矣乎。蘧伯玉請先乎是叟，則是叟之樂，吾能言之，而欲為屈子之遠游，復臨睨乎故鄉乎，而故鄉已若此矣。而為莊子之夢，復舉而出於南面王者乎，而南面王已若此矣。迺有陋儒噭然而號於極曰：「皋就其所言甚麗甘美，皆吾人間之累，可為頻顣嘔噦，悔重娱而不忍復顧。」其庶乎知人心有憾事者，又反為之大招曰，舉賢能任豪傑，先威後文，誅姦鋤暴。尚其為我來也，於乎近之矣，而亦不足為已，吾安能復置是非得失於吾心哉？往者吾弗及，來者吾弗聞，樂莫樂於今之為吾者矣。而以昔之知我，而復我，亦為不知我者矣。雖然，其事尚遠，遠者百年後也，奈何乎今，吾知叟之心矣。天地一丘也，古今一我也，何必以生為不樂，死為樂，登高而望黄帝之所休，文王之所避風雨，在我猶彼，且吾何暇哀乎吾之所不及？第論十年間尸鄉之客、杜郵之鬼，其人皆英雄文武，榮名福力，騎列星而横四海。又通宇宙而論，生無名，死無成，如狐、如貉、如鯨鯢相望，儻以此為樂，則皆樂也，而又誰樂之邪？吾所謂樂，生亦樂，死亦樂，夫吾亦有何樂。嗟乎！夫亦欲樂乎此而不可得，則吾與二三子逍遥以永日[一]，優游以卒歲，可不謂大樂邪？蓋累不遺而已，忘年未老而先化。昔者子貢倦學，而請夫子與之言「睪如宰如」者，如此不知者以為實，其知者以為寓也。迺吾亦有所倦乎此矣。嘗試乘日之車出於大荒之野，叫重華，起文子，頽乎其任運而往，浩乎其乘風而還，亦有知予之所樂者乎，而余與叟老是丘矣。叟名某字某，聞其言知其盛德人也，宜壽宜有後。（以上豫章叢書本《須溪集》卷四）

[一]則吾與二三子逍遥以永日：永，原作「求」，據嘉靖本改。

鳳鳴山記

通城湯侯謂予所居鄉梓里雋溪之上，有妙因寺焉，其側有山曰鷄鳴，如翔如翥，諸山莫高焉，隱然四面而望，德人君子之容也，是宜為鳳鳴，倘以是闘於圖志可乎？願記之。余曰：「山素封者也，孰非人之所命？一匡廬也，匡去而廬存，曰廬，政亦何謂之有？今之鷄鳴者，本蜀之牸羊山也。金陵牛頭，王茂弘目之曰：『天闕則天闕矣，況有道之世，四靈畜於郊藪，則丹穴之雝雝者安在？其非尸鄉之祝祝者耶？』事固有可疑，而人不疑者，且以為簫韶之音、揖遜之舞，初作於朝廷之上，而翽翽者聲闘而感，自天而下，不憚萬里，而來儀于頃刻者乎？其或者此鳳之在人間，覽德輝如虞賓者非一日矣，故後世之所以為異者，乃當日之所以為常者也。是闘鳳，猶闘雞也。闘鳳猶闘雞，則雖謂茲山為鳳鳴可也。山之形也，形非聲也，孰能闘無聲之聲，故坡公謂世未嘗一日無韶，吾以世外之耳闘韶，雖謂茲山鳳鳴可也。夫山則何擇於斯，在鍾猶蔣，在結為峼，屬有名人生之，隱者居之，是代未嘗無鳳也。昌黎以一何堅為鳳鳴之國，茲山宇宙人物如林，復有遇昌黎公而為鳳者焉，未可知也。復有為鳳而不止於為堅者焉，未可知也。地靈獻兆，嗜慾有開，前乎千載，非惡聲也，而昂昂，而藏藏，尚未得為嵇中散耳。後乎千載，名聲變化，其獨無與卧龍同稱并起共事業者乎？則跂而待之矣。君侯身行南北，更所不到處，意象偉然，能為太平者，而卷卷後進，為山川改觀，如聞鳴聲，盛心復不可多得，而望當世，抑又至矣。歐公喜梅聖俞、蘇老泉，客我為之賦云，二物非能致太平，然後生夫鳳，必待太平而後出者也。豪傑驅馳於横犇，而使後來者為鳳，吾黨之願也。茲山之望也，復有狂歌而過者，必後世之如予者乎？而予亦從是遠矣。」作鳳鳴山記。

晚圃堂記

晚圃，魏國韓公詩語也，道師熊氏藏室名焉，吾因子有所感矣。士大夫困州縣，老塞下，勞侍從，倦台鼎，懷淵明之高風，念伏波之苦語，常已晚而不歸，或不知其已晚，故有托魂夢於枌榆[一]，委芳馨於蕭艾。自其悔痛言之，先一日亦為早，自旁觀者太息，則未有不晚者也。今子之涉世也，其能幾何，盛年高舉，待詔金門，八駿如風，再往返猶泠然善也。雖故山見志，歲晚浩然，即五六十又八九十未晚，何早計如之於是。師聞吾言，啞然笑曰：「未嘗晚也，未嘗非晚也，前所言者直一世之晚耳。」一日之間以桑榆為晚，一歲之間以搖落為晚，以搖落為晚，則桑榆非晚也。若代之二叔，則搖落又非晚也。是以今觀昔，無往非晚也。予歷廢興，玩倒景，處西山，而賓餞存夜氣於燕息，寂然若羣動之俱泯，頹乎若松柏之方獨。彼血氣衰者類三十年為一候，吾清凈寂寞者，則雖百年一日也。荒吾圃於未央，何朝華與夕秀。有抱甕老人，傴且憊甚，過之而嘆曰：「吾惟早種，以及此也。」吾日入而息，未日入而息為怠，安和夫怠者不樂吾圃也。夫大塊勞我者也，而大塊亦圃也。因負鋤而立，見月而笑。

[一]故有托魂夢於枌榆：托，原作「記」，據嘉靖本改。

湖山記

净信大師行成自燕歸豫章，為吾州僧録，然士大夫不稱净信，而稱湖山，其徒不稱僧録，而稱湖山，以至四方之客問訊焉，曰湖山。湖山蓋叢林之詩友，方外之義俠也。而亦不知其湖山者何謂。一日，出其鄉章丞相題字云云，則山，西山；湖，東湖也。凡浮屠氏四出以遊乎空中，視戀著故俗如未出家，可鄙。師獨馳萬里外國，不忘其本，本儒氏。故歐公從石曼卿識僧演，慨然以為承平四十年磊落奇士幽憤没溺於此。況南北横潰，聲賈陸沈，師能進退自守，騰變踔絶，恨無以曼卿之交交之也，而皆其外也。吾且指山河大地言之。自岷山積石以來，苟無洞庭、彭蠡、具區、鉅野，從容磅礴之以入於海，則雖龍門、伊闕、廬山、衡岳、天台、雁蕩，其頹然渺然汩於鴻水者，皆不可得而見也。今人不能於千古之上、六合之外具大知識，則有以山之高下為踴躍奮迅，千轉萬變而如龍，求其所以為龍者而不可得，則又以為輕清既上，玄黄者一旋一轉，澄湛而下，漸積污濁，以及此也，則雖天地之愚不至是矣。當其未為海也，出於東南而始有湖，則山之牛尾而聳者也六七。及其洋洋而并於海也，而向之牛尾者如象而為島以千數。又行九萬餘里，而得之於歸墟也，則蜿蜒斷續而如龍者見矣。如龍者見而高者或如天矣，其不能如龍者亦且坦矣。偃然名為大塊，而不可紀極矣。自其下而觀之，則亦山也。蓋東南之為湖山者若此[一]。用此觀之，則通達之中，其為雲夢也復何止八九，而彭澤之濱[二]，西山之下，有東湖之勺水焉。夫何足以興於大澤之礨孔，而睠焉言之，若畏壘而止，豈其不自廣若此？抑此吾初也，繇湖之初而有山，由山之初而有形，由形之初而有我，由我而卒歸之無為佛。自其有形者，與我無盡，則山之來者皆西，而水之行者必東也，亦安往而不得吾土？自其無形者為我，則今之巍然者，雖百千丈，乃與放焉而溢，忽焉而涸者，同一起滅，即海之所謂東者，又未必非天之所謂西也，而何懷乎故宇之有？吾嘗植杖於笠澤之中、洞庭之野，而後知宇宙之四游也皆若此。是蓬萊之清淺也，未嘗不為陸而圓方之，遷流猶覆局也，而況於歷陽之故、愚公之役，又有出於人事之未可知者乎[三]？則今之湖山其非昔之湖山矣。嗟乎！湖有幾，而言湖山者必向西而笑。嘗試與師誦東坡天竺、靈隱諸詩[四]，喟然想見孤山風雪之外，又如坐飛來而飲龍井，則師之為吾故人也，不已久乎？

[一]蓋東南之為湖山者若此：山，原脱，據嘉靖本補。　[二]而彭澤之濱：濱，原作「澤」，據嘉靖本改。
[三]又有出於人事之未可知者乎：知，原作「否」，據嘉靖本改。　[四]東坡天竺、靈隱諸詩：詩，原作「師」，據嘉靖本改。

豈畦記

天地間無息壤矣，南湖朱氏子得其一丘以為畦，東至於鄆讙龜陰，西至於虞芮，南至鄗劉蔿於，北至蘇忿。生有棒焉，灌之不受，有桑於此，遜又遜之，而莫知其何人也，則相視而笑曰：「子豈畦者耶？」遂自號豈畦。吾闢之曰：「子以不畦之畦，畦人於無所可畦，而立乎其中。中者圭也，圭者二土也。自南北觀之，其何畦、何不畦之有？開阡褒括以來，宋之揠、楚之蹊、戈錫之荒不論，論其甽於道者，區以別矣。高者為麻麥，下者為蔬芋，數之不能終其物，而陳者皆迹也，變者皆道也。此不足而彼有餘，則吾亦無不足矣。善種者不穫，善取者常無窮焉，蓋無適而非吾畦也。人之言曰『鼠壤有餘蔬而棄妹』，釋者至曲為之說，不知至人者自藏於畔側，遺秉滯穗，皆寡婦之利，鼠有餘，則妹在其中矣。妹吾妹則愛之，愛焉而不穫者衆，此望人之腹所以覸而多責也，可不謂哀邪？古之夏畦者，吾得數人焉。子産以蕞爾鄭為一畦，而人謗之，有莘之野啟七十里為一畦，而匹夫匹婦皆已責，《禹貢》、《周官》至以九州之内則壤經埜為一大畦，故胼胝吐握者，終其身畦復畦之不足。雖天雨猶有憾也，若乘雨之雲、負月之露，以出乎壙垠之野，則青青陵陂、纍纍大冶，吾庸知其初？芊綿者春也，采采者人也，大以畦大，小以畦小，亦無人焉而不我，彼以無我為無畦者，正累我也。我則異於是，無我無不我。王佐名鉉，天資近道，學焉問焉，非無志於用者，吾故擴而闢之，可以觀世，可以處世。」吾須溪農也，第五十八，雨水中華山書。

古山樓記

長沙朱君佐過予於廬陵，相視各壯歲也。已矣，年近五十，書來語我，古青之樓將棲隱焉，求文以為記。余為記之曰：青者何山也？請更之古山如何？山在天地間，幾千萬年而未化，如駢枝瘤贅，而莫之勝説，豈惟人病，是將陰陽者厭之矣。吾亦不知其初，高下磊落，變化何以至此也。以為大塊之所壅，而洪水之所决耶，其高且數百千丈，為日月相避隱處，殆造物之所不能去也。意者其亦有杞國之故，且墜且積，以及此邪？求之六合之内而不得，雖神州赤縣，吾不信也。異乎此者，其當何如？何厚何高，何頡何頏？於是有共工者觸之，於是有五丁者鑿之，於是有愚公者移之。觸之，鑿之，移之之不可，則鞭之以秦皇，拔之以項羽，蹴之以夸父，而不勝，而衡守，而擅鑄，而媚之以封禪，而阨之以兵革，其窮人力若此，而謂天地欲無意焉不可也，謂天地有意乎後之人益不可也。而後之人若有力焉，方其自恃也，有過此焉，而卒不可恃也。彼其有助於人也，亦多矣。其助之不可，而因以敝之，與其敝者自敝，而獨與天地者相終始也。悲哉乎！所謂古山者如此。吾與君登樓而望，君所居岳麓，循岳而南為蒼梧之野、二妃之所，霣涙南至於羅浮，望三山者或彷彿焉。今其人遠矣。少西為洞庭，又西為峨眉之雪，蠶叢魚凫者[二]，不可得而道已。每聞子規，喟然而起，起而望曰：「望帝今其人遠矣。」自江入於海，則東也，其山曰塗山，玉帛萬國，專車藏焉。又東為滄海，安期、徐生自是而不返，今其人遠矣。言未既，君振袖而起曰：「荒哉萬古，闊乎其四方也，吾樓於是間也，何居其曠然，若古今之塗乎？其亦他有所可隱乎？子盍為我言之，子不為我言之曠也，奈何？」余仰而噫，俯而笑曰：「今之古者其猶有存乎，則余不得與於斯也。子又以今之今者為足存乎，夜以思之，其知之矣，其自明日以往，抑不可知，余以斯樓為不足樂邪。四方若此，君樓居而我記之，其復何憾？井幹麗譙，臨春結綺，盛時鉅麗者安在？下至齊雲、豐樂、岳陽、黄鶴，騷人疇昔，徘徊落日，又烏知其至此？則斯樓者其不足記邪，其不謂之隱耶？夫四方而不足以為隱，此足矣。隱而謂吾山，則吾山矣。山在天地間，誰能主之，四岳三塗是不一姓，以吾隱此，而山亦吾，則山與君俱不可得而見矣。不能不在人間，而藏於人間。異時欲知君者求之樓，欲知君樓者求之記。」記成於己卯庚辰之春日，是日也霧漫天，自子規南二妃西青青者如失，惟朱氏樓獨存。

［一］鱻叢魚凫者：魚，原作「兼」，據嘉靖本改。

戒岡重興院記

天下名山必歸禪林，如封建大國，鐘聞數里，僧徒千百，會食一處，高下萬間。王侯貴人賜金上腴，奔走飾奉，香霏設浴，南北宗枝，縱横訶詆，見稱冢嗣，枕經而卧，名滿京浙，荒州僻壤，誅鋤苫蓋，羣居鹿豕，羸垢雜翳，身兼土木，霜朝露夕，堅苦誦習，小心戒行，節食賦工，高像出簷，亦極一時之力。迺有隙光破陋，觸礙成機，超然獨悟，更在諸方之外、無聞之表。任心直致，回視叢林，隨落高座，割席然後知燕姬趙女不必勝於浣溪，孫畧齊韜不能名於背水，又未可以地望尊語録，惑也。二十年前，西湖鄉僧盧求吾志三塔，笑不與，復不自意，為安成西戒岡山，重興律院，發其狂言至此院。淳熙間，有瀘溪王氏僧道清以醫名，有艮齋謝公諤書重興，而莫知其所起，無圖牒，無碑志。清以嘉定賜號慈濟大師，大師傳獻可，可傳志甯，甯傳師聖，聖傳德顯，顯傳幼聰，聰傳復濟，皆名醫而顯。近年重建法堂，與聖所為門廡殿閣，稱求予書慈濟堂且記。慈濟者清也，佛為大醫王方便救世醫，能得其慈心[一]，何所不濟，是間七世專門，名科四望，迎致不知，愈所常苦，淳熙至今，當復幾千百人，大者施田，小者獻供，從食得衣，以儉至餘，日興歲造，如負急償，積久同新，愧後揜前，第如所就，亦自難事。施益廣，醫益聖，又甯止此？予因記是本末，喟然而嘆曰：「賈夫販子，千金小腆，有不肥嗜其欲、取饜其事者乎？同居圮半，坐傲風雨，券分庶孽，臨終執手，猶有平生辛苦之恨。而况醫之為得，比於計功受賞，孰非己自能致？雖僧俗誓異，福報事長，非其自請，亦復誰能勸是？彼所謂當然者，且奈何哉？王孫虜甯棄其女，而不分富長者，必求其子而後與，未必非夫世之所謂當然者也。人何能七世一心？七世一心而日入於盛，難也。七世一心而不忘其所本始，又難也。平居誦習師說，不惑異端，宫之所以北面，而不耗，而不衁，而不困，以為禽犢則幸甚。尚望其日闢歲種，禄且庇於雲來，抑彼佛有言，兔不興角哉？嗚呼！吾為是屢嘆矣，吾為吾教罪人矣。然使是醫也，返而得其無病之病焉，又返而得其所謂絶再蘇者焉，則非佛非祖，吾亦以為可矣。是諸山者，豈不亦以予為罪哉？」

[一]「慈濟堂且記」至「能得其」二十三字，原脱，據嘉靖本補。

建興廟記

遯叟居永陽之二年，龍集析木之津日，在胃二星聚月，重峃丈餘，於是建興廟寢成。族廬市嬉，汎如承平，曰將軍之賜也；旁求擇棲，盤桓樹陰，曰將軍之賜也。廟有三神，劉名在焉，厥亦惟曰將軍將軍者著始也。將軍梅姓，廟上横，昔者胡氏望走而歸祀焉，意其九江偃隱之子孫歟，而亦無所考已。提三尺起風雨，没而廟食其土，其盛年事業如何想見，指其墓處曰：「萬安邑人者，慶元戊午重修廟碑也。」又八十年矣，逢時險艱，蕞爾生聚，而祠宇益盛，庭廡鱗鱗，帶江如畫。然猶溢而為寢，則籲者棘而報者稱也。堂而兩楹者五翼，以耑室像其子孫，網疎畫簾，古柏凝烟。道人宗超老於是役，而胡君奎沛然成之。君曰：「衆舉也，族施也[二]，吾何力之有。顧所以揚神之聲，威光遠者，又他有在。」過而求記於遯叟，遯叟曰：「久矣，夫子之無報也，予報也能是。環東南數十大祀，西則金馬、碧鷄、梓潼、射洪、武當二聖，又西為洞庭吴城旌陽之鐵柱、集雲之二龍，南則衡岳、祝融，南海之神、颶風之母，其東則婺臺祠山，又東錢塘如雷如霆，子胥之所旦而奮也。方盛時，冠冕大者帝號，小者王侯，其丹雘鉅麗，儗於鈞天廣内，朝者萬計，豈獨十倍百倍於建興草野而已。今其故地，黯然使人流涕，不敢仰視。而安邑之邱，永陽之墟，味焉以昔時將軍閩者如生，獨彷徨顧其鄉曲，不忍其餘民，如孫曾婦子，爾汝而語，旦而卜曰毋動，已而潰者如旦，已而千百者亦如旦，開慶可也。乙亥之人何恃而不恐，乙亥可也。丙子丁丑，何恃而不恐，舍再舍，可也。左蕁溪，右江口，何恃而不恐。蓋前國正王公欅為我言，去年禾川騎下之日，過舟數百，其並岸寸尺，不泊而去者如有所麾却，吾登閣望舟中，遥叩額過廟者無數，不知其何見也。是夜闔市聞鐵馬鏦錚，悄然無一跡，蓋神助如此。」胡氏自五季，衣冠盛歷中天，己未以至今日，將軍與之，終始是鄉，惟古木同時得不翦拜，使人如跂其故國，羨其壽俊焉。南望太和三十里而聱，遡江而百有餘里，為永新墟焉[二]。雖吾四境，時時有聱有墟者，而胡氏里以弱見完，如子與王公焉，依者尚十數。子兮瑣尾蹙蹙乎，無所可入，其不見擯於神，幸也。於戲！其敢忘諸在昔寢廟之作，有享歌焉，如靈均八九章者，豈必閎如王宮、大如官府哉？直傳之其人，書之壁以著意，諒如昌黎所過昭邱茅屋者，楚俗也。矧是鄉是廟，又有功德可紀，實甚宜乃歌，曰：

大風起兮故鄉，馬渡江兮甲若電光。長慧吾劍兮截若横，靈祠兮鼓鼓。舉旗風兮偃旗雨，柳行行兮莫予敢侮。孝子兮忠臣，孝有鬼兮忠有神。過故居兮太息，飄頓首兮天門。將軍歸兮日晚，壺椒漿兮道遠。

[一]族施也：施，嘉靖本作「地」。　[二]為永新墟焉：墟，原作「號」，據嘉靖本改。

安遠亭記

郭公彦高招討出江西，衆知其文武威風，中州名士也，把酒鷺洲之上。公言往在沅湘，深入谿洞，南士相與，亭其處曰「安遠」，為詩若記。惜予不及見也，予因顧謂諸生曰：「馬伏波飛鳶霧潦之嘆，計其西南，遠者七千餘里耳，尤以為遠。班定遠酒泉、玉關之感，北歸長安三千六百里耳，猶以為遠。若公膺揚塞外，如酒泉玉關，復不知其幾，而又出特磨道、收羅殿、定白杞、服鬼國，往往伏波所未嘗到，此豈可以卋傳橫從道里計哉？乘風危坐舟楫，號涉萬里。吾黨出門西向，如望天上。若南行瘴嶺，非冒死罪遠涉，則無所為往。平居旬月之役，顧念妻子。馬鳴客別，僮僕無人色。孰知老臣慷慨，風霜九折，略地報主，功名本志哉？」公方提師巡行山谷，布宣德意，使蒿艾遺黎復見天日。昔龔遂為宣帝言，海濱遐遠，不沾聖化，今欲使臣勝之邪，將安之也。公通古今、識大體，初至沅時，以反狀告者六七，公不聽，迄無反者，問其人，類怨家也。子著公「安遠」大略，春草碧波，鳥啼樹間，予與二三子候公歸騎南門之外，繈負之孫、更生之子，皆欣欣焉，則示西江安遠一亭也。公名昂，大名府人。

習溪橋記

至元二十年九月

吾州習溪橋，永新下陽湯信叔為之。初咸淳癸酉夏，水甚橋圮，三鐵牛見，識曰「赤烏二年」，或曰「橋是年五月念四造牛」云。水去民病涉，予謂太守黃同年鏞曰：「市橋腰也，晝夜雜沓，何啻十數萬人，褰裳緣木，負擔提攜，自墜攀高，車覆蹄顛，豈三十六萬石為郡而不能復一橋？」器之曰：「吾日補前政數十緡，折欠且不足[二]，安取此，子其以美言出衆力，大成之，郡為倡。」予曰：「諾。」橋疏成久之，會吏臟没數十萬，余謂郡僚曰：「此獨不可橋乎？」亟入白，許。久之橋成，又久之，橋屋成，其難如此。谿癸酉至壬午十年耳，酉五月念四日，最大水高，戊辰水又數尺，谿南柵門邊，長滂之屋，漂者如市，枝牽牛决，抵橋橋壞，橋數棟為前驅，雖址幸無恙，稽其日與鐵牛合，殆何數也。既數月，海舟急工役沸興[二]，山林貫輸，橋僧以此時丐橋柱湯氏，湯頷之曰[三]：「吾以羇旅脱盗難，苟造舟有餘者無不施。」或曰：「施寓言耳。」然不逾月，橋成，成而壯於舊倍。圖經云，櫧木橋，唐天寶七載縣令吴勵置。不知何年改習溪。習溪為城南，甫六百年，自有此溪則有橋，而謂天寶始，則吴令之云也。意者亦必有記也。天壤以來，為吴令者多矣，而相望於無聞，無記故也。微咸淳鐵牛見，則孰知此橋自吴赤烏造哉？此赤烏牛耳，橋不始此也。以蜀三犀證之，則橋亦始此耳。是三犧却水患，濟行役，不為縣則為市，於今亦六千二百六十四甲子矣。贛江南來，每春雨積，夏雪翻，湖擁西，江漲江纏習溪漲，漲未有不冒橋，過歲或再至三至，不再三至者亦無慮不浩蕩，閲千數百水而橋始一壞，赤烏始一見，何古之作者如此其厚且固也。而作者亦無聞焉，又何厚也。橋於地用龍行，以吾所見，如吴之垂虹、閩之水西、泉之洛陽，不論揚州、金陵、錢塘、姑蘇，又畧杓小者，亦不可為數，無不葱青闌千，雕麗蜿蜒，垂楊過雨，鞍馬如畫。是橋朴陋，不當一溝一曲而成之難，則郡之壞也久矣。以其壞之久，成之難，而湯氏以一言之信，一人之力，一月之久，間海舟之役，俛焉為之而人不知，此吾所以記也。雖然，自吾小年見是橋盛時，為社林州祠，為官藥肆，為旗亭，歌鐘列妓，長街燈火，飲者争席，定場設賈，呵道而後能過，往往可厭。然咸淳新造而旗亭廢矣，十年再過，而燈火稀、車蓋息矣。今其棟宇高堅，江山呈露，聲銷塵歇，未必不勝沓時，而市井老人行歌還顧，自不能無所感也。於乎！鷺洲横陳，石梁縣瀑，亦有孺子蕭然而濯足者乎？為我候之。信叔復買地橋西，又屋以栖守，僧又將買田作僧供供佛，皆不可以不記。橋成壬年十有二月，明年九月郡人劉某記。

［一］折欠且不足：折，原作「析」，據嘉靖本改。
［二］海舟急工役沸興：役，原作「彼」，據嘉靖本改。
［三］湯頷之曰：頷，原作「顧」，據嘉靖本改。

核山堂記

蓋吾甚有感於核山之為人也，澹乎其無求於人，默焉而不見其所長，循循然而起，亦若無與於人物休戚，而人物休戚亦不能外。自四郊之外、四郊之内，橋梁衢道壞而未舉，舉而未成者，必求其故，竭其力盛，寒暑不倦，不愆於分寸。步武如志，異端禍福不為動，而遇所可捨，如委諸路，不必其知有己。雖憂患困阨之中，猶為人所難為，畫地而計，出入於水火白刃，生不望報而物報亦或如之，又非自有餘也，惟力所不可與不能耳。甚儉己而足人，其旅於城，居不十年，而槁壤為高明，東西塾環子姪學焉，娶焉，復如其故居，盛時不衰。與之久而益親，知益信，然知之不為喜，不知不為病，吾以是敬之，為之記。核山堂亦曰「核山書院」，核山書院者有意乎義學之為也，核山其自號也。木生於亥，核在木中，仁在核中，如知其為中，則天地之於元氣，人之於天地，皆核也，皆非自外至者也。無此則不仁，故無不仁之天地，亦必無不仁之人，人之不如核也，則多矣。此心害也，無心無害，非無心之為核，迺其所以生者必出於無心也。《易》曰：「碩果不食，食者剥也，剥之又剥，而後不食者見焉。」則以剛之不可食也，一不食而生不可盡矣。是剛者非果也，剛也，天地非此果則不能為於其春，春非此核則不能為於其果，故言果不如核。核者造物之心也。雖然，核必棄於人者也，其為物也剛，有棄於人之道焉。以其棄於人也，而物或望之為無窮，此君子之所以為人下，而造物之所以為無心也。今夫吾之於人也何能為於一核，而自喻必仁，必不曰不仁，其言也大，大於天，吾媿矣，吾媿矣，抑獨予媿也。或近世生道有二，一種而生者核是也，有異本而亦生者，非核也，接也。接雖枝葉有過其本者焉，此人巧，而核之為道迂，為味寡，為力勞矣。然而核古意也，生道不二，本二，乃僞也，則物之化焉多矣，是以媿夫核也，抑獨予媿也哉？核媿見真，故核又有真義。

玉湖記

淦張元發號玉湖，或曰：「玉，方寸為印，方數寸為璽，尺以上擶為圭，竅為環，規為璧，周旋為瑚璉，彝器大為甗極矣。彼玉伊何湖也，湖鏡也，殆幻也，而亦有其理乎？」予曰：「有。猶之玉山，山之有玉猶衆山耳。人立而山立，人行而山受映也。極西有雪焉，望之如玉，又西有羅漢石焉，望之亦如玉，况乎為泉、為池、為澗、為溪，深而為淵，長而為川。苟矜重特達無不可，即依附晃耀亦無不可，何獨於湖而不然？吾不知彼所謂湖者，其空明錯落何似？汪洋迤邐何似？風塵四野，白汗文泥，山之高也，失其所謂蒼蒼者，登高而望，玄黄霧合，而川流林表，一日數頃，方如鏡而白如月也，非玉乎？則夜之所見亦猶是矣。方月之未出也，暮色曖然不必深密也，當其時，湖為玉。月之既出也，光景動摇，已而沈沈如席，如犀照底，當其時，亦為玉。此皆人所日涉而近得之者，非幻也。然近矣，而未得其趣，抑天地有大幻者。吾嘗行廬山，阻宫亭，簸左蠡，呼天而無岸。前年出山南，歲大雪，候土目渡避海舟，下出夏林，驅馬入長江沙，四望皎然，光霽奪目[一]，汗漫迷路，問野人何處，曰：『湖也，何路之問？』蓋宫亭、左蠡，重湖間也。嗟乎！非夫所謂玉湖者乎？根君不至其處，至其處不見是境。吾為此記，寒雨如冰，望二孤，叫五老，其頭欲白，神清魂蕩，十不一述焉。又不知君之與湖、湖之與君與吾所見大幻何似？」慨然嘆曰：「觀至此，復有進於此者乎？無矣。」

余為此記，讀者無不灑然想見玉湖塵世之外。厥或難曰：「主人何在[二]。」余曰：「玉湖是已，今世號焉者多矣，非其人如玉，且不見稱數，尚何記流俗淺浮？彼白我白，心胸相識，能知人語意，所屬非神仙大人，抑復誰能？况此張君幽雅，勝士多從游者，刻吾記堂上，以此曉之，非張君意也。」是歲端二，又書。（以上豫章叢書本《須溪集》卷五）

[一]光霽奪目：霽，原作「霧」，據嘉靖本改。　[二]主人何在：何，原作「無」，據嘉靖本改。

全元文卷二七九

劉辰翁　一二

敏齋記

敏齋陳清父每見而有歉予之色，曰：「登至不敏者也。」而衆相謂曰：「敏齋殆誘且警之，而毁者以為機也。」予曰：「不然，人未有非敏者也。雖有下愚之人，手不能方圓，目不識之無，及其得於博也，彩色電轉，狂呼鶻視，梟未成而脱諸口如取，雖有離婁之目力、研桑之心計，或不能及也。今夫負於塗者，輕千里，趨時日，如不及，權門并進，捷徑夜行，迎意傾前，利之所在，未有不至也。目憐心，心憐風，雖有跛䟁，見便則疾，亦如盧令逐鵵三周華不注而不止，雖力不能及，而不可謂無其意也。夫如是，孰非敏者？雖然，人未有敏者也，或明小而闇大，或智前而愚後，或知一不知二。不論就其能者，劉玄德見事而遲，顧長康癡黠相半。以鼂錯之智，至東厢而後悟；以楊德祖之能，更自園於三十里而不知也，則復有敏於此者乎？其敏者亦不可為乎？」清父曰：「幸也，予不至是。」予曰：「不然乎欲使君與夸父争先，與慶忌比捷，與惠莊取辯乎？則君誠不敏矣。抑使君從容而談利害，貫穿而通古今，得之心而書之紙，則彼捷者給者有所不能也，而過人殆遠矣，君何謂不敏？大器若樸，天機貴深。豫章七年而知，鬬雞三變而木，干將埋於不用，鷹隼藏於為鳩。日之行也緩於步，而八駿常後之犬也。雷霆之蟄也無所知，而山石不能禦積也。後之敏者，皆昔之不敏者也。静近愚，晦近魯，默近訥，而君有其質矣。試使君巧慧便麗，猶將惡之，况耻其不能，而枉以從彼為快。」或曰：「敏者，敏於學也。故有七步而詩成，八叉而賦就者，倚馬磨盾者，一揮九制者，豈不亦可貴乎？而何惡於敏。」予曰：「不然，此非所以為敏也。君子之學，不貴是也。人毋以敏用敏，彼以敏用敏，則凡俗吏之健決、小夫之趨辨、躁人之速化，以至老於機而雋於獲者，皆亦可以敏矣。」

芷堂記

吾同姓自昭居何山，近市如陋巷，家惟芷一本，五十年根浮甕，香出屋，客至意銷，有羡焉欲得之者，其家尊曰：「吾父所植也。」問自昭曰：「吾祖所植也。」無不惻然已惘然去。比年馬之過市也如織，高垣重閉，丹青草木無得保所素玩，矧是美植，然睨者不至，至者不取，亦若有守之者，問何道，自昭曰：「吾惟托之無可奈何，而亦無與競也。」問其所以培壅而壽，自昭曰：「自吾見吾父未嘗溉，溉亦無所受根而已。片蓬芘日雪霜，亦於是其得於天者狹。今其葉可二尺，而花之層出者，拔其萃以長，比他植最早，又後衰，吾與之生長，更世大變以及乎此，願有以記之也。」蓋自何山百里求予記於荒林之下。噫！吾城居人也。往年闢一室，號問不知，有方外道人養盆芷，念年昪以好我，歲再花而予遷，遷而避於方山之下。他日過吾居，未焚，有馬於庭，方齕是根以飽，予閔然三嘆，賦之去。彼其芳也，與予同，又養於方外，不為淺矣。一入吾室，曾不能芘其足。今君之窮也，三世而芳如昨，雖睠焉愛之而不溉不修，自然而已。不遷不吝，亦自然而已。此其有數存乎？意者亦君之祖德，有以陰種之也。昔之知數者，於一花一葉、一飲食而占其盛衰，況大寒大暑、大兵大亂，三年五十年之久無所芘賴，無敢愛、無敢害王之槐、魏之紫、方陳之茘，或更代易姓，為人所感嘆，而君之芷亦異於是。詩書容膝，子孫繞前，花時對客，牆沽老瓦，近而撫之，目睫舊廬舊邑，不見喬木，此何生在上而芬猶未沬？兢兢焉不出户庭，若得於天者，僥倖至足，此其足恃以久也，而豈獨此芷之為驗哉？予於是媿君矣。雖然，有患是花也，五十年藏於市如隱。今君之號芷堂也始著，則後之求君者必於芷，求芷者必於君，君得無累是芷乎？夫予之芷已若芷矣，又為君記之，雖君不累，得無予累之乎？君曰：「吾惟懼兹芳之易朽以及此也。」則為約曰：吾為君記耳，藏於君，藏於君子孫，君之芷五十年矣，又五十年乃出之。先五十年為紹定壬辰。

静見堂記

以動為見天地之心，非知道者也。孰非動也？待其動而求之，曰心在是，天地亦人矣，人亦天地矣。動猶車輪，中空虛，必不動者，與之俱動而非軸之謂也。陰陽之為化，其圜物也，故未嘗停，以其無可停之理也。因其無停也，謂之動，又必待其少頃，而後為静焉，有是哉！水動而濁，濁而且澄，不待其止也，蓋清之於濁，嘗相受，而未嘗相受，其性如此。水亦安能常止，止而不流，未必非受濁之所也，惟流而不失其止之性，則動也未嘗不澄。徒一器之水，猶若此，况大壑大川，經營六合，而出於六合之外，奈何以其往也而罪其不止，以其容也而遂謂之不潰哉？夫大川大壑也猶若此。不能知天地之道，自其動而觀之，則天地一市也，市之所以籍籍者何也？動也。有大隱焉居於市，而無市人之心，無市人之心者亦必有孺子之色焉。若其起居飲食猶夫人也，而中之所存者[一]，有不與之俱化者矣。夫市也猶若此。蟲之化也必異其初者也。其初未化而已，有其質矣。及其蜕也，向之為蟲也，其死久矣。蜕未蜕之間，如無知焉，人不能知也。觀其蜕曰：「觀化晚矣。」夫蟲也猶若此。鍾君茂甫名居室曰「静見」，意者亦不以静見天地之心為非也，不以静見天地之心為非，則亦必有見矣，而猶以為未之見也，質於予。嗟夫！吾欲使子觀於静耶，則求天地之所謂静而不可得也。復欲使子觀於動耶，則動也又未嘗非静也。彼以夜為艮、冬為貞者，似謂天地閉，亦猶蟲已伏、市已收、水已凝，又久之而後能運[二]，運而又息耶。不知息之為道，生亦息也。非息而後能生，息即生也，是之謂復。復，反復也，反復噓吸也。一噓一吸，為一息，即噓即吸常并行而不相待，如待其吸而為噓，則一息亦必有間矣。雖然，理有甚精而亡益於用者，吾未嘗言也。嘗聽訟趨庭者之於忿，莫不自以為直，亦莫不有蔽焉。吾徒以無心其間也，常瞭然如睹，而紛紛者猶未喻。因是以推，勝敗之數，即凡戰陳之事皆若此矣。故為將之道，先自治，静者治，治者静也。故曰「其轍亂」，又曰「攻其右」，又曰「韓孤顧魏」，静者見，擾者不見也。彼擾矣，吾又熾焉從之，得不擾且敗耶？學静難，静學静又難，必坐忘者，亦未必不偶馳也。有能舍静學而得之於動焉，其為静也常静，不然閉門所得，投之獄訟軍旅也常喪。嗟乎！吾老矣，茂甫其幾何，不以吾言為怪哉？

[一]而中之所存者：存，原作「有」，據嘉靖本改。　[二]又久之而後能運：後，原作「彼」，據嘉靖本改。

逍遥遊庵記

客有以逍遥游庵大字求記者，視之安成故人趙漮也，而神貌不可辨矣。逝將自此肆志衡茅之下，終焉日夕相守，若非文字之托，無以為此庵者。予嘆曰：「人苦不自足耳。往時父兄子弟拄杖入市，不東家即西里，酣嬉傲睨，行者避路，常少年厭鄉井、志遊俠，拂衣草屨出門，左湖右湘，諸公貴人，咸飛觴共賦，縱觀遠賞，猶鬱鬱不自得。高者談邊，下者覓舉，已得舉復不樂，視庸夫高等，同官争寵，科舉外復大有事。或從是遠引，閉門息迹，而諸賢論薦，當路踵醜，直疑殷生不起，名山絶境，俗駕交横。或間王事，攜妓女，世未嘗一日無客，客未嘗一日不遊，然飛揚跋扈者，常有不見知己，辭君北去之意。由今語之，意何如也？吁嗟！漮乎本忠厚，福禄子孫家食，樂善好修，見稱瑞世，亦何惡於人者？

一旦變衰，而野人獲之以為疑，犬羊羈之以為肉，語有禁，步有誅，悴焉不知有生之樂於此時。而方行求蓬虆如脱桎梏，茫洋乎塵垢，而噓吸乎喬梧，抑微子誰不願此。且以今者之游為志，則子之昔者其獨無逍遥者乎？其亦逍遥甚矣，而莫之知也。昔之逍遥甚者猶莫之知，則今之遊者其未得為逍遥也。吾欲復與子飛蒼走黄，左旋右抽，狂歌痛哭，若無人者，其將能乎？其之齊、之魯、之宋、之鄭、之秦、之楚之不可，而飄然跨海踞龜殼而食蛤蜊者乎？其深根固蒂，一龍一橘之不足以逃死，則黯然者卒歸之數乎？而何地之可庵？何庵之可寄？」於是漧也泫然曰：「奈何？」予曰：「昔之逍遥者不自知其可樂也，而今也知之矣。長途倦暑，憩樹而歎曰清凉境，不必美蔭也。故曰有杕之杜，生於道左，如之何以今日為不足焉。知後日之若今，不猶吾今之羨昔乎？」漧憮然曰：「愈甚矣。」予曰：「不然，即君之泫然憮然之間，而庵具是矣。或曰然，然則莊子之遊亦若是乎？」曰：「然。」

介庵記

屬予初識老彭介庵翁年八十餘，健步咳聲如松風夜濤，厚重如抱甕負鼎，望而知其稟盛志彊，然不知其有養於此，有年矣。相遇不相叩，一語别，相望百里而遠，顧卷卷以介庵二字徵言。或曰：介，堅也，故木之介，猶甲之介，猶蟲之介，確如也。其以此自守如石，則不以易乎其外也。庵是之謂乎？彼介之義則然矣，然非喻道之言也。《易》曰「憂」、「悔」、「吝」者，存乎介。介者其間也，物莫不有是間，達者藏焉，人則顧陷其險，甚可悲也。吾嘗行田間，春泥汨然，墊於陷者容足，以為天下之險如是而已。前而遇絶澗丈餘，兢兢緣木之僅濟，又以為不殆於墜者幸矣。一日，避亂山中，見塵而走，既暗失道，聞水聲潺潺，或曰此有橋，欣然若翼以飛，它日視之，凛然莫能復也，則向之神者度之矣。凡平世之蹶人也，甚於淵，而立乎是非榮辱之塗也如綫。故間者天下之至險也，得其間則超然避世而不犯，不屬於此，亦不屬於彼，不為利先，而害亦莫之隨也。其為介也微，雖至微，必有介，故物莫能礙，而從容者猶足以自處焉。邊境有人焉，其名為竊。人知竊之為盗，而不知天地之盗有所不可無也。宋鄭之郊，曰嵒戈錫[一]，陸之吴、羊之晉，不耕者，亦數百里焉，利害之交、死生之地，常若有嵒戈錫，數百里者而人不知也。然此其曠者也。若燕南陲、趙北際，雖不合者如礪，而猶可以避世也，而此猶其遠者也。楚漢之時，商洛之路，兵革之衝也。而四皓老人嘯傲風塵，標然如巴邛之橘，此以楚漢之間為介也，而此猶其小者也。陰陽變化出於開闢之始、六合之外，而一動一静，至微至危，在於一身一息一粟，而人莫之知也，此以有極無極為介也。大寒大暑而不相侵也，往古來今而不相涉也，是一動一静之間者也，此其為介也，至矣。不知天地藏於吾身，則以吾身塞於天地，而有不容焉。吕梁之流，而遊者狎之，中山之燼，而入者冒之，彼固未嘗無隙也。羿之彀中而有中央者焉，乃其所以不中也，猶拔於吴壁，而益知吴壁曲折也，是亦未嘗無隙也。若不夷不惠，非心非物，則雖吾亦不能知也。彼以其外之介者為介庵，非也。雖然，吾語是庵也逼矣，而何以處我。

[一]日邑戈錫：邑，原作「出」，據嘉靖本改。

山心記

羅君斗雷自號山心，以書抵余曰：「昔者吾嘗遊矩堂、履齋間，未嘗不朝夕見也，未嘗不為余記也。當其相時，則有所不暇也。及其歸也，則又有所不暇也。今以屬之子矣。」矩堂，董丞相槐，履齋，吳丞相潛也。嗟乎！二公者非不暇為子之山記也，意者亦欲為子之山而不可得也。嘗試言之，方矩堂為北衙所逐，載車匆匆，如鼂錯過市，其平時非無東山之志，而狼跋其胡，畹晚至此，林慙而磵媿之矣。如履齋海上，復何可勝道哉？比贊皇牢頭之恨，雖無窮愁之作，而英爽逼人，懷之流涕，殆夢寐不忘平泉木石也。當二公柄國，豈有一日鐘鼎之樂？而晚節末路，陷世大僇，丁沈賈踣，江斷國亡，而後姑孰之濱、敬亭之墅，爭二公為重，然反其所自生，皆不能無老潁之憾，則二公之於山也，非無心也，雖謂之無山可也。子亦知之乎？子之山也，子之樂也，此矩堂、履齋昔者有之而不能得者也。雖然，客翹林觀東閣，雖無中書考，無尺一責[二]，然日暮而白雲飛，夜中而啼鵑血，盛年撫劍，浮沈賓主，欲隱則不能，欲決絕則不可，於其時老是鄉也得乎？吾今與子莽蒼四顧，豈惟矩堂、履齋之不作，而薇歌不任，掩面道窮，欲去是山也得乎？是山之心不心，係乎時之我不我，概謂之無心焉可也[三]。雖然，山無心，今之不可得而疎者，即昔之不可得而親者也。子隱几而觀之，青青者亦其語乎？天地之氣，百年而一為人，數百年而一為公相，其為丁為賈也，幸而不出乎我，而為董為吳者，亦幸而不至乎子也。則夫山者非今世之貧賤交乎，則其莫逆而不可解也決矣。雖然，佛言過去心不可得，今吾欲求之之山之心於今而不可得也。子欲語余以其今邪？則已屬之過矣。夫心是山者，山未忘也。若身在世間，則予忘之矣。子以為山一心耶，則山之心而非子之心矣。蓋山憐心，彼以其無心也，故憐心。嘗試往問之，亦必謂吾言然。

［一］無尺一責：責，嘉靖本作「適」。　［二］概謂之無心焉可也：心，原脱，據嘉靖本補。

薌林記

香者天之輕清氣也，故其美也常徹於視聽之表。微而感，襲而不私，其於人也神受之泠然，而天與清風，俱可以際會，而不可以把玩。蓋貴富自然，而非貴富之所能擬比於人為不朽，非夫生意磅礴則不足以及此。而或者欲以智力勉强雜多，品致薰修，屑屑焉彷佛諸其形容，而不足以易寒葩異蘂之一笑。人亦何所不至，所貴乎香者無求於人，惠然莫得而親疎，近於有道，後之為香者直溷之而已，亦未有識真者焉。清江之張氏桂得過江御書「薌林」二字於向氏，寶而藏之，曰：「何所非林，亦無時焉而不芳。」因自號薌林，求余記。余謂林者囿萬物，而物不足以囿之，故香意者其出於空虛，得之淡漠，委蛇乎無何之境，而非夫梅檀薝蔔之謂也。子亦知夫芳之所在乎？未嘗即人，而未嘗不即於人[一]，藹衆芳以為林，芳不在乎其衆，蓋千奇萬秀之不足，至其遇也，得一而已多。春夏之交，風霜之所鍾英，烟日之所增態，靚者、麗者、艷且淑者，畫有不能為於其工，譜有不能盡於其類。然通古今而共評香無出於蘭芷，其為草也微，其名世也籍，秋霜冬雪，何物不枯，惟小山與孤山清濁溢乎宇宙。吾所謂一者，必其出於衆植之上，林者得之以為香，而非物物之皆香也。及其香也，雖謂是林也物物皆香可也。屈《離騷》、楚兩龔、東都嚴陵、唐韓杜、宋歐蘇極能言之士，贊歎之而不足[二]，雖復德位之尊，福力之勝，名節之高，而風流文采居然有不可得而並者。飄飄乎一林一枝、一代一人，香者未嘗一日絶於世，世亦未嘗以其變於昔也而不香，雖百年千年之遠，所以名當時而誇異代者，猶斯人也，猶斯人也，此所謂品也。抑吾有二恨，恨或者不知香，而立傳彼甲麝朝士，蘇合道人知徐庾、惠休而已，今其人安在？凡膏煤木屑皆欲以比生香，不知生香者無可比也。嘗欲效香傳位花品而無其人，一恨。恨前輩察於耳，而聞香吾山中也，曰桂與蘭，證之吾山中而已。今言楚者曰零陵與八桂[三]，諒亦何嘗身至其處，佩此紉彼，校清濁哉？二花殊絶也，今為膺，二恨。張氏志高潔，嗜文獻，不以世俗寒暑易尊尚，不以物論浮夸眩情識，其所種樹如此，與吾同好，亦不得不與吾同恨。且其名桂，其為恨也，月地而天香，雖然，芳何心於林表，而林表得之，此知道者之所憂也。生乎深林，不以無人而不芳，然芳之貴重，隱約者政以無人焉故也，則斯林也得不又深又深於此與？（以上豫章叢書本《須溪集》卷五）

〔一〕而未嘗不即於人：即，原作「接」，據嘉靖本改。　〔二〕贊歎之而不足：歎，原作「欣」，據嘉靖本改。

〔三〕今言楚者曰零陵與八桂：「八」，原作「人」，據嘉靖本改。

興泰廟記

古稱桑梓，敬前人手植耳。桑梓化為枌榆，而二殷社焉。有其舉之，乃與夏之松、殷之柏，異代而同感，蓋望而慨然，過而肅然。里之有社，社之有廟，遠者不可遡考，近者亦一二百季。城郭人民之間，幾興幾廢，比於世家列國，用物多而精彊。即官居甲第，或不見數，而隱然陋巷，以一廟稱。每月朝十五，如陳孺子車轍，如樓君卿雨蓋，如太丘長星聚，為人所歸往不替，如吾牆東興泰廟者，第童子釣遊不忍忘也，況其間於社稷。父老謂我記之。按圖經，興泰廟社壇近即唐子西惠州所記興祚泰民，二王廟，被湖廣，徹江海。吾廬陵安成間，每村不數里，鼓鼓祭其為劉為召若，郎幾，云者俚也，而親之也。然吾兒時則聞外祖之言矣。外祖張公北來浮淮共載有劉郎第十七，既岸謂舟人曰：「紹有十二郎來，必載之。」因忽不見，方悟神也，其兄弟也，紹者楚音也，謂尚有一人來耳，非姓也，其事如何安中。何安中者，政和里曲，為賦尤得志。君不第，如李將軍坐見麾下侯百數，如馬新豐教常中郎言事，如軒轅道士為下床二子成章，亦無不可喜。君不第，方其在場屋，經營千載之慮，嘗欲罷科舉取人才，諱道學如清談，笑四六為詞章，或瞿然壞壞，聞者不能識其何志，藐藐不相領可，卒壞猶遮，論要害猶切，切事敗若私。數年士狼顧蟄氣，反脣闊步，輒陷僇。君長衣短製，抗塵踽踽，遇故人，酒後猶獨談往事，如聞高漸離筑聲，使人欲笑其狂，然不忍其自誌已久，不知何季復生。斯子為人間鳳鳴，吾嘗笑牟存叟、葉新之，丞相薦某某入館，羞當世婁語某公，豈他無蘇明允者不信。嗟乎！使君前余以死，尚能取君文傳之，不然，已矣。昔者，古心先生建寧翁與可嘗寄聲數載，以范景文故事蘄余傳幽明之恨，如何可言，感君相屬記。君心遠如傳，然與君同病，復有不自言者。念李中玉，晝短夜長，語多憂，何為歐陽先生嘗言吉父為文哀，概不知其前為今世痛也。邵堯夫生祥符死熙豐，其為詩極言當身太平之樂。邵先生知數，邵先生其亦知後之無足樂也。悲夫！復與君場屋放言，悲歌流涕，不猶有足樂邪？夫余亦近知此而已。遭宋榮子笑，相視惘然。今年距甲申正月朔庚戌十三日，友生劉某記。（明嘉靖五年刻本《須谿記鈔》卷三）

永新縣學劉侯生祠記

州既内附之五年，人懷更生，城野肅然，惟永新邑隅粤極衡湘，一二彊横，恃寛弗誅，席邑富藏，擅於其鄉。是惟後咽侯塘，而相扇相羨，徧于三方。於是蓮坪興于東彭元漲，其前禾山儨復起，義山燼餘相望，其不為寇者十五六。惟城口聚平地，闖道傍，浸淫盧陵之境，連安成，介分宜，通永新上鄉，其不為寇者十三四。每官軍動走險，左禾山後咽入湖南，右蓮坪、義山達龍泉，深林幽谷，官軍嘗迫大家鄉導，既至無所得掠，横野而返。寇躡軍後，復作大家殲焉。不惟不得寇，陷百姓既三四不能得，則招招以官，不寇則不得官，何苦而不為寇？既得官，斥所履為地面，歛其民名下軍，是官驅民而養之也。不惟官養寇，又鬻人。每招諭一至，寇縛人為奴，鬻之輸槖金，官十吏百，鬻不滿輸，而招諭又至矣。累至累鬻，是官取民而鬻之也。彼不為寇則見鬻，又何樂而不為寇？由是而不為寇者十一二。邑號名存，方不三二十里而聳。不嗜殺者有訓，然寇殺人無罪，殺寇者莫敢尸也。寇殺人無數，殺寇者以為濫也，然則又何患而不為寇。惟辛巳夏四月，參政劉公按行而上，由安成抵上鄉，靖上鄉，出後咽，後咽降。公曰：「是畔服不一，我去而民受害。」命總管真定劉侯伯泉後。侯亦惟是四境，孰非寇也？亦孰非民也？其渠魁雖百數可計取耳，乃築鎮定圍於禾山之下，高門見者新昊天也。邑士劉振奇語我，今道正劉師所為，劉嗣譚，譚所居堂曰「壽鈞」，取子美「洪鈞壽域」語。劉既修承平觀，額中為寮四，四寮中復為此堂，願書之，書之矣，願記之。於是振奇蓋數數焉，予倚風而笑曰：「異哉！油油乎方外，丈人之用心也。」陰陽寒暑之不得其平，其極至於折膠墮指流金礫石，山川草木之不寧不若，而其初猶一念耳。一念之嘉興，為慶雲，物之遊其間者，如春臺。自肖翹蝡動，無不盡其天年，以生以死，其不傷不害，雖垂髫之童，皆與戴白老人等，故曰莫壽乎殤子。大道之行，使父不喪子，兄不哭弟。兄哭弟曰短，父哭子曰折。自生民以來，子子孫孫，或壽或夭，如游絲之托乎空中，如枯流之待泫石也。白衣會不周折脂夜興，登丘而望，鬱為野草，巫陽伯陽之復作，其能復為人間之遊乎？其亦有不樂乎人生實難。自其不副不遲，而後得至于襁褓，其間父母之懷、燥濕之變，其可勝道。幸而不厲不夭，不偏不踣，以至于八十、九十，而又免於兵革之難、餓羸之厄。然而荒烟斷礎，凄其滿目，顧念同時父老兒童，皆無在者。涉青雲以汎濫兮，其誰與玩此芳草，故嘗謂秦皇漢武，果於得仙，而桑榆之日長、憔悴之民耗矣。人謂之不死奚益？豈不痛哉？抑人情不甚相遠，品庶每生，俗薄志憯，人方相食，使同類盡而我獨存，適其所願而黄冠。野人閒居一念，乃欲與舉世之人並生乎無涯，同樂乎無殃，吾黨能不愧矣乎？雖愧矣，其將能乎？壽者，人之所不能必也。苟可以揆日待旦者，亦人情之所甚欲也。而或者趣之，子欲使小年反大年乎？意者又造物之所不能也。厚薄之生，不能使之同時，而亂亡之敗，亦不能使之不同日，此古今理數之不可曉者。惟襟懷生意與天地無盡藏，既以與人，已愈有我，百爾三焉，既大書「壽鈞堂」，復欣然記之。記成，愴然悲，喟然止，讀罷復投筆憪然而笑。（明嘉靖五年刻本《須谿記鈔》卷六）

古愚銘

世道交喪，謂古人愚。首陽事拙，金谷名俱。離黍何求，《懷沙》惑志。自傷為傅，以至憔悴。結纓而進，執簡為三。程嬰誰報，黑子誰慚？哀哉古人，寧不見與？其戇其惷，孰通孰魯？九京可作，我則誰歸？遠矣姚公，于訓有遺。凡今之人，曰詐而已。色莊吐納，形垢文泚。咨爾後嗣，毋愧前人，欲知生直，尤貴情真。如愚不愚，不愚何罪？毋以其如，而示其外。（豫章叢書本《須溪集》卷七）

至聖像贊四則

六經未是[一]，孰為夫子？天尊地卑，乾坤定矣。

如岳之隆，如日之威，如川之不測。周公未衰，曷不觀此？司寇衮衣，國不用儒，以儒目之。

岐山鳳逝，西狩麟來，在陳去齊，失鯉慟回。匡人陽虎，武叔桓魋，轍環迹削，木壞山頹。生懷殷奠，没悼秦灰，論其衰暮，不見榮哀。孰知萬世，國祀家陪，孔林草木，鬱鬱佳哉！

六經萬世，如日在天，四時行焉，百物生焉。孰云軻死，不得其傳？

[一]六經未是：是，文淵閣四庫本作「足」。

老子像贊

孔德之容，惟道之從，坦坦施施，温温恭恭。萬世之下，復有一夫子，而後識其猶龍。

病維摩贊

衆生皆病，安得不病？更欲何言，視我麈柄。

莊子像贊

無他變化，有語皆囁。何日花開，作兩蝴蝶。

古心文山贊

此宋二忠，如國亡何？開卷熟視，龍泉太阿。塵蜕六合，浴于天河；下視萬鬼，腐為蟻窠。千秋遺像，涕泗滂沱。空餘後死，作尹公佗。

滕玉霄贊

似不似，在阿堵；同不同，在裹許。其落筆也，如箕；其出神也，如杵。其得於酒狂也，為劍俠；而得于獨醒也，為處女。固不得與二陸三，豈不可與四夔五。嗟乎！使吾得而客之，亦何至嘲子雲而責子羽也。

文文山先生像贊

閒居忽忽[一]，萬古咄咄；天風慘然，如動生髮。如何尋約，亦念續芻；豈可英爽，猶累形軀。同時之人，能不纇泚，昔忌其生，今妬其死。

焉有如此而在人下，焉有如此而獲令終。其像不下欽若，其量不及魏公。所以為世之重者，為宋五忠。嗚乎！此盧陵之風。（以上豫章叢書本《須溪集》卷七）

[一] 閒居忽忽：閒居，原作「問然」，據文淵閣四庫本改。

全元文卷二八〇

劉辰翁　一三

丞相莽哈岱美棠碑文

至元二十七年秋九月，丞相莽哈岱，以江西省治廬陵凡四十日，薨於位。又二日，喪行。居民望過車，罷市長慟，至不可忍聞。闔城士大夫，哭於野者，不約而集，無不相嚮而弔依依。憔悴無聊之色，田野聞之，驚頓踴絶。至有負販之人，不自知棄其所求，望廬垂涕而返。既數月，有自北方來者，號於馬上。兒童父老聞其聲者，喟然而哀，痛之如新。今期年矣，省還迹遠，燧改情遷，而語及當日，猶為之飲泣而悲、哽咽而嘆也。方公之未至也，揭竿滿野，環顧及汀，歷歷無墟煙，吾郊關之禦奪者，混相濁如市。公之來也，悄乎其容，肅然而無聲，不惟貪夫股戰，軍伍旗幟改觀，而盜賊望風褫魄、凛焉以消者，復不知其幾。不惟城無囂塵，里無夜驚，而昔之門扃户棘者，蟄見天日，熙然其如初。不惟長亭短堠，行歌逆旅，而深山長谷，婦人孺子與荷戈之士，雜踵而無何。近邑近州，行者達曙，皆曠十數年所未見。雖太平全盛，不過如此也。或謂公之在事，四十日止耳，即四十日間有所誅罰，聳動亦何能家至户到？未嘗按一貪吏也，又未嘗殺一無道也，而民之畏之愛之，如將見之。赤眉、黄巾之不可勝殄，雖血之於此，猶懼其復生於彼，從古然也。乃不待草芟獸獮，不用三令五申，不必形格勢禁，而威信之如此。民之思戮，朝暮四三，使公猶存，飢食渴飲，政未必人人而濟也。前乎公者有矣，後乎公者亦未必不尤賢於公也。而推論斯人，有一日生聚之安，若浮若沉以至今。此譬諸荒墾，實自公始。獨吾儕小人，竊欲求公之所以致此者，而不可得也，或者其福也。嗟乎！余讀坡公所為《温國文正公碑》中言，何自知之？何自知之？極古人詞辨，反覆形容之盛，徵今日之事，則亦不以為過耳。所謂立之斯立，道之斯行，綏之斯來，動之斯和。非七日司寇見之行事，雖夫子猶疑之，因是使人思前史，區區必有不盡得於言者。余以憂患餘生，延喘民間，親見《甘棠》、《角弓》之誦，欲備言其美，則不可盡；欲參論其事，乃無一有。蓋矯然為之躊躇遠想，若尹長安之桓東虎穴，朱子元之奮髯抵几，李臨淮之斬將立威，此人皆疾聲厲色以勝之，僅濟公於斯民，有百年之愛，而無一日之功，雖善論者莫能述也。兹非古之君子不言而信、不怒而民威於鈇鉞者與？柳子厚謂吕衡州之死，哭之者逾月，哀聲交于南北，舟船之上，必呱呱然。又有謂化光何以得此者。以今揆昔，容復過之。哭死而哀，非為生者也。我觀九京，而譽武子，百世而下，故當識其何心。晉人望羊叔子之碑而墮淚，則叔子自為也。公之没也，若士若民，請於省府祠之。省曰「吾責也」，府亦曰「吾責也」，其門生故吏則又曰「吾責也」，民士因不敢為。至二十九年春，復請。府經歷濟南孫某，以其俸獨倡成之。孫蓋公所辟以自輔者，民士共高其誼，曰：「我則何力於斯？」則相與植碑於學，以其詩來請。嗚呼！後之人有讀是碑而不墮淚者乎？余亦何足以發之？系之以詩曰：

　　衮衣綉斧，來旬來撫，里門晝開，官路夜旅。綉斧衮衣，今以喪歸，寘予中道，卒誤疇依。悠悠行舟，慘慘四野，亡羊不知，狹路悲啞。鼎饕釋懼，林嘯伏興，山哀浦思，虎逝龍升。蜀懷孔明，寒食祭路，魏感梁公，聚哭碑下。誰歟祠者，公有門生，我往營之，衆志乃平。甘棠憇只，杕杜逝只，峨峨此碑，亦墮淚只。

黄純父墓誌銘

　　歲庚辰，予初與純父遇風雪東湖之上，驚相弔曰：「賈鹿泉見君文，問『古人耶？今人耶』？或者亦以君為古矣。君在此耶？」語雜悲喜至甚夜不絕。未明，復撼予語，拊髀浩然曰：「吾平生慕湯東澗，近年慕君，亦欲從君後耳。君豈從古心公致誤耶？」識君慷慨，叙寄不淺，因擁衾而起，以所聞於江先生者為君言之。如東澗，何可及也？未第時與其兄客徐景説標致，已不相合。既第，得信州户闕。一日，有趙尚書出，參贊督府視事〔一〕。首見簿主名〔二〕，嘆曰：「余識之真西山時，湯某乃猶為此官哉！」即拜疏，薦之代主象山〔三〕。從是隱然出徐，徑昄上。自端平至景定三年，出入諸老，皆成履歷。即小人扳引，及當國所忌惡，皆不足為全名之累。不待辨某事、忤某人，而大節自不可及。此如陳太邱、黄叔度公論常身為之地，故樹立矯矯，不肯為人稱門生也，亦各其時命也。言未既，君淚沾余衾，獨舉往年麻姑山夢。夢一籍，題「忠孝」二字。而某在也，孝不敢言也，忠特若此。予亦喟然于少年，州縣不自試一二。因舉子房，天授沛公，他多疑拒，獨縣悟，如子房意。此所謂漢事將成也。誦《出師表》，至「引喻失義，以垂忠諫」，想見庸人自用，故傷心玄德之不見。身世何長，今人喜言四方上下，孰知言不見奇，奇而不用，不用而驗，驗而悔，悔而恨，恨且見禍，其進退偪仄，復非前古君臣之比哉！君曰：「世事勿復言，即文字何等不足存。而魏鄭公以此，楊大年以此憾至死。」因泛論鄴侯，山人高致，魏延與淮陰，膽略相似，李伯紀、張魏公，成敗天意，語不必有出，出不必有謂。未嘗及心事，彼此直歔欷往復，不知出於君之口與余口也。於是相知深矣，復欲與君談，不可得矣。前年猶寄余詩，去年有持書來，視緘題，若不可識，則君死矣。余以歲初謝客，嗚咽而入，問耿蘭以故，至舉扶病中相屬語，腸痛欲絶。海內人物，風流略盡，託君筆墨相蔭映，後死猶有講學之望，顧不樂人間世如此。念前冬有沅湘老人[四]，以君文求余記，曰：「黄先生雖不能飲，尚健坐。」余謂純父長七尺，年五十，生世大有事在，迄如此而止，造物復何以我輩為哉？讀門人狀君行，豈不整密婉至，然不如君前夕劇談盡予若君。語語而俯仰浩蕩，人物著微，心跡纏綿，功名蹉跌，後有君子，可以想見而嘆若狀所難言。又有人不及者[五]。江閫貴人與邊守將不相接，君代書密付，語見赤心，指授得宜。又多軍情所鬱，不得達者，繇是感泣思效，倉猝用意，勝謝東山自異。顧內幕所左右，能此而已。其苦言節費見于賞，募得淮卒三千，備遊擊，為淮捷營。改鐵鷂小舩[六]，為艨艟大艦，取勝議諸郡[七]。閉絶流民，如他盗，請城外築堡，居老弱，而各選其壯者從軍，使為閫帥釋當路之怨，馳從約之書，共圖國憂。胸懷磊磊，出於人所不望，而人亦知惟君所為。嗟乎！使君得乘一障，亦當遠勝一閫。雖九江事，去相府逋虚，諸司蒙茸，君猶力勉，以私財招軍，撫溪峒為用。至獨松失守，庚牌暮下速援，行者議饒、信道梗，盍徑崇安，繞出三衢？兵夜發，君與家人不相顧。至石門，遇長幼相泣，君曰：「國事至此，暇顧爾輩耶？」自是言之有傷心者矣。國家養兵三百年，體羣臣，子庶民，三宫仁儉。一朝有難，人懷顧望，徒擁烏合盗府庫。君以書生，志氣感動，言必稱君父乃爾。然至盱而盱閉，入閩而閩潰。盱城閉，有投擊城下至斃者，諸將欲屠之，君正色不可，曰：「我輩以路梗假道致疑耳，若屠一城，三宫聞，必震駭。」諸將已瞑目，謀不利，君不為動。既又具軍行宿次啟奏，有笑者曰：「君猶謂有通進所耶？」君慨然泣下，曰：「誠不忍以為無也。」聞者姑掩涕嘆息。及入閩，有狠將以衣糧乏，咄咄謀劫主帥以出。語已逼，君又不動。一日坐水閣，有飛矢掠項過著柱。跡所由來，忌君者出此。明日君行，軍亦潰。生亂世，無及於救，又不自為政，故所就止爾。然積誠所至，在建而勸分，分；建昌而祈雨，雨。皆以客館係人，豈得天意[八]。亦何嘗有一日得行其志，而惜之者如已試。世自有盡，君名方興。有西園八十之老傅太史，自得以君來為賦詩，喜曰「碑無龐老名」，又曰「能威兵處在真誠」，其志慮風采何如也。自咸淳第，授静江府臨桂簿，嘗辟泗州淮平尉，不就。後五年，辟建康府鳳臺酒庫，自是始與幕議。又五年，辟臨安府德清酒庫。德祐初，差幹辦江西制司，復帶行禮、兵架閣。未幾，復帶行國子正。明年，除宗正簿，督機特改宣教郎。初筮交代違年，不願上，仍待闕淮平界北。得遥授，曰「不敢欺」。登北畿，有銜命鈎致者，自免徑歸。諸司舉削，常片紙書所閩廉介有政聲者，請以已所應得者舉之，受舉者不知也。或知而謝，輒避去。此事亦近年所罕見。余出仕十五年，未嘗受人一，則君自謂出處與余同。謂此自其父閩象山之學於其諸大父，益貫徹朱陸授學者。懇惻窮至，所至老成欽動。諸所識，予不能盡知，而尤於丹徒陸君賁秀夫耿耿焉。君賁大節可哀，君賁文不多見。見君文，識君賁，宜君賁之所納贄也。君文不蹈襲諸作，不為時文議論、講義、注疏而辭事義理俱至。清整酣暢，足自為家。詩亦有思致，竭目前意，樸厚雅馴。視他人能此復少，彼至於家庭講授人物大意，倫紀親切，凜凜見之。千峰陳公宗禮，嘗對人云：「吾欲得一客如黄純父清苦，不可得。」其文之有本，又如此。士常患不第，一第足自致。詎能以去就易民命，争國事，破權倖險姦，貪懦狠僭，辯能闢、意能誠也。世狹道迂，而環轍如陪臣，坐臏如車中，及其窮蹙無能，有甚於魯男子之不得去，而南霽雲之不能食也。嗚呼！微斯人斯世之不幸，斯言也，亦孰知其可悲？君臨川黄氏，居崇仁東里，諱丙炎，初字文炳，晚更字漢翁。予誄之曰純父，其鄉稱之曰思梅先生。生丙申，卒丙戌。曾祖儼，祖邦基，父應辰，梅牕公也。思梅，思公也。妣陳夫人，娶陳氏。子男六：慶孫、興孫、鳳孫、翼孫、暉孫、慈老。翼孫繼姻黨陳，慈老以治命後。鳳孫、慶孫筆墨可愛，皆如思梅復生。婿趙次愚。孫男五，女二。葬崇仁鄉西隱里雷公山，實丁亥三月丙午。君厚重不妄語，疎闊無餘懷，及所委曲傾盡，若自營收，致後進有豪氣。乙丑自京歸安仁，道中有盜殺人，逸累居者。既誣服，君以過客得盜名，告使者。使者得實，謝曰：「君乍脱場屋，洗冤如此，可量哉？」其後避難，得便舟出，溪洞各護送，皆所嘗盡力有恩意者，亦若有助焉。乃銘曰：

嗚呼！國之初也，材不必其如君，世之甚也，憂不必其如臣。莫不幸於以身從人，又不幸而以文致身。故雖有孔明、公瑾，而用之如陳琳、阮瑀。又如溫石二子，而不得為許遠與張巡，豈非命云？

［一］參贊督府視事：贊，原作「替」，據文淵閣四庫本改。［二］首見簿主名：主，文淵閣四庫本作「姓」。［三］薦之代主象山：象：原作「家」，據文淵閣四庫本改。［四］念前冬有沅湘老人：沅，原作「沆」，據文淵閣四庫本改。［五］又有人不及者：文淵閣四庫本作「又有人不及知者」。［六］改鐵鷁小舡：鷁，原作「鷄」，據文淵閣四庫本改。［七］取勝議諸郡：議，原作「識」，據文淵閣四庫本改。［八］豈得天意：豈，文淵閣四庫本作「望」。

丁守廉墓誌銘

士不幸而用所學於科舉，其得失、飢渴、升沈、勝敗，曾不如庶人之常業。雖有寬易靜篤之君子，十上五黜，幸不黜，愈恨恨乃甚于黜。使夫憐傷太息者，猶惑於其命。則所以煩瞀摧廢，當何如而益退然死而浩然。蓋奪精失營者，莫科舉之為累，而其阨窮不悶者，必學道之有得也。余於祀禮家老儒丁守廉之葬，若不知時世之已易，慨然道之如新，亦士之不幸。舍此無可言者，復于斯墓也，不知何云，吾猶獨為斯墓恨也。嗚呼！科目之負人也多矣。由今言之，亦何恨於科目哉？口授之徒，心相如之友[二]，今年某某薦，明年某某第，又明年如某年，或喜曰：「桷榱收，梁棟宜有待。」或謂曰：「廣豈不當侯不侯？」君曰：「不然，吾先鞭為有人矣。當丙午，猶朝日也，揭焉而首選，不及送。戊午且四十矣，再選輒再屈，已而甲子復然。甲子至癸酉，復然，問誰貢？貢二人止，往往門弟子而止也。吾州多士，貢額多臨江數倍。每榜後，考者為言，某卷得復失，能使人出狂。況一經屢試，白首洴澼。學雖吾事，而世貌諱名，殉者成路。觀其死之前日，猶明窗就曉，抄書自課。如兒子死之日，復大書示其子云：『死非所畏，何必張皇？學問不衰，死生不變。』又實有得如此。其視往年場屋間夢，不類芥雞之相踐、而木雞之微視耶？然昔之憐傷太息者，至是猶不置。則書生之清論，世道之遺思也。」君之子敬直，修謹有禮，稱其家聲，屢至請銘。凡求銘其先者，苟不得志於利達，必鄙絶科目、自附前輩。余嘉敬直用意真，取名淺。又見高安辛拱辰，叙其同門受業身通者以十數。且云：「先生貧而介，視富貴人無足動其意。無妄言笑，鄉黨穆然敬之。」其自叙殖禮齋則云：「先大父潛山先生出蜀，載書數千卷，曰：『使吾子孫，免為俗子之歸，亦免為勢家所奪。』繇是自號殖禮，以學殖易貨殖，懲訓嚴甚。」潛山事慶元諸老，猶及章雲山、葉水心、劉後溪，如楊西巖恢、項雲叟寅孫輩又其徒也。義理浸淫，有自來矣。近見其《禮記集解》三十卷，手藁如蟲蝕葉，蓋老是經者。初名里，字守廉，晚猶稱守廉。世居西江新喻。曾祖公逸，祖居易，紹熙進士，奉議郎，宰宜春，潛山先生也。父昱，生嘉定庚辰，年六十七。娶歐陽氏，子四人，敬直、行直、養直、友直。養直以丙子走間道省親，遇兵死。孫男二，本度、復春。社山，其祖墓也，距家二里祔焉。其卒以丙戌二月，葬以十二月丙申。銘曰：

貢不貢，為槐夢，邱蓋多，於謳誦。羿之彀，而不中，名淹中，何必用。涕斯沾，安致鳳。

［一］心相如之友：如，文淵閣四庫本作「似」。

蕭壽甫墓誌銘

曩學禁時[二]，海内名號未起。吾廬陵之南，須山之北，有大儒先生，曰黄宗魯，其子為叔豹。吾先人師宗魯，而友叔豹。叔豹以文名六館，接慶元諸老。自是，從吾先人游者，彬彬如二黄間。而朱氏甥父子，實先後諸生，復轉授為資。余七八歲時，表氏抱余學，稱堯章先生，後改名埴，字聖甸，號古平。官至太學博士，倅袁州。如西昌蕭壽父大德，少聖甸一歲耳。於時事聖甸如弟子，又以弟子俱見吾先人，先人厚之如厚吾出。先人死，吾十歲，概未嘗知其人也。晚而聖甸以賦奏南宫第一，又甲科。其名位之興，赫然欲揭當年叔豹上。士争相藉寄，自謂出朱氏門下。師其父者，亦詭得師其子矣。乃壽父，則未嘗知其人，而其人亦莫之知也。此布衣師友之略也。曰壽父死，而其子來泣，曰：「芳春之登門晚，若吾父之登門，則不可謂不早也。今吾子愷，又館於朱教古平子之子，是斯文四世之澤，如泉脈脈，往往自公家始也。幸存弟子世家，示萬世子孫，毋忘其初。」予以其言篤厚繫流風，又知壽父樸其茂似前輩，雖其存若不願人知者，不當為衆人道，乃其所以可稱者，亦不能不為衆人道也。嗚呼！其忍不銘？余以德祐歲逃空虚，干戈反覆之交，望蕭氏秋嶺如一葉。凡流離接境者，必此焉依而後得甯宇。已而盗四起，已而官軍北方，且為風林，為疑幟。然盗過之日毋犯，官倚之犄而角。喜之者以為造物之報，而君子則歸之德言之著云。鄉人之至於鬮者，重其言如季路季布。或陷於義，衆推户削跡，甚者希購市，雍容親黨之間，無怨無怵。勉其子盡力，友賴以完，此其事在近年年。日者平生執贄，如其邑之温師幹英、臣鄉先達敖適軒、陳念齋、陳静齋、所交揚景堯、蔡濟父、陳鳴道、蕭清父、康行可，或得之隠約，或託之歲寒，相敬愛終其身，非以其六七貴人也。嘗試場屋，不大效，即棄去。所校讎把翫，愈老愈篤。子孫多所嚴事，而自教者居多。襟懷春意，見於日涉，嗜酒好客，力有不足，而性嘗有餘。吾雖不及識，如見其人，如聞其語，况以吾童子時先人之好徵吾言千載，而吾於古平，復自有兄弟師友之誼，於古平之所教，如古平焉。故曰「如見其人」。壽父號静安，其死以丙戌十月十九日，曰：「鷄鳴，吾行矣。」鷄鳴而逝，年七十三。曾祖某，祖某，父某，娶某，子孫婿某，是年某月甲子葬某鄉。銘曰：

有冠而後有緌，有苓而後有絲。孰謝其藍，箕以傳箕。緊教父誰，父父是思。式穀爾孫，稷而食之。

[一]褱學禁時：學，原作「欲」，據文淵閣四庫本改。

鞠華巖墓誌銘

去年春，客有自東來者，以取得書籍相問，遺中有《華巖講義》一編。視其篇，質而辨，攻其理，法而不争。考其人，鞠氏，本吾鄉人也。予於是心識之矣。居數月，豫章鞠昇孫求銘其先人，甚懇。余固昧其由來，取行狀讀之，華巖也。前客殆非適為之地耶？然昇孫囊其遺文，乃無《講義》者。而客并隊其吟稾數篇，因得信其壯游至老，與所嘗贄謝知己異哉！鞠氏多吉人，永豐有華巖，諱巖，字𩕳父，永豐西門里人也。去吉留洪，少慕師友。母死葬洪，為洪人。倚墓築廬，種鞠繞巖，曰：「吾姓吾味也，號鞠花，巖俾巖我，如呼名。」異日履齋吴丞相字之，然學者喜稱華巖。逮事包宏齋之先人克堂，而宏齋又謂其從象山之子薦堂久，説經極自得，而不為新巧以亂至當，故愈近不厭。程納齋嘗稱其律己嚴，事親孝。二三公非往往諛布衣者。至吴丞相尤厚，嘗受白金、買木，即以嫁葛氏孤女。二官之校尉，以覓舉幾者而失者四。暨吴丞相當國，始得舉，亦不第。繇其所棄以得舉若第者，不必其報。晚得山地百畝而食之，高松萬株，耕雲種雨，自謂樵蘇。織紝盤飣粗備，門徑欝盤，栽花補空。家臨孔道，飯芻送目，山人夫婦豁如也。子娶陳遂初姪女。遂初其門弟子，咸淳、德祐之間，遂初之名節高世，隱然有相高者。其平生言論，於朋友講踐猶多不滿，倦窗談枕，教人以治生用智。風流疎伉，海内知名者無不愛。而與曾蒼山為詩，多鄉校前席、縶維不聽去者。先後帥漕逾十年，起東湖，植門徑，最後理學。租犯風雪出，歲晚抵巖邑，不數宿而返。當科舉未廢之前年也，尤惓惓請貢額三學。有研知狀，其出語不欺世，空意足達，强公議展，故素有山林處士之風。嘗愛昌黎誌王適，翁婿媒媪閭意，意是翁迂闊，必多談笑可畫。恨昇孫不及，而謹飭過之，亦佳子也。其為書援三代之毁譽，以求問其先人，又何其獨行有家法。翁配田氏，亦洪人，本葛氏婦，前甲子卒，翁自誌。始娶田，年四十，華巖加三[一]。老成相遇，未嘗反目，即少忤，彼此一笑，其真如此。冠昏用古禮，家祭以季月，曰：「吾庶人也。」於書至陰陽地理無不習，葬兆皆自卜。曾祖某，妣某氏，葬東門坪頭。祖某，妣某氏，葬東門雙橋。英潭皆永豐。父某，妣某氏，洪人也，葬洪之新建曰榮岡。生慶元戊午，年八十四，以某年月葬馬耳山，田夫人左，去家三里。子昇孫，孫某，曾孫某。姬有鞠陶，名從手文，轉名為氏。華巖譜鞠，始燕丹，師傳復不通，鞠允輩似遺論。入宋祖大章待制詠則然[二]。其後又有先整仲謀登科末，必非族出[三]，惜未考也。

銘曰：

蘇翁種菜，東湖之上，儻無幣聘，卒以傭葬。是翁言耄，偃蹇數相，凄其黄花，是亦相望。

[一]華巖加三：巖，原脱，據文淵閣四庫本補。　[二]入宋祖大章待制詠則然：入，原作「人」，據文淵閣四庫本改。大，文淵閣四庫本作「天」。　[三]必非族出：必，原作「心」，據文淵閣四庫本改。

陳禮部墓誌銘

寶祐丙辰之策士也，既日昃，再駕臨軒，看少年首上對徹，親覽卷首，有「臨御以來，如日正中」語。及唱第，進呈次第七，上手擢易首唱第七。既又不滿，寘首唱第四。第四，則三山陳俞也。于是寶慶三十又三年矣。時諱言久，前別院命賦題久，于道以忤聞，故草茅附會如再中。然前徹覽，後易寘，皆命也。而俞策亦實有及。霅邱者舜卿嘗語余，考官不能使俞第一，天子不能使俞第七，其自信無怨如此，而亦從是退飛矣。初君授静江軍節度推官，開慶與吉州推兩易，故君以己未更至廬陵辨守禦。明年江山清，軍閒，得余詩於他許，疑不屬余，為舉子美「丸藥流鶯囀」。君瞿然曰：「是在俞術中而不悟。」自是莫逆于心，每坐尚友齋，倚梧竹，極談世事成壞，即使長急召不顧。幕辨粲然，無所回屈，其辭可著為令。李肯齋芾健吏事，稱不及、不及去之，曰《誓心録》三卷，取歐公夷陵語也。今生至今，德之而娼者、而謗者，為不少矣。有以科斗竹書獻當國者，且驚曰：「彼白屋安得此，必平園公家物也。」詎止。此獻者懼，詭曰：「我出陳推官後矣。」語由是喧不辨。遲歲年得監庫，稍遷太學録，咸淳除博士，竟坐前語逐，不辨。他日《謝丞相啟》云：「人之云云，謂盜周公之寶玉。」其蕭然坦迤、玩世無悶如此，而亦從是老矣。又四年，而差充福建帥幹闕，至此鄉嫌改添差，不釐務，久又改添差福建運幹待次，于是咸淳八年矣。復除太博，十月免，迺德祐前。予湖州別駕，德祐改建甯，于是國事非矣。

肯齋李公之為湖南也，强起君，君亦浩然以身許之。會文丞相脱身渡淮，歸行都，建督景炎。以大著除君督機，君請據汀摇贛，出江西毋緩。君本赴湖南，至是哭湖南。歲盡，以所部偪安軍發谷口[二]，道病，至汀卒。有趙同舍文自君歸，能言，巷居人夢絳紗籠甚盛，迎陳禮部，去旦果然。文公哭之慟，葬伏虎山，題曰「草亭先生之墓」。君年二十九出文榜，至是四十九。又明年，文公北日，門人林達可始以行狀來請銘，則君死十九年矣。其言正羽檄徵兵時，居蕭大人憂，苫塊寢語，于用武之無地，最後作《蒼雪林辭》二叠，不可忍聞。李公期君以管葛之事，君亦贊文公以張李之功。其反覆策軍事，謀家墓，語如史，驗如卜。當未行，夢丞相予黑筆，視黑籍如軍書。少焉登一舟，若之貶所，風月淒冷，殆非人世境也。吾死已，夫親友共留其行，不可，曰：「士為知己死，苟利社稷，何恨？」吾登草亭，望風雨，欲一人共死不可得。嗚呼！我知舜卿，使朝坐燕與諠，肯棄老母弱子、遯荒在人間哉？星言赴難，縞素為資，得君軍師，尚不甚敗。臨河救溺，不卜命之短長，每誦郭元瑜此語，悲之其乘飛至屋天也。傷哉！吾友生不得志于前，死無知己于後，其心之所樂，直文字耳，而文史亦絶。嗚呼！吾欲觀乎九京也，其有恨乎？無恨乎？以君自言，其死為不恨，則知如余者，不死而恨也。悲夫！景定末，余留建，君留京，君畫二龍寄余，題曰：「甲子上元日并贊。」每展圖誦贊，後死何為？自吾所知所厚，周旋離合何限？求仙才與靈氣，惟舜卿。古心江公嘗薦君館職，不合。黄華甫國云：「臺中日月論，公客添一客耶？」十五年間夷溷跖廉，衣冠道盡，君不惟少合，亦少可閒。居日長奪虎巃，起草亭，俯晴晦。其在下種梅數百，長歌入雲，俗子無足還顧。頹然自然，韻度乃出蘇子美上。為文達大家數，四六尤高宕。詩本荆公，而每見每進。雖有怨誹，有柳州南澗之風。初學六一公帖，卒自為體。如閑花異草、風日清美，皆余所不及。嘗手寫《楞嚴》、《圓覺》、《金剛》三經，去廬陵日棄之。先死七年，葬其妻鄭氏般若山回草亭中，為壽藏。君死子弱，不克歸葬。每歲寒食，馳僕裹飯，灑伏虎邱而已。既十五年辛卯，乃啟而合諸鄭宜人之兆。陳氏長樂，世次見石室翁碑。二子，瑒、環。環為族父企後。君兄會、弟龠，皆同舍。會先二年卒，龠後六年卒。瑒謀銘于達可，達可曰：「有先生之友會孟，顧道遠日迫，請刻之墓上其可。」由是林君之請勤矣，林君之誼高矣。吾銘成，則葬後之五年乙未四月也。君著述多壙誌，傳之矣，此不載。銘曰：

長歌兮莽蒼，青松關兮白玉堂。奄塵昏兮夕陽，我不起兮不知彼童汪。君墨綟兮何壯，操余彗兮彗霣光。忽反顧兮魁淪降，君不歸兮猶葬。湖山兮朝行，蘭萎蕙絶兮諂子浪浪。信終古兮誰芳，君余銘兮冢上。余麟兮不祥，行倀倀兮不得四方。蹇思君兮天望，君為龍兮奚傷！

[一]以所部偪安軍發谷口：偪，文淵閣四庫本作「福」。

樂邱處士墓誌銘

安成，古長沙郡，吾廬陵之劉，未嘗不本長沙也。而譜多不可考，多故不可考也。按《唐思禪師塔碑》：「思，劉氏，長沙定王後，是為七祖。」而龍須山、擔嶺二塔，化身相望，皆其家兄弟。他日見石動、石材、石壟三廟[一]，亦兄弟[二]，思同祖云。而安成有興泰劉氏神者，又長沙來也。荒山野水之間，時時出於殘碑斷系如此。吾故家在須山之陽，而祖墓在擔嶺之下。嘗欲考而同之，嫌其特出於往，往不可知。今安成西四十五里曰湯市，有何年處士墓田，湖南徙家焉。自處士失其名，以下至「可仕，字達仲」，凡十世皆可考。則廬陵自漢以來為一劉，益信。達仲有子翼甫嘗銘同姓之墓曰：「郡士族半劉，宜劉吾鄉。而歐吾鄉者，俗也。」其論可謂偉異。然不知長沙一本其流溢於東南者，皆非某氏比也。雖後來闊遠有他賜姓，亦如士范、蔡墨所言然，然不得與安成比。安成，古長沙為近。達仲，樂邱翁也。

余嘗記樂邱，知其賢且達，已記之後三年，而樂邱翁死，年七十，鄉人士惜之。是年翼甫又死。其中子應登，將以丁亥某月日葬樂邱，謂曰：「應登與弟及門舊也，而弟已矣，知樂邱者，記也，葬樂邱以此記，可也。顧家庭庸行，有記所不及而宜書者，願并志而銘之，則幽朋之望也。」余惟是父、是子，今人間所少。其所言概常事，而得古人史傳語意，此自可傳。吾傳之以其子應登之言曰：「吾翁，庶祖母羅氏出也。而後嫡兄暨祖父死、父死，而庶弟怨翁曰：『吾惟不能逃祖父命以及此，今遜可也。』舉惟其弟所欲而與[三]，受其所不取，聞者媿焉。先墓之葬舍南，且歲久，相者曰水，啟視之，不驗。卒改葬三十里而近，然終其身以為恨。每對客持杯，呼孫溫卷，偶語及此，潸然不可仰視。生母再殯，病不能送，慟為絶。凡當祭與適墓，嗚咽如新藏。先世故書敝履，謹遠親，執友至，至閽，僕異，視之有加，割產為衆祀。歲興，發捐直籍貧者，賦與之。或籍而不至，莫夜歎焉不能食，以為怪。甃夷道焚，負券即郡。有守望阡陌之事，必翁也乃可保。故開慶遺民，咸淳叢賦，公私無復患餘責。尤多材略，屢興作，所指畫必不可改。慮變尤審，憂世若己責。教其子有身法，毋以奇險擅鳴，曰「為文不當爾也」。應鳳甲戌條對第五，得建昌判官。馳書預戒以姑取教官，毋未習與人郡事。雖書至，已受選，而言不可廢，故傳。閲世俛仰，尤戒遠葬、僻葬、險葬、利葬、訟葬。欒邱，其所自卜。癸未春，廉使滏陽馬德昌，以鄉飲召應登、應鳳，問翁日用，大書「欒邱」二字寄亡恙。」予讀應登行述，至「須髯音吐，左顧稍下，欒邱抱合，狀高下茅屋，皆夕陽人影」，如見其人、踐其處，嘆曰：「是難言者，復何以余銘記為？」應登之從曾祖通直公夢才，字乘可，嘉熙戊戌第。力學博文，清苦有志行，號巢林先生。暮年無子在側，惟達仲能左右，無細大謀焉。作本亭，於八世祖墓下買田立石，皆其餘事。湯村古安復城，水北城隍廟故在。劉氏墓，號五處士。處士生琉，琉生讚，讚生繼文，繼文生臻，臻生士昌，士昌生師望，師望生繼，繼生克正，克正生三德，三德生有俊，有俊生可仕，是為欒邱，一號桂林。生嘉定丙子年十一月二十八，娶羅氏。三子，應牛、應登、應鳳。登，江西漕進士。翼甫，鳳也。見別誌[四]。二女、六孫、十二孫女。欒邱在其鄉永福里。銘曰：

斯邱之上兮拱木皆春，斯邱之下兮欒友古人。不仰愧而俯怍兮，初返乎吾貞。百世之下，猶百世之上兮，其復得為晉無懷葛天氏之民。

[一]石犫三廟：犫，文淵閣四庫本作「犨」。　[二]亦兄弟：兄，原作「云」，據文淵閣四庫本改。　[三]舉惟

其弟所欲而與：與，文淵閣四庫本作「興」。

[四]見別誌：見，原作「是」，據文淵閣四庫本改。

祭師江丞相古心先生文

嗚呼！自詔勤王，予心獨苦，平生師友，歲晚伊阻。人之訛言[二]，訛言不祥，厥或告我，主番陽湯。居然傳聞，百不一實，何獨於公，如見隕越。晝思難平，夜夢屢驚，猶聞靈光，乃卒奠楹。蒼天蒼天，夫子何罪？死何倉卒！誰斂誰襚？體膚如何？如何血枯？我欲見公，淚洗模糊。公非無子，有子有弟，其存其亡，訊莫予寄。疇昔之言，歷歷托孤，門生滿眼，青獨在予。念公守吉，予甫十歲，無知其後[三]，十五年事。上書窮途，祭酒諸生，欣然起我，文特峻清。公闈來朝，或獻宿士，公迎謂曰：「此必劉子。」相期第一，策及兵謀，掃除學步，摸索暗投。太學半年，受知再面，公歸同野，實始往見。攜提反覆，於建於閩，我如處女，公我父兄。公寧少予，曰我畏友，每書渠渠，君母予母。修門出走，風雨對牀，執手奈何，別淚浪浪。逝將棄官，終老黃石，豈畏簡書，聊永今夕。江東辟召，實匪前期，暨還初服，不從袞歸。位置稱觴，亦豈公意，遭罹酷罰，公撰銘誌。八年出處，於誌有之，斯文大老，寧為爾私。外人不知，公以我累，公曰不然，我實子愧。哀哉已矣，明不負幽，七年又見，無約不酬。昨秋三宿，言餞江畔，怪公異遇，後約春半。風塵渺迷，共擬迎公，孰知昔別，三至愈凶。玉色金聲，光風霽月，峩峩千仞，柱折維絕。我有死母，公實葬之，我有稚子，公實獎之。身後之盟，可質九地，掛劍心存，蓋棺事異。

悠悠穹壤，渺渺八紘，公非無往，死不離城。曰我重臣，無所逃死，生而被執，為國之耻。亭名止水，左手攜孫，白刃紛紜，哭入九泉。人言全歸，願得死所，死而若此，尚庶無負。使公守土，使公柄朝，堂堂守節，魂不待招。公毋棄我，我公暮子，魂而可招，於我歸只。（以上豫章叢書本《須溪集》卷七）

［一］人之訛言：訛，原作「説」，據文淵閣四庫本改。　［二］無知其後：無，文淵閣四庫本作「焉」。

隆興路學題書籍

聖人經綸天下，不越詩書六藝之文；君子教育英才，蓋為宇宙千載之計。自家塾、黨庠、術序、國學之制不如古，惟經義、治事、計算、水利之科得其宜。凡異時棟梁榱桷之資，皆前日燈火簡編之士。蓋材者、德者、私淑艾者，落落如霜木晨星；彼挑兮、闥兮、在城闕兮，駸駸為潢汙行潦。今六龍御極，一札成文。取德行道藝而賓興之，則山林巖穴自此升矣。但欲侈大絲綸之寵，當為作新規矩之圖。願分善和五千卷之藏，以備圜橋億萬人之選。公卿適子衆子，皆得覽觀；春秋大書特書，必無靳惜。

題竹間吟院

江湖輪角，已無四海之雲萍；門巷雀羅，更望諸賢之月帳。乃接小橋於雲外，因開别院於竹間。豈無箇半箇人，來談味外味句。非山中日月，不能辨此事；非天下豪傑，不能與此盟。蓋將礱石，以留過客之名；而又刻梓，以集成家之作。然有約法，勿使俗子寄名于其間；亦使後人，知有吾等題詩之在上。

代祝純陽真人

四月十四日

佛生五日，有開鶴會之祥；仙列三陽，來集鷺洲之上。俯慚初地，仰視後天。恭維吕仙，與造物以同遊，長上古而不老。先天一氣，存於丹訣以無窮；是月純陽，况乃金精之將滿。揆惟初度，悟此長生。共扳方朔之桃，來上安期之棗。伏願旁日月，遊宇宙，乘清風，御陰陽。使圯上一編，不絶傳於今日；即環中萬劫，始得悟于玄真。

後夕月圓，正釋子護生之日；今朝雲集，喜仙人降瑞之辰。祥靄碧霄，懽浮紫極。恭惟物外通物，玄中得玄。置日月於一酒壺中，煮山川於二升鐺内。退離陰，火離花，敷片片之金；進坎陽，符坎藥，綻英英之玉。縮地脈而遊下界，躡天根以徹上清。則變則通，不知不識。某夙生慶會，得遇誕辰。丹道無窮，又何待龜齡之祝贊；塵坌有幸，願常瞻蟾采之光輝。（以上豫章叢書本《須溪集》卷七）

語羅履泰

杜詩：「不及前人更勿疑，遞相祖述竟先誰？別裁僞體親風雅，轉益多師是女師。」此杜示後人以學詩之法。前二句戒人之愈趨愈下，後二句勉後人之學乎其上也。蓋謂後人不及前人者，以遞相祖述，日趨日下也。必也區別裁正浮僞之體，而上親《風》、《雅》，則諸公之上，轉益多師，而女師端在是矣。

評李長吉詩

舊看長吉詩，固善其才，亦厭其澀。落筆細讀，方知作者用心，料他人觀不到此也，是千年長吉，猶無知己也。以杜牧之鄭重爲叙，直取二三歌詩而止，始知牧亦未嘗讀也，即讀亦未知也。微一二歌詩，將無道長吉者矣。謂其理不及《騷》，未也，亦未必知《騷》也。《騷》之荒忽，則過之矣，更欲僕《騷》，亦非也。千年長吉，余甫知之耳。詩之難讀如此，而作者常嘔心，何也？樊川反復稱道，形容非不極至，獨惜理不及《騷》，不知賀所長，正在理外。如惠施堅白，特以不近人情，而聽者惑焉，是爲辯。若眼前語，衆人意，則不待長吉能之。此長吉所以自成一家與？

評漢史

子房妙處，在遺項王書，又并遺以齊梁反書。使羽事齊而不事漢，真得緩急之上策矣。以泗上亭長視四萬斤金如糞土，委之一夫，而不疑其志氣，直吞羽百倍。

「安得猛士兮守四方？」古人以為霸心之存，非也。自韓信死，彭越死，黥布反，同時諸將皆盡於是，四顧寂寥，有傷心者已。語雖壯，而意悲，自是亦遂病矣。或者其有悔心之萌乎？（以上豫章叢書本《須溪集》卷六　以上羅超校點）

全元文卷二八一

金履祥　一

金履祥（一二三二——一三〇三），字吉父，號仁山先生，婺州蘭溪（今浙江金華）人。其先本姓劉氏，後避吳越錢武肅王嫌名，改姓金氏。從曾祖金景文嘗以孝行聞於朝，得旌其鄉曰「純孝」。金履祥少從父兄讀書，及壯，愛濂、洛之學，師事同郡王柏，從登朱熹再傳弟子何基之門。時宋、蒙襄樊戰事日急，金履祥因進以海師重兵直擣燕薊，迫蒙軍圍襄樊之師不攻自解之牽制擣虚一策。不用。宋德祐初，以迪功郎、史館編校召起，辭不就。迄其終，隱居金華山中，時或訓育後學。元大德中卒，至正中賜謚「文安」（據《元史》卷一八九本傳）。著作有《仁山金先生文集》四卷、《通鑑前編》二十卷、《大學章句疏義》二卷、《論語孟子集注考證》十七卷、《書表注》四卷（《元史》卷一八九本傳），皆存。本書所收金履祥文，以清雍正三年金弘勳校輯、春暉堂刻本為底本，校以清文淵閣《四庫全書》本（簡稱文淵閣四庫本）。集外共輯得佚文二篇。

廣箕子操

炎方之將，大地之洋波湯湯。翠華重省，方獨立回天天無光。此志未就，死矣死南荒。不作田橫，橫來者王；不學幼安，歸死其鄉。欲作孔明，無地空翱翔。惟餘箕子仁賢之意，留蒼茫穹壤，無窮此恨長。千世萬世，聞者徒悲傷。

和蘇金華歸去來辭以送之

歸去來兮，先生庸何歸？豈陋邦之難仕，緊當路之無知？抑直道之難行，伊民命之蕭斯？既歸興之方浩，寧挽留之非癡？薄宦情於清光，審去就於先時。覽盈虛其如彼，嘆奔走以奚為？歸去來兮，車班班而將駕，旆悠悠以先驅。轅欲東而或挽，輪將發而或支。謂單父之為政，寧有民之忍欺。障貪殘之橫决，非夫子其為誰！彼稚饑之未恩，此鼓琴之已希。胡為乎，忘百里之命，翔千仞之輝？嗟夫！君之去此，是吾民之數奇！將焦熬之益熱，見百里之罄垂。吏婞婞以齋怨，民盼盼而觀頤。歸去來兮，先生毋庸歸。聖賢無必不為之意，而天下未嘗無不可為之幾。觀廉直之得民如此，則公道之未泯奚疑！胡不舒南溟之雲翼，活東海之波魚。移松菊之清歡，為黔黎之愉怡。其毋以蘭芝為糧，毋以

許瓢為戹。毋與猿鶴為伍，而與斯人為辭。不然，五柳先生幾于閉關，毋遺王河汾之笑嗤。（以上《仁山文集》卷二）

送三蘇君序

愚翁先生温蘇公來官金華，其三秀從焉。長曰太古，仲曰佩韋，季曰會心，皆所以號也。餘一再期，愚翁先生賦「歸來」之歌，解印綬而去。三子者從之東歸。古語曰：「富貴者送人以財，君子送人以言。」愚非君子，而三君子雅相好也，不可無言以別。其為詩歌乎？子貢曰：「賜聞詩歌，各有宜也。」然則愚於三君子，宜何歌也？而古之音希矣。傳於世者，惟康衢之詩。唐士大夫以為古詩也，寥寥乎不可作已。商、周之詩，毛氏識之，其亦古矣乎。故愚於太古歸也，為之歌古。佩韋，西門子之事也。西門子，魏之賢人也。初，由魏而晉，其詩列於《國風》。《雅》亡而《春秋》作，歷春秋之世，《風》未亡也。自晉而魏，至文侯之世，《風》幾於亡，而古樂猶存。則魏之《風》，其猶未泯與？故吾於佩韋之歸也，為之歌魏。會心，晉語也。晉之詩自建安以來皆五言之體也，雅尚清虛，風流自賞。是其晉風也歟？而不可以為勸。故吾於會心之歸也，為之歌晉。古詩曰：古道之直，斯今斯曲。斯有君子兮，曰予復斯。古風之淳，斯今斯漓，斯有君子兮，曰予維斯。古書之簡，斯今斯煩，斯有君子兮，曰予還斯。曰夏曰虞，又曰古初。曰唐曰黄，又曰洪荒。是尚友之人兮，是能古吾之今兮。適子之館，摻執子之耕兮，曰毋以吾古道東征兮。四章、三章四句，一章九句。魏詩曰：璆璆佩韋，可以知仁。鏘鏘瑀玟，可以知文。瑀也為矩，衡也為平。有玦斯牉，可以知分。有劒斯直，可以思貞。紘取其直，蘭取其馨。宛宛之韋，亦以繼佩。為柔為緩，匪急之悔。垂之結之，君子服之。君子提提，毋然韋脂。敢以為告，匪以為譏。四章、二章六句，一章四句，一章六句。晉詩曰：日暮脂名車，明發邁長道。朝且出東門，落景憩郊藪。行行歸東嘉，采采斑衣好。東嘉勝遊多，晉代人物眇。中有會心人，爽氣今所少。人心自虛明，萬理減中湊。窮達有會通，一本萬殊囿。風流非所高，塵想祇自垢。長歌臨回飈，采菲忘予陋。咸淳改紀，秋七月幾望，契家生桐陽金履祥謹序。

紫巖于先生詩集序

金華東州佳山，蓋南條朝源山也，而靈洞，又金華垂盡處。韓昌黎謂，凡清淑之氣盛而不過者，則蜿蜒扶輿，磅礴鬱積，必有魁奇才德之民生其間。夫南條自泯山之陽至于衡山，而衡之南又自連延東趨者為括蒼。由衢嶺歷大庾，至昭武而北趨，為漁梁嶺。又自漁梁以北趨者為括蒼。由衢、婺望之，南山也。自括嶺轉而北趨，捲東陽江諸源，又轉而西峙，是為金華之山。陰陽者流所謂朝源顧祖者。清淑之氣，鍾為三洞。古今多賢，輩出於其陽。其山西界瀫江而止。將止未止之間，而為洞者又三焉，所謂靈洞是也。靈洞之右，壦瓏清瑩，深不可測。山榮而林秀，石竇雲根之奇不可勝數，清淑之氣可掬也。是為神仙之宅，名勝之區，高人多好遊焉。乃若瑰奇之民，數千百年以來未聞。其間豈皆隱君子，世不得而聞耶？或謂：生才不於山之中，而於山之外。其信然耶？不然，何久祕而不發也？近三十年來，始訪得之，則于君介翁父子、祖孫家焉。而介翁又以其魁岸奇偉之氣，發為清麗温雅之詩，豈非昌黎公所謂魁奇者耶？而今吾見之也。然鬱之久，其發之必宏。介翁之詩，固非止此。抑其所以洩山川之藏者，又必有大於詩者矣！介翁其益勉之。

通鑑前編序　宋景定五年

朱子曰：古史之體，可見者《書》、《春秋》而已。《春秋》編年通紀，以見事之先後。《書》，則每事別紀，以見事之始末。意者，當時史官既以編年紀事，至於大事，則又採合而別記之。若二典所記，上下百有餘年，而《武成》、《金滕》諸篇或更數月，或歷數年，其間豈無異事？蓋必已具於編年之史，而今不復見矣。履祥按，《竹書紀年》載三代以來事跡，然詭誕不經，今亦不可盡見。《史記·年表》起周共和庚申之歲，以上則無記焉。胡氏《皇王大紀》亦紀甲辰以下之年。廣漢張氏因《經世》之年，頗附以事。以來，起甲辰，為編年曆。邵子《皇極經世》獨紀堯顧胡過於詳，而張失之簡。今本之以子、史傳記，附之以經，翼之以諸家之論，且考其繫年之故，解其辭事，辨其疑誤，如東萊呂氏《大事記》，而不敢盡倣其例。起帝堯元載，至周威烈王二十三年，接於

《資治通鑑》，名曰《通鑑前編》。昔司馬公編輯《通鑑》，先為《長編》。蓋《長編》不嫌於詳，而《通鑑》則取其要也。後之君子或有取於斯焉。要删之以為《通鑑前紀》，是亦區區之所望也。景定甲子丁丑朔，蘭谿金履祥序。

通鑑前編後序

右《通鑑前編》，起帝堯元載甲辰，止威烈王二十三年戊辰，凡一千九百五十五年，通為十八卷。二帝、三王之事，麤見首尾，大抵出於《尚書》諸經者為可考信；其出於子、史雜書者不失之誕妄，則失之淺陋。蓋其智不足以知聖人，而流俗傳聞，其高者既以絶世拔出，而大道必絶出於事物常情之表，故其説失之誕妄；其下者則又以世俗之腹量聖人之心，故其説又失之淺陋。惟以《尚書》之僅存者，于今為帝王全書。劉道原《外紀》之作，《尚書》不入。雖曰尊經避聖，然帝王之事，舍《尚書》，則諸家真稗官小説之流耳。今不敢從《外紀》之例，而從胡氏《大紀》之例焉。顧《尚書》一經，諸儒解者雖已精詳，但似未嘗潛泳反覆，以推篇章之全意，而句解字釋，意或不屬。履祥因為之註釋章旨。隨意所到，雖不能詳，然聖經之篇章與聖人之體用，似或得之。至於子、史雜書之不棄者，則以古今共傳，不可盡廢。帝王世遠，談者日希。禮失求諸野，此猶不愈於野乎？故存其近似，削其誕淺，或加之辨釋焉。但惟此編本名《表年》，惟當於書史上闌之外表著其年，而附證於章後爾。既編年表，例須表題。或嫌於

《春秋》綱目之例。然所用者既《史記·年表》之法，而所表題，又《書經》本語之文，雖間或增損，君子鑑其非僭，可也。周平王以後，《春秋》自有全書。但左氏收拾國史以翼經，事於隱公之篇多誤，莊公之篇多缺。其間亦多有所遺，如楚、隋所以爭，起於請爵；管仲所以霸，本於内政，皆略不書。甚而孔子出處、述作亦俱不書焉，以其書主於解經，而其事或具於外傳、諸史。《秦誓》之作，在於封殽尸之後，《傳》既不及，而《書》序又謬。其時，衛輒父子爭國，夫子自楚反陳，久之至衛，明年即反魯，而記者多謂夫子久於在衛。履祥所編，欲止平王，而諸若此類，不可不辨。獲麟以後，事多亡逸。欲備古今以接《通鑑》，則於《春秋》所不能避，亦不敢盡入也。《春秋》一書，固聖人晚年哀痛之意，然孔子周遊無位，典册不備，未必盡得周史。因見宗魯一國之策多違舊章，就加筆削，以示大法。其餘多因舊史，不盡改也。則其歲月、名號改以從周，未必謬聖人之意。况又自有《皇極經世》之例，遂併論次，以接《通鑑》焉。嗚呼！荀悦《申鑑》之書志在獻替，而遭值建安之季；王仲淹續經之作，疾病，而聞江都之變，泫然流涕曰：「生民厭亂久矣！天其或者將啟堯舜之運。而吾不與焉，則命也！」履祥末學，非二公比，而其生不辰，罹此百憂。其所以拳拳綴輯者，特不為憂悴廢業耳。覆醬瓿，固可知也。劉道原《外紀後序》傷於廢疾。愚嘗三復其辭而深悲之。孰知吾之所悲，又有大於道原者耶？幸而天運循環，無往不復。聖賢有作，必有復興三代唐虞之治於千載之下者。區區此編之所望也。上章執徐之歲，冬至之日，金履祥後序。

尚書表注序

《書》者，二帝、三王、聖賢、君臣之心所以運量、警省、通變、敷政、施命之文也。君子於此，考迹以觀其用，察言以求其心，以誠諸身，以措諸其事。大之用天下、國家，小之為天下、國家用。顧不幸，不得見帝王之全書；幸而僅存者，又不幸有差誤、異同、附會、破碎之失。考論不精，則失其事迹之實；字辭不辨，則失其所以言之意。此《書》所以未易讀也。蓋自周衰而帝王之典籍不存，學校之教習俱廢。夫子觀周，歷聘諸國，歸而定《書》焉，以詔後世。不幸而燼於秦，灰於楚，鉗於斯，何偶語、挾書之律。久之，而伏生之耄言僅傳，孔氏之壁藏復露。伏生者，漢謂今文。孔壁者，漢謂古文。顧伏生齊語易訛，而安國討論未盡。夫壁中不惟有古文諸篇，計必兼有今文諸篇。安國雖以伏生之書考古文，不能以古文之書訂今文，是以古文多平易，今文多艱澀。今文雖立學官，而大小夏侯、歐陽，文各不同。不幸古文竟漢世不列學官。後漢劉陶獨推今文三家，與古文異同，是正文字七百餘字，號曰中文《尚書》，不幸而不傳於世。至東晉，而古文孔傳始出，至蕭齊始備，至蕭梁始行北方，至唐貞觀，悉屏諸家，獨立孔傳，且命孔穎達諸儒為之疏。夫古文比今文固多且正，但其出最後，經師私相傳授最久，其間豈無傳述附會？所以《大序》大體不類西京，而謂出安國；《小序》事意多謬經文，而上誣孔子。前漢傳授師說，不為訓解。後漢始為訓解，而謂訓、傳盡出安國之手。唐儒曲暢注說，無所辨正。至開元間，則一用今世文字改易古文。至後唐長興間，則命國子監板行五經，而孟蜀又勒諸石。後之學者守漢儒之專門、開元之俗字、長興之板本，果以為一字不可刊之典乎？幸而天開斯文，周、程、張、朱子相望繼作，雖訓、傳未備，而義理大明，聖賢之心傳可窺，帝王之作用易見。朱子傳註諸經略備，獨《書》未及。嘗別出《小序》，辨正疑誤，指其要領，以授蔡氏，而為《集傳》。諸説至此，有所折衷矣。但書成於朱子既歿之後，門人語録未萃之前爾。履祥緬閲諸家之説，章解句釋，蓋亦有年。一日，擺脱衆説，獨抱遺經，復讀玩味，則見其節次明整，脈絡貫通，中間枝葉與夫訛謬一一易見。因推本父師之意，正句畫段，提其章旨與夫義理之微，事為之概考，證字文之誤，表諸四闌之外，以授子姪間，以示朋從之士。雖為疎略，然苟得其綱要，無所疑碍，則其精詳之藴，固在夫自得之者何如耳。好古博雅之君子若或見之，赦其僭，補其缺，辨其疑，則亦此書之幸也。所願竊有請焉。浙河後學金履祥吉父序。（以上《仁山文集》卷三）

題釣臺詩序

咸淳乙丑之春，買舟東下，過富陽之東。嚴先生之祠在焉。因書其壁曰：「西望先生舊釣臺，無窮山色鎖崔嵬。閒歸故國耕春雨，遂起頽風生暮雷。萬事盡隨江水去，千年寧幾客星來。北山今有何夫子，不入經筵亦草萊。」是歲之夏，復如京師。艤舟江干，祗謁祠下，登兩臺之巔，因念往來北山、魯齋二先生之門，講明嚴夫子之心事蓋審。魯齋先生嘗曰：「子陵懷仁輔義之言，深得聖賢之旨，而世之知先生者殊淺也。」因系以詩。

洞山十詠詩序

金華為東南佳山，而洞山最其奇勝。清賞之士固嘗憩椒庭，航雙龍，探氷壺，窺朝真，而此山之勝所遺尚多也。思誠子張君少遊金華，攬奇選勝，晚好逾極。丁丑戊寅之間，避地是山，有桃源之心焉。朝夕遊處其中，始盡其美。嘗謂洞山之勝有十景焉，暇日邀余，相與觀之。大抵金華一山，其最高處岡巒繚繞，四高而中下，有似仰盆，故舊名金盆。金盆諸峰平挹澀爽，而正南一岫差為最高；又衆岡皆土，此獨戴石。其絶頂上平，又數大石浮着其北，如自天而下也。思誠子名之曰「高石巖」。自高石巖而下，兩山夾澗以趨，其東支即為洞山。南高處朝真洞，中氷壺洞，下雙龍洞。三洞嵬奇，不在論述。洞前椒庭，清勝之士多謂築堤止水，即與靈隱飛來峰冷泉亭無異。思誠子以為信。高石巖既為中正之峰，則其下兩支之間澗水當為金華中澗。中澗發源巖下數百尺，初始沮洳，隱見竹石間，涓涓漸成流，合諸源泉始大。忽石巖叠叠水中，下懸數丈，飛湍濺沫，瀧瀧震厲，名之曰「小龍門」。又下行石間，或平或瀉，約凡五節，殊可觀，名之曰「五叠泉」。自此，澗旁無路，山路横出，通朝真之前。自横路中下，又得中澗之濱。石巖崎嶔，可庇十人。石際有古梅，老幹嫩條。澗水濺濺遶其旁，名之曰「老梅巖」。自梅巖南出，其西支横出，一峰突臨中澗之上。山西小澗合流其南，則此山為中澗之中峰無疑也，故名曰「中峰」。思誠子將結精舍焉，而未逮也。思誠子於朱門為嫡孫行。端平、淳祐，文獻靈光。值亂處約，布衣蔬食，薪水或不繼。人不堪其憂，處之裕如。至或靳之，不以為浼，於時不屑。冰雪孤松，端操凛凛。其于此山，表微擇勝，諸所品題，終為山中故事。不鄙，謂予各課一絶。自惟鄙拙，未必能為此山輕重，而思誠子之命不容辭也。勉綴左方，思誠子其幸教之。（以上《仁山文集》卷二）

書浮圖可立簷蔔齋記後

簷蔔，夷花也。釋氏書有取焉。予少也魯，不能讀釋氏書，以為縱其有同，吾道自足，况其不同，大儒、君子且辭而闢之，比之淫聲、美色，不敢覯也。簷蔔之説，予蓋懵焉。佛者翠竹黄花之語，先生、夫子亦亟稱之。因喻物理，彼亦各有得也。雪庵立上人以簷蔔名齋，自為之記，予舊友何君師文為跋其後。暇日，何公權帰弟舉以示予。讀之，爽然。且請予書其左。立上人，我之自出。逃儒歸釋，使我親黨間俊遊為少，予蓋屢歎之，故不辭而為之書。景定甲子良月望日，次農金履祥吉父。

魯齋先生文集目後題

右魯齋先生《王文憲公文集》，今所編次，其第録如上。初，公之大父焕章公與朱、張、吕三先生為友。父仙都公早從麗澤，又以通家子登滄州之門。公天資超卓，未及接聞淵源之論而早孤。年長以壯，謂科舉之學不足為也，而更為文章偶儷之文。又以偶儷之文不足為也，而從學於古文、詩律之學。工力所到，隨習輒精。今存於《長嘯醉語》者，蓋存而未盡去也。公意不謂然，因閲家書而得師友淵源之緒。問從㧑堂先生劉公、舡山先生楊公、克齋先生陳公，考問朱門傳授之端，而於楊公得聞北山何子恭父之名。於是，尋訪盤溪之上，盡棄所學而學焉。黜浮就實，攻堅鉤深，間因述所考編，以求訂證，謂之《就正編》。迨至端平甲午，學成德進，粹然一出於正。自是以來，一年一集，以自考其所進之淺深、所論之精麤。自甲午至癸卯凡五卷，謂之《甲午稿》，其後類述倣此。《甲辰稿》二十五卷、《甲寅稿》二十五卷、《甲子稿》二十五卷。其雜著成編者，《論語衍義》七卷、《涵古圖書》一卷、《研幾圖》一卷、《詩辯説》二卷、《書疑》九卷、《涵古易説》一卷、《大象衍義》一卷、《太極衍義》一卷。其餘編集，不在此數也。其程課、交際、出處事為著述，前後則見於日記。履祥又嘗集公與北山先生來往問答之詞，為《私淑編》。咸淳甲戌七月九日公歿，書藏於家，後又分藏他所。丙子以後，散失幾亡。某切獨惟念自淳祐乙酉得侍函丈，自是以來，無日不陪書册、几杖之右。凡有詩歌，間得次和，及有論著，首得披觀，故於諸書，具得本末。一時多事，不料散逸。比年以來，收訪哀録，未之多得。迨己丑、庚寅之間，天相斯文，募得諸稿之全。其他著述，雖間逸亡而未盡喪也。於是，與同門之士相與紬繹諸稿，各以類聚。其他雜著，卷帙少者，用《朱子大全集》例，亦各附入《就正編》、《大象衍義》。北山先生亦俱有答語，與履祥所集《私淑編》，當依《延平師友問答》之例，別為一書。但《大象》，乃公所拈出，謂為夫子一經，故其衍義亦自入集。講義雖嘗刊於天台而未盡，間亦有再講者，今皆入集。古者，有圖、有書。自《易大傳》以後，書存而圖亡。公嘗因《先天圖》之出與《太極圖》之作，謂圖學中興，故公建圖亦多，今亦立門編入云。

書鄭北山帖後代魯齋先生作

故資政北山鄭公，其言議在文集，其行事之偉在史傳。鄉里耆俊多能誦其遺文，而吾氏與公家復有世睦，以故所聞為尤多。今又得見公之遺帖於其元孫某，皆與其親故之書也。人之稱公者大抵多其勳業，而某竊嘗獨謂：公之勳業，百未一試。今讀公之帖，見其辭氣間無一毫自慊者而尤信也。何者？天下大勢，惟關中可以舉山東，其次，則蜀漢可以入關中也。自關中而舉山東，周、秦、漢、唐咸以之；自蜀漢入關中，漢王之收巴蜀、定三秦，正用此也。方虜之歸我關河也，朝廷以樓公炤撫京陝，由潼關入咸渭。人有勸其守要害、據形便者，謂虜覺，且復取矣。時公為其屬，聞之擊節，亟請於朝，重為保關陝之計。此恢復之第一籌也。公言不用，而其事卒驗。及公之使四川也，時權奸又決計忘讐，割地辱國，而公獨爭險隘，肅號令，營關外之田以計軍實，使一旦得便而出關陝也，如探囊耳。此恢復之第二籌也。權奸忌之，罷公於蜀，尋以罪去，失此二籌，遺憾大矣！而顧區區以保蜀為功，至前時入關保陝之計，又無能道之者，獨子朱子嘗稱嘆之。今讀公帖，亦復有田渭濱、省水運之事，因有感焉，之所以書者。嗚呼！咸淳丁卯二月初吉書。

而書其後如此。北望中州，如隔宇宙，而巖巖坤維，亦為虚矣。後之君子必有嘆公之功不遂，而悲予

書包氏家訓後

包，吾鄉之望族，於吾宗八行公以來世姻連，故予知之審。其先，睦人也。然少時見唐《登科記》，睦之包，一。後見《新定志》，自皇祐以來，包之登進士者再。紹興後，婺之蘭谿登科者，包又三人，即清塘包氏也。鄉人嘗曰：「包族詩禮相承，簪纓累世，宗支蕃衍，非孝肅公之裔乎？」余曰：不然。孝肅，廬人所謂「闕下包」是也。初，孝肅有庶子，棄不收養，至為人牧豎。已而嫡子死，無子。其婦守節不嫁。朝廷表其門閭，世遂為闕下包云。孝肅苦無後節，為訪其庶，請收之。於是，闕下之包僅不絶。夫父子相棄，天性之傷。孝肅之賢有此，亦修身齊家者所當戒也。永叔叙其祖之所自出，而曰由睦徙婺。及族之登科者，遂安公凡三著名，可謂不誣矣。然吾聞叔孫穆有言[一]：保姓受氏，世不乏祀，此謂世禄，不可謂不朽。而所謂不朽者，則曰太上立德，其次立功，又其次立言耳。包有前輩長者子謙父，與吾族祖昇卿公嘗遊吕成公之門，而子謙執經良久，其所到尤遠。今觀永叔自著《治家要略》及《三省齋記》、《患難横逆解》，辭氣典雅，皆足以訓其後，故總名之曰《包氏家訓》，因知子謙父家學淵源所致，抑亦古之所謂立言者也，豈他日但為一家之訓哉！永叔老而不衰，善行益著，而子姓群從尤

多才，尚勉振其家也哉！

［一］然吾聞叔孫穆有言：文淵閣四庫本「穆」下有「子」字。

潘默成三戒文磨鏡帖後

《孟子》有言：「聞伯夷之風者，頑夫廉，懦夫有立志。」吾於默成潘公之風，亦重有感於斯焉。蓋公之志節，剛毅凜不可犯。其著於言語、文墨者，真若斷金漱石。以履祥之昏老頑鈍，每一讀之，輒一奮勵，猶有平日不自揣量之心，況方來有志之士且什伯於我者，其感慨激烈當何如也？世多言，托於金石者可以不朽。公之《三戒文磨鏡帖》刊於東陽道院，於永嘉，於八桂，於義陵，蓋非一處，亦非止一二帖。而東陽道院者，已毀漫不復存，其碑存厄，蓋可知也。而公之風久而益振，賴有國史、文集與朱子序文，千載不磨，則有非碑之所能盡者。公之來孫子東陽叔哀集家藏諸碑墨本，整褫成集，以示當世。名流見者，心肅髮上指。使君子之澤再新於五世之後，則其遺風之興起，可期於百世之餘也。嗚呼，肆哉！（以上《仁山文集》卷四）

孟子集注考證跋

古書之有註者必有疏。《論孟考證》即集註之疏也，以有纂疏，故不名疏。而文義之詳明者，亦不敢贅，但用陸氏《經典釋文》之例，表其疑難者疏之。文公集註，多因門人之問更定。其問所不及者，亦或未修。而事跡名數，文公亦以無甚緊要，略之。今皆為之修補。或疑此書不無微牾者，既是再考，豈能免此？但自我言之則為忠臣，自他人言之則為讒賊爾，此履祥將死真切之言，二三子其詳之。浙河後學金履祥吉父，敬書于仁山堂病舍。（率祖堂叢書《孟子集注考證》卷七）

為師弔服加麻議

謹按，為師服者，弔服加麻，心喪三年，古也。古，則不可以世俗之服為服。布襴之服，俗服也。今之服緦功以上者皆用之。生絹鈎領之衫，俗服也，今之服緦麻者亦用之。用今緦麻之服，是不得全其喪父無服之重也。疑衰，古士之弔服也，其制今亡矣。白布深衣，古庶人之弔服也，其制今猶有存。古之士，今之官也。今之士，其未仕者，古之庶人也，故宜用古庶人之服，而以深衣為弔服。昔者，朱子之喪，門人用緦麻，深衣而布緣矣。今之深衣，紵而非麻。如之何？曰：凡布皆麻也。古以三十升麻為麻冕之布，以十五升麻為深衣之布，故孔子以麻冕可從純。而深衣之麻今無之，自司馬公、子朱子皆云用極細布為之，則今深衣之布，以苧代麻久矣。其緣，則《禮》：孤子純以素，是喪父、既除服之服也。孔門喪夫子者，若喪父而無服，則以喪父除服之服，為若喪父無服之服。是純以素，可也。其冠，則庶人之弔，素委貌。今失其制，以帛代之，可也。帛，則何以加絰？曰：士冠，其吉，玄冠也，色玄，五梁，左掩右。其非吉，則素冠也，色白，三梁，而右掩左。今用素冠，加絰于內，而生絹、單帛加于外，可也。加絰于冠，古也，而外用帛則又俗。如之何？曰：用古之禮，而不駭今之俗，亦以代幅巾云爾。加麻之絰，緦服之絰也。緦服之絰，絰之小者也。今用緦麻而小之，可也。加麻之帶，緦服之帶也。緦服之帶，亦布之細者也。今用細苧，可也。然則用深衣則何屨？曰：古有弔服而無弔屨。深衣、方屨，古也。然古之方屨非獨為深衣也，凡屨皆方也。今之屨，凡屨皆員也。今之君子，其服深衣員屨[一]，從其俗者多矣。方屨可也，從俗屨，亦可也。履祥謹議。

是時咸淳戊辰十有二月十有九日，子何子卒。魯齋先生曰：「北山先生，當世之巨人也，四方之觀瞻係焉。今制，門人之服而非古，則無以示四方矣。布襴，今之緦服。涼衫，前輩之燕服。是皆不可，子其思之。」且問伯誠。時履祥匆匆奔赴，皆不暇帶書以往。于是就子何子之齋假禮書焉。一時哀戚，不暇詳考，亦不敢久出何子之遺書，亟納之，而往伯誠子之家問焉。伯誠子相見慟哭，而其說則不以為然，曰：「北山之生，不為絶俗之事，而吾輩之服殊詭于俗，非北山之意也。為吾輩者，以學問躬行自勉，有以發明北山之學，可矣，不必為是服也。生絹白衫加布帶，而帛如常，庶可表此心而亦不甚駭于俗。且今為古服，魯齋服之，可也，今朋友之中有義利不明、出處失節者，見吾輩之服亦服之，則反玷北山矣。」履祥念無以復明于魯齋先生，故一時草此議以復命，無可考訂，亦不暇考也。既而汪功父以書來，謂魯齋先生定議：玄冠端武加帛，深衣布帶加葛絰。履祥謂：「玄冠不以弔，雖加絹武而乃無首絰。不若素冠而加絰。布帶則不必絰，可也。」而魯齋先生約日成服，不受是説。既成服，履祥請問焉。曰：「素委貌者，委貌之注以為：委，武也。則是素武也。士弔服，疑衰，即深衣也。疑衰者，擬于衰也。緦麻之布十有四升，而深衣之布十五升。是十四升為緦麻，而深衣之布擬之也。深衣素純則為長衣，麻純則為麻衣，《詩》所謂【麻衣如雪】者也。二者皆非深衣也，故今不從其純素[二]，蓋已有考。伯誠不俱來成服，是恥與吾人黨乎？」履祥曰：「伯誠非恥與先生為黨，恥與履祥輩朋友為黨耳。」且伯誠丈之説存之，以為朋友之糾彈，可也。

[一]深衣員𧝓：員，原闕。據文淵閣四庫本補。　[二]今不從其純素：素，原作「柏」，據文淵閣四庫本改。

文廟祭議

景定之禮，以顏、曾、思、孟為四侑。萬世公論，於斯為允。然前次議者猶以顏、路、曾晳、伯魚竝在下列為未安，則如之何？則亦復古之制而已。古者，寢廟之制，前為堂而後為室。宗廟之祭，先室事而後堂事，而庠序之禮，先獻酬而後燕禮。今二丁之祭，宜先用饗禮，牲帛旅陳饗先聖。而南面于堂，以顔、曾、思、孟侑。既用燕禮，籩豆、簠簋奠先聖，而東西于室，以顔、路、曾晳而下七十子左右祫食，如昭穆之儀焉。斯為得之。其餘從者，雖東、西夾室，可也。

復其見天地之心

程子曰：「先儒皆以静為見天地之心，不知動之端乃天地之心也。非知道者，孰能識之？」天地之化，包括無外，運行無窮。萬類散殊，品物形著。聖人作《易》，所以體天地之撰，而夫子贊《易》，獨於《復》之一卦係之曰：「復，其見天地之心。」夫以卦而論，則卦之六十有四、爻之三百八十有奇，皆天地之心所寓也。以時而論，則春生夏長，萬寶秋成。形形色色、生生性性，皆天地之心所為也，而聖人謂天地之心獨于復有見焉。蓋六十四卦固天地之用，不難見也，惟復乃見天地之心。春敷夏長、萬物生成皆天地之迹，不難見也，惟復乃見天地之心。夫所謂天地之心者，何也？仁也。生生之初也。語其象，則《復卦》一爻是也。夫當窮冬之時，五陰在上，天地閉塞。寒氣用事，風霜嚴凝，雨雪交作，萬物肅殺之極。天地之間若已殆無生息，而一陽之仁乃已潛回于地中。吁！此天地生生之所以為化生萬物之初乎？異時，生氣磅礴，品物流行，皆從此中出。故程子謂一陽復于下，乃天地生物之心也。

蓋其仁意渾然，而萬化之全美已具。生氣闖然，而一毫之形迹未呈。此其所以為天地之心，而造化之端、生物之始也歟？故邵子《冬至吟》有曰：「一陽初動處，萬物未生時。元酒味方淡，太音聲正希。」夫淡者，味之本，為醪為醴，皆從此生。希者，聲之真，翕如純如，皆從此變。而又終之曰：「此言如不信，更請問庖犧。」愚謂此一爻象天地之心，乃庖犧畫卦之始。今人但見六十四卦更互交錯，却不知孔子獨于復之一陽贊之曰：天地之心何也？此一陽爻正是伏羲畫卦之始也。周子見此意，本于《先天》一圖，所謂天根者也。蓋有生生之心，是以有天地生生之用。伏羲畫卦，先從天地之心畫起，故先畫一陽爻。以其相生，于是而有偶，又乘之而為四象，又乘之而為八卦，又乘之而為六十四卦，皆一畫之生，而此心之用也。此一道理，直看，則此一陽、六十四卦之始。是為天地生生之心，《太極圖説》見之。橫看，則卦氣剥為純坤，天地生物，若已盡矣，而一陽又復。是為天地不窮之心，《先天圖》見之。程子又曰：「先儒皆以静為見天地之心，蓋不知動之端乃天地之心也。非知道者，孰能識之？」夫《復卦》，一陽在下，便是動之端。先儒如王弼輩，乃解為動在于地，是為静，見天地之心。蓋看卦象不明，所以看道理不出，大抵纔説静時便是死煞。是固亦天地之迹，如何見天地之心？惟于極静之中，而乃有動之端焉。是乃天地之心也。然以理而論，則静不足以見天地之心，而動之端乃見天地之心。以人心而論，則動不能見天地之心，而静可以見天地之心。何則？人之所以失其良心，迷此仁性，而終不能見天地之心者，蓋其欲動情勝，而常失之於動也。夫物之感人無窮，人之好惡無節。此心所存，逐物而動，則飛揚升降，幻貿驅馳，安能體認義理，充養仁心？其于天地之心，惘然莫知也。故學者亦須收視反聽，澄心定慮，然後可以玩索天理，省察初心，而有以見天地之心。所以《復》之象曰：先王以至日閉關，商旅不行。後不省，方記仲冬之月。亦曰：君子齋戒處必掩身，去聲色、禁嗜慾、安形性。凡此，無非説静之工夫。雖曰古人如此，凡以養此陽氣之微。然古人所以見得道理分明，保得仁心全固，亦是以此工夫得之。故静之工夫，古人以此養陽氣之微，學者當以此觀義理之妙，則天地之心豈不躍然而可見哉？故嘗謂：有天道之復，有吾心之復。天道之復，前所説是也。吾心之復，則凡善念之動是也。蓋四端之心，無時不發，而就中惻隱之心最先且最多。此正天地之心在吾心者。大抵人雖日營營于人欲之中，孰無一線天理之萌？此即吾心之復也。人自不察，亦自不充耳。所以不察、不充，正由汨于動而不能静之故。學者須是於此下耐静工夫，察此一念天理之復，充此所復天理之正，而敬以持之，學以廣之，力行以踐之。古人求仁之功，蓋得諸此。然則茂對天時之復，以反求吾心之復，惟諸君勉之。是知復者，特此心之初耳。既復之後無以長養之，則復失矣。朱子所謂復而不固，則屢失屢復者也。自天地之有此復也，日長日盛。進而為臨，又進而為泰，又進而為大壯，又進而為夬，又進而為純乾矣。人心之有是復也，亦必日增日長，進而為臨之大，為泰之通，又進而為大壯之動，以天夬之剛决、乾之不息而與天合德焉。此又復之之後工夫也。又况凡事莫不有復。如學宫既廢而新，則為學校之復；綱常既晦而明，則為世道之復；國家既危而安，則為國勢之復。賢卿帥出鎮大邦，作興學校，崇建明倫之堂，此學校之復也。綱常既廢而復明，國勢阽危而復振，在諸君子，必有得于復之義，而充復之功用者，幸不廢焉。（以上《仁山文集》卷二）

全元文卷二八二

金履祥 二

孟子性命章講義

「性也」之「性」，是氣質之性。「有性焉」之「性」，是天地之性。此固不待言。惟二命字難分。有命焉之命一節，是氣之理。命也之命一節，是理之氣。何以謂氣之理？是就氣上説，而理亦在於其中，為之品節限制。何以謂理之氣？是就理上説，而氣却在於其中，有清濁厚薄之不同。蓋理、氣未始相離。天以陰陽五行化生萬物，氣以成形，而理亦賦焉，猶命令也。然理則一，而氣則有清濁、厚薄之不同。所以在人，便有智愚、賢否、貴賤、貧富之異。而理固無一而不在焉。此皆所謂命也。但命也之命，自其清濁、厚薄者言之，則全屬氣；有命焉之命，自其貧賤、富貴之分限言之，則便屬理。命也之命在前，有命焉之命在後。然方其清濁、厚薄，便自有貧富、貴賤。纔有貧富、貴賤，便自有上、下品節，所以總謂之命。但其上一截清濁、厚薄，全屬氣；到貧賤、富貴各有品節，則屬理。此兩命字所以同、所以異者如此。仁義五者，非命也；到得所值不同，則命也。故程子、朱子當初於此五者之命，見其說不去，却把命也推上去，說清濁、厚薄，所值不同，以補其語意。此說盡之矣。五者之命，程子清濁、厚薄之說盡之。夫清濁、厚薄，氣也。而清濁發於所知，厚薄發於所值。自其清者言之，則仁之於父子也，自至；義之於君臣也，自盡；禮之於賓主也，自節；智能自辨賢否；聖人自能吻合乎天道。自其濁者言之，則於父子，而仁有所窒；於君臣，而義有未充；於賓主，而禮有未合；於賢否，而智有所昏；於天道，固不能如聖人之自然吻合。此命之有清濁也。自其厚者言之，則為父而得其子之孝，為子而得其父之慈；為君而得其臣之忠，為臣而遇其君之敬；賓主之相得；賢否之會避；聖人而得位、得祿、得名、得壽。自其薄者言之，則子孝而有瞽瞍之父，父慈而有朱均之子；君賢而有管、蔡之臣，臣忠而有龍逢、比干之戮；為主而晉侯見弱於齊，為賓而魯君不禮於楚。以言乎智，則晏嬰而不知仲尼。以言乎聖與天道，而孔子不得位。此命之厚薄也。氣化流行，紛綸錯揉，化生人物，隨處不同。或清或濁，或厚或薄，四者相經相緯，相揉相雜，而發於心，驗於身，遇於事，各有不同者。清者生知安行，而濁者則反是；厚者氣數遇合，而薄者則不同。此所以謂之命也。程子發此四字，或問兼存兩說。嘗以是質之何先生矣。先生曰：然。故筆之「目之於色也」以下五句〔一〕，是氣質自然之欲，故斷之曰「性也」。此是順結。「仁之於父子也」以下五句，此是人心自然之理，乃結之曰「命也」。此却反結。何耶？曰：「目之於色」五事，是就人身言；「仁之於父子」五事，是就人事言。就人身言，有是形氣，便有此五者，故曰性。就人事言，則所處、所遇，自是有不同，故曰命。然人以前五者在人身，為性，而求必得之，故

《孟子》指出天分，謂各有限制之不同，故曰「有命焉，君子不謂性」。人以後五者在人事，為命，而不求盡，故《孟子》指出源頭，謂本有義理之不異，故曰「有性焉，君子不謂命」。謂之君子不謂性則知，一謂之性者，世人之言也；謂之君子不謂命，則知一謂之命者，亦世人之言也，故朱子有世人之説。履祥又聞之王先生曰：「《孟子》後斷『命也』一句，是歇後語。」（以上《仁山文集》卷二）

［一］故筆之「目之於色也」以下五句：目之於色也，《孟子・告子上》作「口之於味也」。

答趙知縣百里千乘説

《孟子》言：公侯百里，等制與《周禮》。諸公封疆方五百里，等制不同。按，井田之制，方里為井，方十里為成，方百里為同，方千里為圻。天子一圻，諸侯一同，則所謂封方百里者，特以田計耳。若合山林、川澤、附庸言之，則公侯之國不止于百里也。如周公之封于魯，為方百里也，而泰山在其封內［二］，顓臾亦在邦域之中。若曰總方百里，則泰山之外，土田無幾；顓臾成國，而魯地亦無幾也。故《閟宮》之詩曰：「錫之山川，土田附庸。」然則《周禮》所謂方五百里者，蓋合山川、附庸大約之限言之，而《禮記》所謂魯地方七百里者，則山川、附庸之多，所以厚周公也。夫以井田之制方方整整，而天下地勢高高下下，故山川、林麓雖有餘地而不可以畫井畝、分溝澮者，則以為園地、菜地、牧地、散地耳，但取其地之平闊者井之。是以古者治田，各以地名，如所謂濟西之田、汶陽之田、龜陰之田、戚田、許田。蓋可田之地畫為井、洫，隨其廣狹以為多寡，故各以其地名其田。至于封國，則總其田計之，公、侯，則足一同之數，而伯、子、男，以次降殺焉。此封國之大略也。古者，井田方里而井，方十里者為方一里者百，方百里者為方十里者百。以方十里之百，乘方一里之百，是百里之田，計萬井也。八家同井，則方井者八萬家。包氏曰：方里為井，十井為乘。每乘甲士三人、步卒七十二人，是八十家而出七十五人。每家一人，其餘五家以防疾病、死喪之數。蓋司徒之法，民之可用者，家率二三人，而凡起徒役，則無過家一人，其餘以為羡卒。又每車有餘子二十五人，乃所帶羡卒、子弟、臣妾之類，以備薪芻負爨之役者。夫八十家而出一乘，八萬家而出千乘，此百里之田所以為千乘之國也。或曰：古者，一甸六十四井，凡五百一十二家，始出長轂一乘。魯作丘甲，使十六井、一百二十八家出之，《春秋》譏其重賦。而今曰十井、八十家出一乘，不亦厲乎？曰：不然。古人用民，不盡民力。如大國三軍，每軍萬二千五百人，三軍總三萬七千五百人，僅用夫家之半耳。而古人用軍，亦不盡軍力。故每調兵賦，則六十四井、五百十二家而起七十五人，併餘子二十五人耳。大約三分其軍，而調其一；七分其夫家，而起其一；十二分其民數，而役其一。所以惜民力，亦以備更役也。然則封建之法，《孟子》以里言之，《周禮》合土田、山川、附庸言之也。千乘之制，所謂諸侯千乘者，以地力、夫家言；所謂甸出車一乘，以用兵、征調言之也。秋夜，因朋友異同之問，筆其大槩如此，至于制數之詳，則未暇考云。

[一]而泰山在其封内：在其，原作「其在」，據文淵閣四庫本改。

中國山水總說

天地常形，固相為勾連貫通，然其條理，亦各有脈絡。自崑崙而東北言之，則自積石而北，為湟水、星海、青海，以至浩亹，皆河源也。入匈奴，以東為陰山。又東南，自代北雲朔分而南趨，為北嶽，以至太行。是為河北之脊。壺口、雷首、太嶽、析城、王屋皆其群峰。河之析而南，汾、晉諸水之所以西入河，涿、易、滹、漳、恒、衛之所以東入海也。分而東趨者，行幽燕之北，為五關之險，以至營平，而為碣石。此北絡也。自崑崙以東言之，則自西傾而洮水出其北，入河；桓水出其南，入江。又東為朱圉、鳥鼠諸隴，則為渭之源。自渭源以北，即夾河源而北，以東若岍岐，若荆山諸峰，涇水、漆、沮諸源也。自渭以南，即西傾而下諸峰，亘為終南，屹為太華。東北為殽陝，東南為熊耳、外方、嵩高、伊、涪之源。又南為桐柏、淮源，以達於淮西諸山。此中絡也。又自西傾朱圉而南分，是為嶓冢、漢源。夾漢而趨者，北即終南、華、熊諸隴，南則蜀東諸峰。説者謂蜀東諸山皆嶓冢，正謂其岡岫綿亘耳。又東南言之，是為岷山、江源。夾江而東者，北支即西傾以南、嶓冢以西之脈，為恒水、西漢水，如陵江諸源，其南支即南趨為蒙、蔡諸山、青衣大渡、馬湖江諸源。又東包涪、黔，一盤而北，為三峽。其出者，包絡九江之源。中盤，中為衡山，其再盤而北，為廬阜。其嶺之東出者，又為袁、吉、章、貢、盱、信諸江之源。至分水魚梁，嶺三盤而北趨，過新安，峙天目，盡昇、潤。再盤之間，其水聚洞庭；三盤之間，其水聚為彭蠡。三盤以東，則南為閩、浙，北為震澤。此南絡也。惟泰山，則特起東方，横亘左右，以障中原。此所以為異歟？

次農説

宋共定五年十月

宗周班禄之制，自天子而下凡四等國，自諸侯而下凡六等，其下惟農。農田百畝，「上農夫食九人，上次食八人，中食七人，中次食六人，下食五人」，亦凡五等。百畝均也，而若是差，地有肥磽，力有强弱也。然古者，以周尺為步，步百為畝。今以官尺、五尺為步，二百四十步為畝。古者周尺，當今浙尺七寸四分，今之浙尺，當今官尺一尺一寸三分。絶長補短，則古者百畝當今東田三十三畝有奇也。以今三十三畝有奇之田，一夫耕之，其屋基與其租税之入，古又出之公田，宜其力贍者食九人而無不足，弱者食五人而亦有餘也。予生二千餘載之後，去周室遠矣。學先王之道，將以措諸國家，謂君心可正，公卿、士大夫可齊，民風可一□□可屏也。而非有庠以養之，非有卿、士大夫以興之，群試有司，類非宗周之制。取聖人之經，副字儷語，謂之「程文」。少有振厲，則有司駭之，以為非度。予以是數黜家貧，親老亦甚病焉。知予者以為有志未遇，責予者以為未能忘禄仕也。嗟乎！有志未遇者，時也；而未能忘禄仕，亦勢也。使予得百畝之田而耕之，予亦豈能區區然較得失一夫之目哉？顔子一簞食、一瓢飲，不改其樂，孔子賢之。彼顔子猶有簞食瓢飲，足以事育。安知千載之下，其貧又有甚于顔子者！予也，上無可宫之椽，下無可植之畝，進無代耕之禄，退無歸耕之計也！食人之食則多愧，自食其力則無地。不然，予何求哉？予嘗欲於桐山之下、晏原之間為舍八楹，擬古一畝半之宅；求田三十三畝有奇，擬古百畝之田；注下灌高，擬古遂畝。予負笠而荷蓧，深耕而力耘，畜雞種蔬，上養下教，間歌《七月》之詩、《公劉》之雅。天子清源以厚下，公卿、大夫忘私以為公。使時和年豐，穡事不擾，則予也，固三代之農也，他何求哉？予力貧而體弱，不能為上農之事，庶幾其次；次不能為，庶幾其中；中不能為，為中次，亦可矣，故命之曰「次農」。噫！三代之治不可見，百畝之田未易求，安得遂吾之所求耶？復安得見吾之所不可見者耶？有宋景定甲子十月，次農金履祥吉父記。（以上《仁山文集》卷三）

微子不奔周辨

子王子謂面縛銜璧，必武庚也，後世失其傳也。武王為生民請命，其於紂放廢之而已，必不果加兵其頸也。既而入商，則紂已自焚矣。武庚為紂嫡冢，父死子繼，則國家乃其責，故面縛銜璧，衰絰輿櫬，造軍門以聽罪焉。武王悼紂之自焚，憐武庚之自罪，是以釋其縛，焚其櫬，使奉有殷之祀，示不絶紂也。若微子，則遯于荒野。恩禮舉行悉徧，而未及微子，以遯野未之獲也。迨武庚再叛，卒於就戮，始求微子以代殷後，而微子於此，義始不可辭耳。奔周之説，毋乃謬乎？至于比干、箕子，俱以死諫，偶比干逢紂之怒而殺之，箕子偶不見殺而因之為奴耳。因而為奴，如漢法髡鉗為城旦，舂論為鬼薪是也。而説者又謂箕子之不死，以道未及傳也。夫道在可死，而曰「吾將生以傳道」，則異日揚雄之美新擬《易》，可以自附於箕子之列矣。且箕子豈知它日之必訪己，而顧不死以待之哉！（清光緒刻本《八編類纂》卷二）

越州箴上浙帥王敬巖并引

維元祀，天子以王公守越帥。浙東庶士金履祥，效揚州箴，作越州箴以獻。其辭曰：

源源浙流，東南之紀。自浙而東，首衢甬尾。至于海邦，莫不來求。越惟都會，方伯元侯。帝命侯伯，作鎮于越。帥東諸侯，銅符虎節。嵬嵬會稽，神禹所藏。世祚綿綿，以表東方。皇皇吳京，此維畿輔。右扶左翊，以寬東顧。惟越之民，今瘠不肥。維爾元侯，撫其瘡痍。維越之支，兵慮不備。維爾方伯，師干之試。翼翼元侯，其子我民。毋若秦人，匪戚匪欣。屹屹方伯，東方是保。治斯裘揭，亂亦瀾倒。勿敏為明，勿異為奇。庶士小子，敢告誦詩。

篆銘經籍

聖有謨訓，允啟爾性。敢拜手服膺，對揚休命。子子孫孫，勿替引之。

篆老母扇

奕奕桐陽，穆穆北堂。清風其長，既壽且昌。

銘扇

維元祀夏四月，帝命臣：篚賜爾清風，以播於爾躬，以毋愠於爾衷。敢拜手奉揚，其尚施于庶民，亦惟帝之功。

周平之印銘

后稷受氏，古公岐陽。至於文武，是興周邦。八百歷年，源深流長。以為國姓，作賓後王。子孫千億，永世其昌。

昔行父弟所得銅雀臺硯

嗚呼曹鬼，漢之浞、羿！曾是遺甓，猶為世所貴。匪貴爾物，蓋有感於廢興存亡之意。

紀顔自贊并引

景定辛酉之春，桐陽叔子肖其容而為之贊。贊之為言，佐也。佐爾弗及，非以自頌也。詞曰：

幼爾冥行，長爾及更。驟爾壯齡，樂爾純清。爾矯而輕，以重而敦。爾警而慵，以敏而勤。爾謹爾獨，以養以存。爾戒爾弱，以毅以弘。肅爾威儀，惟敬之門。視爾踐修，惟德之成。小子識之，毋忝爾所生。

默成文集序贊

默成之文，斬釘截鐵。朱子序之，河傾川決。沙隨名筆，詎論工拙。伏讀仰瞻，如火烈烈。字字言言，玉璜金玦。寶祐而降，公卿跋章。文斂鋒鍔，附中掩剛。風俗議論，駸駸刓方。匪公之節，豈邦之昌！嗟公聞孫，毋寧珍藏。方來日長，必或發揚。

深衣小傳

深衣三袪縫，齊倍要。「要縫半下」，「短毋見膚，長毋被土」。衽當旁，「續衽鉤邊」。「袼之高下，可以運肘。袂之長短反詘之，及肘」。衽尺二寸，「制：十有二幅，齊如權衡，負繩及踝。」「具父母、大父母，衣純以繢。具父母，衣純以青。如孤子，衣純以素。純袂，緣純邊，廣各寸半」。袷二寸。「帶，下毋厭髀，上毋厭脇，當無骨者」。天子素帶，朱裏，終辟，諸侯素帶，終辟，大夫素帶，垂辟，士練帶，率下辟，居士錦帶，弟子縞帶。并紐約用組三寸，長齊于帶。紳長制：士三尺，有司二尺有五寸。大夫大帶四寸。雜帶，君朱緑，大夫玄華，士緇辟二寸。再繚四寸。凡帶，有率無箴功。

傳曰：古者，深衣蓋有制度，以應規矩、繩、權衡。制：十有二幅，以應十有二月。袂圜，以應規。曲袷如矩，以應方。負繩及踝，以應直。下齊如權衡，以應平。故規者，行舉手以為容。負繩抱方者，以直其正也，方其義也。故《易》曰：「坤：六二之動，直以方也。」下齊如權衡者，以安志而平心也。五法以施，故聖人服之。故規矩取其無私，繩取其直，權衡取其平，故先王貴之。故可以為文，可以為武，可以擯相，可以治軍旅。完且弗費，善衣之次也。

深衣外傳[一]

深衣者，先生燕閒深居之服也。衣之朝者，謂之朝服；祭者，謂之祭衣；燕閒深居之服，則謂之深衣。古者，上衣、下裳以為服，而連衣、裳為深衣，完且便焉。故有虞氏以為燕衣，三代用之。周諸侯、大夫、士朝朝服而朝，而深衣以夕，庶人吉服之盛也。周衰禮廢，後世失之矣。深衣之復製，自温文正公始也。其復明也，自子朱子始也。其制用布。古者，深衣之布十有五升，則幅之縷凡千有三百。今無之，取其細者可也。度用指尺，稱人體也。體有短長，而指尺如之，自然之數也。不以指尺，則度不應數，長短不稱于體。指尺之法，各以其人左手中指。直取之，上下節文之間，以其中之長為寸之長。曲取之，屈其指，兩節文之端，度其中為寸，亦如之。積寸，十以為尺。衣全四幅，幅之廣凡尺有八寸。以布二幅，中屈之，不裁其腋。其前幅，領裙之邊餘二寸，下屬于裳。裳十有二幅，以布六幅交裂之，一殺而上，一殺而下。其端一廣、一狹為要，上屬于衣，而下廣為齊。衣全幅一，則裳狹幅之三屬焉。狹之度六寸。積十有二，則七尺有二寸。廣之度尺有二寸。積十有二，則丈四尺有四寸。此其大約也。然衣前有領，且前裾叠而後裾展，故裳之幅，前廣于後，則後狹于前，則不餘幅邊之直。合以為裂，則其直應繩，以裂之長為身之長。古者，上衣率二尺二寸，裳如其人，約餘四尺，故「短不見膚，長不被土」。袂屬于衣袷，「可以運肘」。袂之本，其徑二尺有二寸，今加之，可也。微廣而員殺以為袂之徑，尺有二寸，行舉手而應規。其長三尺有六寸，「則反詘之，及肘」。裳之兩旁，連屬縫之，前後之幅不殊，謂之「續衽」。右邊交而左，左邊交而右，左、右交鉤，謂之「鉤邊」。或曰：幅之邊交鉤縫之，則表裏如一也，謂之「鉤邊」。衣領之交其袷，如矩以抱方也。帶，下當髀則窘，上當脇則不袷。當要圍之，結于前，重繚而下垂之，為紳。紳者，言其屈而重之也。紳之長，齊其裳。用組五彩約帶之，結餘則垂之，長齊其紳。紳垂三尺，則組之長六尺有三寸。三寸以并組約，而垂各三尺，與紳齊焉。凡帶，古者，大夫四寸，士二寸，今皆博四寸。古者，士以下皆襌，而今夾縫之。古者，天子以素而朱裏，諸侯、大夫以素，士以練，居士以錦，弟子以縞，而今以白繒。其飾之也，古者，君朱緑，大夫玄華，士緇，而今之色視純，或飾以緇，古之士帶也。古者，天子、諸侯終裨之，大夫裨垂，士下裨。今有爵者通飾之，古諸侯之帶也。無爵者飾其紳，古大夫之帶也。其長，古者，士三尺，有司二尺有五寸。子游曰：「三分帶下，紳居二焉。」而今與裳齊。禮從宜，而有可以義起者也。其繩，具父母、大父母以繢，具父母以青。領表、裏皆二寸，袪邊齊，表裏皆一寸有半，今純以黑，色之便也，具慶加古純，可也。君子曰：取義之多乎？其餘深衣乎？衣之全也，以象天也。裳之博也，以象地也。袷之矩也，以正義也。袂之規也，以容仁也。背之純，以中直也。下齊之權衡，以行平也。故深衣者，規矩、準繩之服也。服其服，必思蹈其理焉。是以君子清純以律天，博厚以律地，仁義以法規矩，直其正以法繩，平其行以法權衡。故《詩》曰「服之無斁」，又曰「緇衣之宜兮」。《小雅》曰：「行歸于周，萬民所望。」此之謂也。（以上《仁山文集》卷二）

〔一〕題名中「深衣」二字據文意補。

亡兄桐陽仲子與瞻甫行狀

兄諱彌高，字與瞻，姓金氏，始出三衢之劉。十一世祖徙於婺之蘭谿，擇桐山之下居焉。世有隱德，以詩禮相傳。五世祖諱明偉，紹興初以耆行錫爵。族曾祖景文以孝行聞於朝，遂旌其鄉為「純孝」。曾祖諱天錫，早夭。曾祖妣唐氏，少寡，喜讀書，清苦守家，課子孫尤嚴切，詩書之緒遂以振。祖諱世臣。祖妣童氏，父夢先是為桐陽散翁母童氏。兄，蓋仲子也。兄生於紹定戊子十有一月甲戌，性淳慤仁厚。數歲就學，穎悟日進。先生、長者異之，命之聯詩，曰「勳業歸卿手」，即拱手而對曰：「詩書養我心。」聞者驚歎，以學識奇之。比長，學不暫輟。讀聖人之經，常欲體諸躬行之實。凡一舉動，輒引經為據而後為之，非止為口耳之資、詞藻之計而已也。兄於事親至孝，承顏養志，朝夕惟謹，無一節少懈。二親以是老逸宴歡。每得于人、遊于市，苟一物之甘脆，蘄以饋親，雖遠或飢渴，不以自嘗。及壯，家貧，子女之累且漸重。兄不牽於私，不以私財自有。究其所行，古所謂「一出言不敢忘親，一飲食不敢忘親」者，兄真以之。兄之事長，最為悌順，雖遇嚴急，亦能回其歡心。有事勤焉，雖勞不憚。教諸弟，自句讀至能文，其勤不倦。族姻之交，寧過於厚而無不及者。朋游以實相與，久而不狎。平居，終日未嘗見其愠厲之色，人視之，願者也。然義所當為，輒奮不顧俗。鄉黨聞其□家爭羅而致之。子弟從之學者，咸不嚴而化。兄之學，始務宏博。淳祐辛亥，遂縈微疾。爾後，一以理義之學，自涵泳程朱子之書不釋，於前加之。誦數精熟，編摩勤整，討論簡密，而文辭詳贍，所到日且益深。假令兄博交遠遊，則其學行當表表人耳目。顧厚積薄發，無一毫務外。為人之意，是真古之學者矣。寶祐丁巳之春感寒，自利醫復誤之腹，益急。中，醫復灼之。末，更醫，復下之，遂不起矣。嗚呼！傷哉！兄之病也，語言雅正，恐傷親之意，惟以溘先朝露為不孝，以學道未成為憂，且勉諸弟以學，而無一語及妻孥之私者。至病革，猶口誦《周易》、韓退之詩，頃之，誦曹太尉内宴應制之詩，語訖而逝，蓋是年四月三日也。世衰俗薄，忠信之資而能學者少，學焉而務實行者益尤少也。如兄兼之而壽命不長，享年三十。死之日，聞之者無少長、貴賤，莫不咨嗟涕洟者。傳曰：「州閭、鄉黨稱其孝，兄弟、親戚稱其慈，執友稱其仁，交遊稱其信。」斯言也，惟兄足以當之矣。兄娶唐氏。男一人，濟孫。女三人，皆幼。曰存者，後兄之歿二月而生。後五年，寶景定辛酉，始克卜。以十月己酉，葬於桐湖山之原。前期，散翁命二子曰：「嗚呼！仲子之孝與其學行之實，人皆信之。吾慮其無以傳於世，遂以湮淪。魯齋子王子，立言君子也。仲子將受業焉而没，不果。惟爾履祥及爾麟，獲供灑掃於門。其往請銘諸幽，庶斯子也死且不朽。夫表微闡幽為善者勸，君子之責也。夫子必樂書焉。爾往請之。」履祥謹序其實以請。謹狀。

代王姊夫祭亡考散翁文

嗚呼外舅！而止斯耶？天不可必，命莫之知。公生於世，六十有八。維鄉之瞻，維時之傑。公之儀形，渾然天成。和厚之氣，温其如春。終日之間，不形忿慍。見者心服。亹風斂衽。公之學問，超然流俗。聖經賢傳，諸子史録。取之如逢，誦之如流。隨叩而鳴，愈出而優。公之文章，時稱大手。前坡後潁，伯韓仲柳。几格之間，黄册不留。左右圖書，歷漢窺周。少始知學，嶄然異衆。命物成吟，遍書成誦。長遊庠序，譽傾一時。名公賢士，一見而奇。中更數奇，不偶場屋。晚益推分，斂付庭玉。迨其季年，學成行尊。後學師崇，前輩推稱。如何不淑，一病遷延。匪痛匪疴，而殁終天。嗚呼！人之不幸，時之無禄。鄉邦之思，矧為姻屬。夢説壻公，二十五年。靡事不謀，靡懷不宣。饋遺之交，靡月不逮。書問之馳，一日或再。愛教之意，不間始終。忿怒之辭，没齒不逢。今公之薨，泰山圮矣！予則疇依，言之涕矣！公神在天，公書在篋。追維疇昔，有淚浪浪。菲儀一奠，庶幾享之。上為公慟，下哭吾私。嗚呼哀哉！

代仲一諸姪祭其祖文

嗚呼！我有金氏，世家桐陽。積善一脈，源深流長。至公之身，典刑所係。自初有終，罔非善意。彼世之人，為富不仁。惟公不然，富以仁成。不貪而足，不吝而裕。不為壟斷，善人是富。彼世之人，富則必驕。公則不然，不改所操。不奢于度，不矜于人。不務于外，油然此心。惟公肫肫，不厲不怒；惟公融融，不躁不露。保此家世，值此户門。安我後裔，訓我子孫。藹然和氣，融然善意。賴公而存，雖亡不墜。嗚呼哀哉！在昔先聖，屢歎善人。古猶難見，矧惟兹今。幸有我翁，胡不百歲？一疾長終，三年夢寐。昔我諸孫，嬉嬉在庭。所聞謦欬，所瞻儀刑。今我諸孫，環侍庭止。不見音容，惟柩惟几。惟兹時良，靈神不留。祖道既馳，輀車悠悠。諸孫扳號，莫尼其軌。毋疾而驅，公神爰止。薄陳以奠，矢心以辭。公其少留，公毋遽馳。有酒斯馨，有殽斯潔。公亡如存，尚我肯啜。丹旐翩翩，有鬱姜原。嗚呼行矣，有涕漣漣。嗚呼哀哉！

同汪功父祭康保則文

嗚呼哀哉！元氣化生，所受不一。長短夭壽，何可致詰。人孰無死？所痛維殤；人孰無殤？所係或長。奕奕誠求，三世文獻。孰其承之？保則一綫。煢煢重𡿨，孑孑偏慈。孰其奉之？保則是依。昊天孔仁，哀此煢獨。存此一脈，庶幾有屬。既曰存只，曷又亡只？命之短矣，維其傷矣。維此文獻，曷其有績？維此重𡿨，曷其有托？言念崇墉，永思其終。孰不有歎，矧其朋從？維子王子，聿念厥義。于此外孫，欲玉汝器。俾我二人，更誦所𡿨。式習庶幾，克慰所承。去臘之窮，阽危一疾。今喜有瘳，𡿨來繹。翼翼孜孜，左右進趨。再夕不寧，而訣幽塗。嗚呼哀哉！斯意孤矣，斯人已矣！興言思之，涕其隕矣！梓溪之源，有崇斯阡。從爾皇考，行矣罔憾。追念遊從，始終三載。緘詞一奠，愧弗躬酹。夭壽不貳，生死一原。尚其知之，維以永安。嗚呼哀哉！

全元文卷二八三

金履祥 三

祭王立齋先生文

宋咸淳三年十月十七日

維咸淳三年十月甲寅朔越十七日，後學金履祥謹以清酌、時羞之奠，敢昭告於有宋善士立齋先生王公之靈曰：

嗚呼！大學重關，誠意為要。過此則人，不然則盗。允惟吾邦，濟濟宗師。公在其間，是友是資。純直不疵，其生也性。誠實剛方，伊學之正。少始就傅，博覽羣書。如誦己言，如駕輕車。長為文章，高邁流俗。不屑舉子，亦遜世禄。温潤古雅，詩人之風。非楚而楚，詞韻春容。間為詩歌，驅馳晉、魏。詣理之言，《騷》、《選》所媿。自處以介，忠為人謀。父兄朋友，交挾以遊。在庭在外，吴越、荆楚。南閩、北江，慨今吊古。自得無欲，故能嚣嚣。抑豈好游？家國之憂。昔在淵明，宰輔之世。雖仕不顯，始終無貳。公之家世，與國同休。苟利社稷，豈間顯幽。遨遊其間，議論所及。忠君利名，濟時之急。

既盡其實，則避其名。實則在己，名則在人。凡此所述，文學德操。皆公之脣，人已難到。惟其此心，不愧屋漏。隱所獨為，顯可人告。言行相顧，表裏無殊。心廣體胖，誠意之符。聖賢此閫，亦既越止。天假之年，尚究極只。云胡一疾，荏苒三年？右緩左弱，不廢討研。一朝不寧，至此不淑。道日已孤，人如可贖。我實企焉，遍參儒宗。既友公子，是獲遊從。深衣朝行，擁衾夜語。不倦不疑，靡懷不吐。受用之要，心事之微。凡所見聞，悉以語之。善則與之，不善拒之。於諸公間，亦或譽之。顧我何人，而能得此？今公之終，何日忘止！賦竹之原，思泉在東。公其奚憾，一誠始終。前輩䇲䇲，後學貿貿。侑奠以辭，匪私是悼。嗚呼哀哉！尚饗！

為兄祭妹文

宋咸淳三年十月六日

維咸淳三年，歲次丁卯，十月甲寅朔越六日己未，兄夢章謹以肴羞，致祭於亡妹八乙姐安人之柩：

嗚呼哀哉！吾母九子，存者二人。惟我與妹，相依終身。母踰八秩，我過六旬。妹乃先亡，棄母與兄。初妹之少，擇配京英。謂得所歸，謂足且榮。中更歲年，歷幾紛紜。百我險艱，妹亦辛勤。琴瑟方調，沉痾遽生。一病終星，一朝訃聞。於今四年，窀穸未寧。反葬母家，首丘之仁。廟後之原，幽宮既營。吉涓詰旦，舉此丹旌。有子在遠，有夫不臨。孰臨其穴，有女與兄。既固既吉，依我天親。靈辰不留，祖奠既陳。行矣永歸，老淚酸辛。嗚呼哀哉！尚饗！

祭縣學土地文

維年月日，邑士金某謹以酒肴，致祭於縣學土地之神。比鄉邦、寓公、大夫士考據圖籍，謂吾先世純孝八行金公以孝義為乾、淳名賢，聞於朝廷，表其鄉里。是宜有祠於鄉邑之學。縣侯是之，俾履祥主營祠、作主之事。將以吉辰奉安，謹先以酒肴祇告於爾神：俾我純孝公之靈妥於學宮，則惟爾神實陰相之。尚饗！

祭何南坡文　宋咸淳五年二月十一日

維咸淳五年，歲次己巳，二月丁丑朔越十有一日丁亥，後學金履祥偕張必大童，偕金麟、余澤童俱等，謹以清酌庶羞之奠，昭告於漕元居士南坡何公之靈：

嗚呼！考亭洙泗，勉齋曾顏。公與叔子，俱親其傳。始侍宦遊，臨川之滸。父師同寅，伯仲步武。終焉退老，盤溪之濱。頎頎兩公，翼翼典刑。勉齋遺言，被於後進。實公始傳，叔子訂定。公舉計臺，卒隱丘林。叔子特詔，亦辭執經。叔子云亡，公乃慟悶。曾是信宿，相繼而殞。孰無兄弟？惟公怡怡。

孰無生死？惟公同歸。師學匪殊，塤箎一律。清風不孤，夷齊雙骨。莪莪北山，道脈攸傳。有公之兄，允為二難。我登師門，竝獲趨拜。教語温良，重重燕衎。昔登公門，乃玉乃金。今登公堂，有聯銘旌。令德壽終，於公奚憾？儀刑俱隔，兹之永歎！奉醴以奠，寫哀以詞。不亡者存，其尚監兹。嗚呼哀哉！尚饗！

祭北山先生文

維咸淳五年，歲次己巳，二月丁丑朔越十有一日丁亥，門人金履祥偕張必大、金麟童，偕余澤童俱等，謹以清酌庶羞之奠，敢昭告於先師北山先生故國史殿講觀使何公之靈：

嗚呼！先生學問得聖賢之傳授，存歿關世道之隆污。是惟知德者足以知此，而或者將謂吾言之為迂。夫自堯舜以至孔、曾、思、孟，又千五六百年而後有程朱。前者曰以是傳之，後者曰得其傳焉。不知所傳者何事歟？蓋一理散於事物之間，皆真實而非虛。事事物物，莫不各有自然之處。此所謂萬殊而一本，一本而萬殊。先生蓋灼見乎此，故廣探精擇以求，而篤信恪守以居。達於取舍出處之義，而粹於踐履之實、存養之腴。間嘗指此以示門人也，此其傳授之符乎？然自朱子之夢奠，以及勉齋之既徂，口傳指授者或浸差其精藴，好名假實者又務外以多誣。惟先生訂師言以發揮，剔衆説之繁蕪，以為朱子之言備矣，學之者惟真實之心地與刻苦之工夫。能此者雖不及吾門可也，又何有開門而受徒？衆方決性命以干進，世滔滔皆利欲之途。然而廣厦細旃之召先生猶不受也，而況爵禄之區區！蓋闖其教者有以知為學之非外，而闖其風者足以廉天下之貪愚。此先生之有關於世道也，何一朝而已夫！昔先生之憂世，每懇切以嗟吁。惟老病於山林，與斯世其若疎。隱然玉府之有重寶，巋然隆冬之有後枯。今也先生之終，甚矣吾道之衰矣！竟世道以何如？雖朋從之有傳，奈晨星其益孤？嗚呼哀哉！履祥等獲供灑掃之役，迭陪丈席之隅。意謙謙其和可即，語欵欵其盡無餘。顧資識之弗强，又探討之弗劬。蓋悠悠然恃有先生在耳，今一朝而奪之，始咨嗟痛哭，悔前日求教之疎。抑恰好之妙旨與真實刻苦之訓謨，言猶在耳，其敢忘諸？惟玩索而不舍，益服行以弗渝。尚有以繼先生之志，讀朱子之書。分經帶以皇皇，瀝雞絮以渠渠。惟昭明之未遐，猶愀然其鑒予。嗚呼哀哉！尚饗！

奠王敬巖文

宋咸淳五年七月二十日

維咸淳五年，歲次己巳，七月乙巳朔越二十日甲子，里學生金某謹以香燭湯茶之奠，昭告於宋故都運觀使敷文卿侍敬巖先生王公之靈曰：

昔在孝宗，相維魯公。于時朱子，亦在外庸。書疏所通，直辭正誼。譬諸《春秋》，責賢者備。世莫此知，曰盾曰矛。數十年來，公議悠悠。惟敬巖公，秉資超卓。魯公之孫，朱子之學。兩公之門，於是始通。兩公之心，至此昭融。公在薦紳，力行所學。凛凛直清，蹇蹇諤諤。越在外服，麾節煌煌。所至政聲，明敏剛方。嚴陵之政，士信民服。江東之政，家戸户祝。終其愈偉，不畏於强。匪狐匪鼠，孰敢予抗？風波畏途，天日有赫。詔公辭行，佚公祠秩。風木未盡，壑舟已移。如何不淑，而止於斯？今兹之年，名賢多墜。豈歲龍蛇？抑邦殄瘁？我從魯齋，遂交思成。寔推寔引，以登公門。一見而異，再見而器。屢見益奇，誨語諄至。公寔知我，我豈敢求！匪勢匪利，淡以綢繆。中更糾紛，遂疎左右。豈不懷公？畏我罪疚。今公之薨，永隔儀刑。感公之知，懷不能瘖。哭公以辭，匪有雞絮。哭公匪私，亦世之故。嗚呼哀哉！尚饗！

再奠北山先生文

宋咸淳五年十一月二十六日

維咸淳五年，歲次己巳，十有一月朔越二十有六日，門人金履祥謹以清酌庶羞，致祖道之奠，昭告於先師北山先生子何子曰：

嗚呼先生，道德之隆！孰能形容？已有魯翁。昔我侑奠，能言一二。今此祖行，祇言微意。念昔多岐，中心漾漾。既得魯翁，指我宗師。甲寅季秋，時始受學。截斷為人，一語夢覺。謂古聖賢，一敬畏心。曾子終身，臨淵履冰。然所敬畏，匪拘匪慑。常以為重，則罔或越。謂凡事物，用各不同。曷云萬殊，一理所通。蓋凡事物，有恰好處。萬殊一本，惟此之故。謂昔程子，上蔡初來。曰此可望，展拓得開。予亦謂子，於此可進。難乎有常，戒爾所病。出入師門，餘十五年。受教宏多，媿負師言。間闕悠悠，緒業未卒。今喪夫子，嗟悔何及！比歲卜居，求義所安。先生曰然，大書仁山。先生既歿，我始成室。揭揭庭顔，依依典則。北山之南，先生所盤。南山之北，先生所寧。伏哭柩前，訣此一奠。哀我斯文，曷以報稱？尋恰好處，存敬畏心。終期展拓，不辱師門。嗚呼哀哉！尚饗！

祭魯齋先生文

宋咸淳十年十一月十日

維咸淳十年，歲在甲戌，十一月癸酉朔越十日壬午，門人金履祥謹以清酌庶羞之奠，昭告於先師魯齋先生堂長聘君王公之靈曰：

文運重明，鼎盛乾淳。集厥大成，越維考亭。考亭之亡，道散四方。黿峰之傳，北山之陽。猗歟先生，世際淵源。考亭上游，一二徧參。卒於北山，師資就正。有的其傳，立志居敬。方其少年，英邁無前。議取秦關，俯視中原。及既聞道，悉斂豪英。克己亦顔，弘毅似曾。攻堅鈎深，高視旁通。即事即物，無理不窮。論定諸經，決訛放淫。辯析羣言，折衷聖人。究其分殊，萬變俱融。會諸理一，天然有中。見其全體，靡所不具。庶其大用，隨其舉措。表裏輝映，動止準繩。山立時行，肅然襲人。日晶霜潔，玉栗金精。内明外齋，閨門朝廷。遇事理棼，神運權枰。如有用我，風飛雷興。出其緒餘，施諸造成。臯比所至，鳶魚高深。孰謂斯人，而不用世。晚益油然，行藏無意。廟堂羣賢，明揚薦聞。元祐訪洛，伊川弓旌。如何昊天，不相斯文？如何先生，乃夢奠楹？隱居求志，行義達道。有如先生，乃隱弗耀。嗚呼哀哉！履祥登門，今二十春。轉迷起弱，弘徧矯輕。進之北山，館我歲寒。施及其徒，鱗差朋升。昔我大故，貧不克葬。先生賙之，復視其壙。引義返止，師訓有嚴。始拘謬愆，卒踐師言。涵養拓充，雖未克稱。環堵營蔬，罔敢越隕。勉我力學，以大發揮。方其卒業，遠遊來歸。時夏請益，至已微疾。為我坐言，不踰其則。謂喜介寧，竟丗淵冰。哀我茲今，有問無徵。我思儀刑，儼其如在。豈丗先生，而容有改！九二剛中，而不見龍。我懷先生，亦哀道窮。斯文不磨，先生不亡。侑奠以辭，監我哀恫。嗚呼哀哉！尚饗！

又率諸生祭文　宋咸淳十年十一月十日

維咸淳十年，歲次甲戌，十一月癸酉朔越十日壬午，門人金履祥等謹以清酌庶羞之儀，敬祖奠於先師魯齋先生王公之靈曰：

嗚呼先生！天其以殿斯文之傳也歟？而我抑有感於世道之變也。蓋其稟剛大之氣、高明之資，固一世之偉人，寧百年之幾見也？方其抱膝長嘯，熟窺天下之大勢、南北之治亂，議將因蜀取秦，以俯拾中原，如見建瓴之便也。惜也，而不獲用於賽、紹、端平之旦也。及其中年，斂邁世之豪，慕曾子之貫，窮格事物，會一於萬，勇詣旁通，鉅細無間。意其經世綜物，必雷行而日煥也。迨其晚年，德成而義精，養至而仁慣，不動聲色，而措諸事業，有潛移而默轉者；然慨其憂世之心，已不勝悠然樂天之分矣。雖譽望之日高與羣公之交薦，於先生了無與焉。獨可憐夫信者之尼與忌者之訕也。肆今天子之訪落，視見大夫而若憾。方疇咨於公府，起先生以講勸，而不知其倏然長往，已不疾而夢奠也。嗚呼！望其人如泰山之巖巖，如秋霜烈日，不可狎玩也。讀其書如日月之為光、雷霆之為威，如霜風之為勁也。孰謂天地之至寶，而終藏深山大澤之畔也？吁！此吾所以深嗟痛哭，而有感於世道之變也歟？然自朱黄之日遐，屬□其浸遠。歸靈光之獨存，耿神杓其明峻。天若以為斯文之殿矣，何一朝而遽殞耶？噫！是殆未可以近論也。蓋自儒先猶有未竟之言，而近年浸有不一之見。先生執明睿之高標，以義理而剛斷，開《圖》、《書》之妙機，辯《風》、《雅》之淫攙，折羣言之糾紛，分諸書之經傳，信大業之規模，駭里耳之閧聽。聖賢復起，不易吾言，又安知其非天之所建也？嗚呼，遠矣！始自履祥之登門，繼率朋從而旅見。涵古歲寒之清幽，耳濡目浹之觀感。蓋均蒙追琢之盛心，亦俱恨卒業之猶晚也。今也，先生不可復見矣！曾歲月之幾何，又靈車之將塴也。玆諸生之畢來，敬祖庭以侑奠。非敢獨哭其私，而於世道斯文，為是痛哭而永歎也。悠悠斯世，知德者鮮矣！惟神魄之陟降，尚回翔其一監也。

嗚呼哀哉！尚饗！

奉焚黄告魯齋文

宋德祐元年七月十日

維德祐元年，七月庚午朔越十日戊子，門人金履祥等，敢昭告於先師魯齋先生特贈承事王公之靈：朝廷以外患孔棘，叛降接踵，棄君親而遁者，雖宰執、侍從，自負崛强，或不免焉。是爲正學之故，思得先生剛明正大之賢，挽回世道而不可復作。是用追贈京秩，以寓求賢不及之意，使聞風者莫不興起也。節惠異數，次第舉矣。諸公以履祥逮事先生，俾奉燎黄，致告几筵。先生不亡，其體朝廷所爲表章風勵之意，尚歆受之。謹告。

告魯齋先生謚文

維歲次己丑，十月辛亥，門人金履祥等，敢昭告於故贈承事魯齋先生文憲王公：竊惟先王之制，生有爵以攄其德，没有謚以表其行。是皆命於天子，而太史定其賜，小史讀其誄。幼而不得誄，長賤而不得誄，貴諸侯不得私相爲謚。至春秋之世，則國自謚矣，然卿大夫之謚，猶命於其國之君。若夫生不能用，死而誄之，子貢猶譏其非禮。下至漢、晉、隋、唐，德或不見用，爵或不稱德。於是清議在下，而朋友、門人始私誄其師。若陳文範、陶靖節、王文中、孟貞曜之倫是也。横渠子張子之喪，關中學者欲以「明誠中子」謚之，而温公以爲非古。然則上遵朝廷已定之命，而下伸門人清議之公，此豈非古今之通義而禮意之兼得者乎？伏惟先生，禀高明剛大之操，窮格致服行之學。真傳的緒，高視旁通。其風力宏撫，足以濟世綜物，其著述規爲，足以解紛立度。雖道在經綸，而遠厭進取；雖名播縉紳，而安老陋巷。咸淳癸酉，侍從有列薦之章。迨至甲戌，先朝有特招之義。先生固未必起也，而適不幸以卒。

朝廷惜之。於是，國子祭酒楊公文仲等列請於朝，乞謚北山何先生，追贈先生，仍乞一體賜謚。公朝敷奏，特贈承事郎，仍同賜謚。事下太常，以一德一心、踐行不爽，謚北山曰「定」；以廣聞多能、行善可紀，謚先生曰「憲」。事上，得可。已劄付其家照應矣。然北山有累命之爵，故謚告即下。先生没有始贈之命，故告贈先下。又以一字之謚乃七先生節一之例，而文公師生，上自羅、李，下迨黄、陳，例從二字，上悉連文，所以明一原，盡衆美也，故再加北山曰「文定」，已形告詞：亦再加先生曰「文憲」。將頒後命，而弊告日急，大勢阽危，禮文之事未遑，變故之來已極。自爾以後十餘年，故舊凋零，生徒散佚。大懼履祥等一旦淪胥，上未能竟先朝之再命，下無以表清議之同尊，鬱而弗彰，無補世道。夫以先生盛德，追崇之禮，異世同符，固非有待。然近代門人私謚其師，初非有待於請也，況有前朝之遺命乎？謹依省劄謚「憲」之明文，述朝旨加「文」之餘意，敬謚先生曰「文憲」。改題墓道之碑，式昭崇德，允終節惠。興起方來，永永無斁。惟先生之神尚歆受之。敢告。

祭葉養志祖母文

維丁酉之歲，季冬己未朔，前聘士金履祥遣人以雞絮之奠，昭祭於賢惠南陽葉夫人唐氏之靈，告之曰：

若稽安定，搜揚令淑。上繼彤管，為賢惠録。寅惟夫人，賦性淳穆。克孝於親，作嬪名族。相其夫君，内和外肅。訓教諸子，義方庠塾。中更事故，轉徙迍邅。特夫以義，收死贖遷。挈從子女，既反既閑。有教有歸，各保其天。粤自婺憂，再歷艱難。儉以足用，奉祀周旋。卒全其家，三世名範。諸孤森森，力學修踐。施及外氏，存亡續斷。迨兹令終，終始無玷。考卜祔隧，塋兆無遠。諸孤謂予，昔其蓋篆。載惟諸孤，從三十春。往來名門，懿範熟聞。慈順曰惠，貞良曰賢。慎考前録，敬表幽阡。昔曰賢惠，誰云不然？忍聞詰朝，丹旐有翩。逝將勸防，虞祔而還。疾病纏縈，風雪繽紛。緘詞一奠，用表微忱。嗚呼哀哉！尚饗！

縣學立純孝公祠子孫奉安祝文

宋咸淳四年十一月九日

維咸淳四年，歲次戊辰，十有一月戊申朔越九日丙辰，曾孫夢章偕孝德、孝修、理、履祥、麟、椿、攀龍、會龍、登、子文、友端等，敢昭告於顯曾祖考純孝先生八行金公九府君：

惟公誠孝純篤，感通神明。德行昭著，聲聞朝廷。帝用嘉之，存恤有旨。賢牧對揚，表厥宅里。名之純孝，以華其德。今九十年，流風日長。鄉寓之公，大夫君子。考據圖經，謂宜通祀。翼翼蘭侯，是采是咨。謂爾子孫，來幹崇祠。鄮珉作主，侯表其額。其傳孰書？何子所筆。頎頎祠祏，表表名跡。維日迎長，立於學宫。有來瞻者，肅然興起。惟孝惟忠，人心天理。曾孫奉奠，以妥先靈。惟公之神，其尚監臨之。尚饗！（以上《仁山文集》卷四　以上張文澍校點）